FRENCH POETRY
OF THE NINETEENTH
CENTURY

FRENCH POETRY
OF THE NINETEENTH
CENTURY

SELECTED AND EDITED, WITH INTRODUCTIONS AND
CRITICAL NOTES BY

Elliott M. Grant

Second Edition

THE MACMILLAN COMPANY
A DIVISION OF THE CROWELL-COLLIER PUBLISHER COMPANY

First Printing

Library of Congress catalog card number: 62-14952

The Macmillan Company, New York
Brett-Macmillan Ltd., Galt, Ontario

Printed in the United States of America

TO THE MEMORY

OF

CHARLES HALL GRANDGENT

J. D. M. FORD

AND

ANDRÉ MORIZE

PREFACE TO THE FIRST EDITION

In preparing the present anthology of nineteenth century French poetry I have had two main purposes in mind: to choose the most beautiful and the most significant texts, and to indicate not only the evolution of individual poets but also the evolution of poetry throughout the century. In other words, I have sought to prepare a book which can be used not only in so-called survey courses, but also in more advanced and specialized courses. I have also tried to present this poetry in the light of the best modern scholarship, and I have, therefore, freely utilized the work of Lanson, Berret, Estève, Martino, Vianey, Levaillant, Ibrovac, and others.

The notes may seem to some teachers unusually and even excessively full. My purpose has been to provide students with all the facts and leave to them the task of interpretation discussion, and appreciation. I have translated many words so that too much time need not be wasted in the class-room on the literal rendering of the text. To aid students in preparing their work I have also included questions on the text which might serve as a point of departure.

Poems generally have been given in full. In fact, rather than cut the text certain poems have been entirely eliminated. Such sacrifices are inevitable in any anthology unless one is going to fall into the abomination of printing only extracts from poems. The few excisions made in poems included in this volume are indicated in every case.

The bibliographies are by no means exhaustive. They are frankly selective. But I have tried to include as many recent works—not listed in easily available general bibliographies—as I reasonably could. Inclusion does not necessarily mean complete approval.

There remains the pleasant task of thanking Professor André Morize, the general editor of this series, for much valuable criticism.   I am also indebted to the French publishers, the Mercure de France and the Éditions de la *Nouvelle Revue française* for permission to print texts of Rimbaud and Mallarmé.

E. M. G.

NORTHAMPTON, MASSACHUSETTS
October, 1932

PREFACE TO THE SECOND EDITION

The aim of the Second Edition is essentially to point more clearly toward the twentieth century.   For this purpose, the number of poems by Sully Prudhomme and Hérédia has been reduced, not because these men are less admirable as poets than formerly, but because they did not pave the way particularly for the advent of symbolism and later poetic developments.   On the other hand, additions have been made to the chapters on Baudelaire, Mallarmé, and Rimbaud, precisely because they did contribute much of importance to the poetry of the following age.   A new chapter on Jules Laforgue has been added for the same reason.   The method of presentation used throughout the First Edition has been retained.

The reception accorded the First Edition has been extremely gratifying, and I can only hope that the present edition will prove equally satisfactory.

E. M. G.

LYME, NEW HAMPSHIRE

TABLE OF CONTENTS

	PAGE
INTRODUCTION.	1
Notes on French Versification	7

THE ROMANTIC POETS

MARCELINE DESBORDES-VALMORE.	17
Élégie.	19
Le Rendez-vous	20
La Séparation	21
Qu'en avez-vous fait?	22
Les Roses de Saadi	24
La Couronne effeuillée	24
ALPHONSE DE LAMARTINE	26
Méditations poétiques.	28
L'Isolement	28
Le Vallon.	31
Le Lac	34
Nouvelles Méditations poétiques.	37
Le Crucifix	37
Harmonies poétiques et religieuses	41
Hymne du matin	42
L'Occident	50
Jocelyn.	52
Les Laboureurs	53
La Chute d'un ange	63
Chœur des cèdres du Liban	64
Recueillements poétiques	70
A M. Félix Guillemardet sur sa maladie	70
Poésies diverses	73
La Marseillaise de la paix	73
ALFRED DE VIGNY	80
Poèmes antiques et modernes.	82
Moïse.	82
Le Cor	88
Les Destinées	92
La Maison du Berger	92

PAGE

La Colère de Samson 105
La Mort du Loup 111
Le Mont des Oliviers 115
La Bouteille à la mer 122

SAINTE-BEUVE. 132
Vie, poésies et pensées de Joseph Delorme 133
A la rime. 134
Les Rayons jaunes 138
Promenade 142
Sonnet 144

VICTOR HUGO (I. Before 1850) 146
Odes et Ballades 148
Les Funérailles de Louis XVIII 150
Les Orientales 154
L'Enfant 156
Les Djinns 158
Lui 162
Les Feuilles d'automne 166
Ce qu'on entend sur la montagne. 167
Lorsque l'enfant paraît 170
Soleils couchants. 172
Les Chants du crépuscule 175
Hymne 176
A Mademoiselle Louise B.—Que nous avons le doute
en nous. 178
Les Voix intérieures 180
A Ol 181
La Vache. 182
Les Rayons et les Ombres 183
Tristesse d'Olympio. 184
Oceano Nox 191

ALFRED DE MUSSET 194
Premières poésies 196
L'Étoile du soir 197
A Juana 198
Poésies nouvelles 200
La Nuit de mai 201
La Nuit de décembre 209
La Nuit d'août 216
La Nuit d'octobre 222

PAGE

Tristesse 233
Souvenir 233

FROM ROMANTICISM TO «LE PARNASSE»

THÉOPHILE GAUTIER. 248
Poésies 249
La Basilique 250
Albertus 252
La Maison de la sorcière 253
España 256
In deserto 256
A Zurburan 258
Émaux et Camées 262
Symphonie en blanc majeur 262
Cœrulei oculi 265
L'Art 268

LECONTE DE LISLE 271
Poèmes antiques 273
Bhagavat 274
La Mort de Valmiki 277
Hypatie 280
La Robe du Centaure 283
Vénus de Milo 285
Midi 287
Poèmes barbares 288
Le Cœur de Hialmar 289
Les Elfes 291
La Vérandah 293
Les Hurleurs 295
Les Éléphants 297
Le Sommeil du condor 298
Les Montreurs 300
Le Soir d'une bataille 301
Le Vent froid de la nuit 302
Poèmes tragiques 303
L'Illusion suprême 304
Sacra fames 307
L'Albatros 309

VICTOR HUGO (II. After 1850) 311
Châtiments 313

PAGE

Souvenir de la nuit du quatre 314
L'Expiation 316
Les Contemplations 331
Aux arbres 332
A Villequier 333
Cadaver 340
La Légende des siècles 342
Booz endormi 343
Le Mariage de Roland 347
Le Satyre. III. «Le Sombre» 353
Plein Ciel 360
Les Chansons des rues et des bois 370
Saison des semailles. Le soir 370
L'Art d'être grand-père 371
Le Pot cassé 372

GÉRARD DE NERVAL 374
Fantaisie 375
Les Cydalises 376
Les Chimères 377
El Desdichado 377
Myrtho 379

CHARLES BAUDELAIRE 380
Les Fleurs du Mal 382
Préface 384
L'Albatros 386
Élévation 387
Correspondances 388
Don Juan aux enfers 389
La Beauté 391
La Chevelure 391
Harmonie du soir 393
Le Flacon 394
L'Invitation au voyage 396
La Cloche fêlée 398
Spleen (J'ai plus de souvenirs que si j'avais mille ans) . 399
Spleen (Quand le ciel bas et lourd pèse comme un
couvercle) 400
Recueillement 401
L'Héautontimorouménos 403
Un voyage à Cythère 404
Le Reniement de Saint Pierre 407

[handwritten annotation next to "Harmonie du soir": comme "Soleils Couchants" de Verlaine]

PAGE

La Mort des pauvres 409
Le Voyage 410
Le Coucher du soleil romantique 416
Le Spleen de Paris 417
Enivrez-vous 417

SULLY PRUDHOMME 419
Le Vase brisé 420
Une Damnée 421

JOSÉ-MARIA DE HEREDIA 422
Les Trophées 423
L'Oubli 424
Fuite de centaures 425
Pan 426
Persée et Andromède 428
Andromède au monstre 428
Persée et Andromède 428
Le Ravissement d'Andromède 429
La Trebbia 430
Antoine et Cléopâtre 431
Le Cydnus 431
Soir de bataille 432
Antoine et Cléopâtre 432
Vitrail 434
Les Conquérants 435
Le Récif de corail 436
Sur un marbre brisé 437
Romancero 438
Le Serrement de mains 439

TOWARD SYMBOLISM

PAUL VERLAINE 448
Poèmes saturniens 450
Vœu 451
Nuit du Walpurgis classique 452
Chanson d'automne 454
Le Rossignol 455
Les Fêtes galantes 455
Clair de lune 456
Mandoline 457
En sourdine 458

PAGE

La Bonne Chanson 459
    Une Sainte en son auréole 459
    Le foyer, la lueur étroite de la lampe 460
Romances sans paroles 460
    Ariettes oubliées 461
    Green 463
Sagesse 464
    Mon Dieu m'a dit 465
    Le ciel est, par-dessus le toit 467
    Le son du cor 468
Jadis et Naguère 469
    Sonnet boiteux 469
    Art poétique 470

MALLARMÉ 473
    Brise marine 474
    L'Après-midi d'un faune 475
    Éventail de Mademoiselle Mallarmé 479
    Sonnet (Le vierge, le vivace et le bel aujourd'hui) . . 480
    Le Tombeau d'Edgar Poe 481

RIMBAUD 482
    Sensation 484
    Le Dormeur du val 485
    Le Bateau ivre 486
    Voyelles 491
    Larme 493
    Angoisse 493

LAFORGUE 495
Les Complaintes 496
    Complainte de cette bonne lune 497
    Complainte de l'oubli des morts 498
Derniers vers 500
    Simple agonie 501

SUPPLEMENTARY BIBLIOGRAPHY 505

ABBREVIATIONS

R.C.C. = *Revue des cours et conférences*
R.D.M. = *Revue des Deux Mondes*
R.H.L. = *Revue d'histoire littéraire de la France*
R.L.C. = *Revue de littérature comparée*

FRENCH POETRY
OF THE NINETEENTH
CENTURY

INTRODUCTION

A search for the origins of lyric poetry in France would lead to that astonishing genius of the fifteenth century, François Villon, and beyond him, to the twelfth century poets of northern and southern France. It is, perhaps, sufficient here to go no farther back than the Renaissance and to speak briefly of the work of Pierre de Ronsard and the Pléiade. This group created a beautiful poetry, impregnated with the spirit of classical antiquity, replete with details taken from classical mythology, yet rich in personal emotion inspired by the spectacle of nature, by love, death, the inexorable flight of time, lyric themes developed in melodious lines that haunt one's memory. They gave the sonnet a vogue in France which it richly deserved, and while they experimented with all types of poetic lines they made the alexandrine so popular that since the sixteenth century it has seemed to play the rôle in French poetry which the Iambic Pentameter has played in English.

The seventeenth century, under the leadership of Malherbe, suppressed the lyricism of the Pléiade, made rigid rules for versification, and with the exception of a few independent souls like Théophile de Viau and Jean de La Fontaine, effectively killed all lyric poetry for two centuries. The great poetic talent of this classical age must be sought in the dramatic masterpieces of Corneille, Molière, and Racine.

During the eighteenth century poetry fell to a very low level of achievement. Voltaire may have been thought by some of

1

his contemporaries a great poet, but posterity has had no illusions about that side of his genius. Nor has posterity been
in doubt concerning Voltaire's rivals and successors in the
poetic domain. The uninspiring odes of Jean-Baptiste Rousseau,
the didacticism and everlasting periphrases of Delille, the feeble
sentimentalism of Parny and Bertin are the worse than mediocre
productions of this rationalistic period. The Revolution and
the Empire did not, on the whole, improve this situation. The
grand but frigid odes of Lebrun, who dubbed himself Lebrun-
Pindare, and the ballads and elegiac poems of Charles Millevoye
were but little superior to the compositions of their immediate
predecessors.

Only one real poet was fashioned by this revolutionary century. André Chénier, executed during the last days of the
Terror, left manuscripts of great importance. Whether he was
a classicist or a precursor of Romanticism is a much debated
question. In any case, there can be no doubt of the quality
of his work. He created once again true poetic feeling, and he
displayed a freedom in his versification that was not in accordance with the strictest tenets of Malherbe and Boileau. His
contribution can best be judged by a specific example. The following is his most famous poem:

LA JEUNE TARENTINE

Pleurez, doux alcyons! ô vous, oiseaux sacrés,
Oiseaux chers à Téthys, doux alcyons, pleurez!

Elle a vécu, Myrto, la jeune Tarentine!
Un vaisseau la portait aux bords de Camarine:
Là, l'hymen, les chansons, les flûtes, lentement
Devaient la reconduire au seuil de son amant.
Une clef vigilante a, pour cette journée,
Dans le cèdre enfermé sa robe d'hyménée,
Et l'or dont au festin ses bras seront parés,
Et pour ses blonds cheveux les parfums préparés.
Mais, seule sur la proue, invoquant les étoiles,
Le vent impétueux qui soufflait dans les voiles
L'enveloppe: étonnée et loin des matelots,
Elle crie, elle tombe, elle est au sein des flots.

Elle est au sein des flots, la jeune Tarentine!
Son beau corps a roulé sous la vague marine.
Téthys, les yeux en pleurs, dans le creux d'un rocher,
Aux monstres dévorants eut soin de le cacher.
Par ses ordres bientôt les belles Néréides
L'élèvent au-dessus des demeures humides,
Le portent au rivage, et dans ce monument
L'ont au cap du Zéphir déposé mollement;
Puis de loin, à grands cris appelant leurs compagnes,
Et les nymphes des bois, des sources, des montagnes,
Toutes, frappant leur sein et traînant un long deuil,
Répétèrent, hélas! autour de son cercueil:

«Hélas! chez ton amant tu n'es point ramenée,
Tu n'as point revêtu ta robe d'hyménée,
L'or autour de tes bras n'a point serré de nœuds,
Les doux parfums n'ont point coulé sur tes cheveux.»

This poem, together with most of Chénier's work, was not published till long after his death.

In spite of the general mediocrity of poetry during the age of Voltaire, the eighteenth century witnessed a reaction against the rationalism of the Encyclopedists. Jean-Jacques Rousseau in *La Nouvelle Héloïse* brought back into French literature appreciation of nature and predominance of passion. In his *Émile* he reintroduced true religious emotion which had wilted while Montesquieu, Voltaire, and others had been undermining orthodox faith. In his *Confessions* he emphasized the importance of the individual ego. These lyric themes were treated in eloquent, beautiful prose which the public found as moving as it had found Voltaire's limpid style persuasive.

These accomplishments of Jean-Jacques were carried on and extended by his disciple Bernardin de Saint-Pierre. To Rousseau's emotional style he added a richness of color hitherto practically unknown in French literature. The descriptions of exotic nature in *Paul et Virginie* are as important as the sentimental idyll that charmed its readers.

Foreign influences played a part in this reaction. The novels of Richardson, the poetry of Young and Thomson, the *Poems of Ossian*, the tragedies of Shakspere, Goethe's *Werther*, and

Schiller's dramas were all translated and were all popular during the second half of the eighteenth century.

The Revolution climaxed both the literary and social movement. It overthrew a political despotism and broke a long classical tradition; if men were freed from the shackles of the Ancien Régime, they were none the less liberated from the tyranny of Malherbe and Boileau. More accurately, perhaps, such a change was made possible, for not during the Revolution itself did any new literature of real merit flourish.

At the threshold of the nineteenth century two significant writers appear. Chateaubriand depicted the primeval forest in *Atala* with a wealth of color superior even to that of *Paul et Virginie*. In *René* he exalted the individual ego and created a melancholy hero who was destined to have a large progeny. In *Le Génie du christianisme* he sought to prove the sentimental and, above all, the esthetic value of orthodox religion. In his semi-historical novel, *Les Martyrs*, he evoked a brilliant past and established in French literature the necessity of local color. The second writer, Mme de Staël, upset the classical standards of literary criticism, advocated imitation of northern European literatures, and in her two novels, *Delphine* and *Corinne*, created heroines of genius, misunderstood, isolated, unhappy victims of society and of fate.

The fall of the Empire and the collapse of the hopes harbored by a youthful generation created an atmosphere of discouragement which has been well described by Alfred de Musset:

Alors il s'assit sur un monde en ruine une jeunesse soucieuse. Tous ces enfants étaient des gouttes d'un sang brûlant qui avait inondé la terre; ils étaient nés au sein de la guerre, pour la guerre. Ils avaient rêvé pendant quinze ans des neiges de Moscou et du soleil des Pyramides. Ils n'étaient pas sortis de leurs villes; mais on leur avait dit que, par chaque barrière de ces villes on allait à une capitale d'Europe. Ils avaient dans la tête tout un monde; ils regardaient la terre, le ciel, les rues et les chemins; tout cela était vide, et les cloches de leurs paroisses résonnaient seules dans le lointain . . .

Trois éléments partageaient donc la vie qui s'offrait alors aux jeunes gens: derrière eux un passé à jamais détruit, s'agitant encore sur ses ruines, avec tous les fossiles des siècles de l'absolutisme; devant eux

l'aurore d'un immense horizon, les premières clartés de l'avenir; et entre
ces deux mondes . . . quelque chose de semblable à l'Océan qui sépare
le vieux continent de la jeune Amérique, je ne sais quoi de vague et de
flottant, une mer houleuse et pleine de naufrages, traversée de temps en
temps par quelque blanche voile lointaine ou par quelque navire soufflant
une lourde vapeur; le siècle présent, en un mot, qui sépare le passé de
l'avenir, qui n'est ni l'un ni l'autre et qui ressemble à tous deux à la fois,
et où l'on ne sait, à chaque pas qu'on fait, si l'on marche sur une semence
ou sur un débris.

Voilà dans quel chaos il fallut choisir alors; voilà ce qui se présentait
à des enfants pleins de force et d'audace, fils de l'Empire et petits-fils
de la Révolution.

(*La Confession d'un enfant du siècle*, Part I, ch. II.)

Such was the social situation in France during the second
decade of the nineteenth century. It was an atmosphere favorable to the creation of lyric poetry. If the aspirations of men
could not be realized in politics or war, they might be translated
into verse. If their frustration led to melancholy, that emotion
might well be expressed in lyric forms. In literature itself the
way had been prepared by Rousseau, Bernardin de Saint-
Pierre, Chateaubriand, and Mme de Staël. Poetry lagged
behind. Millevoye certainly could not satisfy the secret long-
ings of this generation, nor could the *genre troubadour* which
filled such publications as the *Almanach des Muses* and *Le
Chansonnier des grâces*, nor, for that matter, could Béranger
whose songs were immensely popular but whose literary talent
was definitely second rate. Finally, in 1819 and 1820 three
important events took place. In 1819 were published the
poetry of André Chénier and the first volume of Marceline
Desbordes-Valmore. In 1820 the *Méditations poétiques* of
Lamartine appeared. With the last two, lyric poetry—Romantic
poetry—was indisputably launched.

To trace here in detail the development of Romanticism would
be superfluous in view of the approaching chapters of this book.
It is nevertheless desirable to call attention to certain important
points. In the first place, foreign influences continued to play a
vital part. The *Poems of Ossian* prolonged their extraordinary
vogue. Shakspere was read—and acted—with a new delight

and new understanding. Byron and Walter Scott crossed the channel and exerted a profound influence. To Goethe's *Werther* must now be added his *Faust* (translated by Gérard de Nerval). Other German writers well known in France were Schlegel and specially Hoffmann. Dante and Manzoni were read and appreciated. In the second place, it must be realized that the new literature was slow in becoming conscious of itself. There are traces of classicism in Lamartine's *Méditations poétiques*. Hugo's early *Odes* were not violently revolutionary. It was not till 1827 or 1828 that the leaders of Romanticism defined their position, and it was approximately from 1827 to 1836 that the more extreme manifestations of Romanticism occurred.

Much has been written in disparagement of Romanticism,— of its lack of decorum, of its violence, of its exaggerated emphasis on individual personality. Certain critics have made Romanticism responsible for most of the ills of the modern world. With some of that adverse criticism there is very general agreement, but there is also a widespread and justifiable belief that the Romantic writers produced a great lyric poetry whose beauty will never cease to charm, console, and enrich mankind.

CONSULT: I. Babbitt, *Rousseau and Romanticism*, N. Y., 1919; F. Baldensperger, «Le Grand Schisme de 1830: Romantisme et jeune Europe,» *R.L.C.*, January, 1930; F. Baldensperger, «Les Années 1827–1828 en France et au dehors,» *R.C.C.*, February 15, 1928 and following numbers; F. Baldensperger, *Goethe en France*, Paris, Hachette, 1904; F. Brunetière, *L'Évolution de la poésie lyrique en France*, 2 vols., Paris, Hachette, 1894; F. Brunot et al., *Le Romantisme et les lettres*, Paris, Éditions Montaigne, 1929; R. Canat, *Du sentiment de la solitude morale chez les Romantiques et les Parnassiens*, Paris, Hachette, 1904; E. Estève, *Byron et le romantisme français*, Paris, Boivin (nouvelle édition), 1928; M. B. Finch and E. A. Peers, *The Origins of French Romanticism*, London, 1920; Th. Gautier, *Histoire du romantisme*, Paris, 1874; L. Maigron, *Le Romantisme et les mœurs*, Paris, Champion, 1910; L. Maigron, *Le Romantisme et la mode*, Paris, Champion, 1911; J. Marsan, *La Bataille romantique*, Paris, Hachette, 1re série, 1912, 2e série, 1924; A. Monglond, *Le Préromantisme français*, 2 vols., Grenoble, Arthaud, 1930; M. Souriau, *Histoire du romantisme en France*, 3 vols., Paris, Éditions Spes, 1927; P. Van Tieghem, *Ossian en France*, 2 vols.,

Paris, Rieder, 1917; P. Van Tieghem, *Le Préromantisme: études d'histoire littéraire européenne*, Paris, Alcan, 1931.

Notes on French Versification

The English-speaking student must realize first of all that the essential unit of French verse is not, as in English poetry, the regularly recurring rhythmic *foot* (containing a fixed number of syllables, either two or three), but the syllable itself. Traditional French verse is, therefore, measured by the number of syllables in the line. Yet rhythm is in no sense excluded. As early as the seventeenth century rhythmic measures became a vitally important element.

The most common line is the alexandrine (with twelve syllables). In the classical period it bore two fixed accents on the sixth and twelfth syllables, and two other accents which could be placed at will. It was usually broken by a single cæsura or *coupe* * (placed after the sixth syllable) into two hemistiches. A good example of this classical alexandrine is the first line of Racine's *Athalie:*

Oui, je viens | dans son temple || adorer | l'Éternel.

Four rhythmic measures with an equal number of syllables constitute this line; they create an impression of deliberation and solemnity that harmonizes with the thought. In the following line from *Andromaque* the situation is somewhat different:

Pour qui | sont ces serpents || qui sif|flent sur vos têtes?

While there are again four measures of about equal time duration, the number of syllables within the measure has changed. In this manner monotony is avoided. The French alexandrine is, therefore, not only syllabic in structure; it is also rhythmic in structure.

* According to Grammont (see below) a real cæsura, that is, a pause in the body of the line, existed, but became so weakened that in the seventeenth century it had ceased to be a pause and was merely a *coupe* which he defines as «simplement le passage d'une mesure à la suivante.» I am not absolutely convinced that this is true of all seventeenth-century alexandrines, but it certainly is true of nineteenth-century lines. Many of the examples given in this chapter are taken from Grammont.

French poets use this rhythmical structure to produce definite artistic effects. Measures of less than three syllables express slowness or languor:

> *Las*|se enfin des horreurs || dont j'étais poursuivie,
> J'allais prier Baal de veiller sur ma vie.
>
> (Racine, *Athalie*)

> Alors elle se couche, et ses grands yeux s'éteignent,
> Et le pâle désert | *rou*|le sur son enfant
> Les flots silencieux de son linceul mouvant.
>
> (Musset, *Rolla*)

In one case *rou*(le) depicts the slow movement of the sand; in the other, the single syllable *las*(se) indicates Athaliah's psychological exhaustion. Similarly, in

> Le peuple saint | en foule || inondait les portiques

the second measure attracts one's attention and, as Grammont puts it, lasts long enough (though it has but two syllables) to allow the reader to vision the crowd.

Measures of more than three syllables, on the other hand, express as a rule rapidity:

> A travers les rochers || la peur | *les précipite*
>
> (Racine, *Phèdre*)

Here the attention is fixed not on *la peur* but on the final measure of four syllables which indicates the mad race of Hippolytus' horses. Again, in the following line:

> J'en|tre: le peuple fuit, || le sacrifice cesse
>
> (Racine, *Athalie*)

the second measure depicts the panic and flight of the Hebrews from the temple.

Rhythmic measures may naturally be used not only to indicate speed of motion or psychological weariness, but also for oratorical emphasis. In lines 226 and 227 of *Athalie:*

> Et comptez-vous pour rien || *Dieu* | qui combat pour nous?
> *Dieu* | qui de l'orphelin || protège l'innocence

the short monosyllabic measures serve to present an overwhelming argument to the questioner (Josabet) and thus to overcome her timidity. Another line from the same play:

> Jéhu, le fier Jéhu ‖ trem|ble dans Samarie

is interestingly commented on by Grammont: «C'est le dernier ennemi qu'Athalie a eu à combattre, c'était peut-être le plus redoutable, et en montrant que maintenant il *tremble*, elle résume toutes ces victoires et fait comprendre par ce seul mot toute l'étendue de sa puissance.»

A few additional examples may be given:

> Que je meure au combat, ou meure de tristesse,
> Je rendrai mon sang | *pur* ‖ comme je l'ai reçu.
> (Corneille, *Le Cid*)
> *Phè*|dre depuis longtemps ‖ ne craint plus de rivale.
> (Racine, *Phèdre*)
> *Ro*|me, l'unique objet ‖ de mon ressentiment!
> *Ro*|me à qui vient ton bras ‖ d'immoler mon amant!
> *Ro*|me qui t'a vu naître ‖ et que ton cœur adore!
> *Ro*|me enfin que je hais ‖ parce qu'elle t'honore!
> (Corneille, *Horace*)
> Votre fille me plut, je prétendis lui plaire;
> Elle est de mes serments ‖ *seu*|le dépositaire.
> (Racine, *Iphigénie*)

The Romantic alexandrine differs primarily from the classical in that the line is divided by two *coupes* into three rhythmic measures instead of four. In other words, it is a «trimètre» rather than a «tétramètre.» Examples are abundant:

1. Les doux parfums | n'ont point coulé | sur tes cheveux.
   (Chénier, *La Jeune Tarentine*)
2. J'ai disloqué | ce grand niais | d'alexandrin
   (Hugo, *Réponse à un acte d'accusation*)
3. Duc d'Olmédo | —l'Espagne à mes pieds | —j'ai son cœur
   (Hugo, *Ruy Blas*)
4. Une nuit clai|re, un vent glacé. | La neige est rouge.
   (Leconte de Lisle, *Le Cœur de Hialmar*)
5. Il fut héros, | il fut géant, | il fut génie
   (Hugo, *Le Parricide*)

6. Ses régiments | marchaient, | ensei|gnes déployées
    Ses lourds canons, | baissant leurs bou|ches essuyées,
    Couraient, | et, traversant la fou|le aux pas confus,
    Avec un bruit d'airain | sautaient sur leurs affûts.
                            (Hugo, *A Joseph, Comte de S.*)
7. Je regar|de toujours | ce moment | de ma vie
    Où je l'ai vue | ouvrir son aile | et s'envoler.
                            (Hugo, *A Villequier*)

This Romantic alexandrine by no means displaces the classical
line; it is used in conjunction with the classical—as examples
6 and 7 show—to produce contrast and variety. In some cases,
it emphasizes an important idea, as in example 2 (in this case
it even illustrates the fact in question); in others, it enumerates
three facts or statements, as in numbers 4 and 5; in still others,
it creates or suggests actual motion as in number 7.

In addition to «tétramètres» and «trimètres» one also finds
in French poetry «pentamètres» and «hexamètres.»

1. Et pas à pas, | Roland, | sanglant, | terri|ble, las
    Les chassait devant lui parmi les fondrières.
                            (Hugo, *Le Petit Roi de Galice*)
2. Fuyards, | blessés, | mourants, | caissons, | brancards, | civières,
    On s'écrasait aux ponts pour passer les rivières.
                            (Hugo, *L'Expiation*)

The first case is a «pentamètre» slowly and emphatically insist-
ing on each separate detail which combine nevertheless in a
general impression of strength, ferocity, and weariness that
lends terror to the pursuit described in the next line. The second
is a clear case of enumeration which effectively depicts the
confusion of this retreat.

Thus far, we have spoken only of the alexandrine, classical
and romantic. But it is far from being the only line used
by French poets. In classical poetry, the ten, eight, and six
syllable lines were frequent. Lines of an uneven number
of syllables (three, five, seven, and nine)—«le rythme impair»—were employed by the Pléiade, became rare in the
seventeenth century, but were destined to be revived by the
Romanticists.

Rhyme is a vitally important element of traditional French poetry. There are *rimes féminines* and *rimes masculines* according to whether or not the line ends in an unaccented feminine *e*. In addition to this distinction, the principal types of rhyme are *rime faible, rime suffisante,* and *rime riche.* Rhyme is said to be *suffisante* when the accented vowels and whatever may follow are identical, as in *berceau-tombeau, jour-cour,* and *reconnaissance-dépendance.* Anything less than that means that the rhyme is weak or defective. *Mois de mai—j'aimai* is a *rime faible* for the vowel of *mai* is open while that of *aimai* is closed. Similarly, *grâce—chasse* and *adieux—heureux* are in the category of *rimes faibles.* When, however, we find in addition to the elements necessary for *rime suffisante,* identity of the preceding consonants, then the rhyme is said to be rich. *Immortelle—dételle, natal—brutal* are *rimes riches.* But concerning this whole question of rhyme which is far more complicated than the above definitions suggest, students would do well to consult Grammont.

Once rhyme has been created, it may be arranged in the following ways: 1. *rimes plates,* or couplets, with the alternation of two masculine and two feminine lines, *a a, b b;* 2. *rimes croisées,* with the alternation of single masculine and feminine lines, *a b a b;* 3. *rimes embrassées,* with two feminine lines enclosing a masculine couplet or *vice versa, a b b a.*

One may say, therefore, that traditional French verse is characterized by three necessary elements: number of syllables, rhythmic measures, and rhyme. The emphasis placed on one or another of these elements may vary according to the temperament or literary affiliations of the poet. Thus, the Romanticists introduced a greater variety into the rhythmic measures of the alexandrine than the classical poets had ever known. The Parnassians insisted on richness of rhyme. Verlaine in «le vers libéré» relied less and less on rhyme and more and more on assonance. At the end of the century the «vers libre» was created in which the number of syllables and rhyme ceased to be necessary elements and only rhythm was retained.

Counting the Syllables

In counting the syllables in any given line of French poetry, much depends on the so-called mute *e*. At the end of the line it is not counted. Within the line, not followed by *s* or *nt*, it is elided if the next word begins with a vowel or *h* mute. Before a consonant or aspirate *h* it is always counted in traditional verse. The following lines illustrate these points.

Len|te et | mol|le | ri|viè|re aux | ro|seaux | mur|mu|rants.
 1   2   3   4   5   6   7   8   9   10 11   12

Pour | la | der|niè|re | fois, || qu'il | s'é|loi|gne, | qu'il | parte.
 1   2   3   4   5   6   7   8   9   10   11   12

Quel|le | hon|te | pour | moi, || quel | tri|om|phe | pour | lui.
 1   2   3   4   5   6   7   8   9   10   11   12

Pleure, Jérusalem, pleure, cité perfide,
Des | pro|phè|tes | di|vins || mal|heu|reu|se ho|mi|cide.
 1   2   3   4   5   6   7   8   9   10 11 12

Further difficulties may arise in the case of groups of vowels sometimes counted as one syllable, sometimes as two. For instance, the word *hier* is monosyllabic according to the rule that *i* and *e* form a diphthong since they are derived from a single accented vowel (*heri*), yet *hier* counts as two syllables in most cases, though not in all. Compare:

Le césar d'aujourd'hui heurtait celui d'hi-er.

Hier encor j'empochais une prime d'un franc.

Both lines were written by Victor Hugo.

For the details of this question students are advised to consult Kastner or some other competent authority.

A Few Additional Definitions

Hiatus: "the clash in the body of the line of two successive vowel sounds, the first at the end of the first word and the second at the beginning of the next," as *tu as, si elle.* Since Malherbe and Boileau, hiatus has been generally prohibited. See, however, Kastner on this problem.

Enjambement and *rejet:* When a clause begun in one line over-
flows into the next line or subsequent line and is concluded
before the end of that line, there is «enjambement.» The
final part of the «enjambement» extending from the beginning of the last line involved to the conclusion of the clause
is called the «rejet.» Example:

> Il neigeait, il neigeait toujours! La froide bise
> *Sifflait;* sur le verglas, dans des lieux inconnus,
> On n'avait pas de pain et l'on allait pieds nus.

Sifflait is an excellent example of «rejet.»

Rime tierce or *terza rima* (probably invented by Dante): "The
first line of each strophe rimes with the third while the rime
of the middle line serves for the first and third line of the
following strophe. The series of strophes, the number of
which is not fixed, closes with one of four lines, the fourth
line of which takes up the middle line of the last *terza rima.*"
(Kastner)

Sonnet: a poem of fourteen lines divided into two successive
quatrains, followed by two tercets, with a definite rhyme
scheme. It originated in Italy. A very common Italian
rhyme scheme was *abba, abba, cde, cde.* With the Pléiade the
following arrangement was common: *abba, abba, ccd, eed.*

CONSULT: Th. de Banville, *Petit traité de poésie française*, Paris,
1872; M. Grammont, *Le Vers français: ses moyens d'expression, son
harmonie*, 3e éd. Paris, Champion, 1923; M. Jasinski, *Histoire du sonnet
en France*, Douai, Brugère, 1903; L. E. Kastner, *A History of French
Versification*, Oxford, 1903; G. Lote, «Le Vers romantique,» *R.C.C.*,
December 15, 1930, and following numbers.

THE
ROMANTIC
POETS

MARCELINE DESBORDES-VALMORE
1786–1859

I. Marceline Desbordes-Valmore was born at Douai on June 20, 1786. At the age of fifteen she was taken by her mother, Catherine Desbordes, to Guadeloupe where a wealthy cousin lived. Before they could attain their destination, Revolution broke out in the Antilles, and when Mme Desbordes and her daughter finally reached their cousin, the latter was completely ruined. To cap the misfortune, Catherine Desbordes was stricken with yellow fever and died.

Marceline had had some experience as an actress, and on returning to France late in 1802 she took up the only means of livelihood she knew. After a few months at the theatre of Douai, she had the good fortune to be engaged by the Théâtre des Arts in Rouen. There she won considerable success, and in 1804 she was called to Paris where she made her début at the Opéra-Comique. Apparently for her father's sake she returned after a successful season to the provinces. But in 1808 she appeared again in Paris. She lived with an uncle, Constant Desbordes, a painter, whose studio was under that of Girodet in an old building which had formerly been a Capuchin cloister.

The great event of Marceline's life now occurred. She fell profoundly in love, and she yielded to the passion which swept over her. Her liaison was not of many years' duration, but it was intense and tortured while it lasted. During it, she gave birth to her first son, Marie-Eugène, born on June 24, 1810, and one of the worst tragedies of her life was the death of this child in 1816. It is difficult to fix the date of the first separation between Marceline Desbordes and her lover, but it inspired her first published poem,* which appeared in the *Chansonnier des grâces* in 1813. A reconciliation took place, only to be followed

* A *romance* entitled *Je vous écris.*

by a definite separation which inspired the composition of some of the most intimate and personal of Marceline's poems.

The identity of Marceline Desbordes' lover remains a mystery. Some have suggested a certain doctor by the name of Alibert; others consider the poet and dramatist, H. de Latouche, to be the man. Of the two, Latouche is undoubtedly the more probable, but the evidence pointing to him is not absolutely convincing.

In 1817 Marceline married Valmore, a professional and undistinguished actor. To him she bore several children, and with him she toured France, playing in Lyons, Bordeaux, and Rouen as well as in Paris.

Her literary activity extended from approximately 1813 to 1842. At an early date her «romances» were appreciated. In 1815 the *Journal de Paris* stated that Mlle Desbordes' *Rendez-vous* was a «modèle de grâce et de simplicité et même de concision» and that it won «la palme de la romance.» Her first volume appeared in 1819, a second edition of which was published the following year, and drew very favorable criticism from Victor Hugo in the *Conservateur littéraire*. In 1822 a third edition came out, and three years later Marceline published *Élégies et Poésies nouvelles*. After 1830, her popularity dwindled. In 1833, to be sure, she brought out *Les Pleurs;* in 1839, *Pauvres fleurs;* and in 1842 an edition of her poetry for which Sainte-Beuve wrote a preface. But the day of her greatest glory had passed.

II. CONSULT: J. Boulenger, *Marceline Desbordes-Valmore. Sa vie et son secret*, Paris, Plon, 1926; L. Descaves, *La Vie douloureuse de Marceline Desbordes-Valmore*, Paris, Nilsson, 1910; L. Descaves, *La Vie amoureuse de Marceline Desbordes-Valmore*, Paris, Flammarion, 1925; S. Zweig, *Mme Desbordes-Valmore*, Paris, Nouvelle Revue critique, 1928; X . . . *Œuvres manuscrites de Marceline Desbordes-Valmore. Albums à Pauline*, Paris, Lemerre, 1921.

ÉLÉGIE*

J'étais à toi peut-être avant de t'avoir vu.
Ma vie, en se formant, fut promise à la tienne;
Ton nom m'en avertit par un trouble imprévu,
Ton âme s'y cachait pour éveiller la mienne.
Je l'entendis un jour et je perdis la voix;   5
Je l'écoutai longtemps, j'oubliai de répondre.
Mon être avec le tien venait de se confondre,
Je crus qu'on m'appelait pour la première fois.

Savais-tu ce prodige? Eh bien, sans te connaître
J'ai deviné par lui mon amant et mon maître;   10
Et je le reconnus dans tes premiers accents,
Quand tu vins éclairer mes beaux jours languissants.
Ta voix me fit pâlir, et mes yeux se baissèrent;
Dans un regard muet nos âmes s'embrassèrent;
Au fond de ce regard ton nom se révéla,   15
Et sans le demander j'avais dit: Le voilà!

Dès lors il ressaisit mon oreille étonnée;
Elle y devint soumise, elle y fut enchaînée.
Comme un timbre vivant, l'écho du souvenir
Appelait par ton nom l'écho de l'avenir.   20
Je le lisais partout, ce nom rempli de charmes,
Et je le relisais, et je versais des larmes.
D'un éloge enchanteur toujours environné,
A mes yeux éblouis il s'offrait couronné.
Je l'écrivais . . . bientôt je n'osai plus l'écrire,   25
Et mon timide amour le changeait en sourire.
Il me cherchait la nuit, il berçait mon sommeil;
Il résonnait encore autour de mon réveil;
Il errait dans mon souffle, et lorsque je soupire
C'est lui qui me caresse et que mon cœur respire.   30

*Published in the 1822 edition of the *Poésies de Mme Desbordes-Valmore,*
Paris, Grandin.   We have reproduced the text of that particular edition.

Nom chéri! nom charmant! oracle de mon sort!
Hélas! que tu me plais, que ta grâce me touche!
Tu m'annonças la vie; et, mêlé dans la mort,
Comme un dernier baiser tu fermeras ma bouche.

QUESTIONS

1. From the point of view of the evolution of French poetry, what is the importance of a poem such as this?

2. Define what is meant by lyric poetry and state whether this poem realizes that definition.

NOTES ON *ÉLÉGIE*

3. Ton nom. See Boulenger, *op. cit.*, p. 169.

24. couronné. The word suggests that the man in question was a successful author.

LE RENDEZ-VOUS*

Il m'attend! je ne sais quelle mélancolie,
Au trouble de l'amour se mêle en cet instant:
Mon cœur s'est arrêté sous ma main affaiblie;
L'heure sonne au hameau. Je l'écoute . . . et pourtant,
5   Il m'attend.

Il m'attend! d'où vient donc que dans ma chevelure,
Je ne puis enlacer les fleurs qu'il aime tant?
J'ai commencé deux fois sans finir ma parure,
Je n'ai pas regardé le miroir . . . et pourtant,
10   Il m'attend.

Il m'attend! le bonheur recèle-t-il des larmes?
Que faut-il inventer pour le rendre content?
Des bouquets, mes aveux ont-ils perdu leurs charmes?
Il est triste, il soupire, il se tait . . . et pourtant,
15   Il m'attend.

* Published in *Élégies et poésies nouvelles*, 1825, and also in *Le Chansonnier des grâces* of the same year. We reproduce the text as it appeared in *Élégies et poésies nouvelles*.

Il m'attend! au retour serai-je plus heureuse?
Quelle crainte s'élève en mon sein palpitant!
Ah! dût-il me trouver moins tendre que peureuse,
Ah! dussé-je en pleurer, viens, ma mère . . . et pourtant,
   Il m'attend!   20

La Séparation*

 Il est fini ce long supplice!
Tu m'as rendu mes serments et ma foi;
Je t'ai rendu ton cœur, je n'ai plus rien à toi! . . .
Quel douloureux effort! quel entier sacrifice!
 Mais, en brisant les plus aimables nœuds,   5
Nos cœurs toujours unis semblent toujours s'entendre;
On ne saura jamais lequel fut le plus tendre,
   Ou le plus malheureux.

 A t'oublier c'est l'honneur qui m'engage!
Tu t'y soumets . . . je n'ai plus d'autre loi.   10
O toi qui m'as donné l'exemple du courage,
   Aimais-tu moins que moi?
 Va, je te plains autant que je t'adore;
Je t'ai permis de trahir tes amours;
Mais moi, pour t'adorer je serai libre encore;   15
   Je veux l'être toujours.
Je l'ai promis, je vivrai pour ta gloire.
  Cher objet de mon souvenir,
  Sois le charme de ma mémoire,
  Et l'espoir de mon avenir!   20
  Si jamais, dans ma solitude,
  Ton nom, pour toujours adoré,
  Vient frapper mon cœur déchiré,
Qu'il adoucisse au moins ma tendre inquiétude
  Que l'on me dise: Il est heureux.   25

* Published in *Poésies de Mme Desbordes-Valmore*, Paris, Louis, 1820. We
reproduce here the text of that edition.

Oui, sois heureux, ou du moins plus paisible,
Malgré l'Amour, et le sort inflexible
Qui m'enlève à tes vœux!

Adieu! . . . mon âme se déchire!
30 Ce mot que dans mes pleurs je n'ai pu prononcer,
Adieu! . . . ma bouche encor n'oserait te le dire . . .
Et ma main vient de le tracer!

QUESTION

1. Study the versification of this poem,—rhythm, rhyme, etc.

QU'EN AVEZ-VOUS FAIT?*

Vous aviez mon cœur
Moi, j'avais le vôtre:
Un cœur pour un cœur;
Bonheur pour bonheur!

5   Le vôtre est rendu;
Je n'en ai plus d'autre;
Le vôtre est rendu,
Le mien est perdu!

La feuille et la fleur
10   Et le fruit lui-même,
La feuille et la fleur,
L'encens, la couleur:

Qu'en avez-vous fait,
Mon maître suprême?
15   Qu'en avez-vous fait,
De ce doux bienfait?

* Published in *Pauvres fleurs*, Bruxelles, 1839. I have been unable to discover whether it was published earlier than that.

Comme un pauvre enfant,
Quitté par sa mère,
Comme un pauvre enfant
Que rien ne défend: 20

Vous me laissez là,
Dans ma vie amère;
Vous me laissez là,
Et Dieu voit cela!

Savez-vous qu'un jour   25
L'homme est seul au monde?
Savez-vous qu'un jour
Il revoit l'amour?

Vous appellerez,
Sans qu'on vous réponde,   30
Vous appellerez;
Et vous songerez . . .

Vous viendrez rêvant
Sonner à ma porte;
Ami comme avant,   35
Vous viendrez rêvant.

Et l'on vous dira:
«Personne! . . . elle est morte!»
On vous le dira:
Mais qui vous plaindra?   40

QUESTION

1. What rhythm is used in this poem? What else do you notice about
the form?

LES ROSES DE SAADI*

J'ai voulu ce matin te rapporter des roses;
Mais j'en avais tant pris dans mes ceintures closes
Que les nœuds trop serrés n'ont pu les contenir.

Les nœuds ont éclaté. Les roses envolées
5   Dans le vent, à la mer s'en sont toutes allées.
Elles ont suivi l'eau pour ne plus revenir;

La vague en a paru rouge et comme enflammée.
Ce soir, ma robe encor en est tout embaumée . . .
Respires-en sur moi l'odorant souvenir.

NOTES ON *LES ROSES DE SAADI*

Title. Saadi, a Persian poet (1195–1296); one of his works is the *Gulistan*
or *Garden of Roses.* Mme Desbordes-Valmore borrowed her subject
from the preface to *Gulistan:* "A seer was plunged in a trance; when he
recovered consciousness, his companion said to him: ' What did you
bring back to us from this garden where you were? ' He answered: ' I
dreamed that when I got to the rose-bush, I filled the skirt of my gown
with roses to give them to my friends. When I arrived, the scent of the
roses so intoxicated me that my skirt slipped from my hand.' "

LA COURONNE EFFEUILLÉE*

J'irai, j'irai porter ma couronne effeuillée
Au jardin de mon père où revit toute fleur;
J'y répandrai longtemps mon âme agenouillée:
Mon père a des secrets pour vaincre la douleur.

5   J'irai, j'irai lui dire, au moins avec mes larmes:
«Regardez, j'ai souffert . . .» Il me regardera,
Et sous mes jours changés, sous mes pâleurs sans charmes,
Parce qu'il est mon père, il me reconnaîtra.

* Published in the posthumous volume of 1860.

Il dira: «C'est donc vous, chère âme désolée;
La terre manque-t-elle à vos pas égarés?   10
Chère âme, je suis Dieu: ne soyez plus troublée;
Voici votre maison, voici mon cœur, entrez!»

O clémence! ô douceur; ô saint refuge! ô Père!
Votre enfant qui pleurait, vous l'avez entendu!
Je vous obtiens déjà, puisque je vous espère   15
Et que vous possédez tout ce que j'ai perdu.

Vous ne rejetez pas la fleur qui n'est plus belle;
Ce crime de la terre au ciel est pardonné.
Vous ne maudirez pas votre enfant infidèle,
Non d'avoir rien vendu, mais d'avoir tout donné.   20

QUESTIONS

1. Explain the meaning of lines 16 and 20.   (See introductory note.)
2. This poem is considered as Marceline Desbordes-Valmore's greatest.
Why?

ALPHONSE DE LAMARTINE
1790–1869

I. Alphonse de Lamartine was born at Mâcon in eastern France. Brought up in the village of Milly-en-Mâconnais in the company of five sisters and an intelligent mother, he early acquired a great fondness for the out of doors and the beauties of nature. His first formal schooling was at Lyons, followed by four years at the Jesuit «collège» at Belley. When twenty-one, he made his first trip to Italy, where he was profoundly impressed by the magnificence of the Italian landscape and where he met the girl whom he was to make the heroine of *Graziella*. The year 1813 was largely spent in Paris. In 1814 he entered the military service,—in the «gardes du corps de Louis XVIII.» Lamartine's health was not of the best, and in 1816 he visited Aix-les-Bains for rest and treatment. There he met Mme Julie Charles, to whom he became deeply attached, and whose early death was a tragic event in his life. After two more visits to Aix-les-Bains in 1817 and 1819, Lamartine made his literary début at the age of thirty with the *Méditations poétiques*. The poems were widely acclaimed, and it was quickly realized that they marked a turning-point in the history of French literature. Appointed «attaché» to the Embassy in Naples, Lamartine once again went to Italy, this time accompanied by his young wife, an English girl by the name of Maria Birch. The couple returned to France in the fall of 1821. During the next four years Lamartine published *La Mort de Socrate*, the *Nouvelles Méditations*, and *Le Dernier Chant du pèlerinage d'Harold*. There followed a third sojourn in Italy of three years' duration. Elected in 1830 to the French Academy, Lamartine published soon after his *Harmonies poétiques et religieuses*.

Lamartine welcomed the Revolution of July, and in the following year was an unsuccessful candidate for parliament. In

1832 he left for the near East. After visiting Greece, the Holy Land, and Syria he returned to France in October, 1833. Not long after his return he was elected to the Chamber of Deputies where he tried to remain «au-dessus de la mêlée,» but always assumed a liberal attitude. From 1835 to 1839 he published the *Voyage en Orient, Jocelyn, La Chute d'un ange,* and *Les Recueillements poétiques.* Lamartine's political activity during the period 1839 to 1849 is of importance; he became more and more liberal, and was outspoken in his hostility to the ministries of Thiers and Guizot. When the Revolution of 1848 occurred, Lamartine played an important rôle. For several months he was one of the heads of the provisional government. Badly defeated for the Presidency, his political career was suddenly terminated.

At the age of fifty-nine Lamartine found himself burdened with debt. To pay off his obligations he published *Les Confidences* (1849), *Graziella* (1849), *Raphaël* (1849), *Les Nouvelles Confidences* (1851), *Geneviève* (1851), and the *Cours familier de littérature* (1856–1866). But his financial situation grew worse. In 1861 he had to sell his property at Milly of which he was so fond. In 1867 the government finally voted him an annuity of 25,000 francs which he enjoyed only two years before his death in 1869.

II. CONSULT: G. Allais, *Les Harmonies de Lamartine. Nouvelles études,* 1912; P. Barrière, «La Musique dans la poésie de Lamartine,» *R.H.L.,* October, 1929; J. des Cognets, *La Vie intérieure de Lamartine,* Paris, Mercure de France, 1913; E. Deschanel, *Lamartine,* 2 vols., 1893; D. Guérin, «Les Idées sociales de Lamartine,» *Revue des sciences politiques,* July, 1924; P. Hazard, «Les Influences étrangères sur Lamartine,» *R.C.C.,* January 15, 1922–December, 1922; P. Jouanne, *L'Harmonie lamartinienne,* Paris, Jouve & Cie, 1926; G. Lanson, «Le Centenaire des *Méditations,*» *R.D.M.,* March 1, 1920; P.-M. Masson, *Lamartine,* Paris, Hachette, 1911; H. R. Whitehouse, *The Life of Lamartine,* 2 vols., 1918; Zyromski, *Lamartine poète lyrique,* 1897; and above all for the first *Méditations* see G. Lanson, *Lamartine. Méditations poétiques. Nouvelle édition publiée d'après les manuscrits et les éditions originales avec des variantes, une introduction, des notices et des notes,* 2 vols., Paris, Hachette, 1915, 2e tirage, 1922. Concerning Lamartine's reading during the formative period of his youth, see Lanson's critical edition, Introduction, pp. xiii–xviii.

Méditations poétiques

Lamartine arrived at Aix-les-Bains in August, 1816. He soon met Mme Julie Charles, a young woman of charming personality and delicate health. They fell deeply in love. Mme Charles had to return in September to Paris, where later in the year Lamartine joined her. In May, 1817, the poet was obliged to go to Milly, but arranged with Julie to meet in the late summer at the place where they had first seen each other. Lamartine, faithful to the rendezvous, reached Aix-les-Bains on August 20, 1817. But Mme Charles did not appear. She wrote that she was too ill to attempt the journey. Lamartine went to see his friend Virieu for a few days and returned to Milly in October. On December 25, 1817, he received a letter from Mme Charles' doctor, announcing her death on the eighteenth of that month.

Many of the *Méditations poétiques* (which appeared in March, 1820) were inspired by Mme Charles whom the poet often refers to as Elvire.

In addition to the three poems given in this volume, students should read *L'Homme, Le Soir, L'Immortalité, Le Désespoir, Souvenir*.

L'ISOLEMENT*

Souvent sur la montagne, à l'ombre du vieux chêne,
Au coucher du soleil, tristement je m'assieds;
Je promène au hasard mes regards sur la plaine,
Dont le tableau changeant se déroule à mes pieds.

5   Ici, gronde le fleuve aux vagues écumantes,
Il serpente, et s'enfonce en un lointain obscur;
Là, le lac immobile étend ses eaux dormantes
Où l'étoile du soir se lève dans l'azur.

Au sommet de ces monts couronnés de bois sombres,
10 Le crépuscule encor jette un dernier rayon,
Et le char vaporeux de la reine des ombres
Monte, et blanchit déjà les bords de l'horizon.

* August, 1818; Milly. See introductory note, p. 26.

Cependant, s'élançant de la flèche gothique,
Un son religieux se répand dans les airs,
Le voyageur s'arrête, et la cloche rustique   15
Aux derniers bruits du jour mêle de saints concerts.

Mais à ces doux tableaux mon âme indifférente
N'éprouve devant eux ni charme, ni transports,
Je contemple la terre, ainsi qu'une ombre errante:
Le soleil des vivants n'échauffe plus les morts.   20

De colline en colline en vain portant ma vue,
Du sud à l'aquilon, de l'aurore au couchant,
Je parcours tous les points de l'immense étendue,
Et je dis: Nulle part le bonheur ne m'attend.

Que me font ces vallons, ces palais, ces chaumières?   25
Vains objets dont pour moi le charme est envolé;
Fleuves, rochers, forêts, solitudes si chères,
Un seul être vous manque, et tout est dépeuplé.

Que le tour du soleil ou commence ou s'achève,
D'un œil indifférent je le suis dans son cours;   30
En un ciel sombre ou pur qu'il se couche ou se lève,
Qu'importe le soleil? je n'attends rien des jours.

Quand je pourrais le suivre en sa vaste carrière,
Mes yeux verraient partout le vide et les déserts;
Je ne désire rien de tout ce qu'il éclaire   35
Je ne demande rien à l'immense univers.

Mais peut-être au delà des bornes de sa sphère,
Lieux où le vrai soleil éclaire d'autres cieux,
Si je pouvais laisser ma dépouille à la terre,
Ce que j'ai tant rêvé paraîtrait à mes yeux?   40

Là, je m'enivrerais à la source où j'aspire,
Là, je retrouverais et l'espoir et l'amour,
Et ce bien idéal que toute âme désire
Et qui n'a pas de nom au terrestre séjour!

45 Que ne puis-je, porté sur le char de l'aurore,
Vague objet de mes vœux, m'élancer jusqu'à toi;
Sur la terre d'exil pourquoi resté-je encore?
Il n'est rien de commun entre la terre et moi.

Quand la feuille des bois tombe dans la prairie,
50 Le vent du soir se lève et l'arrache aux vallons;
Et moi, je suis semblable à la feuille flétrie:
Emportez-moi comme elle, orageux aquilons!

QUESTIONS

1. Analyze the composition of this poem, tracing as carefully as possible the development of the thought from beginning to end.
2. Study the versification. What romantic elements do you observe? Notice alliterative effects and internal rhymes.
3. What lyric themes are treated by Lamartine in this poem?

NOTES ON *L'ISOLEMENT*

1. The mountain in question is *le Craz* which overlooks the poet's home at Milly. But other details of the first four stanzas suggest Savoy and Lake Bourget at Aix-les-Bains. At the same time, the landscape described here by Lamartine recalls descriptions in Ossian.

11. A classical circumlocution.

25–28. Lamartine says in his *Confidences:* «Un nuage sur l'âme couvre et décolore plus la terre qu'un nuage sur l'horizon; le spectacle est dans le spectateur.»

43. «Je cherche seulement un bien inconnu dont l'instinct me poursuit. Est-ce ma faute . . . si ce qui est fini n'a pour moi aucune valeur?» (*René* in edition of *Œuvres complètes de Chateaubriand*, published by Garnier Frères, vol. III, p. 82.)

45. A classical circumlocution.

49–50. «Le vent fait voler et tourner dans les airs les feuilles desséchées.» (Ossian-Letourneur, t. I, p. 211.) Quoted by Lanson, crit. ed.

52. «Levez-vous vite, orages désirés, qui devez emporter René dans les espaces d'une autre vie!» (*René* in edition of *Œuvres complètes de Chateaubriand*, vol. III, p. 83.) Cf. also *Ossian-Letourneur* (Fingal, ch. I; t. I, p. 8): «Levez-vous, ô vents orageux d'Erin . . .»

LE VALLON*

Mon cœur, lassé de tout, même de l'espérance,
N'ira plus de ses vœux importuner le sort;
Prêtez-moi seulement, vallons de mon enfance,
Un asile d'un jour pour attendre la mort.

Voici l'étroit sentier de l'obscure vallée: 5
Du flanc de ses coteaux pendent des bois épais
Qui, courbant sur mon front leur ombre entremêlée,
Me couvrent tout entier de silence et de paix.

Là, deux ruisseaux cachés sous des ponts de verdure,
Tracent en serpentant les contours du vallon;   10
Ils mêlent un moment leur onde et leur murmure,
Et non loin de leur source ils se perdent sans nom.

La source de mes jours comme eux s'est écoulée,
Elle a passé sans bruit, sans nom, et sans retour:
Mais leur onde est limpide, et mon âme troublée   15
N'aura pas réfléchi les clartés d'un beau jour.

La fraîcheur de leurs lits, l'ombre qui les couronne
M'enchaînent tout le jour sur les bords des ruisseaux;
Comme un enfant bercé par un chant monotone,
Mon âme s'assoupit au murmure des eaux.   20

Ah! c'est là qu'entouré d'un rempart de verdure,
D'un horizon borné qui suffit à mes yeux,
J'aime à fixer mes pas, et, seul dans la nature,
A n'entendre que l'onde, à ne voir que les cieux.

* Lamartine's note-book informs us that the poem was conceived on August 8,
but fails to state what year. On August 8, 1817 Lamartine was at Mâcon. It
is not till 1819 that one finds Lamartine at Aix-les-Bains on August 8. Concerning the composition M. Lanson says: «Je croirais volontiers que Lamartine
avait commencé le *Vallon* en juin-juillet au Grand Lemps, et qu'il le termina à
Mâcon, en y faisant entrer quatre vers de la pièce ébauchée à Aix sur Julie,
qu'il renonçait à faire.» See Lanson's critical edition p. 76 and also pp. 83–88.

25   J'ai trop vu, trop senti, trop aimé dans ma vie,
      Je viens chercher vivant le calme du Léthé;
      Beaux lieux, soyez pour moi ces bords où l'on oublie:
      L'oubli seul désormais est ma félicité.

      Mon cœur est en repos, mon âme est en silence!
30   Le bruit lointain du monde expire en arrivant,
      Comme un son éloigné qu'affaiblit la distance,
      A l'oreille incertaine apporté par le vent.

      D'ici je vois la vie, à travers un nuage,
      S'évanouir pour moi dans l'ombre du passé;
35   L'amour seul est resté: comme une grande image
      Survit seule au réveil dans un songe effacé.

      Repose-toi, mon âme en ce dernier asile,
      Ainsi qu'un voyageur, qui, le cœur plein d'espoir,
      S'asseoit avant d'entrer aux portes de la ville,
40   Et respire un moment l'air embaumé du soir.

      Comme lui, de nos pieds secouons la poussière;
      L'homme par ce chemin ne repasse jamais;
      Comme lui, respirons au bout de la carrière
      Ce calme avant-coureur de l'éternelle paix.

45   Tes jours, sombres et courts comme des jours d'automne,
      Déclinent comme l'ombre au penchant des coteaux;
      L'amitié te trahit, la pitié t'abandonne,
      Et, seule, tu descends le sentier des tombeaux.

      Mais la nature est là qui t'invite et qui t'aime;
50   Plonge-toi dans son sein qu'elle t'ouvre toujours;
      Quand tout change pour toi, la nature est la même,
      Et le même soleil se lève sur tes jours.

      De lumière et d'ombrage elle t'entoure encore;
      Détache ton amour des faux biens que tu perds;
55   Adore ici l'écho qu'adorait Pythagore,
      Prête avec lui l'oreille aux célestes concerts.

Suis le jour dans le ciel, suis l'ombre sur la terre,
Dans les plaines de l'air vole avec l'aquilon,
Avec les doux rayons de l'astre du mystère
Glisse à travers les bois dans l'ombre du vallon.　　60

Dieu, pour le concevoir, a fait l'intelligence;
Sous la nature enfin découvre son auteur!
Une voix à l'esprit parle dans son silence,
Qui n'a pas entendu cette voix dans son cœur?

QUESTIONS

1. Analyze the composition of this poem, tracing as carefully as possible the development of the thought from beginning to end.
2. Indicate the various metaphors and similes utilized by the poet.
3. What lyric themes are treated by Lamartine in this poem?
4. To what extent is this poem connected with Mme Charles?

NOTES ON *LE VALLON*

Title. Lamartine says in the *Commentaire:* « Ce vallon est situé dans les montagnes du Dauphiné, aux environs du *Grand Lemps;* il se creuse entre deux collines boisées, et son embouchure est fermée par les ruines d'un vieux manoir qui appartenait à mon ami Aymon de Virieu. Nous allions quelquefois y passer des heures de solitude, à l'ombre des pans de murs abandonnés que mon ami se proposait de relever et d'habiter un jour.» The valley near Grand Lemps of which Lamartine speaks is « la vallée Férouillat.»

1. « Je suis las de la vie » (*Job*, X, I).

3. Lamartine had never visited Grand Lemps and the « vallée Férouillat » in his childhood. Is he transferring to himself the emotions of his friend Virieu?

7-8. Cf. Virgil, *Georgics*, II, 488-489:

> . . . O qui me gelidis in vallibus Hæmi
> Sistat, et ingenti ramorum protegat umbra?

Cf. also P. Lebrun:

> Couvre-moi tout entier de tes muettes ombres,
> Rassemble autour de moi tes bois les plus épais,
> Des plus limpides eaux, des voûtes les plus sombres
> La nuit, la fraîcheur et la paix.
> (*Le Retour à la solitude*, 1807.)

Quoted by Lanson, crit. ed.

24. Lanson: «C'est Rousseau qui avait marqué le premier l'accord du bruit de l'eau avec la rêverie (5e *Rêverie du promeneur solitaire*).»
26. Léthé, river of the underworld. Its waters gave forgetfulness.
35. «J'ai tout perdu: l'amour seul est resté» (Parny, *Élégies*, IV, 11). «L'amour seul reste» (*Nouvelle Héloïse*, III, 16).—Note by Lanson.
42. «Et je marche dans une voie par laquelle je ne reviendrai jamais.» (*Job*, XVI, 23)
55–56. Pythagoras. This Greek philosopher thought he heard celestial music produced by the motion of the constellations. Cf. Chateaubriand, *Génie du christianisme*, II, III, 4: «Cette harmonie des choses célestes que Pythagore entendait dans le silence de ses passions.»

Le Lac*

Ainsi, toujours poussés vers de nouveaux rivages,
Dans la nuit éternelle emportés sans retour,
Ne pourrons-nous jamais sur l'océan des âges
  Jeter l'ancre un seul jour?

5 O lac! l'année à peine a fini sa carrière,
Et près des flots chéris qu'elle devait revoir,
Regarde! je viens seul m'asseoir sur cette pierre
  Où tu la vis s'asseoir!

Tu mugissais ainsi sous ces roches profondes,
10 Ainsi tu te brisais sur leurs flancs déchirés,
Ainsi le vent jetait l'écume de tes ondes
  Sur ses pieds adorés.

Un soir, t'en souvient-il? nous voguions en silence,
On n'entendait au loin, sur l'onde et sous les cieux,
15 Que le bruit des rameurs qui frappaient en cadence
  Tes flots harmonieux.

Tout à coup des accents inconnus à la terre
Du rivage charmé frappèrent les échos:
Le flot fut attentif, et la voix qui m'est chère
20 Laissa tomber ces mots:

* September, 1817. See introductory note on p. 28. The poem was published not only in 1820 in the *Méditations poétiques*, but also the following year in the *Almanach des Muses*.

«O temps! suspends ton vol; et vous, heures propices!
    Suspendez votre cours:
Laissez-nous savourer les rapides délices
    Des plus beaux de nos jours!

«Assez de malheureux ici-bas vous implorent,   25
    Coulez, coulez pour eux;
Prenez avec leurs jours les soins qui les dévorent,
    Oubliez les heureux.

«Mais je demande en vain quelques moments encore,
    Le temps m'échappe et fuit;   30
Je dis à cette nuit: Sois plus lente; et l'aurore
    Va dissiper la nuit.

«Aimons donc, aimons donc! de l'heure fugitive,
    Hâtons-nous, jouissons!
L'homme n'a point de port, le temps n'a point de rive; 35
    Il coule, et nous passons!»

Temps jaloux, se peut-il que ces moments d'ivresse,
Où l'amour à longs flots nous verse le bonheur,
S'envolent loin de nous de la même vitesse
    Que les jours de malheur?   40

Eh quoi! n'en pourrons-nous fixer au moins la trace?
Quoi! passés pour jamais! quoi! tout entiers perdus!
Ce temps qui les donna, ce temps qui les efface,
    Ne nous les rendra plus!

Éternité, néant, passé, sombres abîmes,   45
Que faites-vous des jours que vous engloutissez?
Parlez: nous rendrez-vous ces extases sublimes
    Que vous nous ravissez?

O lac! rochers muets! grottes! forêt obscure!
Vous, que le temps épargne ou qu'il peut rajeunir,   50
Gardez de cette nuit, gardez, belle nature,
    Au moins le souvenir!

Qu'il soit dans ton repos, qu'il soit dans tes orages,
Beau lac, et dans l'aspect de tes riants coteaux,
55   Et dans ces noirs sapins, et dans ces rocs sauvages
Qui pendent sur tes eaux.

Qu'il soit dans le zéphyr qui frémit et qui passe,
Dans les bruits de tes bords par tes bords répétés,
Dans l'astre au front d'argent qui blanchit ta surface
60   De ses molles clartés.

Que le vent qui gémit, le roseau qui soupire,
Que les parfums légers de ton air embaumé,
Que tout ce qu'on entend, l'on voit ou l'on respire,
Tout dise: Ils ont aimé!

QUESTIONS

1. Analyze the composition of this poem, tracing the development of the thought from beginning to end.
2. What are the diverse lyric themes treated by Lamartine in this poem?
3. Show how general (vague) this poem is both as to form and content.
4. Compare the poet's attitude toward nature in *L'Isolement*, *Le Vallon*, and *Le Lac*.
5. What does the lake symbolize?

NOTES ON *LE LAC*

13–16. Probable literary reminiscences: 1. Rousseau, «Nous gardions un profond silence. Le bruit égal et mesuré des rames m'excitait à rêver» (*Nouvelle Héloïse*, IV, 17). 2. Chateaubriand, «Rien n'interrompait ses plaintes, hors le bruit insensible de notre canot sur les ondes.» (*Atala* in edition of *Œuvres complètes de Chateaubriand*, published by Garnier Frères, vol. III, p. 38.)
17–18. «Atala et moi, nous joignions notre silence au silence de cette scène. Tout à coup la fille de l'exil fit éclater dans les airs une voix pleine d'émotion et de mélancolie.» (*Atala, ibid.*, p. 37.)
25–28. Cf. Rousseau: «Moments précieux et si regrettés! ah! recommencez pour moi votre aimable cours, coulez plus lentement dans mon souvenir, s'il est possible, que vous ne fîtes réellement dans votre fugitive succession.» (*Les Confessions*, éd., Van Bever, Paris, Crès, 1913, vol. II, p. 2.)
33–34. Cf. " Carpe diem," Horace, *Odes*, I, XI, 8.
36. In the manuscript two stanzas appear after this line. Lamartine suppressed them before publication. See Lanson's critical edition.
64. Cf. Hugo's *Tristesse d'Olympio* and Musset's *Souvenir*.

Nouvelles Méditations poétiques

This collection appeared in September, 1823. It contained altogether twenty-six poems of varied inspiration. Several, including *A El* . . . , *Élégie, Tristesse, Le Crucifix,* and *Consolation* were composed in part or in whole before 1820 and might have appeared in the first *Méditations.* Another group, including *Ischia,* was written in Italy in 1821. Others, such as *Le Passé, Les Préludes,* and *L'Esprit de Dieu,* date from 1822–1823. The inclusion of two political poems, *La Liberté* and *Bonaparte,* is of interest.

In addition to *Le Crucifix,* students should read *Tristesse,* *Consolation, Ischia, Les Préludes, L'Esprit de Dieu, Bonaparte,* and *Les Étoiles.*

LE CRUCIFIX*

Toi que j'ai recueilli sur sa bouche expirante
Avec son dernier souffle et son dernier adieu,
Symbole deux fois saint, don d'une main mourante,
    Image de mon Dieu;

Que de pleurs ont coulé sur tes pieds que j'adore,   5
Depuis l'heure sacrée où, du sein d'un martyr,
Dans mes tremblantes mains tu passas, tiède encore
    De son dernier soupir!

Les saints flambeaux jetaient une dernière flamme;
Le prêtre murmurait ces doux chants de la mort,   10
Pareils aux chants plaintifs que murmure une femme
    A l'enfant qui s'endort.

De son pieux espoir son front gardait la trace,
Et sur ses traits, frappés d'une auguste beauté,
La douleur fugitive avait empreint sa grâce,   15
    La mort sa majesté.

* 1818, with probable changes or additions in 1823 (cf. line 42).

Le vent qui caressait sa tête échevelée
Me montrait tour à tour ou me voilait ses traits,
Comme l'on voit flotter sur un blanc mausolée
20   L'ombre des noirs cyprès.

Un de ses bras pendait de la funèbre couche;
L'autre, languissamment replié sur son cœur,
Semblait chercher encore et presser sur sa bouche
    L'image du Sauveur.

25 Ses lèvres s'entr'ouvraient pour l'embrasser encore;
Mais son âme avait fui dans ce divin baiser,
Comme un léger parfum que la flamme dévore
    Avant de l'embraser.

Maintenant tout dormait sur sa bouche glacée,
30 Le souffle se taisait dans son sein endormi,
Et sur l'œil sans regard la paupière affaissée
    Retombait à demi.

Et moi, debout, saisi d'une terreur secrète,
Je n'osais m'approcher de ce reste adoré,
35 Comme si du trépas la majesté muette
    L'eût déjà consacré.

Je n'osais! . . . Mais le prêtre entendit mon silence,
Et, de ses doigts glacés prenant le crucifix:
«Voilà le souvenir, et voilà l'espérance:
40   Emportez-les, mon fils!»

Oui, tu me resteras, ô funèbre héritage!
Sept fois, depuis ce jour, l'arbre que j'ai planté
Sur sa tombe sans nom a changé de feuillage:
    Tu ne m'as pas quitté.

45 Placé près de ce cœur, hélas! où tout s'efface,
Tu l'as contre le temps défendu de l'oubli,
Et mes yeux goutte à goutte ont imprimé leur trace
    Sur l'ivoire amolli.

O dernier confident de l'âme qui s'envole,
Viens, reste sur mon cœur! parle encore, et dis-moi   50
Ce qu'elle te disait quand sa faible parole
          N'arrivait plus qu'à toi;

A cette heure douteuse où l'âme recueillie,
Se cachant sous le voile épaissi sur nos yeux
Hors de nos sens glacés pas à pas se replie,   55
          Sourde aux derniers adieux;

Alors qu'entre la vie et la mort incertaine,
Comme un fruit par son poids détaché du rameau,
Notre âme est suspendue et tremble à chaque haleine
          Sur la nuit du tombeau;   60

Quand des chants, des sanglots la confuse harmonie
N'éveille déjà plus notre esprit endormi,
Aux lèvres du mourant collé dans l'agonie,
          Comme un dernier ami:

Pour éclaircir l'horreur de cet étroit passage,   65
Pour relever vers Dieu son regard abattu,
Divin consolateur, dont nous baisons l'image,
          Réponds, que lui dis-tu?

Tu sais, tu sais mourir! et tes larmes divines,
Dans cette nuit terrible où tu prias en vain,   70
De l'olivier sacré baignèrent les racines
          Du soir jusqu'au matin.

De la croix, où ton œil sonda ce grand mystère,
Tu vis ta mère en pleurs et la nature en deuil;
Tu laissas comme nous tes amis sur la terre,   75
          Et ton corps au cercueil!

Au nom de cette mort, que ma faiblesse obtienne
De rendre sur ton sein ce douloureux soupir:
Quand mon heure viendra, souviens-toi de la tienne,
          O toi qui sais mourir!   80

Je chercherai la place où sa bouche expirante
Exhala sur tes pieds l'irrévocable adieu,
Et son âme viendra guider mon âme errante
    Au sein du même Dieu.

85   Ah! puisse, puisse alors sur ma funèbre couche,
Triste et calme à la fois, comme un ange éploré,
Une figure en deuil recueillir sur ma bouche
    L'héritage sacré!

Soutiens ses derniers pas, charme sa dernière heure;
90   Et, gage consacré d'espérance et d'amour,
De celui qui s'éloigne à celui qui demeure
    Passe ainsi tour à tour.

Jusqu'au jour où, des morts perçant la voûte sombre,
Une voix dans le ciel, les appelant sept fois,
95   Ensemble éveillera ceux qui dorment à l'ombre
    De l'éternelle croix!

QUESTIONS

1. Show how the poem is a welding of two subjects: the death of Julie and the invocation to the crucifix.
2. What does the crucifix symbolize?
3. Is Lamartine orthodox in this poem?
4. Compare this poem with the passage in *Atala* in which the dying girl gives her crucifix to Chactas.

NOTES ON *LE CRUCIFIX*

Title. Lamartine says in the *Commentaire:* «Ceci est une méditation sortie avec des larmes du cœur de l'homme, et non de l'imagination de l'artiste. On le sent; tout y est vrai. Les lecteurs qui voudront savoir sous quelle impression réelle j'écrivis, après une année de silence et de deuil, cette élégie sépulcrale, n'ont qu'à lire dans *Raphaël* la mort de Julie. Mon ami M. de V . . . , qui assistait à ses derniers moments, me rapporta de sa part, le crucifix qui avait reposé sur ses lèvres dans son agonie.» As a matter of fact it was not Virieu who took the crucifix to Lamartine, but a mutual friend, de Perseval. Lamartine, it will be noticed, speaks in the poem as if he himself had been present at Julie's death.

6. un martyr, Julie,—in spite of the masculine gender.

10. «Quels chants? Le prêtre ne chante rien près du lit de mort. Je crois que Lamartine ou bien *évoque* d'avance les psalmodies de la levée du corps pour l'enterrement ou bien *rappelle* les pièces dites au chevet des agonisants.»—Note by R. Canat in *Morceaux choisis*, Paris, Didier, 1926.

13–16. Virieu wrote to Lamartine: «Dans certains moments d'inattention où sa tête s'égarait, sa figure ne recevait qu'une impression plus forte de son âme, l'expression de ses traits devenait sublime. Son regard avait quelque chose de surhumain. . . . Aucun de ses traits n'a été défiguré. Ses chairs sont seulement devenues blanches comme de l'albâtre. Sa bouche était entr'ouverte, ses yeux à demi fermés et il y avait sur toute sa figure une expression céleste de douleur et de repos.»

27. «Parfum est pris dans le double sens de *la fumée* et de *l'encens* que le feu volatilise avant de le consumer.»—Note by R. Canat in *Morceaux choisis*.

42. Sept fois. Not strictly accurate, mathematically speaking, for Julie died in 1817. But seven is a mystic number.

43. Julie's burial place is unknown.

70. In the garden of Gethsemane. **En vain,** cf. Vigny's poem, *Le Mont des oliviers*.

Harmonies poétiques et religieuses

This new collection of poems appeared in June, 1830. Lamartine had somewhat prepared the ground for their publication by sending passages to his friends whenever he had occasion to write to them. Moreover, he had read the *Hymne du matin* at Delphine Gay's in October, 1828, and the poem had been enthusiastically received. Similarly he read with equal success several others in June, 1829, at Hugo's house in the rue Notre-Dame-des-Champs.

Many of the poems were composed in Italy in 1826 and 1827. The remaining were written in France, largely at Saint-Point during 1829 and 1830.

The title of the volume was doubtless suggested by Bernardin de Saint-Pierre's *Harmonies de la nature* of which Lamartine's mother had been extremely fond. The general inspiration of the poems is religious. Indeed, Lamartine had thought of calling them *Les Psaumes modernes*. The essential idea constantly set forth is the revelation of God in the physical universe. The author proclaims the glory of God and the veneration in which He should be held. The *Harmonies* display great technical progress on Lamartine's part. The metaphors are finer, more varied, and more abundant than in his earlier writings. The versification is more supple. The *rythme impair* (lines of an odd number of syllables), somewhat timidly introduced in the *Nouvelles Méditations poétiques*, is extraordinarily developed here. The stanza construction is frequently more intricate and certainly more interesting.

In addition to the two poems given in the present volume, students should read *L'Hymne de la nuit, L'Infini dans les cieux, Milly ou la terre natale, Hymne au Christ, Invocation pour les Grecs,* and *Novissima verba.*

HYMNE DU MATIN*

Pourquoi bondissez-vous sur la plage écumante,
Vagues dont aucun vent n'a creusé les sillons?
Pourquoi secouez-vous votre écume fumante
  En légers tourbillons?

5 Pourquoi balancez-vous vos fronts que l'aube essuie,
Forêts qui tressaillez avant l'heure du bruit?
Pourquoi de vos rameaux répandez-vous en pluie
Ces pleurs silencieux dont vous baigna la nuit?

Pourquoi relevez-vous, ô fleurs, vos pleins calices,
10 Comme un front incliné que relève l'amour?
Pourquoi dans l'ombre humide exhaler ces prémices
  Des parfums qu'aspire le jour?

  Ah! renfermez-les encore,
  Gardez-les, fleurs que j'adore,
15 Pour l'haleine de l'aurore,
  Pour l'ornement du saint lieu!

* Composed April 3, 1826, Florence. (See table given by P. Jouanne, *L'Harmonie lamartinienne,* Paris, Jouve et Cie, 1926, pp. 7–8.)

Le ciel de pleurs vous inonde,
L'œil du matin vous féconde,
Vous êtes l'encens du monde
Qu'il fait remonter à Dieu.   20

Vous qui des ouragans laissiez flotter l'empire,
Et dont l'ombre des nuits endormait le courroux
Sur l'onde qui gémit, sous l'herbe qui soupire,
    Aquilons, autans, zéphire,
    Pourquoi vous éveillez-vous?   25

Et vous qui reposez sous la feuillée obscure,
Qui vous a réveillés dans vos nids de verdure?
    Oiseaux des ondes ou des bois,
    Hôtes des sillons ou des toits,
    Pourquoi confondez-vous vos voix   30
    Dans ce vague et confus murmure
    Qui meurt et renaît à la fois
    Comme un soupir de la nature?

Voix qui nagez dans le bleu firmament,
Voix qui roulez sur le flot écumant,   35
Voix qui volez sur les ailes du vent,
Chantres des airs que l'instinct seul éveille,
Joyeux concerts, léger gazouillement,
Plaintes, accords, tendre roucoulement,
Qui chantez-vous pendant que tout sommeille?   40
    La nuit a-t-elle une oreille
    Digne de ce chœur charmant?

    Attendez que l'ombre meure,
    Oiseaux, ne chantez qu'à l'heure
    Où l'aube naissante effleure   45
    Les neiges du mont lointain.
    Dans l'hymne de la nature,
    Seigneur, chaque créature

       Forme à son heure en mesure
50   Un son du concert divin;
       Oiseaux, voix céleste et pure,
       Soyez le premier murmure
       Que Dieu reçoit du matin!

    Et moi sur qui la nuit verse un divin dictame,
55 Qui sous le poids des jours courbe un front abattu,
    Quel instinct de bonheur me réveille?   O mon âme,
       Pourquoi me réjouis-tu?

    C'est que le ciel s'entr'ouvre ainsi qu'une paupière,
    Quand des vapeurs des nuits les regards sont couverts;
60 Dans les sentiers de pourpre aux pas du jour ouverts,
       Les monts, les flots, les déserts,
       Ont pressenti la lumière,
    Et son axe de flamme, aux bords de sa carrière,
    Tourne, et creuse déjà son éclatante ornière,
65   Sur l'horizon roulant des mers.

            Chaque être s'écrie:
            C'est lui, c'est le jour!
            C'est lui, c'est la vie!
            C'est lui, c'est l'amour!
70   Dans l'ombre assouplie
            Le ciel se replie
            Comme un pavillon;
            Roulant son image
            Le léger nuage
75   Monte, flotte et nage
            Dans son tourbillon;
            La nue orageuse
            Se fend, et lui creuse
            Sa pourpre écumeuse
80   En brillant sillon;
            Il avance. il foule

Ce chaos qui roule
Ses flots égarés;
L'espace étincelle,
La flamme ruisselle   85
Sous ses pieds sacrés;
La terre encor sombre
Lui tourne dans l'ombre
Ses flancs altérés;
L'ombre est adoucie,   90
Les flots éclairés;
Des monts colorés
La cime est jaunie;
Des rayons dorés
Tout reçoit la pluie;   95
Tout vit, tout s'écrie:
C'est lui, c'est le jour!
C'est lui, c'est la vie!
C'est lui, c'est l'amour!

O Dieu, vois dans les airs! l'aigle éperdu s'élance   100
    Dans l'abîme éclatant des cieux;
Sous les vagues de feu que bat son aile immense,
Il lutte avec les vents, il plane, il se balance;
L'écume du soleil l'enveloppe à nos yeux:
Est-il allé porter jusques en ta présence   105
Des airs dont il est roi le sublime silence
    Ou l'hommage mystérieux?

O Dieu, vois sur les mers! le regard de l'aurore
Enfle le sein dormant de l'Océan sonore,
Qui, comme un cœur d'amour ou de joie oppressé,   110
Presse le mouvement de son flot cadencé,
    Et dans ses lames garde encore
Le sombre azur du ciel que la nuit a laissé.
Comme un léger sillon qui se creuse et frissonne
Dans un champ où la brise a balancé l'épi,   115

Un flot naît d'une ride; il murmure, il sillonne
L'azur muet encor de l'abîme assoupi;
Il roule sur lui-même, il s'allonge, il s'abîme;
Le regard le perd un moment:
120 Où va-t-il? Il revient, revomi par l'abîme,
Il dresse en mugissant sa bouillonnante cime;
Le jour semble rouler sur son dos écumant;
Il entraîne en passant les vagues qu'il écrase,
S'enfle de leur débris et bondit sur sa base;
125 Puis enfin, chancelant comme une vaste tour,
Ou comme un char fumant brisé dans la carrière
Il croule, et sa poussière
En flocons de lumière
Roule et disperse au loin tous ces fragments du jour.

130 La barque du pêcheur tend son aile sonore
Où le vent du matin vient déjà palpiter,
Et bondit sur les flots que l'ancre va quitter,
Pareille au coursier qui dévore
Le frein qui semble l'irriter.

135   Le navire, enfant des étoiles,
Luit comme une colline aux bords de l'horizon,
Et réfléchit déjà dans ses plus hautes voiles
La blancheur de l'aurore en son premier rayon.
Léviathan bondit sur ses traces profondes,
140 Et, des flots par ses jeux saluant le réveil,
De ses naseaux fumants il lance au ciel les ondes
Pour les voir retomber en rayons du soleil.

        L'eau berce, le mât secoue
        La tente des matelots;
145   L'air siffle, le ciel se joue
        Dans la crinière des flots;
        Partout l'écume brillante
        D'une frange étincelante

Ceint le bord des flots amers:
Tout est bruit, lumière et joie;   150
C'est l'astre que Dieu renvoie,
C'est l'aurore sur les mers.

O Dieu, vois sur la terre! un pâle crépuscule
Teint son voile flottant par la brise essuyé;
Sur les pas de la nuit l'aube pose son pied;   155
L'ombre des monts lointains se déroule et recule,
    Comme un vêtement replié.
Ses lambeaux, déchirés par l'aile de l'aurore,
Flottent livrés aux vents dans l'orient vermeil;
La pourpre les enflamme et l'iris les colore;   160
Ils pendent en désordre aux tentes du soleil,
Comme des pavillons quand une flotte arbore
Les couleurs de son roi dans les jours d'appareil.

    Sous des nuages de fumée
Le rayon va pâlir sur les tours des cités,   165
Et sous l'ombre des bois les hameaux abrités,
Ces toits par l'innocence et la paix habités,
    Sur la colline embaumée,
    De jour et d'ombre semée,
Font rejaillir au loin leurs flottantes clartés.   170

Le laboureur répond au taureau qui l'appelle;
L'aurore les ramène au sillon commencé;
Il conduit en chantant le couple qu'il attelle;
Le vallon retentit sous le soc renversé;
    Au gémissement de la roue   175
Il mesure ses pas et son chant cadencé;
Sur sa trace en glanant le passereau se joue,
    Et le chêne à sa voix secoue
Le baume des sillons que la nuit a versé.

    L'oiseau chante, l'agneau bêle,   180
    L'enfant gazouille au berceau,

La voix de l'homme se mêle
Au bruit des vents et de l'eau;
L'air frémit, l'épi frissonne,
185　L'insecte au soleil bourdonne,
L'airain pieux qui résonne
Rappelle au Dieu qui le donne
Ce premier soupir du jour:
Tout vit, tout luit, tout remue.
190　C'est l'aurore dans la nue,
C'est la terre qui salue
L'astre de vie et d'amour!

Mais tandis, ô mon Dieu, qu'aux yeux de ton aurore
Un nouvel univers chaque jour semble éclore,
195　Et qu'un soleil flottant dans l'abîme lointain
Fait remonter vers toi les parfums du matin,
D'autres soleils, cachés par la nuit des distances,
Qu'à chaque instant là-haut tu produis et tu lances,
Vont porter dans l'espace à leurs planètes d'or
200　Des matins plus brillants et plus sereins encor.
Oui, l'heure où l'on t'adore est ton heure éternelle,
Oui, chaque point des cieux pour toi la renouvelle,
Et ces astres sans nombre épars au sein des nuits
N'ont été par ton souffle allumés et conduits
205　Qu'afin d'aller, Seigneur, autour de tes demeures,
L'un l'autre se porter la plus belle des heures,
Et te faire bénir par l'aurore des jours,
Ici, là-haut, sans cesse, à jamais et toujours!

Oui, sans cesse un monde se noie
210　Dans les feux d'un nouveau soleil,
Les cieux sont toujours dans la joie,
Toujours un astre a son réveil;
Partout où s'abaisse ta vue
Un soleil levant te salue,
215　Les cieux sont un hymne sans fin!

Et des temps que tu fais éclore,
Chaque heure, ô Dieu, n'est qu'une aurore,
Et l'éternité qu'un matin!

Montez donc, flottez donc, roulez, volez, vents, flamme,
Oiseaux, vagues, rayons, vapeurs, parfums et voix!   220
Terre, exhale ton souffle! homme, élève ton âme!
Montez, flottez, roulez, accomplissez vos lois!
Montez, volez à Dieu! plus haut, plus haut encore!
Dans les feux du soleil sa splendeur vous a lui;
Reportez dans les cieux l'hommage de l'aurore,   225
Montez, il est là-haut; descendez, tout est lui!

Et toi, jour, dont son nom a commencé la course,
Jour qui dois rendre compte au Dieu qui t'a compté,
La nuit qui t'enfanta te rappelle à ta source.
Tu finis dans l'éternité!   230

Tu n'es qu'un pas du temps, mais ton Dieu te mesure,
Tu dois de son auteur rapprocher la nature;
Il ne t'a point créé comme un vain ornement
Pour semer de tes feux la nuit du firmament,
Mais pour lui rapporter, aux célestes demeures,   235
La gloire et la vertu sur les ailes des heures,
Et la louange à tout moment!

QUESTIONS

1. Analyze the composition of this poem.
2. What is the author's religious philosophy according to this poem?
3. Compare this poem with *Dieu, L'Occident, L'Infini dans les cieux.*
4. Examine carefully the versification of this poem. In addition to the alexandrine, what lines are utilized?

NOTES ON *HYMNE DU MATIN*

20. il may refer to *monde* (l. 19) or *matin* (l. 18).
21. l'empire des ouragans, the sea.
54. dictame, *balm.*

63. The **axe** is the axle of the symbolic chariot of the dawn.

72. Pavillon, *tent.*

73. Image, *i.e. l'image du soleil.*

89. altérés, *thirsty* (for light).

95. Cf. 89.

129. Cf. 122.

135. enfant des étoiles. The ship has been guided during the night by the stars.

139. Léviathan, a monstrous animal described in the Book of Job, chapter XLI.

153. Cf. 100 and 108.

154. essuyé, *removed* or *dissipated.*

162. Pavillons, *banners, pennants.*

165. Le rayon, used for *les rayons.*

171–179. Cf. the episode of the « Laboureurs » in *Jocelyn.* See p. 53.

215. " Cœli enarrant gloriam Dei."

219–237. Lamartine «conclut en réunissant, dans un même élan vers le Créateur, le monde et l'homme,» P. Jouanne, *op. cit.,* p. 333.

231. mesure, this verb contains here the two meanings of *number* and *value.*

234. Pour semer = *pour que tu sèmes.*

L'OCCIDENT*

Et la mer s'apaisait comme une urne écumante
Qui s'abaisse au moment où le foyer pâlit,
Et, retirant du bord sa vague encor fumante,
Comme pour s'endormir, rentrait dans son grand lit;

5   Et l'astre qui tombait de nuage en nuage
Suspendait sur les flots un orbe sans rayon;
Puis plongeait la moitié de sa sanglante image,
Comme un navire en feu qui sombre à l'horizon;

Et la moitié du ciel pâlissait, et la brise
10   Défaillait dans la voile, immobile et sans voix,
Et les ombres couraient, et sous leur teinte grise
Tout sur le ciel et l'eau s'effaçait à la fois;

* Composed in 1827, Florence. (See P. Jouanne, *op. cit.,* pp. 7–8.)

Et dans mon âme, aussi pâlissant à mesure,
Tous les bruits d'ici-bas tombaient avec le jour,
Et quelque chose en moi, comme dans la nature,   15
Pleurait, priait, souffrait, bénissait tour à tour.

Et, vers l'occident seul, une porte éclatante
Laissait voir la lumière à flots d'or ondoyer,
Et la nue empourprée imitait une tente
Qui voile sans l'éteindre un immense foyer;   20

Et les ombres, les vents, et les flots de l'abîme,
Vers cette arche de feu tout paraissait courir,
Comme si la nature et tout ce qui l'anime
En perdant la lumière avait craint de mourir.

La poussière du soir y volait de la terre,   25
L'écume à blancs flocons sur la vague y flottait;
Et mon regard long, triste, errant, involontaire,
Les suivait, et de pleurs sans chagrin s'humectait.

Et tout disparaissait; et mon âme oppressée
Restait vide et pareille à l'horizon couvert;   30
Et puis il s'élevait une seule pensée,
Comme une pyramide au milieu du désert.

O lumière! où vas-tu?   Globe épuisé de flamme,
Nuages, aquilons, vagues, où courez-vous?
Poussière, écume, nuit; vous, mes yeux; toi, mon âme,   35
Dites, si vous savez, où donc allons-nous tous?

A toi, grand Tout, dont l'astre est la pâle étincelle,
En qui la nuit, le jour, l'esprit vont aboutir!
Flux et reflux divin de vie universelle,
Vaste océan de l'Etre où tout va s'engloutir!   40

QUESTIONS

1. Analyze the composition of this poem. Show how it differs from *L'Isolement*.
2. Compare the metaphors in this poem with those in *L'Isolement*, *Le Lac*, and *Le Vallon*.
3. What does the Occident symbolize?
4. What is the essential religious idea of this poem? Define it as carefully as possible. Is it strictly Christian?

NOTES ON *L'OCCIDENT*

1. The use of *et* at the beginning of successive stanzas is imitated from the Psalms.
2. qui s'abaisse = dont *l'écume s'abaisse.*
6. rayon, singular used for the piural.
10. immobile et sans voix, these words refer to *brise.*
32. Cf. Chateaubriand: «Quelquefois une haute colonne se montrait seule debout dans un désert, comme une grande pensée s'élève par intervalles dans une âme que le temps et le malheur ont dévastée.» (*René* in *Œuvres complètes de Chateaubriand*, published by Garnier Frères, vol. III, p. 77.)
33–40. «Le dernier élan réunit dans un mouvement unique l'âme et la nature, qui se confondent en Dieu,» P. Jouanne, *op. cit.*, p. 337.

Jocelyn

«De 1830 à 1848,» says Masson, «entre ces deux révolutions, dont il accepte l'une et dont il prépare l'autre, «le chantre d'Elvire» devient un prédicateur social, parlant toujours de plus haut à un auditoire toujours plus élargi.» The evolution was due to a variety of causes, among which may be mentioned the influence of Lamennais. The latter's *Paroles d'un croyant* appeared opportunely in 1834. From this book alone Lamartine may well have absorbed some of his sympathy for the humble and lowly people of society.

If the *Harmonies* marked some advance in the direction indicated by Masson, *Jocelyn*, published in February, 1836, marks a far more important one. Two years before, in *Des destinées de la poésie*, Lamartine had predicted that poetry would be «philosophique, religieuse, politique, sociale,» that it would be «intime surtout, personnelle, méditative et grave.» *Jocelyn* attempts to realize at least in part this conception. It is a «fragment d'épopée intime» with a philosophical and religious tinge. It is an epic of self-sacrifice and of devotion to an ideal. The hero is a village priest, described by the poet as «le prêtre évangélique, une des plus touchantes figures de nos civilisations modernes.»

Lamartine had originally conceived of a vast poem that would relate the history and destiny of man. In this scheme the *Chute d'un ange* would probably have been the first chapter, and *Jocelyn* the next to the last. But Lamartine was never able to complete the project. *Jocelyn* itself, however, grew in scope: in 1831, Lamartine had in mind only a poem in four cantos; by 1835, the four cantos had become nine «époques» with a prologue and epilogue; in 1839, Lamartine added a second epilogue entitled *Vision*.

The following extract is taken from the ninth «époque.» Jocelyn is now the priest of the village of Valneige. On the morning of May 16, 1801, he goes out at dawn, walks to the top of a «rude colline,» and there, Bible in hand, he looks over the landscape, watching the sun rise and the day's toil begin.

LES LABOUREURS *

Déjà, tout près de moi, j'entendais par moments
Monter des pas, des voix et des mugissements:
C'était le paysan de la haute chaumine

* Summary of the poem: Jocelyn enters a seminary in order to give his sister his share of the family fortune, so that she may marry the man she loves. While he is preparing for the priesthood, the French Revolution breaks out. The house in which he was born is burned, his mother and sister are forced to leave France. The seminary is invaded, but Jocelyn succeeds in escaping to the mountains where he takes refuge in the Grotte des Aigles. Soon he meets two refugees, an old man and his son Laurence. The former dies after confiding the youth to Jocelyn's care. A great friendship develops between the two. But when Jocelyn discovers that Laurence is in reality a girl, friendship changes to love. Shortly after, Jocelyn is summoned to the side of the Bishop of Grenoble, who had been in charge of the seminary and who is now condemned to death. In order to confess the bishop and give him the last sacraments, Jocelyn is obliged to make a new sacrifice, give up Laurence, and become an ordained priest. He is sent to the village of Valneige in the Alps. His work as village priest is minutely related, and country life is magnificently described. Laurence dies, and is buried by Jocelyn in the Grotte des Aigles. After a life of sacrifice and devotion Jocelyn dies at Valneige.

Qui venait labourer son morceau de colline,
5 Avec son soc plaintif traîné par ses bœufs blancs,
Et son mulet portant sa femme et ses enfants;
Et je pus, en lisant ma Bible ou la nature,
Voir tout le jour la scène et l'écrire à mesure.
Sous mon crayon distrait le feuillet devint noir.
10 O nature, on t'adore encor dans ton miroir.

Laissant souffler ses bœufs, le jeune homme s'appuie
Debout au tronc d'un chêne, et de sa main essuie
La sueur du sentier sur son front mâle et doux;
La femme et les enfants tout petits, à genoux
15 Devant les bœufs privés baissant leur corne à terre,
Leur cassent des rejets de frêne et de fougère,
Et jettent devant eux en verdoyants monceaux
Les feuilles que leurs mains émondent des rameaux;
Ils ruminent en paix, pendant que l'ombre obscure,
20 Sous le soleil montant, se replie à mesure,
Et, laissant de la glèbe attiédir la froideur,
Vient mourir et border les pieds du laboureur.
Il rattache le joug, sous la forte courroie,
Aux cornes qu'en pesant sa main robuste ploie;
25 Les enfants vont cueillir des rameaux découpés,
Des gouttes de rosée encore tout trempés,
Au joug avec la feuille en verts festons les nouent,
Que sur leurs fronts voilés les fiers taureaux secouent,
Pour que leur flanc qui bat et leur poitrail poudreux
30 Portent sous le soleil un peu d'ombre avec eux.
Au joug de bois poli le timon s'équilibre,
Sous l'essieu gémissant le soc se dresse et vibre,
L'homme saisit le manche, et sous le coin tranchant
Pour ouvrir le sillon le guide au bout du champ.

35 O travail, sainte loi du monde,
Ton mystère va s'accomplir!
Pour rendre la glèbe féconde

De sueur il faut l'amollir.
L'homme, enfant et fruit de la terre,
Ouvre les flancs de cette mère 40
Où germent les fruits et les fleurs;
Comme l'enfant mord la mamelle
Pour que le lait monte et ruisselle
Du sein de sa nourrice en pleurs.

La terre, qui se fend sous le soc qu'elle aiguise, 45
En tronçons palpitants s'amoncelle et se brise;
Et, tout en s'entr'ouvrant, fume comme une chair
Qui se fend et palpite et fume sous le fer.
En deux monceaux poudreux les ailes la renversent;
Ses racines à nu, ses herbes, se dispersent; 50
Ses reptiles, ses vers, par le soc déterrés,
Se tordent sur son sein en tronçons torturés;
L'homme les foule aux pieds, et, secouant le manche,
Enfonce plus avant le glaive qui les tranche;
Le timon plonge et tremble, et déchire ses doigts; 55
La femme parle aux bœufs du geste et de la voix:
Les animaux, courbés sur leur jarret qui plie,
Pèsent de tout leur front sur le joug qui les lie;
Comme un cœur généreux leurs flancs battent d'ardeur;
Ils font bondir le sol jusqu'en sa profondeur. 60
L'homme presse ses pas, la femme suit à peine;
Tous au bout du sillon arrivent hors d'haleine;
Ils s'arrêtent: le bœuf rumine, et les enfants
Chassent avec la main les mouches de ses flancs.

Il est ouvert, il fume encore 65
Sur le sol, ce profond dessin!
O terre, tu vis tout éclore
Du premier sillon de ton sein!
Il fut un Éden sans culture;
Mais il semble que la nature, 70
Cherchant à l'homme un aiguillon,

Ait enfoui pour lui sous terre
Sa destinée et son mystère,
Cachés dans son premier sillon.

75 Oh! le premier jour où la plaine,
S'entr'ouvrant sous sa forte main,
But la sainte sueur humaine
Et reçut en dépôt le grain;
Pour voir la noble créature
80 Aider Dieu, servir la nature,
Le ciel ouvert roula son pli,
Les fibres du sol palpitèrent,
Et les anges surpris chantèrent
Le second prodige accompli!

85 Et les hommes ravis lièrent
Au timon les bœufs accouplés;
Et les coteaux multiplièrent
Les grands peuples comme les blés;
Et les villes, ruches trop pleines,
90 Débordèrent au sein des plaines;
Et les vaisseaux, grands alcyons,
Comme à leurs nids les hirondelles,
Portèrent sur leurs larges ailes
Leur nourriture aux nations!

95 Et, pour consacrer l'héritage
Du champ labouré par leurs mains,
Les bornes firent le partage
De la terre entre les humains;
Et l'homme, à tous les droits propice,
100 Trouva dans son cœur la justice,
En grava le code en tout lieu;
Et, pour consacrer ses lois même,
S'élevant à la loi suprême
Chercha le juge et trouva Dieu!

Et la famille, enracinée 105
Sur le coteau qu'elle a planté,
Refleurit d'année en année,
Collective immortalité;
Et sous sa tutelle chérie
Naquit l'amour de la patrie, 110
Gland de peuple au soleil germé,
Semence de force et de gloire,
Qui n'est que la sainte mémoire
Du champ par ses pères semé!

Et les temples de l'Invisible 115
Sortirent des flancs du rocher,
Et par une échelle insensible,
L'homme de Dieu put s'approcher;
Et les prières qui soupirent,
Et les vertus qu'elles inspirent, 120
Coulèrent du cœur des mortels.
Dieu dans l'homme admira sa gloire,
Et pour en garder la mémoire
Reçut l'épi sur ses autels.

Un moment suspendu, les voilà qui reprennent 125
Un sillon parallèle, et sans fin vont et viennent
D'un bout du champ à l'autre, ainsi qu'un tisserand
Dont la main, tout le jour sur son métier courant,
Jette et retire à soi le lin qui se dévide,
Et joint le fil au fil sur sa trame rapide. 130
La sonore vallée est pleine de leurs voix;
Le merle bleu s'enfuit en sifflant dans les bois,
Et du chêne à ce bruit les feuilles ébranlées
Laissent tomber sur eux les gouttes distillées.
Cependant le soleil darde à nu; le grillon 135
Semble crier de feu sur le dos du sillon.
Je vois flotter, courir sur la glèbe embrasée
L'atmosphère palpable où nage la rosée

Qui rejaillit du sol et qui bout dans le jour,
140 Comme une haleine en feu de la gueule d'un four.
    Des bœufs vers le sillon le joug plus lourd s'affaisse;
    L'homme passe la main sur son front, sa voix baisse;
    Le soc glissant vacille entre ses doigts nerveux;
    La sueur, de la femme imbibe les cheveux.
145 Ils arrêtent le char à moitié de sa course;
    Sur les flancs d'une roche ils vont lécher la source,
    Et, la lèvre collée au granit humecté,
    Savourent sa fraîcheur et son humidité.

    Oh! qu'ils boivent dans cette goutte
150 L'oubli des pas qu'il faut marcher!
    Seigneur, que chacun sur sa route
    Trouve son eau dans le rocher!
    Que ta grâce les désaltère!
    Tous ceux qui marchent sur la terre
155 Ont soif à quelque heure du jour:
    Fais à leur lèvre desséchée
    Jaillir de ta source cachée
    La goutte de paix et d'amour!

    Ah! tous ont cette eau de leur âme!
160 Aux uns c'est un sort triomphant;
    A ceux-ci le cœur d'une femme;
    A ceux-là le front d'un enfant;
    A d'autres l'amitié secrète,
    Ou les extases du poète:
165 Chaque ruche d'homme a son miel.
    Ah! livre à leur soif assouvie
    Cette eau des sources de la vie!
    Mais ma source à moi n'est qu'au ciel.

    L'eau d'ici-bas n'a qu'amertume
170 Aux lèvres qui burent l'amour,
    Et de la soif qui me consume

L'onde n'est pas dans ce séjour ;
Elle n'est que dans ma pensée
Vers mon Dieu sans cesse élancée,
Dans quelques sanglots de ma voix,   175
Dans ma douceur à la souffrance ;
Et ma goutte à moi d'espérance,
C'est dans mes pleurs que je la bois !

Mais le milieu du jour au repas les rappelle ;
Ils couchent sur le sol le fer ; l'homme dételle   180
Du joug tiède et fumant les bœufs, qui vont en paix
Se coucher loin du soc sous un feuillage épais.
La mère et les enfants, qu'un peu d'ombre rassemble,
Sur l'herbe, autour du père, assis, rompent ensemble
Et se passent entre eux, de la main à la main,   185
Les fruits, les œufs durcis, le laitage et le pain ;
Et le chien, regardant le visage du père,
Suit d'un œil confiant les miettes qu'il espère.
Le repas achevé, la mère, du berceau
Qui repose couché dans un sillon nouveau,   190
Tire un bel enfant nu qui tend ses mains vers elle,
L'enlève, et, suspendu, l'emporte à sa mamelle,
L'endort, en le berçant du sein sur ses genoux,
Et s'endort elle-même, un bras sur son époux.
Et sous le poids du jour la famille sommeille   195
Sur la couche de terre, et le chien seul les veille ;
Et les anges de Dieu d'en haut peuvent les voir,
Et les songes du ciel sur leurs têtes pleuvoir.

Oh ! dormez sous le vert nuage
Des feuilles qui couvrent ce nid,   200
Homme, femme, enfants leur image,
Que la loi d'amour réunit !
O famille, abrégé du monde,
Instinct qui charme et qui féconde
Les fils de l'homme en ce bas lieu,   205

N'est-ce pas toi qui nous rappelle
Cette parenté fraternelle
Des enfants dont le père est Dieu?

Foyer d'amour où cette flamme
210   Qui circule dans l'univers
Joint le cœur au cœur, l'âme à l'âme,
Enchaîne les sexes divers;
Tu resserres et tu relies
Les générations, les vies,
215   Dans ton mystérieux lien;
Et l'amour qui du ciel émane,
Des voluptés culte profane,
Devient vertu s'il est le tien!

Dieu te garde et te sanctifie,
220   L'homme te confie à la loi,
Et la nature purifie
Ce qui serait impur sans toi.
Sous le toit saint qui te rassemble,
Les regards, les sommeils ensemble,
225   Ne souillent plus ta chasteté,
Et, sans qu'aucun limon s'y mêle,
La source humaine renouvelle
Les torrents de l'humanité.

Ils ont quitté leur arbre et repris leur journée.
230 Du matin au couchant l'ombre déjà tournée
S'allonge au pied du chêne et sur eux va pleuvoir;
Le lac, moins éclatant, se ride au vent du soir;
De l'autre bord du champ le sillon se rapproche.
Mais quel son a vibré dans les feuilles? La cloche,
235 Comme un soupir des eaux qui s'élève du bord,
Répand dans l'air ému l'imperceptible accord,
Et, par des mains d'enfants au hameau balancée,
Vient donner de si loin son coup à la pensée:

C'est l'Angélus qui tinte, et rappelle en tout lieu
Que le matin des jours et le soir sont à Dieu.   240
A ce pieux appel le laboureur s'arrête;
Il se tourne au clocher, il découvre sa tête,
Joint ses robustes mains d'où tombe l'aiguillon,
Élève un peu son âme au-dessus du sillon,
Tandis que les enfants, à genoux sur la terre,   245
Joignent leurs petits doigts dans les mains de leur mère.

Prière! ô voix surnaturelle
Qui nous précipite à genoux;
Instinct du ciel qui nous rappelle
Que la patrie est loin de nous;   250
Vent qui souffle sur l'âme humaine,
Et de la paupière trop pleine
Fait déborder l'eau de ses pleurs,
Comme un vent qui, par intervalles,
Fait pleuvoir les eaux virginales   255
Du calice incliné des fleurs:

Sans toi, que serait cette fange?
Un monceau d'un impur limon,
Où l'homme après la brute mange
Les herbes qu'il tond du sillon.   260
Mais par toi son aile cassée
Soulève encore sa pensée
Pour respirer au vrai séjour,
La désaltérer dans sa course,
Et lui faire boire à sa source   265
L'eau de la vie et l'amour!

Le cœur des mères te soupire,
L'air sonore roule ta voix,
La lèvre d'enfant te respire,
L'oiseau t'écoute aux bords des bois;   270
Tu sors de toute la nature

Comme un mystérieux murmure
Dont les anges savent le sens;
Et ce qui souffre, et ce qui crie,
275 Et ce qui chante, et ce qui prie,
N'est qu'un cantique aux mille accents.

O saint murmure des prières,
Fais aussi dans mon cœur trop plein,
Comme des ondes sur des pierres,
280 Chanter mes peines dans mon sein;
Que le faible bruit de ma vie
En extase intime ravie
S'élève en aspirations;
Et fais que ce cœur que tu brises,
285 Instrument des célestes brises,
Éclate en bénédictions!

QUESTIONS

1. Analyze the composition of this selection.
2. What are the principal ideas developed in this extract? What are
the possible sources of these ideas?
3. Compare « Les Laboureurs » of *Jocelyn* with « Les Laboureurs » of
Atala.

NOTES ON *LES LABOUREURS*

1. This line is 6349 in the complete poem.
5. soc, *plowshare*.
10. «Vers obscur qui veut dire ou bien «c'est encore t'adorer que de te
peindre,» ou bien «ta beauté persiste dans mon imparfaite description.»—
Note by R. Canat in his *Morceaux choisis*.
15. privés = *apprivoisés, tamed*.
18. émondent, usually means *prune*, here, *pluck* or *strip*.
21. attiédir = *s'attiédir*.
27. la feuille = *le feuillage*.
46. tronçons = *mottes, clumps of earth*.
49. ailes, here the *earth-boards* of the plow, usually called in French *les
oreilles*.
65. Notice that this lyric hymn is inspired by the preceding description.

69. *There was once a garden of Eden where cultivation of the earth was unnecessary.*

84. le second prodige, *i.e.* the cultivation; the first was the creation.

125. suspendu refers to *sillon*, understood but not expressed.

127–130. tisserand, *weaver;* métier, *loom;* lin, *flax;* se dévide, *winds;* trame, *woof.*

145. char, for *charrue, plow.*

149. Cf. note to l. 65.

170. l'amour = *l'amour divin.*

176. douceur, here means *resignation.*

180. le fer = *le soc.*

186. œufs durcis, usually in French *œufs durs.* Laitage = *fromage.*

239. l'Angélus, cf. *La Cloche du village* in the *Recueillements poétiques.*

242. Cf. Millet's famous picture, *The Angelus.*

257. fange, *i.e.* the earth.

La Chute d'un ange

La Chute d'un ange, published in May, 1838, is, like *Jocelyn,* a chapter in the mighty epic which Lamartine conceived but never realized.

The principal character of the poem, Cédar, is an angel. Such figures had been popularized in the literature of Western Europe during the years following 1820. In 1821, Byron had written a mystery play entitled *Heaven and Earth,* inspired by a verse from Genesis VI, 1–2: "And it came to pass . . . that the sons of God saw the daughters of men that they were fair; and they took them wives of all which they chose." In 1822, Thomas Moore had published *The Loves of the Angels.* In 1826, Alfred de Vigny's poem *Eloa* had appeared, the chief character of which was a female angel born of a tear of Christ. These compositions undoubtedly served as a point of departure for Lamartine.

The events of the poem occur during the period preceding the flood. The adventures of Cédar and Daïdha constitute the dramatic action. But more important are, on the one hand, the pictures * of pastoral and urban existence, and, on the other, the special ideas of the poet, among which the idea of sacrifice is particularly significant.

* For these descriptions Lamartine utilized, naturally enough, certain passages of his *Voyage en Orient*

Leconte de Lisle, in 1864, gave great praise to this poem generally unappreciated at the time of its publication. «M. de Lamartine,» he wrote, «a fait mieux que les *Méditations* et que *Jocelyn*, mieux que les *Harmonies:* il a écrit *La Chute d'un ange.* Mon sentiment à ce sujet est celui du très petit nombre, je le sais. La critique, d'ordinaire si élogieuse, a rudement traité ce poème, et le public lettré ne l'a point lu ou l'a condamné. La critique et le public sont des juges mal informés. Les conceptions les plus hardies, les images les plus éclatantes, les vers les plus mâles, le sentiment le plus large de la nature extérieure, toutes les vraies richesses intellectuelles du poète sont contenues dans *La Chute d'un ange.* Les lacunes, les négligences de style, les incorrections de langue y abondent, car les forces de l'artiste ne suffisent pas toujours à la tâche, mais les parties admirables qui s'y rencontrent sont de premier ordre.» («Les Poètes contemporains,» *Derniers poèmes.*)

The following extract is taken from the first of fifteen "Visions."

CHŒUR DES CÈDRES DU LIBAN

Saint, saint, saint le Seigneur qu'adore la colline!
Derrière ces soleils, d'ici nous le voyons;
Quand le souffle embaumé de la nuit nous incline,
Comme d'humbles roseaux sous sa main nous plions.
5   Mais pourquoi plions-nous? C'est que nous le prions!
C'est qu'un intime instinct de la vertu divine
Fait frissonner nos troncs du dôme à la racine,
Comme un vent du courroux qui rougit leur narine
    Et qui ronfle dans leur poitrine,
10   Fait ondoyer les crins sur les cous des lions.

Glissez, glissez, brises errantes,
Changez en cordes murmurantes
La feuille et la fibre des bois!
Nous sommes l'instrument sonore
15   Où le nom que la lune adore

A tous moments meurt pour éclore
Sous nos frémissantes parois.
Venez, des nuits tièdes haleines;
Tombez du ciel, montez des plaines;
Dans nos branches, du grand nom pleines, 20
Passez, repassez mille fois!
Si vous cherchez qui le proclame,
Laissez là l'éclair et la flamme!
Laissez là la mer et la lame!
Et nous, n'avons-nous pas une âme 25
Dont chaque feuille est une voix?

Tu le sais, ciel des nuits, à qui parlent nos cimes;
Vous, rochers que nos pieds sondent jusqu'aux abîmes
Pour y chercher la sève et les sucs nourrissants;
Soleils, dont nous buvons les dards éblouissants; 30
Vous le savez, ô nuits dont nos feuilles avides
Pompent les frais baisers et les perles humides:
Dites si nous avons des sens!
Des sens dont n'est douée aucune créature,
Qui s'emparent d'ici de toute la nature, 35
Qui respirent sans lèvre et contemplent sans yeux,
Qui sentent les saisons avant qu'elles éclosent;
Des sens qui palpent l'air et qui le décomposent,
D'une immortelle vie agents mystérieux!

Et pour qui donc seraient ces siècles d'existence? 40
Et pour qui donc seraient l'âme et l'intelligence?
Est-ce donc pour l'arbuste nain?
Est-ce pour l'insecte et l'atome,
Ou pour l'homme, léger fantôme,
Qui sèche à mes pieds comme un chaume, 45
Qui dit la terre son royaume,
Et disparaît du jour avant que de mon dôme
Ma feuille de ses pas ait jonché le chemin?
Car les siècles pour nous, c'est hier et demain!

50   Oh! gloire à toi, Père des choses!
        Dis quel doigt terrible tu poses
        Sur le plus faible des ressorts,
        Pour que notre fragile pomme,
        Qu'écraserait le pied de l'homme,
55   Renferme en soi nos vastes corps!

        Pour que de ce cône fragile,
        Végétant dans un peu d'argile,
        S'élancent ces hardis piliers
        Dont les gigantesques étages
60   Portent les ombres par nuages,
        Et les passereaux par milliers!
        Et quel puissant levain de vie
        Dans la sève, goutte de pluie
        Que boirait le bec d'un oiseau,
65   Pour que ses ondes toujours pleines,
        Se multipliant dans nos veines,
        En désaltèrent le réseau!

        Pour que cette source éternelle
        Dans tous les ruisseaux renouvelle
70   Ce torrent que rien n'interrompt,
        Et de la crête à la racine
        Verdisse l'immense colline
        Qui végète dans un seul tronc!

    Dites quel jour des jours nos racines sont nées.
75   Rochers qui nous servez de base et d'aliment!
    De nos dômes flottants montagnes couronnées,
        Qui vivez innombrablement;
        Soleils éteints du firmament,
    Étoiles de la nuit par Dieu disséminées,
80   Parlez, savez-vous le moment?
    Si l'on ouvrait nos troncs, plus durs qu'un diamant,
    On trouverait des cents et des milliers d'années
    Écrites dans le cœur de nos fibres veinées,
        Comme aux couches d'un élément!

Aigles qui passez sur nos têtes,   85
Allez dire aux vents déchaînés
Que nous défions leurs tempêtes
Avec nos mâts enracinés.
Qu'ils montent, ces tyrans de l'onde,
Que leur aile s'ameute et gronde   90
Pour assaillir nos bras nerveux!
Allons! leurs plus fougueux vertiges
Ne feront que bercer nos tiges
Et que siffler dans nos cheveux!

Fils du rocher, nés de nous-même,   95
Sa main divine nous planta;
Nous sommes le vert diadème
Qu'aux sommets d'Éden il jeta.
Quand ondoiera l'eau du déluge,
Nos flancs creux seront le refuge   100
De la race entière d'Adam;
Et les enfants du patriarche
Dans notre bois tailleront l'arche
Du dieu nomade d'Abraham!

C'est nous, quand les tribus captives   105
Auront vu les hauteurs d'Hermon,
Qui couvrirons de nos solives
L'arche immense de Salomon.
Si, plus tard, un Verbe fait homme
D'un nom plus saint adore et nomme   110
Son père du haut d'une croix,
Autels de ce grand sacrifice,
De l'instrument de son supplice
Nos rameaux fourniront le bois.

En mémoire de ces prodiges,   115
Des hommes inclinant leurs fronts
Viendront adorer nos vestiges,

Coller leurs lèvres à nos troncs;
Les saints, les poètes, les sages,
120   Écouteront dans nos feuillages
Des bruits pareils aux grandes eaux
Et sous nos ombres prophétiques
Formeront leurs plus beaux cantiques
Des murmures de nos rameaux.

125   Glissez comme une main sur la harpe qui vibre
Glisse de corde en corde, arrachant à la fois
A chaque corde une âme, à chaque âme une voix;
Glissez, brises des nuits, et que de chaque fibre
Un saint tressaillement jaillisse sous vos doigts!
130   Que vos ailes frôlant les cintres de nos voûtes,
Que des larmes du ciel les résonnantes gouttes,
Que les gazouillements du bulbul dans son nid,
Que les balancements de la mer dans son lit,
L'eau qui filtre, l'herbe qui plie,
135   La sève qui découle en pluie,
La brute qui hurle ou qui crie,
Tous ces bruits de force et de vie
Que le silence multiplie,
Et ce bruissement du monde végétal
140   Qui palpite à nos pieds du brin d'herbe au métal,
Que ces voix qu'un grand chœur rassemble
Dans cet air où notre ombre tremble
S'élèvent et chantent ensemble
Celui qui les a faits, Celui qui les entend,
145   Celui dont le regard à leurs besoins s'étend:
Dieu, Dieu, Dieu, mer sans bords qui contient tout
Foyer dont chaque vie est la pâle étincelle,   [en elle
Bloc dont chaque existence est une humble parcelle!
Qu'il vive sa vie éternelle,
150   Complète, immense, universelle;
Qu'il vive à jamais renaissant

Avant la nature, après elle;
Qu'il vive et qu'il se renouvelle,
Et que chaque soupir de l'heure qu'il rappelle
Remonte à lui, d'où tout descend!!! 155

Ainsi chantait le chœur des arbres, et les anges
Avec ravissement répétaient ces louanges;
Et des monts et des mers, et des feux et des vents,
De chaque forme d'être et d'atomes vivants,
L'unanime concert des terrestres merveilles 160
Pour s'élever à Dieu passait par leurs oreilles.
Et ces milliers de voix de tout ce qui voit Dieu,
Le comprend, ou l'adore, ou le sent en tout lieu,
Roulaient dans le silence en grandes harmonies,
Sans mots articulés, sans langues définies, 165
Semblables à ce vague et sourd gémissement
Qu'une étreinte d'amour arrache au cœur aimant,
Et qui dans un murmure enferme et signifie
Plus d'amour qu'en cent mots l'homme n'en balbutie!

QUESTIONS

1. Analyze the composition of this selection.
2. What important novelties of stanza construction and rhyme scheme do you observe?
3. Is the religious sentiment expressed in these lines Christian?

NOTES ON *CHŒUR DES CÈDRES DU LIBAN*

Title. le Liban, Lebanon.
1. Cf. Isaiah, VI, 3. (This line is 683 in the complete text.)
42. arbuste nain, *dwarf shrub.*
69. ruisseaux, *i.e. veines;* cf. l. 66.
103. l'arche, Noah's ark.
106. Hermon, Mt. Hermon.
107. solives, *joists.*
108. l'arche, the Ark of the Covenant, removed by Solomon from its modest tent, and installed in the inner sanctuary of the temple.
132. bulbul, *nightingale.* Littré: «Bulbul, nom du rossignol dans la langue persane; il s'emploie quelquefois dans la poésie et les ouvrages d'imagination, où il s'agit de l'Orient.»
147–153. These seven lines were omitted in the edition of 1861.

Recueillements poétiques

This collection of poems appeared in April, 1839.   Instead of
being, as the title would indicate, a series of poetic meditations,
these poems are rather «des lettres, des réponses, des discours,
des appels, des toasts, des épitaphes, des consolations.» (Masson,
Lamartine, p. 22.)

In addition to the text given here, students should read
*La Cloche du village, Cantique sur la mort de Mme la Duchesse de
Broglie, Toast aux Gallois et aux Bretons, Utopie*, and *La Femme.*

A M. Félix Guillemardet
SUR SA MALADIE

Saint-Point, *15 septembre 1837.*

Frère, le temps n'est plus où j'écoutais mon âme
Se plaindre et soupirer comme une faible femme
Qui de sa propre voix soi-même s'attendrit,
Où par des chants de deuil ma lyre intérieure
5   Allait multipliant, comme un écho qui pleure,
　　Les angoisses d'un seul esprit.

Dans l'être universel au lieu de me répandre,
Pour tout sentir en lui, tout souffrir, tout comprendre,
Je resserrais en moi l'univers amoindri;
10   Dans l'égoïsme étroit d'une fausse pensée
La douleur, en moi seul par l'orgueil condensée,
　　Ne jetait à Dieu que mon cri.

Ma personnalité remplissait la nature:
On eût dit qu'avant elle aucune créature
15   N'avait vécu, souffert, aimé, perdu, gémi:
Que j'étais à moi seul le mot du grand mystère,
Et que toute pitié du ciel et de la terre
　　Dût rayonner sur ma fourmi!

Pardonnez-moi, mon Dieu! tout homme ainsi commence.
Le retentissement universel, immense,   20
Ne fait vibrer d'abord que ce qui sent en lui;
De son être souffrant l'impression profonde,
Dans sa neuve énergie, absorbe en lui le monde
Et lui cache les maux d'autrui.

Comme Pygmalion contemplant sa statue   25
Et promenant sa main sous sa mamelle nue
Pour savoir si ce marbre enferme un cœur humain,
L'humanité pour lui n'est qu'un bloc sympathique
Qui, comme la Vénus du statuaire antique
    Ne palpite que sous sa main.   30

O honte! ô repentir! quoi! cet être éphémère,
Qui gémit en sortant du ventre de sa mère,
Croirait tout étouffer sous le bruit d'un seul cœur?
Hâtons-nous d'expier cette erreur d'un insecte,
Et, pour que Dieu l'écoute et l'ange le respecte,   35
    Perdons nos voix dans le grand chœur!

Jeune, j'ai partagé le délire et la faute,
J'ai crié ma misère, hélas! à voix trop haute:
Mon âme s'est brisée avec son propre cri!
De l'univers sensible atome insaisissable,   40
Devant le grand soleil j'ai mis mon grain de sable,
    Croyant mettre un monde à l'abri.

Puis mon cœur, moins sensible à ses propres misères,
S'est élargi plus tard aux douleurs de mes frères;
Tous leurs maux ont coulé dans le lac de mes pleurs,   45
Et, comme un grand linceul que la pitié déroule,
L'âme d'un seul, ouverte aux plaintes de la foule,
    A gémi toutes les douleurs.

Alors dans le grand tout mon âme répandue
A fondu, faible goutte au sein des mers perdue   50

Que roule l'Océan, insensible fardeau,
Mais où l'impulsion sereine ou convulsive,
Qui de l'abîme entier de vague en vague arrive,
Palpite dans la goutte d'eau.

55 Alors, par la vertu, la pitié m'a fait homme;
J'ai conçu la douleur du nom dont on le nomme,
J'ai sué sa sueur et j'ai saigné son sang;
Passé, présent, futur, ont frémi sur ma fibre,
Comme vient retentir le moindre son qui vibre
60   Sur un métal retentissant.

Alors j'ai bien compris par quel divin mystère
Un seul cœur incarnait tous les maux de la terre,
Et comment, d'une croix jusqu'à l'éternité,
Du cri du Golgotha la tristesse infinie
65 Avait pu contenir seule assez d'agonie
Pour exprimer l'humanité!

Alors j'ai partagé, bien avant ma naissance,
Ce pénible travail de sa lente croissance
Par qui sous le soleil grandit l'esprit humain,
70 Semblable au rude effort du sculpteur sur la pierre
Qui mutile cent fois le bloc dans la carrière
Avant qu'il vive sous sa main.

.   .   .   .

QUESTION

Show by specific examples from other poems that Lamartine's work
reveals the evolution of which he speaks in this poem.

NOTES ON *A M. FÉLIX GUILLEMARDET*

Title. «M. Guillemardet, fils de l'ancien ambassadeur de la Convention
en Espagne, était un de ces caractères et un de ces esprits purement
contemplatifs qui regardent le monde, les choses, les arts, les hommes,
mais qui ne s'y mêlent que par le regard. . . . Il venait quelquefois
l'été, passer des mois auprès de nous dans la solitude. . . . Si la con-
versation prenait un tour philosophique ou sentimental, si l'on se trouvait

en face d'un de ces grands problèmes de la pensée, si l'on passait devant
un beau site, si l'on s'arrêtait devant une peinture, si l'on écoutait une
musique, si on lisait une page, le mot juste que chacun cherchait pour
rendre sa sensation sortait à voix basse de sa bouche; il avait mieux vu,
mieux compris, mieux senti, mieux deviné, mieux révélé que tout le
monde.» (*Entretien avec le lecteur*, 1860.) Guillemardet died in 1842
of the same illness with which he was afflicted when Lamartine wrote
this poem, of which we are able to give here only the first twelve stanzas.
15. Cf. *Novissima verba* (in the *Harmonies poétiques et religieuses*): «J'ai
vu, pensé, senti, souffert, et je m'en vais.»
18. ma fourmi, *la fourmi que je suis.*
25. Pygmalion, a legendary king of Cyprus and a noted sculptor. He
had resolved to remain unmarried, but he created such a beautiful
statue of a goddess that he begged Venus to give it life. His prayer
being granted, Pygmalion married the animated statue.
46. linceul, *shroud.*
64. Golgotha. See St. Mark, XV, 22 or St. John, XIX, 17.

Poésies diverses

LA MARSEILLAISE DE LA PAIX *

Roule libre et superbe entre tes larges rives,
Rhin, Nil de l'Occident, coupe des nations!
Et des peuples assis qui boivent tes eaux vives
Emporte les défis et les ambitions!

* Published in the June number of the *Revue des Deux Mondes*, 1841.
In 1840, a diplomatic crisis had occurred in Western Europe over the near East.
The French had sought to favor the fortunes of Mehemet-Ali, the pacha of
Egypt. Lord Palmerston, the English minister of foreign affairs, had forestalled
the French manœuvres by signing an agreement with the other great powers
at London. From this convention France was excluded. A wave of indignation
swept over France, and there was talk of war. On the other side of the Rhine, a
young poet, Nikolaus Becker, was inspired to write the *Rheinlied* which was
published September 18, 1840, in the *Gazette* of Treves. It was strongly nation-
alistic in tone. The first stanza (as translated by A. Dumas *père*) runs as follows:

Corbeaux avides qui croassent,
Sur tous les tons le réclamant,
Ils ne l'auront pas, quoiqu'ils fassent,
Notre libre Rhin allemand!

The poem was enormously successful in Germany. Becker later sent a copy to
Lamartine who received it on May 16, 1841. By that time the war spirit had
died down in France. Lamartine wrote his reply almost immediately. *La
Marseillaise de la paix* was unfavorably received in France. On June 15, 1841.

5   Il ne tachera plus le cristal de ton onde,
      Le sang rouge du Franc, le sang bleu du Germain;
      Ils ne crouleront plus sous le caisson qui gronde,
      Ces ponts qu'un peuple à l'autre étend comme une main!
      Les bombes et l'obus, arc-en-ciel des batailles,
10   Ne viendront plus s'éteindre en sifflant sur tes bords;
      L'enfant ne verra plus, du haut de tes murailles,
      Flotter ces poitrails blonds qui perdent leurs entrailles,
         Ni sortir des flots ces bras morts!

      Roule libre et limpide, en répétant l'image
15   De tes vieux forts verdis sous leurs lierres épais,
      Qui froncent tes rochers, comme un dernier nuage
      Fronce encor les sourcils sur un visage en paix!

      Ces navires vivants dont la vapeur est l'âme
      Déploieront sur ton cours la crinière du feu;
20   L'écume à coups pressés jaillira sous la rame;
      La fumée en courant lèchera ton ciel bleu.
      Le chant des passagers, que ton doux roulis berce,
      Des sept langues d'Europe étourdira tes flots,
      Les uns tendant leurs mains avides de commerce,
25   Les autres allant voir, aux monts où Dieu te verse,
         Dans quel nid le fleuve est éclos.

      Roule libre et béni! Ce Dieu qui fond la voûte
      Où la main d'un enfant pourrait te contenir,
      Ne grossit pas ainsi ta merveilleuse goutte
30   Pour diviser ses fils, mais pour les réunir!

Edgar Quinet published in the *Revue des Deux Mondes* a poem entitled *Le Rhin* in which he protested against Lamartine's internationalism. About the same time Alfred de Musset composed *Le Rhin allemand* in which, replying to Becker, he says:

      Nous l'avons eu, votre Rhin allemand,
        Il a tenu dans notre verre.
        Un couplet qu'on s'en va chantant
        Efface-t-il la trace altière
      Du pied de nos chevaux marqué dans votre sang?

For further details of this interesting affair, consult G. Raphaël, *Le Rhin allemand*, Paris, Cahiers de la quinzaine, 1903.

Pourquoi nous disputer la montagne ou la plaine?
Notre tente est légère, un vent va l'enlever;
La table où nous rompons le pain est encor pleine,
Que la mort, par nos noms, nous dit de nous lever!
Quand le sillon finit, le soc le multiplie;   35
Aucun œil du soleil ne tarit les rayons;
Sous le flot des épis la terre inculte plie:
Le linceul, pour couvrir la race ensevelie,
        Manque-t-il donc aux nations?

Roule libre et splendide à travers nos ruines,   40
Fleuve d'Arminius, du Gaulois, du Germain!
Charlemagne et César, campés sur tes collines,
T'ont bu sans t'épuiser dans le creux de leur main.

Et pourquoi nous haïr, et mettre entre les races
Ces bornes ou ces eaux qu'abhorre l'œil de Dieu?   45
De frontières au ciel voyons-nous quelques traces?
Sa voûte a-t-elle un mur, une borne, un milieu?
Nations, mot pompeux pour dire barbarie,
L'amour s'arrête-t-il où s'arrêtent vos pas?
Déchirez ces drapeaux; une autre voix vous crie: 50
«L'égoïsme et la haine ont seuls une patrie;
        La fraternité n'en a pas!»

Roule libre et royal entre nous tous, ô fleuve!
Et ne t'informe pas, dans ton cours fécondant,
Si ceux que ton flot porte ou que ton urne abreuve   55
Regardent sur tes bords l'aurore ou l'occident.

Ce ne sont plus des mers, des degrés, des rivières,
Qui bornent l'héritage entre l'humanité:
Les bornes des esprits sont leurs seules frontières;
Le monde en s'éclairant s'élève à l'unité.   60
Ma patrie est partout où rayonne la France,
Où son génie éclate aux regards éblouis!

Chacun est du climat de son intelligence;
Je suis concitoyen de tout homme qui pense:
65   La vérité, c'est mon pays!

Roule libre et paisible entre ces fortes races
Dont ton flot frémissant trempa l'âme et l'acier,
Et que leur vieux courroux, dans le lit que tu traces,
Fonde au soleil du siècle avec l'eau du glacier!

70 Vivent les nobles fils de la grave Allemagne!
Le sang-froid de leurs fronts couvre un foyer ardent;
Chevaliers tombés rois des mains de Charlemagne,
Leurs chefs sont les Nestors des conseils d'Occident.
Leur langue a les grands plis du manteau d'une reine,
75 La pensée y descend dans un vague profond;
Leur cœur sûr est semblable au puits de la sirène,
Où tout ce que l'on jette, amour, bienfait ou haine,
      Ne remonte jamais du fond.

Roule libre et fidèle entre tes nobles arches,
80 O fleuve féodal, calme mais indompté!
Verdis le sceptre aimé de tes rois patriarches:
Le joug que l'on choisit est encor liberté.

Et vivent les essaims de la ruche de France,
Avant-garde de Dieu, qui devancent ses pas!
85 Comme des voyageurs qui vivent d'espérance,
Ils vont semant la terre, et ne moissonnent pas . . .
Le sol qu'ils ont touché germe fécond et libre;
Ils sauvent sans salaire, ils blessent sans remord:
Fiers enfants, de leur cœur l'impatiente fibre
90 Est la corde de l'arc où toujours leur main vibre
      Pour lancer l'idée ou la mort!

Roule libre, et bénis ces deux sangs dans ta course;
Souviens-toi pour eux tous de la main d'où tu sors:

L'aigle et le fier taureau boivent l'onde à ta source;
Que l'homme approche l'homme, et qu'il boive aux deux
[bords! 95
Amis, voyez là-bas!—La terre est grande et plane!
L'Orient délaissé s'y déroule au soleil;
L'espace y lasse en vain la lente caravane,
La solitude y dort son immense sommeil!
Là, des peuples taris ont laissé leurs lits vides; 100
Là, d'empires poudreux les sillons sont couverts:
Là, comme un stylet d'or, l'ombre des Pyramides
Mesure l'heure morte à des sables livides
      Sur le cadran nu des déserts!

Roule libre à ces mers où va mourir l'Euphrate, 105
Des artères du globe enlace le réseau;
Rends l'herbe et la toison à cette glèbe ingrate:
Que l'homme soit un peuple et les fleuves une eau!

Débordement armé des nations trop pleines,
Au souffle de l'aurore envolés les premiers, 110
Jetons les blonds essaims des familles humaines
Autour des nœuds du cèdre et du tronc des palmiers!
Allons, comme Joseph, comme ses onze frères,
Vers les limons du Nil que labourait Apis,
Trouvant de leurs sillons les moissons trop légères, 115
S'en allèrent jadis aux terres étrangères
      Et revinrent courbés d'épis!

Roule libre, et descends des Alpes étoilées
L'arbre pyramidal pour nous tailler nos mâts,
Et le chanvre et le lin de tes grasses vallées; 120
Tes sapins sont les ponts qui joignent les climats.

Allons-y, mais sans perdre un frère dans la marche,
Sans vendre à l'oppresseur un peuple gémissant,
Sans montrer au retour aux yeux du patriarche,

125   Au lieu d'un fils qu'il aime, une robe de sang!
    Rapportons-en le blé, l'or, la laine et la soie,
    Avec la liberté, fruit qui germe en tout lieu;
    Et tissons de repos, d'alliance et de joie
    L'étendard sympathique où le monde déploie
130   L'unité, ce blason de Dieu!

    Roule libre, et grossis tes ondes printanières,
    Pour écumer d'ivresse autour de tes roseaux:
    Et que les sept couleurs qui teignent nos bannières,
    Arc-en-ciel de la paix, serpentent dans tes eaux!

QUESTIONS

1. Analyze the composition of this poem.
2. What striking metaphors do you observe?
3. What do you think of the various ideas expressed by Lamartine?

NOTES ON *LA MARSEILLAISE DE LA PAIX*

35. The idea is awkwardly expressed. Lamartine means that when one furrow is ended, the plowshare opens up another, and another. The implication is that the earth is fruitful enough to support all mankind.

41. Arminius, a German leader who freed his country from Roman domination by crushing the legions of Varus in the forest of Teutberg, 9 A.D.

70–78. Cf. the picture of Germany and its people drawn by Mme de Staël in *De l'Allemagne.*

72. Nestor, one of the Greek leaders during the Trojan war. He was renowned for his wisdom.

78. puits de la sirène. I have been unable to explain this allusion entirely to my satisfaction. The following explanation has been offered by a writer in the *Intermédiaire des chercheurs et curieux,* April 30, 1931: «Lamartine faisait certainement allusion aux derniers chapitres d'une poétique nouvelle du baron La Motte Fouqué, général et écrivain allemand (1698–1774) intitulé *Ondine.* Le héros meurt dans les bras d'une ondine qui l'avait aimé autrefois. Elle pénètre auprès de lui dans son château en remontant par le puits que la jeune épouse dudit avait fait imprudemment rouvrir car il avait été obturé par les soins d'une épouse précédente avec une énorme pierre.» It seems to me possible that Lamartine may have had in mind the « grotte des Sirènes » at Tivoli, Italy, said by a later writer to resemble a deep well.

88. remord, for *remords.*

89–91. The metaphor comes from a passage in the second chapter of Musset's *Confession d'un enfant du siècle:* «Chaque année la France faisait présent à cet homme de trois cent mille jeunes gens; et lui, prenant avec un sourire cette fibre nouvelle arrachée au cœur de l'humanité, il la tordait entre ses mains et en faisait une corde neuve à son arc, puis il posait sur cet arc une de ces flèches qui traversèrent le monde et s'en furent tomber dans une petite vallée d'une île déserte, sous un saule pleureur.» This information was furnished me by Professor Morize.

105. «Géographie fantaisiste, mais ceci est symbolique. Le Rhin, qui inspirera la fraternité aux peuples, les guidera, tous unis, vers ces pays d'Orient.»—Note by R. Canat, *Morceaux choisis.*

113. Cf. Genesis, XXXVII.

114. Apis, the sacred bull of the ancient Egyptians.

119. l'arbre pyramidal, *i.e.* the fir-tree.

120. le chanvre, *hemp.*

122. un frère, *i.e.* Joseph. But he was not lost; he was sold.

124. patriarche, *i.e.* Jacob.

130. Notice that Lamartine says *unité,* not *union.*

SUBJECTS FOR COMPOSITION

1. The Evolution of Lamartine's Thought and Style from the *Méditations poétiques* to the *Recueillements poétiques.*

2. Lamartine's Attitude toward Nature.

3. The Mission of the Poet according to Lamartine.

4. Foreign Influences in Lamartine's Poetry.

5. Lamartine's Religious Ideas.

ALFRED DE VIGNY

1797–1863

I. Alfred de Vigny was born at Loches in Touraine, but was brought up and educated in Paris. He belonged to an aristocratic family inclined to emphasize and even exaggerate its pretensions to nobility. An unhappy experience awaited him at the «collège Hix,» where he made excellent scholastic progress, but where he suffered from the tyranny of the older boys. Withdrawing from the «collège,» he studied under tutors at home. He was preparing to enter the «École polytechnique» when the Restoration changed his plans. On July 6, 1814, he was appointed «gendarme du roi» in the aristocratic «Compagnies rouges.» In 1816 he transferred to the Garde Royale, and spent many weeks in garrison at Courbevoie, at Vincennes, and at Rouen. His idle hours were spent in reading, meditation, and, before long, in composition. Through a friend, Émile Deschamps, he met Abel and Victor Hugo. Encouraged by his new acquaintances, with whom he soon became intimately associated, Vigny published anonymously in 1822 a volume of *Poèmes*, including *Héléna*, an heroic elegy in three cantos, and nine other pieces. The first volume was followed in 1824 by *Eloa ou la Sœur des anges*. Hugo placed *Eloa* «parmi le petit nombre de ces beaux poèmes qui emportent un nom avec eux, de ces ouvrages qui sont conçus avec autant d'élévation que de profondeur et dont les sujets ont été, en quelque sorte, pris avec une grande main: *prensa manu magna*.» Vigny was definitely launched.

In 1825 Vigny married, at Pau in the region of the Pyrenees, a wealthy English girl by the name of Lydia Bunbury. Soon after the marriage, he left the army and settled in Paris. He now actively entered the literary world, becoming a member of both Cénacles and frequenting the important literary salons of the capital. The publication in 1826 of the *Poèmes antiques et modernes* and of the novel, *Cinq-Mars ou Une conjuration sous Louis XIII*, made Vigny one of the most prominent figures of the period. In 1829 he added a dramatic success to the others, with the performance of his *Othello* at the Théâtre-Français. The Revolution of 1830 dispersed the Cénacles and reacted unfavorably on the aristocratic Vigny. The career and end of the Bourbons was a source of disillusion to him. But he stuck to his literary labors, and in 1831 and 1832 produced an historical play, *La Maréchale d'Ancre*, and another novel, *Stello*. Three years later he won his greatest theatrical triumph with *Chatterton* and published his third novel, *Servitude et grandeur militaires*. This year was also marked by an unhappy event, the discovery by the poet of the infidelity of his mistress, the well-known actress, Mme Dorval.

From 1837 to 1842 Vigny published nothing. But this period must have been rich in reflection, for the years 1843 and 1844 saw the publication of such powerful poems as *La Mort du loup*, *Le Mont des Oliviers*, and *La Maison du Berger*. These years were largely spent by Vigny on his property, Maine-Giraud, in the department of the Charente.

Returning to Paris in 1853, Vigny continued to lead an extremely secluded existence. During his last years, as indeed during the twenty preceding ones, he felt isolated and in many respects profoundly disillusioned. His wife, whose whole life had been darkened by illness, died in 1863. Vigny died not many weeks later, after intense physical suffering.

II. CONSULT: F. Baldensperger, *Alfred de Vigny. Contribution à sa biographie intellectuelle*, Paris, Hachette, 1912; M. Citoleux, *Alfred de Vigny: Persistances classiques et affinités étrangères*, Paris, Champion, 1924; E. Dupuy, *La Jeunesse des romantiques*, Paris, Hachette, 1915; E. Dupuy, *Alfred de Vigny, La vie et l'œuvre*, Paris, Hachette, 1913; E. Dupuy, *Alfred de Vigny. Ses amitiées, son rôle littéraire*, 2 vols., Paris, Société française d'imprimerie et d'édition, 1910–1912; E. Estève, *Alfred de Vigny. Sa pensée et son art*, Paris, Garnier, 1923; E. Estève, *Alfred de Vigny*, Paris, Éditions Montaigne, *s.d.*; P. Flottes,

La Pensée politique et sociale d'Alfred de Vigny, Paris, Les Belles Lettres, 1927; L. Séché, *Alfred de Vigny: I. La vie littéraire, politique et religieuse, II. La vie amoureuse*, Paris, Mercure de France, 1913; V. A. Summers, *L'Orientalisme d'Alfred de Vigny*, Paris, Champion, 1930; A. Thibaudet, *Le Cinquantenaire d'Alfred de Vigny*, Paris, 1914; R. de Traz, *Alfred de Vigny*, Paris, Hachette, 1928. CRITICAL EDITIONS: F. Baldensperger, *Alfred de Vigny. Journal d'un poète*, nouvelle édition, revue et augmentée, London, The Scholartis Press, 1928; F. Baldensperger, *Œuvres complètes d'Alfred de Vigny*, Paris, Conard, 1914–1926; E. Estève, *Alfred de Vigny. Poèmes antiques et modernes*, Paris, Hachette, 1914; E. Estève, *Alfred de Vigny. Les Destinées. Poèmes philosophiques*, Paris, Hachette, 1924.

Poèmes antiques et modernes

This collection of poems appeared in 1826. It included, with the exception of *Héléna*, the poems published four years before in the anonymous volume entitled simply *Poèmes*. In addition, Vigny now printed for the first time *Le Trappiste, Dolorida, Moïse, Le Déluge, Le Cor*, and *La Neige*. The book was divided into three sections: a *livre mystique*, including *Moïse* and *Le Déluge;* a *livre antique*, including, on the one hand, poems of Biblical inspiration such as *La Fille de Jephté*, and, on the other, poems of Greek inspiration such as *La Dryade;* a *livre moderne*, in which Vigny placed poems like *Dolorida* and *Le Cor*. This new publication was enthusiastically received.

In addition to the two poems given in this anthology, students should read *La Fille de Jephté, Le Trappiste*, and *La Neige*.

MOÏSE *

POÈME

Le soleil prolongeait sur la cime des tentes
Ces obliques rayons, ces flammes éclatantes,
Ces larges traces d'or qu'il laisse dans les airs,
Lorsqu'en un lit de sable il se couche aux déserts.
5   La pourpre et l'or semblaient revêtir la campagne.
Du stérile Nébo gravissant la montagne,

* Composed in 1822. Published not only in the *Poèmes antiques et modernes*, but also in the *Annales romantiques*, 1827–1828.

Moïse, homme de Dieu, s'arrête, et, sans orgueil,
Sur le vaste horizon promène un long coup d'œil.
Il voit d'abord Phasga, que des figuiers entourent;
Puis, au delà des monts que ses regards parcourent,   10
S'étend tout Galaad, Éphraïm, Manassé
Dont le pays fertile à sa droite est placé;
Vers le Midi, Juda, grand et stérile, étale
Ses sables où s'endort la mer occidentale;
Plus loin, dans un vallon que le soir a pâli,   15
Couronné d'oliviers, se montre Nephtali;
Dans des plaines de fleurs magnifiques et calmes
Jéricho s'aperçoit, c'est la ville des palmes;
Et, prolongeant ses bois, des plaines de Phogor
Le lentisque touffu s'étend jusqu'à Ségor.   20
Il voit tout Chanaan, et la terre promise,
Où sa tombe, il le sait, ne sera point admise.
Il voit; sur les Hébreux étend sa grande main,
Puis vers le haut du mont il reprend son chemin.

Or, des champs de Moab couvrant la vaste enceinte,   25
Pressés au large pied de la montagne sainte,
Les enfants d'Israël s'agitaient au vallon
Comme les blés épais qu'agite l'aquilon.
Dès l'heure où la rosée humecte l'or des sables
Et balance sa perle au sommet des érables,   30
Prophète centenaire, environné d'honneur,
Moïse était parti pour trouver le Seigneur.
On le suivait des yeux aux flammes de sa tête,
Et, lorsque du grand mont il atteignit le faîte,
Lorsque son front perça le nuage de Dieu   35
Qui couronnait d'éclairs la cime du haut lieu,
L'encens brûla partout sur les autels de pierre,
Et six cent mille Hébreux, courbés dans la poussière,
A l'ombre du parfum par le soleil doré,
Chantèrent d'une voix le cantique sacré;   40
Et les fils de Lévi, s'élevant sur la foule,

Tels qu'un bois de cyprès sur le sable qui roule,
Du peuple avec la harpe accompagnant les voix,
Dirigeaient vers le ciel l'hymne du Roi des Rois.

45   Et, debout devant Dieu, Moïse ayant pris place,
Dans le nuage obscur lui parlait face à face.

Il disait au Seigneur: «Ne finirai-je pas?
Où voulez-vous encor que je porte mes pas?
Je vivrai donc toujours puissant et solitaire?
50   Laissez-moi m'endormir du sommeil de la terre.—
Que vous ai-je donc fait pour être votre élu?
J'ai conduit votre peuple où vous avez voulu.
Voilà que son pied touche à la terre promise.
De vous à lui qu'un autre accepte l'entremise,
55   Au coursier d'Israël qu'il attache le frein;
Je lui lègue mon livre et la verge d'airain.

«Pourquoi vous fallut-il tarir mes espérances,
Ne pas me laisser homme avec mes ignorances,
Puisque du mont Horeb jusques au mont Nébo
60   Je n'ai pas pu trouver le lieu de mon tombeau?
Hélas! vous m'avez fait sage parmi les sages!
Mon doigt du peuple errant a guidé les passages.
J'ai fait pleuvoir le feu sur la tête des rois;
L'avenir à genoux adorera mes lois;
65   Des tombes des humains j'ouvre la plus antique,
La mort trouve à ma voix une voix prophétique,
Je suis très grand, mes pieds sont sur les nations,
Ma main fait et défait les générations.—
Hélas! je suis, Seigneur, puissant et solitaire,
70   Laissez-moi m'endormir du sommeil de la terre!

«Hélas! je sais aussi tous les secrets des cieux,
Et vous m'avez prêté la force de vos yeux.

Je commande à la nuit de déchirer ses voiles;
Ma bouche par leur nom a compté les étoiles,

Et, dès qu'au firmament mon geste l'appela,   75
Chacune s'est hâtée en disant: «Me voilà.»
J'impose mes deux mains sur le front des nuages
Pour tarir dans leurs flancs la source des orages;
J'engloutis les cités sous les sables mouvants;
Je renverse les monts sous les ailes des vents;   80
Mon pied infatigable est plus fort que l'espace;
Le fleuve aux grandes eaux se range quand je passe,
Et la voix de la mer se tait devant ma voix.
Lorsque mon peuple souffre, ou qu'il lui faut des lois,
J'élève mes regards, votre esprit me visite;   85
La terre alors chancelle et le soleil hésite,
Vos anges sont jaloux et m'admirent entre eux.—
Et cependant Seigneur, je ne suis pas heureux;
Vous m'avez fait vieillir puissant et solitaire,
Laissez-moi m'endormir du sommeil de la terre!   90

«Sitôt que votre souffle a rempli le berger,
Les hommes se sont dit: «Il nous est étranger»;
Et leurs yeux se baissaient devant mes yeux de flamme,
Car ils venaient, hélas! d'y voir plus que mon âme.
J'ai vu l'amour s'éteindre et l'amitié tarir;   95
Les vierges se voilaient et craignaient de mourir.
M'enveloppant alors de la colonne noire,
J'ai marché devant tous, triste et seul dans ma gloire,
Et j'ai dit dans mon cœur: Que vouloir à présent?
Pour dormir sur un sein mon front est trop pesant,   100
Ma main laisse l'effroi sur la main qu'elle touche,
L'orage est dans ma voix, l'éclair est sur ma bouche;
Aussi, loin de m'aimer, voilà qu'ils tremblent tous,
Et, quand j'ouvre les bras, on tombe à mes genoux.
O Seigneur! j'ai vécu puissant et solitaire,   105
Laissez-moi m'endormir du sommeil de la terre!»

Or, le peuple attendait, et, craignant son courroux,
Priait sans regarder le mont du Dieu jaloux;

Car s'il levait les yeux, les flancs noirs du nuage
110 Roulaient et redoublaient les foudres de l'orage,
Et le feu des éclairs, aveuglant les regards,
Enchaînait tous les fronts courbés de toutes parts.

Bientôt le haut du mont reparut sans Moïse.—
Il fut pleuré.—Marchant vers la terre promise,
115 Josué s'avançait pensif et pâlissant,
Car il était déjà l'élu du Tout-Puissant.

Écrit en 1822.

QUESTIONS

1. Analyze the composition of the poem, tracing the development of the thought from beginning to end.
2. Compare the Moses of this poem with the Moses of the Bible. (Read Biblical passages indicated in the notes.)
3. Compare Vigny's treatment of isolation with Lamartine's and Chateaubriand's.

NOTES ON *MOÏSE*

Title. «Pour le choix du sujet, le cadre et le pittoresque, comparer Chateaubriand (*Génie du christianisme*, 1re partie, livre II, chapitre 4, *Des lois morales ou du Décalogue*): Nous les avons, ces préceptes divins: et quels préceptes pour le sage! et quel tableau pour le poète! Voyez cet homme qui descend de ces hauteurs brûlantes. Ses mains soutiennent une table de pierre sur sa poitrine, son front est orné de deux rayons de feu, son visage resplendit des gloires du Seigneur, la terreur de Jéhovah le précède: à l'horizon se déploie la chaîne du Liban avec ses éternelles neiges et ses cèdres fuyant dans le ciel. Prosternée au pied de la montagne, la postérité de Jacob se voile la tête dans la crainte de voir Dieu et de mourir.—Pour l'idée maîtresse et l'attitude morale, voir Byron, *Childe Harold*, III, st. 45: Celui qui surpasse ou subjugue l'humanité doit voir d'en haut la haine de ceux qui sont au-dessous; *Manfred*, acte II, sc. 2, *passim;*—et Schiller, *Cassandre*, d'après l'analyse de Mme de Staël, *De l'Allemagne*, IIe partie, ch. 13, *De la poésie allemande:* . . . Schiller a su montrer, sous une forme toute poétique, une grande idée morale: c'est que le véritable génie, celui du sentiment, est victime de lui-même, quand il ne le serait pas des autres. Il n'y a point d'hymen pour Cassandre, non qu'elle soit insensible, non qu'elle soit dédaignée: mais son âme pénétrante dépasse en peu d'instants et la vie et la mort, et ne se reposera que dans le ciel.»—Note by Estève in his critical edition.

Subtitle. Poème. In the preface to an edition published in 1829, Vigny defines the *poème* as a genre in which «une pensée philosophique est mise en scène sous une forme épique ou dramatique.»

6. Nébo. A mountain east of the Dead Sea, near the mouth of the Jordan.

9–20. Cf. Deuteronomy, XXXIV, 1–3, 6.

20. Le lentisque touffu, *the thickly leafed mastic-tree.*

21–22. Cf. Deuteronomy, XXXII, 48–52; Numbers, XXVII, 12–15.

31. Prophète centenaire. Cf. Deuteronomy, XXXIV, 7.

33. See Exodus, XXXIV, 29 ff.

36. See Exodus, XIX, 16.

38. Cf. Numbers, XI, 21. The people of Israel numbered six hundred thousand when they left Egypt. Vigny assumes they suffered no losses on the way.

42. les fils de Lévi. Levi was a son of Jacob. The descendants of Levi were consecrated to the service of the Lord, and were known as Levites.

46. Cf. Exodus, XXXIII, 9–10.

51. Cf. Numbers, XI, 11–15.

56. mon livre, *i.e.* the Pentateuch. la verge d'airain, see Exodus, IV, 2–4, 17.

59. Horeb, see Exodus, III, 1–2.

63. Cf. Exodus, IX, 23.

64. «Ce vers résume tout le sens du chapitre *Du Décalogue* dans le *Génie du christianisme*, lequel élève au-dessus des lois de Minos et de Lycurgue, effort *de cette antique sagesse des temps, si fameuse,* les lois de Moïse, *ces préceptes divins.*»—Note by Estève.

66. Estève refers to Exodus, XIII, 19 and to Ecclesiasticus, XLIX, 18. Dupuy sees here the influence of Byron, *Manfred*, II, 2.

78. Cf. Exodus, IX, 33.

82. Cf. Exodus, XIV, 21.

92. Estève refers to Byron, *Manfred*, II, 2.

93–94, Cf. Exodus, XXXIV, 30.

97–98, Cf. Exodus, XIII, 21.

111–112. Cf. Exodus, XIX, 16.

114. Cf. Deuteronomy, XXXIV, 8.

LE COR*

POÈME

I

J'aime le son du Cor, le soir, au fond des bois,
Soit qu'il chante les pleurs de la biche aux abois,
Ou l'adieu du chasseur que l'écho faible accueille,
Et que le vent du nord porte de feuille en feuille.

5   Que de fois, seul, dans l'ombre à minuit demeuré
J'ai souri de l'entendre, et plus souvent pleuré!
Car je croyais ouïr de ces bruits prophétiques
Qui précédaient la mort des Paladins antiques.

O montagnes d'azur! ô pays adoré!
10 Rocs de la Frazona, cirque du Marboré,
Cascades qui tombez des neiges entraînées,
Sources, gaves, ruisseaux, torrents des Pyrénées;

Monts gelés et fleuris, trône des deux saisons,
Dont le front est de glace et le pied de gazons!
15 C'est là qu'il faut s'asseoir, c'est là qu'il faut entendre
Les airs lointains d'un Cor mélancolique et tendre.

Souvent un voyageur, lorsque l'air est sans bruit,
De cette voix d'airain fait retentir la nuit;
A ses chants cadencés autour de lui se mêle
20 L'harmonieux grelot du jeune agneau qui bêle.

Une biche attentive, au lieu de se cacher,
Se suspend immobile au sommet du rocher,
Et la cascade unit, dans une chute immense,
Son éternelle plainte au chant de la romance.

* Published not only in the *Poèmes antiques et modernes* but also in the *Annales romantiques.* 1826.

Ames des Chevaliers, revenez-vous encor?   25
Est-ce vous qui parlez avec la voix du Cor?
Roncevaux! Roncevaux! dans ta sombre vallée
L'ombre du grand Roland n'est donc pas consolée!

II

Tous les preux étaient morts, mais aucun n'avait fui.
Il reste seul debout, Olivier près de lui;   30
L'Afrique sur les monts l'entoure et tremble encore.
«Roland, tu vas mourir, rends-toi, criait le More;

«Tous tes pairs sont couchés dans les eaux des torrents.»—
Il rugit comme un tigre, et dit: «Si je me rends,
Africain, ce sera lorsque les Pyrénées   35
Sur l'onde avec leurs corps rouleront entraînées.»

—«Rends-toi donc, répond-il, ou meurs, car les voilà.»
Et du plus haut des monts un grand rocher roula.
Il bondit, il roula jusqu'au fond de l'abîme,
Et de ses pins, dans l'onde, il vint briser la cime.   40

—«Merci, cria Roland; tu m'as fait un chemin.»
Et jusqu'au pied des monts le roulant d'une main,
Sur le roc affermi comme un géant s'élance,
Et, prête à fuir, l'armée à ce seul pas balance.

III

Tranquilles cependant, Charlemagne et ses preux   45
Descendaient la montagne et se parlaient entre eux
A l'horizon déjà, par leurs eaux signalées,
De Luz et d'Argelès se montraient les vallées.

L'armée applaudissait. Le luth du troubadour
S'accordait pour chanter les saules de l'Adour;   50
Le vin français coulait dans la coupe étrangère;
Le soldat, en riant, parlait à la bergère.

Roland gardait les monts; tous passaient sans effroi.
Assis nonchalamment sur un noir palefroi
55   Qui marchait revêtu de housses violettes,
Turpin disait, tenant les saintes amulettes:

«Sire, on voit dans le ciel des nuages de feu;
Suspendez votre marche; il ne faut tenter Dieu.
Par monsieur Saint Denis, certes ce sont des âmes
60   Qui passent dans les airs sur ces vapeurs de flammes.

«Deux éclairs ont relui, puis deux autres encor.»
Ici l'on entendit le son lointain du Cor.—
L'Empereur étonné, se jetant en arrière,
Suspend du destrier la marche aventurière.

65   «Entendez-vous? dit-il.—Oui, ce sont des pasteurs
Rappelant les troupeaux épars sur les hauteurs,
Répondit l'archevêque, ou la voix étouffée
Du nain vert Obéron qui parle avec sa Fée.»

Et l'Empereur poursuit; mais son front soucieux
70   Est plus sombre et plus noir que l'orage des cieux.
Il craint la trahison, et, tandis qu'il y songe,
Le Cor éclate et meurt, renaît et se prolonge.

«Malheur! c'est mon neveu! malheur! car, si Roland
Appelle à son secours, ce doit être en mourant.
75   Arrière! chevaliers, repassons la montagne!
Tremble encor sous nos pieds, sol trompeur de
[l'Espagne! »

IV

Sur le plus haut des monts s'arrêtent les chevaux;
L'écume les blanchit; sous leurs pieds, Roncevaux
Des feux mourants du jour à peine se colore.
80   A l'horizon lointain fuit l'étendard du More.

—«Turpin, n'as-tu rien vu dans le fond du torrent?»
—«J'y vois deux chevaliers: l'un mort, l'autre expirant.
Tous deux sont écrasés sous une roche noire;
Le plus fort dans sa main élève un Cor d'ivoire,
Son âme en s'exhalant nous appela deux fois.»   85

Dieu! que le son du Cor est triste au fond des bois!

Écrit à Pau, en 1825.

QUESTIONS

1. Analyze the composition of this poem.
2. Does this poem fulfill Vigny's conception of the «Poème»? See notes
to *Moïse*, p. 87.
3. How does Vigny's account differ from the *Chanson de Roland?*
4. Try to explain the interest of the Romantic writers in the early history
of France.

NOTES ON *LE COR*

2. la biche aux abois, *the doe at bay.*
10. Marboré: the central mass of the Pyrenees, forming an immense
amphitheatre. **Frazona.** The correct name of this region is in French
Estaçou, in Spanish *Stazona*. The erroneous form, *Frazona*, probably
came from a travel-book, *Voyage à Barèges*, by Dussaulx, 1796.
12. gaves, *mountain-streams.*
29. The Oxford Manuscript of the *Roland* was not known at the time Vigny
wrote his poem. Vigny's information came, according to Estève, from the
Chronique des prouesses et faits d'armes de Charlemagne, attributed to
Archbishop Turpin, a résumé of which he could have read in the *Bibliothèque Universelle des Romans*, 1re livraison de juillet 1777, or in the
Histoire de Charlemagne, by Gaillard, 1782, t. III, p. 474. Furthermore,
Estève goes on to point out, the episode had been dramatized by Mar-
changy in a *Chant funèbre en l'honneur de Roland*, inserted in the third
volume of his *Gaule poétique*, p. 71, 3e éd., 1819.—Vigny had written
in his youth a tragedy entitled *Roland* which he tells us he burned in
1832.—Michallon's painting, *La Mort de Roland*, was exhibited at the
Salon of 1819.
44. balance = *hésite à partir.*
48. Luz and **Argelès** are located in the valleys which lead from the Brèche
de Roland and the Cirque de Gavarnie to Lourdes.
50. Adour, a swift stream of southwestern France.

56. Turpin, Archbishop of Rheims.   In the *Chanson de Roland* he dies at Roncevaux with Roland and Oliver.

59. Saint Denis, patron saint of France.

68. Obéron, king of the elfs, whose queen was the fairy Titania.

Les Destinées

Poèmes philosophiques

This volume of philosophical poems appeared in 1864 shortly after Vigny's death.   It included a total of thirteen poems, five of which had been published twenty years before in the *Revue des Deux Mondes*.   The book contains the essence of Vigny's philosophy of life and justifies the frequent statement that Vigny is the most thoughtful and the most penetrating of the great Romantic poets.

In addition to the five poems given here, students should read *La Sauvage* and *Les Destinées*.

LA MAISON DU BERGER*

LETTRE À ÉVA

I

Si ton cœur, gémissant du poids de notre vie,
Se traîne et se débat comme un aigle blessé,
Portant comme le mien, sur son aile asservie,
Tout un monde fatal, écrasant et glacé;
5   S'il ne bat qu'en saignant par sa plaie immortelle,
S'il ne voit plus l'amour, son étoile fidèle,
Éclairer pour lui seul l'horizon effacé;

Si ton âme enchaînée, ainsi que l'est mon âme,
Lasse de son boulet et de son pain amer,
10   Sur sa galère en deuil laisse tomber la rame,
Penche sa tête pâle et pleure sur la mer,
Et cherchant dans les flots une route inconnue,
Y voit, en frissonnant, sur son épaule nue,
La lettre sociale écrite avec le fer;

---

* First published in the *Revue des Deux Mondes*, July 15, 1844.

Si ton corps, frémissant des passions secrètes, 15
S'indigne des regards, timide et palpitant;
S'il cherche à sa beauté de profondes retraites
Pour la mieux dérober au profane insultant;
Si ta lèvre se sèche au poison des mensonges,
Si ton beau front rougit de passer dans les songes 20
D'un impur inconnu qui te voit et t'entend,

Pars courageusement, laisse toutes les villes;
Ne ternis plus tes pieds aux poudres du chemin;
Du haut de nos pensers vois les cités serviles
Comme les rocs fatals de l'esclavage humain. 25
Les grands bois et les champs sont de vastes asiles,
Libres comme la mer autour des sombres îles.
Marche à travers les champs une fleur à la main.

La Nature t'attend dans un silence austère;
L'herbe élève à tes pieds son nuage des soirs, 30
Et le soupir d'adieu du soleil à la terre
Balance les beaux lys comme des encensoirs.
La forêt a voilé ses colonnes profondes,
La montagne se cache, et sur les pâles ondes
Le saule a suspendu ses chastes reposoirs. 35

Le crépuscule ami s'endort dans la vallée
Sur l'herbe d'émeraude et sur l'or du gazon,
Sous les timides joncs de la source isolée
Et sous le bois rêveur qui tremble à l'horizon,
Se balance en fuyant dans les grappes sauvages, 40
Jette son manteau gris sur le bord des rivages,
Et des fleurs de la nuit entr'ouvre la prison.

Il est sur ma montagne une épaisse bruyère
Où les pas du chasseur ont peine à se plonger,
Qui plus haut que nos fronts lève sa tête altière, 45
Et garde dans la nuit le pâtre et l'étranger.

Viens y cacher l'amour et ta divine faute;
Si l'herbe est agitée ou n'est pas assez haute,
J'y roulerai pour toi la Maison du Berger.

50 Elle va doucement avec ses quatre roues,
Son toit n'est pas plus haut que ton front et tes yeux;
La couleur du corail et celle de tes joues
Teignent le char nocturne et ses muets essieux.
Le seuil est parfumé, l'alcôve est large et sombre,
55 Et, là, parmi les fleurs, nous trouverons dans l'ombre,
Pour nos cheveux unis, un lit silencieux.

Je verrai, si tu veux, les pays de la neige,
Ceux où l'astre amoureux dévore et resplendit,
Ceux que heurtent les vents, ceux que la neige assiège
60 Ceux où le pôle obscur sous sa glace est maudit.
Nous suivrons du hasard la course vagabonde.
Que m'importe le jour, que m'importe le monde?
Je dirai qu'ils sont beaux quand tes yeux l'auront dit.

Que Dieu guide à son but la vapeur foudroyante
65 Sur le fer des chemins qui traversent les monts,
Qu'un Ange soit debout sur sa forge bruyante,
Quand elle va sous terre ou fait trembler les ponts
Et, de ses dents de feu dévorant ses chaudières,
Transperce les cités et saute les rivières,
70 Plus vite que le cerf dans l'ardeur de ses bonds!

Oui, si l'Ange aux yeux bleus ne veille sur sa route,
Et le glaive à la main ne plane et la défend,
S'il n'a compté les coups du levier, s'il n'écoute
Chaque tour de la roue en son cours triomphant,
75 S'il n'a l'œil sur les eaux et la main sur la braise,
Pour jeter en éclats la magique fournaise
Il suffira toujours du caillou d'un enfant.

Sur le taureau de fer qui fume, souffle et beugle,
L'homme a monté trop tôt. Nul ne connaît encor

Quels orages en lui porte ce rude aveugle, 80
Et le gai voyageur lui livre son trésor;
Son vieux père et ses fils, il les jette en otage
Dans le ventre brûlant du taureau de Carthage,
Qui les rejette en cendre aux pieds du Dieu de l'or.

Mais il faut triompher du temps et de l'espace, 85
Arriver ou mourir. Les marchands sont jaloux.
L'or pleut sous les charbons de la vapeur qui passe,
Le moment et le but sont l'univers pour nous.
Tous se sont dit: «Allons!»—mais aucun n'est le maître
Du dragon mugissant qu'un savant a fait naître; 90
Nous nous sommes joués à plus fort que nous tous.

Eh bien! que tout circule et que les grandes causes
Sur les ailes de feu lancent les actions,
Pourvu qu'ouverts toujours aux généreuses choses,
Les chemins du vendeur servent les passions. 95
Béni soit le Commerce au hardi caducée,
Si l'Amour que tourmente une sombre pensée
Peut franchir en un jour deux grandes nations.

Mais, à moins qu'un ami menacé dans sa vie
Ne jette, en appelant, le cri du désespoir, 100
Ou qu'avec son clairon la France nous convie
Aux fêtes du combat, aux luttes du savoir;
A moins qu'au lit de mort une mère éplorée
Ne veuille encor poser sur sa race adorée
Ces yeux tristes et doux qu'on ne doit plus revoir, 105

Évitons ces chemins.—Leur voyage est sans grâces,
Puisqu'il est aussi prompt, sur ses lignes de fer,
Que la flèche élancée à travers les espaces
Qui va de l'arc au but en faisant siffler l'air.
Ainsi jetée au loin, l'humaine créature 110
Ne respire et ne voit, dans toute la nature,
Qu'un brouillard étouffant que traverse un éclair.

On n'entendra jamais piaffer sur une route
Le pied vif du cheval sur les pavés en feu;
115 Adieu, voyages lents, bruits lointains qu'on écoute,
Le rire du passant, les retards de l'essieu,
Les détours imprévus des pentes variées,
Un ami rencontré, les heures oubliées,
L'espoir d'arriver tard dans un sauvage lieu.

120 La distance et le temps sont vaincus. La science
Trace autour de la terre un chemin triste et droit.
Le Monde est rétréci par notre expérience
Et l'équateur n'est plus qu'un anneau trop étroit.
Plus de hasard. Chacun glissera sur sa ligne,
125 Immobile au seul rang que le départ assigne,
Plongé dans un calcul silencieux et froid.

Jamais la Rêverie amoureuse et paisible
N'y verra sans horreur son pied blanc attaché;
Car il faut que ses yeux sur chaque objet visible
130 Versent un long regard, comme un fleuve épanché;
Qu'elle interroge tout avec inquiétude,
Et, des secrets divins se faisant une étude,
Marche, s'arrête et marche avec le col penché.

II

Poésie! ô trésor! perle de la pensée!
135 Les tumultes du cœur, comme ceux de la mer,
Ne sauraient empêcher ta robe nuancée
D'amasser les couleurs qui doivent te former.
Mais, sitôt qu'il te voit briller sur un front mâle,
Troublé de ta lueur mystérieuse et pâle,
140 Le vulgaire effrayé commence à blasphémer.

Le pur enthousiasme est craint des faibles âmes
Qui ne sauraient porter son ardeur ni son poids.
Pourquoi le fuir?—La vie est double dans les flammes.

D'autres flambeaux divins nous brûlent quelquefois:
C'est le Soleil du ciel, c'est l'Amour, c'est la Vie;   145
Mais qui de les éteindre a jamais eu l'envie?
Tout en les maudissant, on les chérit tous trois.

La Muse a mérité les insolents sourires
Et les soupçons moqueurs qu'éveille son aspect.
Dès que son œil chercha le regard des Satyres,   150
Sa parole trembla, son serment fut suspect,
Il lui fut interdit d'enseigner la sagesse.
Au passant du chemin elle criait: «Largesse!»
Le passant lui donna sans crainte et sans respect.

Ah! fille sans pudeur! fille du saint Orphée,   155
Que n'as-tu conservé ta belle gravité!
Tu n'irais pas ainsi, d'une voix étouffée,
Chanter aux carrefours impurs de la cité;
Tu n'aurais pas collé sur le coin de ta bouche
Le coquet madrigal, piquant comme une mouche,   160
Et, près de ton œil bleu, l'équivoque effronté.

Tu tombas dès l'enfance, et, dans la folle Grèce,
Un vieillard, t'enivrant de son baiser jaloux,
Releva le premier ta robe de prêtresse,
Et, parmi les garçons, t'assit sur ses genoux.   165
De ce baiser mordant ton front porte la trace;
Tu chantas en buvant dans les banquets d'Horace,
Et Voltaire à la cour te traîna devant nous.

Vestale aux feux éteints! les hommes les plus graves
Ne posent qu'à demi ta couronne à leur front;   170
Ils se croient arrêtés, marchant dans tes entraves,
Et n'être que poète est pour eux un affront.
Ils jettent leurs pensers aux vents de la tribune,
Et ces vents, aveuglés comme l'est la Fortune,
Les rouleront comme elle et les emporteront.   175

Ils sont fiers et hautains dans leur fausse attitude,
Mais le sol tremble aux pieds de ces tribuns romains.
Leurs discours passagers flattent avec étude
La foule qui les presse et qui leur bat des mains;
180   Toujours renouvelé sous ses étroits portiques,
Ce parterre ne jette aux acteurs politiques
Que des fleurs sans parfums, souvent sans lendemains.

Ils ont pour horizon leur salle de spectacle;
La chambre où ces élus donnent leurs faux combats
185   Jette en vain, dans son temple, un incertain oracle;
Le peuple entend de loin le bruit de leurs débats,
Mais il regarde encor le jeu des assemblées
De l'œil dont ses enfants et ses femmes troublées
Voient le terrible essai des vapeurs aux cent bras.

190   L'ombrageux paysan gronde à voir qu'on dételle,
Et que pour le scrutin on quitte le labour.
Cependant le dédain de la chose immortelle
Tient jusqu'au fond du cœur quelque avocat d'un jour.
Lui qui doute de l'âme, il croit à ses paroles.
195   Poésie, il se rit de tes graves symboles,
O toi des vrais penseurs impérissable amour!

Comment se garderaient les profondes pensées,
Sans rassembler leurs feux dans ton diamant pur
Qui conserve si bien leurs splendeurs condensées?
200   Ce fin miroir solide, étincelant et dur,
Reste des nations mortes, durable pierre
Qu'on trouve sous ses pieds lorsque dans la poussière
On cherche les cités sans en voir un seul mur.

Diamant sans rival, que tes feux illuminent
205   Les pas lents et tardifs de l'humaine Raison!
Il faut, pour voir de loin les peuples qui cheminent,
Que le Berger t'enchâsse au toit de sa Maison.

Le jour n'est pas levé.—Nous en sommes encore
Au premier rayon blanc qui précède l'aurore
Et dessine la terre aux bords de l'horizon.   210

Les peuples tout enfants à peine se découvrent
Par-dessus les buissons nés pendant leur sommeil,
Et leur main, à travers les ronces qu'ils entr'ouvrent,
Met aux coups mutuels le premier appareil.
La barbarie encor tient nos pieds dans sa gaîne   215
Le marbre des vieux temps jusqu'aux reins nous enchaîne,
Et tout homme énergique au dieu Terme est pareil.

Mais notre esprit rapide en mouvements abonde;
Ouvrons tout l'arsenal de ses puissants ressorts.
L'Invisible est réel. Les âmes ont leur monde   220
Où sont accumulés d'impalpables trésors.
Le Seigneur contient tout dans ses deux bras immenses,
Son Verbe est le séjour de nos intelligences,
Comme ici-bas l'espace est celui de nos corps.

III

Éva, qui donc es-tu? Sais-tu bien ta nature?   225
Sais-tu quel est ici ton but et ton devoir?
Sais-tu que, pour punir l'homme, sa créature,
D'avoir porté la main sur l'arbre du savoir,
Dieu permit qu'avant tout, de l'amour de soi-même
En tout temps, à tout âge, il fît son bien suprême,   230
Tourmenté de s'aimer, tourmenté de se voir?

Mais si Dieu près de lui t'a voulu mettre, ô femme!
Compagne délicate! Éva! sais-tu pourquoi?
C'est pour qu'il se regarde au miroir d'une autre âme,
Qu'il entende ce chant qui ne vient que de toi: 235
—L'enthousiasme pur dans une voix suave.
C'est afin que tu sois son juge et son esclave
Et règnes sur sa vie en vivant sous sa loi.

Ta parole joyeuse a des mots despotiques;
240 Tes yeux sont si puissants, ton aspect est si fort,
Que les rois d'Orient ont dit dans leurs cantiques
Ton regard redoutable à l'égal de la mort;
Chacun cherche à fléchir tes jugements rapides . . .
—Mais ton cœur, qui dément tes formes intrépides,
245 Cède sans coup férir aux rudesses du sort.

Ta pensée a des bonds comme ceux des gazelles,
Mais ne saurait marcher sans guide et sans appui.
Le sol meurtrit ses pieds, l'air fatigue ses ailes,
Son œil se ferme au jour dès que le jour a lui;
250 Parfois, sur les hauts lieux d'un seul élan posée,
Troublée au bruit des vents, ta mobile pensée
Ne peut seule y veiller sans crainte et sans ennui.

Mais aussi tu n'as rien de nos lâches prudences,
Ton cœur vibre et résonne au cri de l'opprimé,
255 Comme dans une église aux austères silences
L'orgue entend un soupir et soupire alarmé.
Tes paroles de feu meuvent les multitudes,
Tes pleurs lavent l'injure et les ingratitudes,
Tu pousses par le bras l'homme. . . . Il se lève armé.

260 C'est à toi qu'il convient d'ouïr les grandes plaintes
Que l'humanité triste exhale sourdement.
Quand le cœur est gonflé d'indignations saintes,
L'air des cités l'étouffe à chaque battement.
Mais de loin les soupirs des tourmentes civiles,
265 S'unissant au-dessus du charbon noir des villes,
Ne forment qu'un grand mot qu'on entend clairement.

Viens donc! le ciel pour moi n'est plus qu'une auréole
Qui t'entoure d'azur, t'éclaire et te défend;
La montagne est ton temple et le bois sa coupole;
270 L'oiseau n'est sur la fleur balancé par le vent,

Et la fleur ne parfume et l'oiseau ne soupire
Que pour mieux enchanter l'air que ton sein respire;
La terre est le tapis de tes beaux pieds d'enfant.

Éva, j'aimerai tout dans les choses créées,
Je les contemplerai dans ton regard rêveur   275
Qui partout répandra ses flammes colorées,
Son repos gracieux, sa magique saveur:
Sur mon cœur déchiré viens poser ta main pure,
Ne me laisse jamais seul avec la Nature;
Car je la connais trop pour n'en pas avoir peur.   280

Elle me dit: «Je suis l'impassible théâtre
Que ne peut remuer le pied de ses acteurs;
Mes marches d'émeraude et mes parvis d'albâtre,
Mes colonnes de marbre ont les dieux pour sculpteurs.
Je n'entends ni vos cris ni vos soupirs; à peine   285
Je sens passer sur moi la comédie humaine
Qui cherche en vain au ciel ses muets spectateurs.

«Je roule avec dédain, sans voir et sans entendre,
A côté des fourmis les populations;
Je ne distingue pas leur terrier de leur cendre,   290
J'ignore en les portant les noms des nations.
On me dit une mère, et je suis une tombe.
Mon hiver prend vos morts comme son hécatombe,
Mon printemps ne sent pas vos adorations.

«Avant vous, j'étais belle et toujours parfumée,   295
J'abandonnais au vent mes cheveux tout entiers,
Je suivais dans les cieux ma route accoutumée,
Sur l'axe harmonieux des divins balanciers.
Après vous, traversant l'espace où tout s'élance,
J'irai seule et sereine, en un chaste silence   300
Je fendrai l'air du front et de mes seins altiers.»

C'est là ce que me dit sa voix triste et superbe,
Et dans mon cœur alors je la hais, et je vois

Notre sang dans son onde et nos morts sous son herbe
305 Nourrissant de leurs sucs la racine des bois.
Et je dis à mes yeux qui lui trouvaient des charmes:
«Ailleurs tous vos regards, ailleurs toutes vos larmes,
Aimez ce que jamais on ne verra deux fois.»

Oh! qui verra deux fois ta grâce et ta tendresse,
310 Ange doux et plaintif qui parle en soupirant?
Qui naîtra comme toi portant une caresse
Dans chaque éclair tombé de ton regard mourant,
Dans les balancements de ta tête penchée,
Dans ta taille indolente et mollement couchée,
315 Et dans ton pur sourire amoureux et souffrant?

Vivez, froide Nature, et revivez sans cesse
Sous nos pieds, sur nos fronts, puisque c'est votre loi;
Vivez, et dédaignez, si vous êtes déesse,
L'Homme, humble passager, qui dut vous être un roi;
320 Plus que tout votre règne et que ses splendeurs vaines,
J'aime la majesté des souffrances humaines,
Vous ne recevrez pas un cri d'amour de moi.

Mais toi, ne veux-tu pas, voyageuse indolente,
Rêver sur mon épaule, en y posant ton front?
325 Viens du paisible seuil de la maison roulante
Voir ceux qui sont passés et ceux qui passeront.
Tous les tableaux humains qu'un Esprit pur m'apporte
S'animeront pour toi quand, devant notre porte,
Les grands pays muets longuement s'étendront.

330 Nous marcherons ainsi, ne laissant que notre ombre
Sur cette terre ingrate où les morts ont passé;
Nous nous parlerons d'eux à l'heure où tout est sombre,
Où tu te plais à suivre un chemin effacé,
A rêver, appuyée aux branches incertaines,
335 Pleurant, comme Diane au bord de ses fontaines,
Ton amour taciturne et toujours menacé.

QUESTIONS

1. Analyze the composition of this poem, defining carefully the thought developed in each part.
2. Explain the symbolism of this poem.
3. What specially fine metaphors do you observe?
4. Compare Vigny's attitude toward nature with that of Lamartine and Hugo.

NOTES ON *LA MAISON DU BERGER*

Subtitle. Both this poem and *L'Esprit pur* are addressed to Éva. *Les Oracles* is presumably addressed to her as well. The question of the identity of this person has interested many critics. Mme Dorval, of course, comes immediately to mind, but Vigny had completely broken with her as early as 1838. Vigny's wife has been suggested, but that seems hardly compatible with line 47. Many other women have been considered, including the Countess d'Agoult, Mme de Girardin, and Mme Louise Colet, but no completely satisfactory identification has ever been made. Possibly Éva is but a personified abstraction representing Love or Poetry or Woman or Humanity. Estève voices the opinion in his critical edition that critics have sought to put into Vigny's poetry «une unité qui n'y est pas. Sous le nom d'Éva, il s'adresse tantôt à la Femme, tantôt à une femme. Rien ne nous assure qu'il s'agisse de la même en 1844 et en 1863. . . . Ne serait-il pas prudent d'admettre, jusqu'au plus ample informé, qu'Éva désigne pour Vigny à la fois la nature féminine et les femmes qui lui ont donné l'occasion d'en faire l'expérience, et dont plus d'une s'est dissimulée à son tour derrière ce pseudonyme collectif?»

The three parts of *La Maison du Berger* were composed independently of each other as three distinct letters to Éva.

7. In the nineteenth century Alfred de Musset (in the *Prologue* of his *Marrons du feu*) and Pétrus Borel (*Rhapsodies*, 1832) used before Vigny the seven line stanza, but Vigny used it more extensively and with great success.

11. Cf. Gleyre's painting, sometimes called *La Barque*, sometimes *Le Soir*, sometimes *Les Illusions perdues*. It was exhibited at the Salon of 1843.

14. La lettre sociale, *i.e.* T. F., *travaux forcés.*

27. Estève refers to Byron, *Don Juan*, Canto IV, st. 27–28.

35. reposoir, literally, *street-altar*, here, *resting-place.*

41. Estève refers to Milton, *Paradise Lost*, IV, 598 ff.

49. la Maison du Berger. Cf. Chateaubriand, *Les Martyrs*, livre X (Velléda à Eudore): «Je n'ai jamais aperçu au coin d'un bois la hutte roulante d'un berger sans songer qu'elle me suffisait avec toi. . . . Nous pro-

mènerions aujourd'hui notre cabane de solitude en solitude, et notre
demeure ne tiendrait pas plus à la terre que notre vie.»

64 ff. The following diatribe against the railroads was caused by a terrible
accident on the Paris-Versailles line, May 8, 1842. See E. M. Grant,
French Poetry and Modern Industry, 1830–1870, Harvard University
Press, 1927, p. 27, and E. Estève, critical edition of *Les Destinées,* pp. 19 ff.

84. Estève refers to Milton, *Paradise Lost,* I, 392–396.

96. caducée, *Mercury's wand.*

120-127. Cf. Alfred de Musset, *Dupont et Durand,* 1838, for similar ideas.

163. Un vieillard, Anacreon, Greek poet, 5th century B.C.

172. Cf. the *Journal d'un poète,* éd. Baldensperger, p. 95: «Il est déplo-
rable qu'un poète comme Lamartine, s'il s'avise d'être député, soit forcé
de s'occuper des bureaux de tabac que demandent des commettants.
Il devrait y avoir des députés abstraits, députés de la France, et d'autres,
députés des Français.» (1834.)

193. «Le mépris dont Vigny accable ici les *avocats d'un jour* est une réplique
au dédain que les politiciens de son temps—et de tous les temps—lui
paraissent professer pour les manifestations de la poésie et de la pensée
pure.»—Note by Estève. Cf. Vigny's *Chatterton.*

209. This line seems to refer to the hopes of a new era raised by such
writers as Saint-Simon and Charles Fourier.

212-214. Estève refers to Lamennais, *Politique à l'usage du peuple, 1837–
1839, De la fraternité humaine:* «Et voyez, ce n'est pas seulement au sein
de chaque peuple que la fraternité devenue pratiquement la loi interne
de l'homme et la loi extérieure de la société, opérera cette union sainte;
elle doit, selon les desseins de Dieu, l'opérer encore entre les peuples,
destinés, eux aussi, à ne former un jour qu'une grande famille, la famille
universelle du genre humain.»

215. gaîne, *sheath.*

217. au dieu Terme, the Roman god, Term, who had a head, a bust, and
instead of legs, a long stone shaped like a mile-stone.

218-224. Estève refers to Malebranche, *De la recherche de la vérité,* 1.
III, 2e partie, ch. VI and ch. XII.

230. «La Rochefoucauld, *Maximes posthumes,* DIX (éd. des *Grands Ecri-
vains de la France,* Paris, Hachette, t. I, p. 224): Dieu a permis, pour
punir l'homme du péché originel, qu'il se fît un Dieu de son amour-propre,
pour en être tourmenté dans toutes les actions de sa vie.—Vigny a lu
cette maxime soit dans l'édition de Blaise, Paris, 1813, soit dans celle
d'Aimé Martin, Paris, 1822, qui, en la publiant d'après une lettre à
Mme de Sablé (*Portefeuille de Vaillant,* t. II, f 256) ont, l'un et l'autre,
imprimé par mégarde: *se fit un bien,* au lieu de: *se fit un dieu.*»—Note by
Estève.

242. Cf. the Song of Songs, VI, 9; VIII, 6; and Ecclesiasticus, VII, 27.

280. «L'aversion pour la campagne et la nature, et, par contre-coup, la préférence pour la vie dans les villes, sont des sentiments que Vigny a souvent exprimés dans sa *Correspondance.*»—Note by Estève.

281. See *Journal d'un poète*, 1835, éd. Baldensperger, p. 106: «J'aime l'humanité. J'ai pitié d'elle. La nature est pour moi une décoration dont la durée est insolente, et sur laquelle est jetée cette passagère et sublime marionnette appelée l'homme.»

283. parvis, *hall*.

286. Balzac in 1842 had just given the title of *Comédie humaine* to his growing list of novels.

292. Cf. Hugo's poem *La Vache* in *Les Voix intérieures.*

298. Doubtless an allusion to the Pythagorean theory of the harmony of the spheres. See p. 34.

321. See *Journal d'un poète*, 1844, éd. Baldensperger, p. 194: «POÈMES PHILOSOPHIQUES.—J'aime la majesté des souffrances humaines. Ce vers est le sens de tous mes *Poèmes philosophiques*. L'esprit d'humanité; l'amour entier de l'humanité et de l'amélioration de ses destinées.»

335. Cf. Shakspere, *As You Like It*, Act IV, sc. 1.: Rosalind: " . . . I will weep for nothing, like Diana in the fountain, and I will do that when you are disposed to be merry." The Diana of whom Rosalind speaks is not, Estève points out, the alabaster Diana which, in Shakspere's time decorated the fountain of the " great Cross in West Cheape," but rather the heroine of Montemayor's *Diana Enamorada.* Estève adds: «La plupart des scènes que le roman déroule se passent au bord de la *fontaine des Alisiers:* la bergère Diane y verse maintes larmes, soit qu'elle ait quelque motif de pleurer, soit qu'elle n'en ait point, et même lorsqu'on s'attendrait à la voir sourire.»

LA COLÈRE DE SAMSON*

Le désert est muet, la tente est solitaire.
Quel pasteur courageux la dressa sur la terre
Du sable et des lions?—La nuit n'a pas calmé
La fournaise du jour dont l'air est enflammé.
Un vent léger s'élève à l'horizon et ride   5
Les flots de la poussière ainsi qu'un lac limpide.
Le lin blanc de la tente est bercé mollement;
L'œuf d'autruche, allumé, veille paisiblement,
Des voyageurs voilés intérieure étoile,
Et jette longuement deux ombres sur la toile.   10

* Composed in 1839, not published till after Vigny's death. It then appeared in *Les Destinées*, and also in the *Revue des Deux Mondes*, January 15, 1864.

L'une est grande et superbe, et l'autre est à ses pieds:
C'est Dalila, l'esclave, et ses bras sont liés
Aux genoux réunis du maître jeune et grave
Dont la force divine obéit à l'esclave.
15 Comme un doux léopard, elle est souple et répand
Ses cheveux dénoués aux pieds de son amant.
Ses grands yeux, entr'ouverts comme s'ouvre l'amande,
Sont brûlants du plaisir que son regard demande,
Et jettent, par éclats, leurs mobiles lueurs.
20 Ses bras fins tout mouillés de tièdes sueurs,
Ses pieds voluptueux qui sont croisés sous elle,
Ses flancs, plus élancés que ceux de la gazelle,
Pressés de bracelets, d'anneaux, de boucles d'or,
Sont bruns; et, comme il sied aux filles de Hatsor,
25 Ses deux seins, tout chargés d'amulettes anciennes,
Sont chastement pressés d'étoffes syriennes.

Les genoux de Samson fortement sont unis
Comme les deux genoux du colosse Anubis.
Elle s'endort sans force et riante et bercée
30 Par la puissante main sous sa tête placée.
Lui, murmure le chant funèbre et douloureux
Prononcé dans la gorge avec des mots hébreux.
Elle ne comprend pas la parole étrangère,
Mais le chant verse un somme en sa tête légère.

35 «Une lutte éternelle en tout temps, en tout lieu,
Se livre sur la terre, en présence de Dieu,
Entre la bonté d'Homme et la ruse de Femme,
Car la Femme est un être impur de corps et d'âme.

«L'Homme a toujours besoin de caresse et d'amour;
40 Sa mère l'en abreuve alors qu'il vient au jour,
Et ce bras le premier l'engourdit, le balance
Et lui donne un désir d'amour et d'indolence.
Troublé dans l'action, troublé dans le dessein,

Il rêvera partout à la chaleur du sein,
Aux chansons de la nuit, aux baisers de l'aurore,   45
A la lèvre de feu que sa lèvre dévore,
Aux cheveux dénoués qui roulent sur son front,
Et les regrets du lit, en marchant, le suivront.
Il ira dans la ville, et, là, les vierges folles
Le prendront dans leurs lacs aux premières paroles.   50
Plus fort il sera né, mieux il sera vaincu,
Car plus le fleuve est grand et plus il est ému.
Quand le combat que Dieu fit pour la créature
Et contre son semblable et contre la Nature
Force l'Homme à chercher un sein où reposer,   55
Quand ses yeux sont en pleurs, il lui faut un baiser.
Mais il n'a pas encor fini toute sa tâche:
Vient un autre combat plus secret, traître et lâche;
Sous son bras, sur son cœur se livre celui-là;
Et, plus ou moins, la Femme est toujours DALILA.   60

«Elle rit et triomphe; en sa froideur savante,
Au milieu de ses sœurs elle attend et se vante
De ne rien éprouver des atteintes du feu.
A sa plus belle amie elle en a fait l'aveu:
«Elle se fait aimer sans aimer elle-même;   65
Un Maître lui fait peur. C'est le plaisir qu'elle aime;
L'Homme est rude et le prend sans savoir le donner.
Un sacrifice illustre et fait pour étonner
Rehausse mieux que l'or, aux yeux de ses pareilles,
La beauté qui produit tant d'étranges merveilles   70
Et d'un sang précieux sait arroser ses pas.»
—«Donc, ce que j'ai voulu, Seigneur, n'existe pas!—
Celle à qui va l'amour et de qui vient la vie,
Celle-là, par orgueil, se fait notre ennemie.
La Femme est, à présent, pire que dans ces temps   75
Où, voyant les humains, Dieu dit: «Je me repens!»
Bientôt, se retirant dans un hideux royaume,
La Femme aura Gomorrhe et l'Homme aura Sodome;

Et, se jetant, de loin, un regard irrité,
80   Les deux sexes mourront chacun de leur côté.

«Éternel! Dieu des forts! vous savez que mon âme
N'avait pour aliment que l'amour d'une femme,
Puisant dans l'amour seul plus de sainte vigueur
Que mes cheveux divins n'en donnaient à mon cœur.
85   —Jugez-nous.—La voilà sur mes pieds endormie.
Trois fois elle a vendu mes secrets et ma vie,
Et trois fois a versé des pleurs fallacieux
Qui n'ont pu me cacher la rage de ses yeux;
Honteuse qu'elle était plus encor qu'étonnée
90   De se voir découverte ensemble et pardonnée,
Car la bonté de l'Homme est forte, et sa douceur
Écrase, en l'absolvant, l'être faible et menteur.

«Mais enfin je suis las. J'ai l'âme si pesante,
Que mon corps gigantesque et ma tête puissante
95   Qui soutiennent le poids des colonnes d'airain
Ne la peuvent porter avec tout son chagrin.
Toujours voir serpenter la vipère dorée
Qui se traîne en sa fange et s'y croit ignorée;
Toujours ce compagnon dont le cœur n'est pas sûr.
100   La Femme, enfant malade et douze fois impur!
Toujours mettre sa force à garder sa colère
Dans son cœur offensé, comme en un sanctuaire
D'où le feu s'échappant irait tout dévorer,
Interdire à ses yeux de voir ou de pleurer,
105   C'est trop!—Dieu, s'il le veut, peut balayer ma cendre.
J'ai donné mon secret, Dalila va le vendre.
Qu'ils seront beaux, les pieds de celui qui viendra
Pour m'annoncer la mort!—Ce qui sera, sera!»

Il dit, et s'endormit près d'elle jusqu'à l'heure
110   Où les guerriers, tremblant d'être dans sa demeure,
Payant au poids de l'or chacun de ses cheveux,

Attachèrent ses mains et brûlèrent ses yeux,
Le traînèrent sanglant et chargé d'une chaîne
Que douze grands taureaux ne tiraient qu'avec peine,
Le placèrent debout, silencieusement,   115
Devant Dagon, leur Dieu, qui gémit sourdement
Et deux fois, en tournant, recula sur sa base
Et fit pâlir deux fois ses prêtres en extase;
Allumèrent l'encens, dressèrent un festin
Dont le bruit s'entendait du mont le plus lointain,   120
Et près de la génisse aux pieds du Dieu tuée
Placèrent Dalila, pâle prostituée,
Couronnée, adorée et reine du repas,
Mais tremblante et disant: «IL NE ME VERRA PAS!»

Terre et Ciel! avez-vous tressailli d'allégresse   125
Lorsque vous avez vu la menteuse maîtresse
Suivre d'un œil hagard les yeux tachés de sang
Qui cherchaient le soleil d'un regard impuissant?
Et quand enfin Samson, secouant les colonnes
Qui faisaient le soutien des immenses Pylônes,   130
Écrasa d'un seul coup, sous les débris mortels,
Ses trois mille ennemis, leurs dieux et leurs autels?

Terre et ciel! punissez par de telles justices
La trahison ourdie en des amours factices,
Et la délation du secret de nos cœurs   135
Arraché dans nos bras par des baisers menteurs!

Écrit à Shavington (Angleterre), *7 avril 1839.*

QUESTIONS

1. Analyze the composition of the poem.
2. Compare Vigny's attitude toward woman in this poem with his
eulogy of her in *La Maison du Berger.*
3. Compare Vigny's Samson with the Samson of the Bible.

NOTES ON *LA COLÈRE DE SAMSON*

Title. This poem was, of course, inspired by Vigny's unhappy liaison with Mme Dorval. The final break between them occurred in 1838. Vigny seems to have thought first of composing a poem on *Milon de Crotone* (see the *Journal d'un poète*, éd. Baldensperger, pp. 136–137). He gave up that project in favor of the Biblical story of Samson and Delilah which had long impressed him, which he had sketched in prose, and which he now (in 1839) turned into poetry (see *Journal d'un poète*, éd. Baldensperger, p. 145).

4. Vigny saw in London in 1839 at Lady Blessington's a painting by Mantegna, *Samson and Delilah*, now in the National Gallery. Dupuy describes it as a «petite toile, peinte à la détrempe sur lin ou soie, et où ce qui s'empare, avant tout, du regard, c'est un ciel orageux et inoubliable, un ciel rouge strié de noir.» (*Op. cit.*, vol. I, p. 357.)

8. Vigny, *Scènes du Désert, fragments de l'Almeh, roman* (published in the *Revue des Deux Mondes*, April 1831): «L'intérieur de cette petite demeure [une tente arabe] était éclairé par un œuf d'autruche suspendu au sommet de la tente et rempli d'une huile odoriférante.»

12. l'esclave. The Bible says merely (Judges, XVI, 4): " And it came to pass afterward, that he loved a woman in the valley of Sorek, whose name was Delilah."

13. See Judges, XVI, 19.

14. See Judges, XIII, 5.

24. Hatsor = Hazor.

28. Anubis: the Egyptian god that conducted the souls of the dead to the lower regions. The head of Anubis was that of a jackal or a dog. Curiously enough, Vigny has really described the pose of a statue of Memnon which he saw depicted in *Voyage dans la Basse et Haute Égypte*, by Vivant Denon. See Estève, crit. ed. pp. 87–88.

50. Cf. Proverbs, VII, 4–13, 21–26.

60. Estève refers to Milton, *Paradise Lost*, X, 889–909.

76. Cf. Genesis, VI, 5–7.

86. Cf. Judges, XVI, 5–14.

93. Cf. Judges, XVI, 16.

97–98. Cf. Milton, *Samson Agonistes*, 997–1002.

99. Estève refers to *Paradise Lost*, X, 125–143.

100. Cf. Ezechiel, XXII, 10 and Leviticus, XV, 19–21; XVIII, 19.

107. Cf. Isaiah, LII, 7.

108. Cf. Shakspere, *Romeo and Juliette*, Act IV, sc. 1.: " What must be, shall be."

111. Cf. Judges, XVI, 5.

114. Cf. Judges, XVI, 21.

116–120. Cf. Judges, XVI, 23, 25.

122. See note to line 12. Estève quotes from Dom Calmet, *Commentaire littéral sur tous les livres de l'Ancien Testament, Josué, les Juges et Ruth*, 1720, p. 244: «Dalila était, selon la plupart des Interprètes, une femme philistine; mais tout le monde ne convient pas qu'elle ait été une débauchée. Plusieurs Anciens ont cru qu'elle était femme légitime de Samson. . . . Mais le sentiment le plus ordinaire est qu'elle était une courtisane.»

130. Cf. Judges, XVI, 26–30.—«Pylône, nom grec qui a été depuis long-temps adopté pour représenter à la pensée ces sortes d'arcs de triomphe dont le sommet est une terrasse et les piliers de larges obélisques.» *Note de Vigny* in *Scènes du Désert*.

134. ourdie, *plotted*.

La Mort du Loup *

I

Les nuages couraient sur la lune enflammée
Comme sur l'incendie on voit fuir la fumée,
Et les bois étaient noirs jusques à l'horizon.
Nous marchions, sans parler, dans l'humide gazon,
Dans la bruyère épaisse et dans les hautes brandes,   5
Lorsque, sous des sapins pareils à ceux des Landes,
Nous avons aperçu les grands ongles marqués
Par les loups voyageurs que nous avions traqués.
Nous avons écouté, retenant notre haleine
Et le pas suspendu.—Ni le bois ni la plaine   10
Ne poussaient un soupir dans les airs; seulement
La girouette en deuil criait au firmament;
Car le vent, élevé bien au-dessus des terres,
N'effleurait de ses pieds que les tours solitaires,
Et les chênes d'en bas, contre les rocs penchés,   15
Sur leurs coudes semblaient endormis et couchés.
Rien ne bruissait donc, lorsque, baissant la tête,
Le plus vieux des chasseurs qui s'étaient mis en quête
A regardé le sable en s'y couchant; bientôt,
Lui que jamais ici l'on ne vit en défaut,   20
A déclaré tout bas que ces marques récentes

* Published in the *Revue des Deux Mondes*. February 1, 1843.

Annonçaient la démarche et les griffes puissantes
De deux grands loups-cerviers et de deux louveteaux.
Nous avons tous alors préparé nos couteaux,
25 Et, cachant nos fusils et leurs lueurs trop blanches,
Nous allions, pas à pas, en écartant les branches.
Trois s'arrêtent, et moi, cherchant ce qu'ils voyaient,
J'aperçois tout à coup deux yeux qui flamboyaient,
Et je vois au-delà quatre formes légères
30 Qui dansaient sous la lune au milieu des bruyères,
Comme font chaque jour, à grand bruit sous nos yeux,
Quand le maître revient, les lévriers joyeux.
Leur forme était semblable et semblable la danse;
Mais les enfants du Loup se jouaient en silence,
35 Sachant bien qu'à deux pas, ne dormant qu'à demi,
Se couche dans ses murs l'homme, leur ennemi.
Le père était debout, et plus loin, contre un arbre,
Sa Louve reposait, comme celle de marbre
Qu'adoraient les Romains et dont les flancs velus
40 Couvaient les demi-dieux Rémus et Romulus.
Le Loup vient et s'assied, les deux jambes dressées,
Par leurs ongles crochus dans le sable enfoncées.
Il s'est jugé perdu, puisqu'il était surpris,
Sa retraite coupée et tous ses chemins pris;
45 Alors il a saisi, dans sa gueule brûlante,
Du chien le plus hardi la gorge pantelante,
Et n'a pas desserré ses mâchoires de fer,
Malgré nos coups de feu qui traversaient sa chair.
Et nos couteaux aigus qui, comme des tenailles,
50 Se croisaient en plongeant dans ses larges entrailles
Jusqu'au dernier moment où le chien étrangle,
Mort longtemps avant lui, sous ses pieds a roulé.
Le Loup le quitte alors et puis il nous regarde.
Les couteaux lui restaient au flanc jusqu'à la garde,
55 Le clouaient au gazon tout baigné dans son sang;
Nos fusils l'entouraient en sinistre croissant.
Il nous regarde encore, ensuite il se recouche,

Tout en léchant le sang répandu sur sa bouche,
Et, sans daigner savoir comment il a péri,
Refermant ses grands yeux, meurt sans jeter un cri.   60

II

J'ai reposé mon front sur mon fusil sans poudre,
Me prenant à penser, et n'ai pu me résoudre
A poursuivre sa Louve et ses fils, qui, tous trois,
Avaient voulu l'attendre, et, comme je le crois,
Sans ses deux louveteaux, la belle et sombre veuve   65
Ne l'eût pas laissé seul subir la grande épreuve;
Mais son devoir était de les sauver, afin
De pouvoir leur apprendre à bien souffrir la faim,
A ne jamais entrer dans le pacte des villes
Que l'homme a fait avec les animaux serviles   70
Qui chassent devant lui, pour avoir le coucher,
Les premiers possesseurs du bois et du rocher.

III

Hélas! ai-je pensé, malgré ce grand nom d'Hommes,
Que j'ai honte de nous, débiles que nous sommes!
Comment on doit quitter la vie et tous ses maux,   75
C'est vous qui le savez, sublimes animaux!
A voir ce que l'on fut sur terre et ce qu'on laisse,
Seul le silence est grand; tout le reste est faiblesse.
—Ah! je t'ai bien compris, sauvage voyageur,
Et ton dernier regard m'est allé jusqu'au cœur!   80
Il disait: «Si tu peux, fais que ton âme arrive,
A force de rester studieuse et pensive,
Jusqu'à ce haut degré de stoïque fierté
Où, naissant dans les bois, j'ai tout d'abord monté.
Gémir, pleurer, prier, est également lâche.   85
Fais énergiquement ta longue et lourde tâche
Dans la voie où le Sort a voulu t'appeler,
Puis après, comme moi, souffre et meurs sans parler.»

Écrit au château de M . . ., 1843

QUESTIONS

1. Analyze the composition of this poem.
2. Is the central idea of this poem compatible with Romanticism? Cf. Musset's *Nuit de mai*.
3. To what extent has Vigny lived up to the doctrine expressed in the concluding lines of this poem?
4. Discuss Vigny's pessimism.

NOTES ON *LA MORT DU LOUP*

Title. Vigny was undoubtedly familiar with Byron's lines in *Childe Harold*, IV, xxi:

> And the wolf dies in silence,—not bestow'd
> In vain should such example be.

As early as 1836 Vigny had given the title of *La Mort du Loup* to an episode of a novel on which he was working.

Vigny was not a great hunter himself, but he had listened to many hunting tales: «Mon grand-père était fort riche. . . . Il faisait en Beauce, avec mon père et ses sept frères, de grandes chasses au loup.» (*Journal d'un poète*, éd. Baldensperger, p. 66)—«Au Tronchet, j'appris de mon père à tirer un coup de fusil et à voir et à aimer les chasseurs et la chasse; mais le récit des chasses passées me plaisaient plus que le spectacle des chasses mesquines que je voyais.» (*Ibid.*, p. 217.)

6. Landes, a department of southwestern France. The word *lande* means " moorland."

12. la girouette, *weathervane.*

23. loups-cerviers, *lynxes.* Vigny thus displays his ignorance of the subject, though he may possibly have had in mind, as Estève suggests, a passage from Chateaubriand's *Voyage en Amérique* (*Histoire naturelle, Loups*): «Il y a en Amérique plusieurs espèces de loups: celui qu'on appelle *cervier* vient pendant la nuit aboyer autour des habitations.»

34. se jouaient. Today the reflexive would not be used.

40. According to tradition Remus and Romulus, twin sons of Mars and Ilia, were the founders of Rome. Thrown into the Tiber, they were saved and suckled by a she-wolf till they were found by Fautulus, a shepherd, who brought them up.

76. Estève refers to Rousseau's *Émile*, livre II: «La première loi de résignation nous vient de la nature. Les sauvages, ainsi que les bêtes, se débattent fort peu contre la mort, et l'endurent presque sans se plaindre. Cette loi détruite, il s'en forme une autre, tirée de la raison; mais peu savent l'en tirer, et cette résignation factice n'est jamais aussi pleine et entière que la première.» On the other hand, Voltaire said in *L'Ingénu*, ch. xx: «Que d'autres cherchent à louer les morts fastueuses de ceux qui entrent dans la destruction avec insensibilité! c'est le sort de tous les animaux. Nous ne mourons comme eux avec indifférence que quand l'âge ou la maladie nous rend semblables à eux par la stupidité de nos organes.»

88. See *Journal d'un poète*, 1834, éd. Baldensperger, p. 94: «ROMAN MO-DERNE.—UN HOMME D'HONNEUR.—L'honneur est la seule base de sa conduite et remplace la religion en lui. . . . L'honneur le défend de tous les crimes et de toutes les bassesses: c'est sa religion. Le christianisme est mort dans son cœur. A sa mort, il regarde la croix avec respect, accomplit tous ses devoirs de chrétien comme une formule et meurt en silence.»—In a letter to the Marquis de La Grange, November 24, 1843, Vigny said: «Cet hiver, peut-être publierai-je d'autres poèmes de ce même recueil philosophique. Ils sont de plus en plus sérieux. J'en fais d'autres encore; qu'ils soient imprimés ou non, cela m'importe peu. Mon cœur est un peu soulagé quand ils sont écrits. Tant de choses m'oppressent que je ne dis jamais! C'est une saignée pour moi que d'écrire quelque chose comme *la Mort du Loup*.»

LE MONT DES OLIVIERS *

I

Alors il était nuit et Jésus marchait seul,
Vêtu de blanc ainsi qu'un mort de son linceul;
Les disciples dormaient au pied de la colline.
Parmi les oliviers, qu'un vent sinistre incline,
Jésus marche à grands pas en frissonnant comme eux;   5
Triste jusqu'à la mort, l'œil sombre et ténébreux,
Le front baissé, croisant les deux bras sur sa robe
Comme un voleur de nuit cachant ce qu'il dérobe;
Connaissant les rochers mieux qu'un sentier uni,
Il s'arrête en un lieu nommé Gethsémani.   10
Il se courbe, à genoux, le front contre la terre,
Puis regarde le ciel en appelant: «Mon Père!»
—Mais le ciel reste noir, et Dieu ne répond pas.
Il se lève étonné, marche encore à grands pas,
Froissant les oliviers qui tremblent. Froide et lente,   15

* Published (with the exception of the conclusion, *Le Silence*) in the *Revue des Deux Mondes*, June 1, 1844. *Le Silence* was composed later in 1862.

Découle de sa tête une sueur sanglante.
Il recule, il descend, il crie avec effroi:
«Ne pouviez-vous prier et veiller avec moi?»
Mais un sommeil de mort accable les apôtres,
20 Pierre à la voix du maître est sourd comme les autres.
Le Fils de l'Homme alors remonte lentement.
Comme un pasteur d'Égypte il cherche au firmament
Si l'Ange ne luit pas au fond de quelque étoile.
Mais un nuage en deuil s'étend comme le voile
25 D'une veuve, et ses plis entourent le désert.
Jésus, se rappelant ce qu'il avait souffert
Depuis trente-trois ans, devint homme, et la crainte
Serra son cœur mortel d'une invincible étreinte.
Il eut froid. Vainement il appela trois fois:
30 «Mon Père!»—Le vent seul répondit à sa voix.
Il tomba sur le sable assis, et, dans sa peine,
Eut sur le monde et l'homme une pensée humaine.
—Et la terre trembla, sentant la pesanteur
Du Sauveur qui tombait aux pieds du Créateur.

II

35 Jésus disait: «O Père, encor laisse-moi vivre!
Avant le dernier mot ne ferme pas mon livre!
Ne sens-tu pas le monde et tout le genre humain
Qui souffre avec ma chair et frémit dans ta main?
C'est que la Terre a peur de rester seule et veuve,
40 Quand meurt celui qui dit une parole neuve,
Et que tu n'as laissé dans son sein desséché
Tomber qu'un mot du ciel par ma bouche épanché
Mais ce mot est si pur et sa douceur est telle,
Qu'il a comme enivré la famille mortelle
45 D'une goutte de vie et de divinité,
Lorsqu'en ouvrant les bras j'ai dit: «Fraternité!»

«—Père, oh! si j'ai rempli mon douloureux message,
Si j'ai caché le Dieu sous la face du sage,

Du sacrifice humain si j'ai changé le prix,
Pour l'offrande des corps recevant les esprits,   50
Substituant partout aux choses le symbole,
La parole au combat, comme aux trésors l'obole,
Aux flots rouges du sang les flots vermeils du vin,
Aux membres de la chair le pain blanc sans levain;
Si j'ai coupé les temps en deux parts, l'une esclave   55
Et l'autre libre;—au nom du passé que je lave
Par le sang de mon corps qui souffre et va finir,
Versons-en la moitié pour laver l'avenir!
Père libérateur! jette aujourd'hui, d'avance,
La moitié de ce sang d'amour et d'innocence   60
Sur la tête de ceux qui viendront en disant:
«—Il est permis pour tous de tuer l'innocent.»
Nous savons qu'il naîtra, dans le lointain des âges,
Des dominateurs durs escortés de faux sages
Qui troubleront l'esprit de chaque nation   65
En donnant un faux sens à ma rédemption.
—Hélas! je parle encor que déjà ma parole
Est tournée en poison dans chaque parabole;
Éloigne ce calice impur et plus amer
Que le fiel, ou l'absinthe, ou les eaux de la mer.   70
Les verges qui viendront, la couronne d'épine,
Les clous des mains, la lance au fond de ma poitrine,
Enfin toute la croix qui se dresse et m'attend,
N'ont rien, mon Père, oh! rien qui m'épouvante autant!

«Quand les Dieux veulent bien s'abattre sur les mondes, 75
Ils n'y doivent laisser que des traces profondes,
Et si j'ai mis le pied sur ce globe incomplet,
Dont le gémissement sans repos m'appelait,
C'était pour y laisser deux anges à ma place
De qui la race humaine aurait baisé la trace,   80
La Certitude heureuse et l'Espoir confiant,
Qui, dans le Paradis, marchent en souriant.
Mais je vais la quitter, cette indigente terre,

N'ayant que soulevé ce manteau de misère
85 Qui l'entoure à grands plis, drap lugubre et fatal,
Que d'un bout tient le Doute et de l'autre le Mal.

«Mal et Doute! En un mot je puis les mettre en poudre.
Vous les aviez prévus, laissez-moi vous absoudre
De les avoir permis.—C'est l'accusation
90 Qui pèse de partout sur la création!—
Sur son tombeau désert faisons monter Lazare.
Du grand secret des morts qu'il ne soit plus avare,
Et de ce qu'il a vu donnons-lui souvenir;
Qu'il parle.—Ce qui dure et ce qui doit finir,
95 Ce qu'a mis le Seigneur au cœur de la Nature,
Ce qu'elle prend et donne à toute créature,
Quels sont avec le Ciel ses muets entretiens,
Son amour ineffable et ses chastes liens,
Comment tout s'y détruit et tout s'y renouvelle,
100 Pourquoi ce qui s'y cache et ce qui s'y révèle;
Si les astres des cieux tour à tour éprouvés
Sont comme celui-ci coupables et sauvés;
Si la Terre est pour eux ou s'ils sont pour la Terre;
Ce qu'a de vrai la fable et de clair le mystère,
105 D'ignorant le savoir et de faux la raison;
Pourquoi l'âme est liée en sa faible prison;
Et pourquoi nul sentier entre deux larges voies,
Entre l'ennui du calme et des paisibles joies
Et la rage sans fin des vagues passions,
110 Entre la léthargie et les convulsions;
Et pourquoi pend la Mort comme une sombre épée
Attristant la Nature à tout moment frappée;
Si le Juste et le Bien, si l'Injuste et le Mal
Sont de vils accidents en un cercle fatal,
115 Ou si de l'univers ils sont les deux grands pôles,
Soutenant terre et cieux sur leurs vastes épaules;
Et pourquoi les Esprits du mal sont triomphants
Des maux immérités de la mort des enfants;

Et si les Nations sont des femmes guidées
Par les étoiles d'or des divines idées,   120
Ou de folles enfants sans lampes dans la nuit,
Se heurtant et pleurant et que rien ne conduit;
Et si, lorsque des temps l'horloge périssable
Aura jusqu'au dernier versé ses grains de sable,
Un regard de vos yeux, un cri de votre voix,   125
Un soupir de mon cœur, un signe de ma croix,
Pourra faire ouvrir l'ongle aux Peines Éternelles,
Lâcher leur proie humaine et reployer leurs ailes:
Tout sera révélé dès que l'homme saura
De quels lieux il arrive et dans quels il ira.»   130

III

Ainsi le divin Fils parlait au divin Père.
Il se prosterne encore, il attend, il espère,
Mais il renonce et dit: «Que votre volonté
Soit faite et non la mienne et pour l'éternité!»
Une terreur profonde, une angoisse infinie   135
Redoublent sa torture et sa lente agonie.
Il regarde longtemps, longtemps cherche sans voir.
Comme un marbre de deuil tout le ciel était noir;
La Terre sans clartés, sans astre et sans aurore,
Et sans clartés de l'âme ainsi qu'elle est encore,   140
Frémissait.—Dans le bois il entendit des pas,
Et puis il vit rôder la torche de Judas.

Le Silence

S'il est vrai qu'au Jardin sacré des Écritures,
Le Fils de l'Homme ait dit ce qu'on voit rapporté;
Muet, aveugle et sourd au cri des créatures,   145
Si le Ciel nous laissa comme un monde avorté,
Le juste opposera le dédain à l'absence,
Et ne répondra plus que par un froid silence
Au silence éternel de la Divinité.

2 avril 1862.

QUESTIONS

1. Analyze the composition of the poem.
2. What does the poem symbolize?
3. How does Vigny change the Biblical account? (See the Notes.)
4. Discuss Vigny's religious philosophy. (Cf. *Le Déluge* and *La Fille de Jephté*.)

NOTES ON *LE MONT DES OLIVIERS*

Title. Vigny may have been partly inspired by Mantegna's painting, *The Agony in the Garden*, which he saw in London at Lady Blessington's in 1839. But the original conception was earlier. See *Journal d'un poète*, éd. Baldensperger, p. 44: «Un doute m'a saisi.—Le Christ même ne fut-il pas sceptique?—Oui, il le fut et d'un doute plein d'amour et de pitié pour l'humanité, cette pitié que j'ai personnalisée dans *Eloa.—Pardonnez-leur, car ils ne savent ce qu'ils font!* C'est le doute même!» Estève sees a highly probable influence in the «célèbre *Songe* de Jean-Paul Richter.» He adds: «Il [Vigny] avait pu le lire soit dans *l'Allemagne*, de Mme de Staël, IIe partie, ch. 28, *in fine*, soit dans les *Annales romantiques* de 1827–1828, soit dans le livre de son ami le marquis de La Grange, *Pensées de Jean-Paul, extraites de tous ses ouvrages*, par le traducteur du *Suédois à Prague*, Paris, 1829, soit dans celui de son voisin de campagne, Charles de Lambertie, *Hermann, poème imité de Klopstock, suivi du Songe de Jean-Paul Richter, imité en vers français*, etc., Angoulême, 1843.» Vigny was also doubtless influenced by Strauss, whose *Life of Jesus* was translated into French in 1839.

6. Cf. St. Mark, XIV, 34.

8. See Revelation, III, 3; I Thessalonians, V, 2; St. Matthew, XXIV, 42–44.

10. See St. Matthew, XXVI, 20–38.

11. *Ibid.*, 39.

12–13. Estève quotes from Mme de Staël's translation of J.-P. Richter: «J'ai regardé dans l'abîme, et je me suis écrié:—Père, où es-tu?—Mais je n'ai entendu que la pluie qui tombait goutte à goutte dans l'abîme, et l'éternelle tempête, que nul ordre ne régit, m'a seule répondu. Relevant ensuite mes regards vers la voûte des cieux, je n'y ai trouvé qu'une orbite vide, noire et sans fond.»

16–20. St. Luke, XXII, 44–46; St. Matthew, XXVI, 40–43.

23. Cf. St. Luke, XXII, 43. Notice that the Angel does not appear in Vigny's narrative.

29–30. St. Matthew, XXVI, 44.

32. St. Mark, XIV, 33.

35 ff. The words and ideas of this prayer do not come from the Bible. The point of departure is to be found, thinks Estève, in J.-P. Richter:

«Les morts s'écrièrent: O Christ! n'est-il point de Dieu?—Il répondit: Il n'en est point—Toutes les ombres se prirent à trembler avec violence, et le Christ continua ainsi: J'ai parcouru les mondes, je me suis élevé au-dessus des soleils, et là aussi il n'est point de Dieu; je suis descendu jusqu'aux dernières limites de l'univers, j'ai regardé dans l'abîme, et je me suis écrié: Père, où es-tu?—Mais je n'ai entendu que la pluie qui tombait goutte à goutte dans l'abîme, et l'éternelle tempête, que nul ordre ne régit, m'a seule répondu.»

49-51. Cf. Chateaubriand, *Génie du christianisme*, IV, I, 5, *Explication de la messe.*

52. St. Mark, XII, 41–44.

54. sans levain, *unleavened.*

55-56. Cf. the poem entitled *Les Destinées*, 22–45.

62. An allusion to the theory of the *réversibilité des souffrances*, developed by Joseph de Maistre in his *Soirées de Saint-Pétersbourg.* Estève adds that the best commentary on lines 59–66 is to be found in Vigny's *Stello*, ch. XXXII, entitled *Sur la substitution des souffrances expiatoires.*

69. See St. Luke, XXII, 42.

77. See *Journal d'un poète*, éd. Baldensperger, p. 105: «Il est certain que la Création est une œuvre manquée ou à demi accomplie, et marchant vers sa perfection à grand' peine.»

87-90. See *Journal d'un poète, ibid.*, p. 92: «La terre est révoltée des injustices de la création; elle dissimule par frayeur de l'éternité; mais elle s'indigne en secret contre le Dieu qui a créé le mal et la mort. Quand un contempteur des dieux paraît, comme Ajax, fils d'Oïlée, le monde l'adopte et l'aime; tel est Satan; tels sont Oreste et don Juan. Tous ceux qui luttèrent contre le ciel injuste ont eu l'admiration et l'amour secret des hommes.» See *ibid.*, p. 261.

110. Estève refers to Voltaire, *Candide*, ch. XXX: «Martin . . . conclut que l'homme était né pour vivre dans les convulsions de l'inquiétude, ou dans la léthargie de l'ennui.»—Vigny may have read the passage in *Candide* or in Senancour's *Oberman*, lettre XIV: «N'est-ce pas une nécessité que . . . , comme l'a si bien dit Voltaire, je consume tous mes jours dans les convulsions de l'inquiétude ou dans la léthargie de l'ennui?»

130. Cf. Pascal, *Pensées:* «Je ne sais qui m'a mis au monde, ni ce que c'est que le monde, ni que moi-même. . . . Je vois ces effroyables espaces de l'univers qui m'enferment, et je me trouve attaché à un coin de cette vaste étendue sans que je sache pourquoi je suis plutôt placé en ce lieu qu'en un autre, ni pourquoi ce peu de temps qui m'est donné à vivre m'est assigné à ce point plutôt qu'à un autre de toute l'éternité qui m'a précédé et de celle qui me suit. Je ne vois que des infinités de toutes parts qui m'enferment comme un atome et comme une ombre qui ne dure qu'un instant sans retour. Tout ce que je connais est que

je dois bientôt mourir, mais ce que j'ignore le plus est cette mort même
que je ne saurais éviter.   Comme je ne sais d'où je viens, aussi je ne sais
où je vais. . . .»

134. St. Luke, XXII, 42.

136. St. Luke, XXII, 43.

141–142. St. John, XVIII, 3; St. Matthew, XXVI, 47 ff.

146. See note to line 77.

149. See *Journal d'un poète*, 1862, éd. Baldensperger, pp. 261–262: «LE
SILENCE DE DIEU.—Faites, comme Bouddha, silence sur celui qui ne
parle pas! Bouddha lui seul n'a point parlé des récompenses célestes.
La *charité* est l'âme de sa religion, la plus profonde abnégation de soi-
même, et il ne prononce pas même le nom incertain de Dieu. Il console
l'Orient en détruisant l'idée d'une éternelle *métempsychose* et des in-
carnations successives de Brahma, et il dit: Soyez charitables, donnez
tout et vous aurez enfin le repos dans le *Nirvana*. Est-ce l'union à Dieu
ou le néant? Là est la question.» And see Estève, crit. ed., pp. 124–125.

LA BOUTEILLE À LA MER *

CONSEIL À UN JEUNE HOMME INCONNU

I

Courage, ô faible enfant, de qui ma solitude
Reçoit ces chants plaintifs, sans nom, que vous jetez
Sous mes yeux ombragés du camail de l'étude.
Oubliez les enfants par la mort arrêtés;
5   Oubliez Chatterton, Gilbert et Malfilâtre;
De l'œuvre d'avenir saintement idolâtre,
Enfin, oubliez l'homme en vous-même.—Écoutez:

II

Quand un grave marin voit que le vent l'emporte
Et que les mâts brisés pendent tous sur le pont,
10   Que dans son grand duel la mer est la plus forte
Et que par des calculs l'esprit en vain répond;
Que le courant l'écrase et le roule en sa course,
Qu'il est sans gouvernail et partant sans ressource,
Il se croise les bras dans un calme profond.

* Composed in 1853, published in the *Revue des Deux Mondes*, February 1
1854.

III

Il voit les masses d'eau, les toise et les mesure,   15
Les méprise en sachant qu'il en est écrasé,
Soumet son âme au poids de la matière impure
Et se sent mort ainsi que son vaisseau rasé.
—A de certains moments, l'âme est sans résistance;
Mais le penseur s'isole et n'attend d'assistance   20
Que de la forte foi dont il est embrasé.

IV

Dans les heures du soir, le jeune Capitaine
A fait ce qu'il a pu pour le salut des siens.
Nul vaisseau n'apparaît sur la vague lointaine,
La nuit tombe, et le brick court aux rocs indiens.   25
—Il se résigne, il prie; il se recueille, il pense
A celui qui soutient les pôles et balance
L'équateur hérissé des longs méridiens.

V

Son sacrifice est fait; mais il faut que la terre
Recueille du travail le pieux monument.   30
C'est le journal savant, le calcul solitaire,
Plus rare que la perle et que le diamant;
C'est la carte des flots faite dans la tempête,
La carte de l'écueil qui va briser sa tête:
Aux voyageurs futurs sublime testament.   35

VI

Il écrit: «Aujourd'hui, le courant nous entraîne,
Désemparés, perdus, sur la Terre-de-Feu.
Le courant porte à l'est. Notre mort est certaine:
Il faut cingler au nord pour bien passer ce lieu.
—Ci-joint est mon journal, portant quelques études   40
Des constellations des hautes latitudes.
Qu'il aborde, si c'est la volonté de Dieu!»

VII

Puis, immobile et froid, comme le cap des brumes
Qui sert de sentinelle au détroit Magellan,
45　Sombre comme ces rocs au front chargé d'écumes,
Ces pics noirs dont chacun porte un deuil castillan,
Il ouvre une bouteille et la choisit très forte,
Tandis que son vaisseau que le courant emporte
Tourne en un cercle étroit comme un vol de milan.

VIII

50　Il tient dans une main cette vieille compagne,
Ferme, de l'autre main, son flanc noir et terni.
Le cachet porte encor le blason de Champagne:
De la mousse de Reims son col vert est jauni.
D'un regard, le marin en soi-même rappelle
55　Quel jour il assembla l'équipage autour d'elle,
Pour porter un grand toste au pavillon béni.

IX

On avait mis en panne, et c'était grande fête;
Chaque homme sur son mât tenait le verre en main;
Chacun à son signal se découvrit la tête,
60　Et répondit d'en haut par un hourrah soudain.
Le soleil souriant dorait les voiles blanches;
L'air ému répétait ces voix mâles et franches,
Ce noble appel de l'homme à son pays lointain.

X

Après le cri de tous, chacun rêve en silence.
65　Dans la mousse d'Aï luit l'éclair d'un bonheur;
Tout au fond de son verre il aperçoit la France.
La France est pour chacun ce qu'y laissa son cœur:
L'un y voit son vieux père assis au coin de l'âtre,
Comptant ses jours d'absence; à la table du pâtre,
70　Il voit sa chaise vide à côté de sa sœur.

XI

Un autre y voit Paris, où sa fille penchée
Marque avec le compas tous les souffles de l'air,
Ternit de pleurs la glace où l'aiguille est cachée,
Et cherche à ramener l'aimant avec le fer.
Un autre y voit Marseille. Une femme se lève,   75
Court au port et lui tend un mouchoir de la grève,
Et ne sent pas ses pieds enfoncés dans la mer.

XII

O superstition des amours ineffables,
Murmures de nos cœurs qui nous semblez des voix,
Calculs de la science, ô décevantes fables!   80
Pourquoi nous apparaître en un jour tant de fois?
Pourquoi vers l'horizon nous tendre ainsi des pièges?
Espérances roulant comme roulent les neiges;
Globes toujours pétris et fondus sous nos doigts!

XIII

Où sont-ils à présent? Où sont ces trois cents braves?   85
Renversés par le vent dans les courants maudits,
Aux harpons indiens ils portent pour épaves
Leurs habits déchirés sur leurs corps refroidis.
Les savants officiers, la hache à la ceinture,
Ont péri les premiers en coupant la mâture: 90
Ainsi, de ces trois cents il n'en reste que dix!

XIV

Le Capitaine encor jette un regard au pôle
Dont il vient d'explorer les détroits inconnus.
L'eau monte à ses genoux et frappe son épaule;
Il peut lever au ciel l'un de ses deux bras nus.   95
Son navire est coulé, sa vie est révolue:
Il lance la Bouteille à la mer, et salue
Les jours de l'avenir qui pour lui sont venus.

XV

Il sourit en songeant que ce fragile verre
100 Portera sa pensée et son nom jusqu'au port,
Que d'une île inconnue il agrandit la terre,
Qu'il marque un nouvel astre et le confie au sort,
Que Dieu peut bien permettre à des eaux insensées
De perdre des vaisseaux, mais non pas des pensées,
105 Et qu'avec un flacon il a vaincu la mort.

XVI

Tout est dit. A présent, que Dieu lui soit en aide!
Sur le brick englouti l'onde a pris son niveau.
Au large flot de l'est le flot de l'ouest succède,
Et la Bouteille y roule en son vaste berceau.
110 Seule dans l'Océan, la frêle passagère
N'a pas pour se guider une brise légère;
—Mais elle vient de l'arche et porte le rameau.

XVII

Les courants l'emportaient, les glaçons la retiennent
Et la couvrent des plis d'un épais manteau blanc.
115 Les noirs chevaux de mer la heurtent, puis reviennent
La flairer avec crainte, et passent en soufflant.
Elle attend que l'été, changeant ses destinées,
Vienne ouvrir le rempart des glaces obstinées,
Et vers la ligne ardente elle monte en roulant.

XVIII

120 Un jour, tout était calme, et la mer Pacifique,
Par ses vagues d'azur, d'or et de diamant,
Renvoyait ses splendeurs au soleil du tropique.
Un navire y passait majestueusement;
Il a vu la Bouteille aux gens de mer sacrée:
125 Il couvre de signaux sa flamme diaprée,
Lance un canot en mer et s'arrête un moment.

XIX

Mais on entend au loin le canon des corsaires;
Le négrier va fuir, s'il peut prendre le vent.
Alerte! et coulez bas ces sombres adversaires!
Noyez or et bourreaux du couchant au levant! 130
La frégate reprend ses canots et les jette
En son sein, comme fait la sarigue inquiète,
Et par voile et vapeur vole et roule en avant.

XX

Seule dans l'Océan, seule toujours!—Perdue
Comme un point invisible en un mouvant désert, 135
L'aventurière passe errant dans l'étendue,
Et voit tel cap secret qui n'est pas découvert.
Tremblante voyageuse à flotter condamnée,
Elle sent sur son col que depuis une année
L'algue et les goémons lui font un manteau vert. 140

XXI

Un soir enfin, les vents qui soufflent des Florides
L'entraînent vers la France et ses bords pluvieux.
Un pêcheur accroupi sous des rochers arides
Tire dans ses filets le flacon précieux.
Il court, cherche un savant et lui montre sa prise, 145
Et, sans l'oser ouvrir, demande qu'on lui dise
Quel est cet élixir noir et mystérieux.

XXII

Quel est cet élixir! Pêcheur, c'est la science,
C'est l'élixir divin que boivent les esprits,
Trésor de la pensée et de l'expérience; 150
Et si tes lourds filets, ô pêcheur, avaient pris
L'or qui toujours serpente aux veines du Mexique,
Les diamants de l'Inde et les perles d'Afrique,
Ton labeur de ce jour aurait eu moins de prix.

XXIII

155 Regarde.—Quelle joie ardente et sérieuse!
Une gloire de plus luit sur la nation.
Le canon tout-puissant et la cloche pieuse
Font sur les toits tremblants bondir l'émotion.
Aux héros du savoir plus qu'à ceux des batailles
160 On va faire aujourd'hui de grandes funérailles.
Lis ce mot sur les murs: «Commémoration!»

XXIV

Souvenir éternel, gloire à la découverte
Dans l'homme ou la nature, égaux en profondeur,
Dans le Juste et le Bien, source à peine entr'ouverte,
165 Dans l'Art inépuisable, abîme de splendeur!
Qu'importe oubli, morsure, injustice insensée,
Glaces et tourbillons de notre traversée?
Sur la pierre des morts croît l'arbre de grandeur.

XXV

Cet arbre est le plus beau de la terre promise,
170 C'est votre phare à tous, Penseurs laborieux!
Voguez sans jamais craindre ou les flots ou la brise
Pour tout trésor scellé du cachet précieux.
L'or pur doit surnager, et sa gloire est certaine.
Dites en souriant, comme ce capitaine:
175 «Qu'il aborde, si c'est la volonté des Dieux!»

XXVI

Le vrai Dieu, le Dieu fort, est le Dieu des idées.
Sur nos fronts où le germe est jeté par le sort,
Répandons le savoir en fécondes ondées;
Puis, recueillant le fruit tel que de l'âme il sort,
180 Tout empreint du parfum des saintes solitudes,
Jetons l'œuvre à la mer, la mer des multitudes:
—Dieu la prendra du doigt pour la conduire au port.

                              Au Maine-Giraud, *octobre 1853.*

QUESTIONS

1. Analyze the composition of this poem, tracing the thought from beginning to end.
2. Discuss its symbolism.
3. Compare Vigny's eulogy of knowledge and the scientific spirit with his diatribe against the railroad in *La Maison du Berger*.
4. Define Vigny's optimism.

NOTES ON *LA BOUTEILLE À LA MER*

Title. In the *Journal d'un poète* (year 1842) the following passage occurs: «Un livre est une bouteille jetée en pleine mer, sur laquelle il faut coller cette étiquette: *Attrape qui peut.*» (Éd. Baldensperger, p. 178.) Estève suggests that the source of the symbol is doubtless a text from Bernardin de Saint-Pierre: «[Christophe Colomb] pensa encore à tirer parti des courants de la mer au retour de son premier voyage; car étant sur le point de périr dans une tempête, au milieu de l'Océan Atlantique, sans pouvoir apprendre à l'Europe, qui avait méprisé si longtemps ses services et ses lumières, qu'il avait enfin trouvé un nouveau monde, il renferma l'histoire de sa découverte dans un tonneau qu'il abandonna aux flots, espérant qu'elle arriverait tôt ou tard sur quelque rivage. Une simple bouteille de verre pouvait la conserver des siècles à la surface des mers, et la porter plus d'une fois d'un pôle à l'autre.» (*Études de la Nature*, Explication de la planche hors texte relative à la théorie des marées exposée dans l'Étude IVe.)

1-2. Vigny frequently received homage—either in prose or in verse—from young admirers. Evidently some such missive was the point of departure for the poem.

3. camail, *hood.* Estève quotes from a letter of Vigny's to Busoni, April 15, 1852: «Je fais cultiver, défricher, bâtir, construire, boiser, peindre et restaurer ce vieux manoir. . . . Ensuite je m'enferme et je mets *mon capuchon de bénédictin* pour écrire.»

5. Chatterton (1752–1770) and Gilbert (1751–1780) were poets to whom Vigny devoted two of the three sections of *Stello* (1832). The former became the subject by Vigny's famous play *Chatterton* (1835). It was in a poem by Gilbert, *Satire I, Le Dix-huitième Siècle* that Vigny read of Malfilâtre:

La faim mit au tombeau Malfilâtre ignoré.

Malfilâtre (1732–1767) was the author of a long poem in four cantos, *Narcisse dans l'île de Vénus.*

7. See note to line 7 of *La Maison du Berger*.

8 ff. Vigny got his information about the region in which he places the shipwreck from (1) *Voyage autour du monde par la frégate du Roi «la Boudeuse» et la flûte «l'Étoile», en 1766, 1767, 1768, 1769,* 2e éd. Paris, 1772, 3 vols., by Captain Louis-Antoine de Bougainville; (2) *Journal de la navigation autour du globe de la frégate «la Thétis» et de la corvette «l'Espérance» pendant les années 1824, 1825 et 1826, publié par ordre du Roi, sous les auspices du département de la Marine,* Paris, 1837, 2 vols., by the Baron de Bougainville. Vigny was related to the Bougainville family.

13. partant, *therefore.*

15. toise, *surveys* or *measures.*

16. Cf. Pascal: «L'homme n'est qu'un roseau, le plus faible de la nature, mais c'est un roseau pensant. Il ne faut pas que l'univers entier s'arme pour l'écraser. Une vapeur, une goutte d'eau, suffit pour le tuer. Mais quand l'univers l'écraserait, l'homme serait encore plus noble que ce qui le tue, parce qu'il sait qu'il meurt, et l'avantage que l'univers a sur lui. L'univers n'en sait rien.» (*Pensées.*)

37. Désemparés, *disabled.* **Terre-de-Feu** = Tierra del Fuego, located between the Strait of Magellan and Cape Horn.

39. cingler, *to sail before the wind.*

40–41. Bougainville, *Journal,* t. I, p. 542: «Dans la nuit du 23 au 24 septembre 1825, . . . on aperçut une comète dans le voisinage des Pléiades. . . . Cette comète fut observée de nouveau dans les nuits des 3, 7, 9 et 13 octobre; on la revit pour la dernière fois le 13 novembre, et dans ces diverses circonstances, aucune occasion de déterminer sa position dans le ciel ne fut négligée.»

43–44. le cap des brumes, Cape Horn, according to most critics. Of course it does not " serve as sentinel " to the Strait of Magellan.

46. Ces pics noirs. A note in Vigny's manuscript states that he had in mind San Diego and San Ildefonso. The *deuil castillan* may have been suggested by a passage in Bougainville's *Journal* concerning the southern part of Tierra del Fuego: «Terre fatale à un si grand nombre de ceux qui suivirent les traces de cet infortuné navigateur [Drake], et que l'on considère encore aujourd'hui comme un point critique, qui nécessite quelques précautions, lorsqu'on vient surtout le chercher par l'Est.» (Tome I, p. 580.)

49. milan, *kite.*

50. compagne, *i.e. la bouteille.*

51. Ferme son flanc, an obscure expression which may mean here simply " seals the bottle."

56. toste = *toast.*

57. mis en panne, *hove to.*

65. Aï, a town on the Marne, famous for its « vins mousseux.»

72. compas, apparently used here in the sense of *boussole,* " compass."

74. The general meaning of the line is clear; the girl hopes that the barometer needle will indicate better weather. But the literal meaning is very obscure.

85. ces trois cents braves. A big crew for a brig! Vigny probably took without reflection the crew of Bougainville's frigate.

87. épave, *wreckage.*

112. Cf. Genesis, VIII, 8–12.

119. la ligne ardente, the Equator.

125. sa flamme, *its pennant* (attached to the masthead). *Diaprée de plusieurs couleurs* is the implication here of the word «diaprée».

128. Le négrier, *the slave-ship.*

132. sarigue, *opossum.*

140. algue and **goémons,** *sea-weed.*

170. phare, *beacon.*

180. Cf. *Stello,* ch. XL: «La solitude est sainte.»

SUBJECTS FOR COMPOSITION

1. The Bible in Vigny's Poetry.

2. Pessimism and Optimism in Vigny.

3. *Journal d'un poète,* 19 février, 1844: «Le lion marche seul dans le désert. Les animaux lâches vont en troupes. Qu'ainsi marche toujours le poète.» On the basis of texts of Vigny that you have read explain and develop this thought.

4. Pascal's Influence on Vigny.

5. Discuss Vigny as a «transfuge du romantisme.»

6. *Journal d'un poète,* octobre 1843: «Tous les grands problèmes de l'humanité peuvent être discutés dans la forme des vers.» Taking this quotation as a point of departure discuss Vigny's conception of poetry.

7. Vigny's Religious Philosophy.

SAINTE–BEUVE

1804–1869

I. Charles-Augustin Sainte-Beuve was born on December 23, 1804 at Boulogne-sur-Mer. His father, fifty-two years old, had died two months before. His mother was thus left a widow several months after her marriage at the age of forty. The boy, brought up by the mother and an elderly aunt, first attended school in Boulogne. In 1818 he was sent to Paris where he attended courses at the Collège Charlemagne and later at the Collège Bourbon. In 1823, his mother came to Paris, and Sainte-Beuve entered the medical school, in which he continued as «externe» for four years.

In 1824 *Le Globe* was founded, and Sainte-Beuve began his literary career. His book reviews brought him into contact with the contemporary development of literature. His praise of Hugo's *Odes et Ballades* did more than give him entrance to the poet's house; it opened a new epoch in his intellectual and moral life. He became a member of the Cénacle which assembled at Hugo's and which played such an important rôle in the history of Romanticism. There he read some of his own poetical compositions, and there he became the chief critical expounder of the new literary theories.

In 1828, Sainte-Beuve published his *Tableau historique et critique de la poésie française et du théâtre français au XVIe siècle*, in which he studied the work of the Pléiade and maintained that its legitimate heirs were Hugo and the other young poets of the day. The following year came his first effort at creative literature with the *Vie, poésies et pensées de Joseph Delorme*. In 1830 appeared *Les Consolations*, and in 1834 an autobiographical novel, *Volupté*. In the meantime Sainte-Beuve had fallen in love with Victor Hugo's wife, and after a painful period of attempted association, the two friends separated.

Two more books of poetry came from Sainte-Beuve's pen: *Pensées d'août*, 1837, and *Livre d'amour*, 1843,* but already he had begun his great critical work. The first volumes of *Port-Royal* appeared in 1840. In 1849 he began for the *Constitutionnel* the great series of articles later known as *Causeries du lundi*. Till his death he was the most prominent literary critic of France.

His poetic work is far less important than his criticism. Indeed, it is in no sense great poetry, but in no complete picture of nineteenth century French poetry can it be omitted. When the chief Romantic writers were being influenced by such poets as Byron, Sainte-Beuve turned to Wordsworth. While others were soaring over mountain peaks, he was content to wander in a modest valley. He sought on the one hand to depict «des paysages charmants et naturels,» and on the other to introduce into French poetry «un exemple d'une certaine naïveté souffrante et douloureuse.»

II. CONSULT: A. Bellessort, *Sainte-Beuve et le XIXe siècle*, Paris, Perrin, 1927; H. Bidou, «Sainte-Beuve,» *Revue de Paris*, April 15, 1931 and following numbers; E. Carcassonne, «Les Poésies de Joseph Delorme et l'évolution de Sainte-Beuve,» *R.C.C.*, May 15, 1931; W. F. Giese, *Sainte-Beuve. A Literary Portrait*, University of Wisconsin Studies, 1931; R. Lalou, *Vers une alchimie lyrique*, Paris, Les Arts et le Livre, 1927; G. Michaut, *Sainte-Beuve avant les Lundis*, Paris, Fontemoing, 1903; L. F. Mott, *Sainte-Beuve*, N.Y., D. Appleton & Co., 1925.

Vie, poésies et pensées de Joseph Delorme

This volume of prose and poetry appeared in 1829. It contained the biography of Joseph Delorme, a young medical student, prematurely carried off by tuberculosis, together with some fifty poems supposedly composed by this Byronic, sentimental, and disillusioned youth. Following the poems came a

* The *Livre d'amour* is devoted to his relations with Mme Hugo. It should be said that Sainte-Beuve had it privately printed, with the intention of reserving all copies till the death of the three persons concerned. Some proofs, however, fell into journalistic hands and reports of the volume were spread in Paris.

series of "thoughts" on matters of literary interest. The biography of Joseph Delorme is, of course, nothing but a sentimentalized and highly introspective version of Sainte-Beuve's own career; the poems express to a considerable extent his own feelings and experiences; the thoughts are similarly the products of his own intelligence. The book is, therefore, essentially Romantic. It exploits nevertheless veins which other Romantic poets left untouched: the modest «paysage charmant et naturel» already mentioned; the simple, daily existence of ordinary people. It reveals as well a certain modernism of analysis and poetic presentation which now and again anticipates the method and manner of Baudelaire.

In addition to the poems given here, students should read *La Veillée, Ma Muse, Le Dernier Vœu, Le Cénacle, A Alfred de M. . . , Pensée d'automne, Rose, La Plaine,* and *Toujours je la connus pensive et sérieuse.*

A LA RIME*

Rime, qui donnes leurs sons
      Aux chansons,
Rime, l'unique harmonie
Du vers, qui, sans tes accents
5   Frémissants,
Serait muet au génie;

Rime, écho qui prends la voix
      Du hautbois
Ou l'éclat de la trompette,
10 Dernier adieu d'un ami
      Qu'à demi
L'autre ami de loin répète;

Rime, tranchant aviron,
      Éperon
15 Qui fends la vague écumante;

* First published in the *Annales romantiques,* 1827–1828. Lines 31–42 were
not included.

Frein d'or, aiguillon d'acier
        Du coursier
A la crinière fumante;

Agrafe, autour des seins nus
        De Vénus,   20
Pressant l'écharpe divine,
Ou serrant le baudrier
        Du guerrier
Contre sa forte poitrine;

Col étroit, par où saillit   25
        Et jaillit
La source au ciel élancée,
Qui, brisant l'éclat vermeil
        Du soleil,
Tombe en gerbe nuancée;   30

Anneau pur de diamant,
        Ou d'aimant,
Qui, jour et nuit, dans l'enceinte
Suspends la lampe, ou le soir
        L'encensoir   35
Aux mains de la Vierge sainte;

Clef, qui loin de l'œil mortel,
        Sur l'autel
Ouvres l'arche du miracle;
Ou tiens le vase embaumé   40
        Renfermé
Dans le cèdre au tabernacle;

Ou plutôt fée au léger
        Voltiger,
Habile, agile courrière,   45
Qui mènes le char des vers
        Dans les airs
Par deux sillons de lumière;

O Rime! qui que tu sois,
50   Je reçois
Ton joug; et longtemps rebelle,
Corrigé, je te promets
        Désormais
Une oreille plus fidèle.

55 Mais aussi devant mes pas
        Ne fuis pas;
Quand la Muse me dévore,
Donne, donne par égard
        Un regard
60 Au poète qui t'implore!

Dans un vers tout défleuri,
        Qu'a flétri
L'aspect d'une règle austère,
Ne laisse point murmurer,
65   Soupirer,
La syllabe solitaire.

Sur ma lyre, l'autre fois,
        Dans un bois,
Ma main préludait à peine:
70 Une colombe descend,
        En passant,
Blanche sur le luth d'ébène.

Mais au lieu d'accords touchants,
        De doux chants,
75 La colombe gémissante
Me demande par pitié
        Sa moitié,
Sa moitié loin d'elle absente.

Ah! plutôt, oiseaux charmants
80   Vrais amants,
Mariez vos voix jumelles;

Que ma lyre et ses concerts
      Soient couverts
De vos baisers, de vos ailes;

Ou bien, attelés d'un crin   85
      Pour tout frein
Au plus léger des nuages,
Traînez-moi, coursiers chéris
      De Cypris,
Au fond des sacrés bocages.   90

QUESTIONS

1. What is the importance and significance of rhyme according to
Sainte-Beuve?

2. Compare his attitude on this subject with that of Malherbe, Boileau,
and Fénelon in the seventeenth century.

NOTES ON *A LA RIME*

Title. In number IV of the *Pensées* of Joseph Delorme, Sainte-Beuve says:
«Un des premiers soins de l'école d'André Chénier a été de retremper le
vers flasque du XVIIIe siècle, et d'assouplir le vers un peu roide et
symétrique du dix-septième; c'est de l'alexandrin surtout qu'il s'agit.
Avec la rime riche, la césure mobile et le libre enjambement, elle a pourvu
à tout, et s'est créé un instrument à la fois puissant et souple.» In several other *Pensées*, Sainte-Beuve discusses technical problems.

4. This stanza, with the *rythme impair*, was used by the Pléiade, particularly by Remi Belleau. See his poem entitled *Avril*, quoted at length
by Sainte-Beuve in the *Tableau historique*, etc.

8. hautbois, *hautboy* or *oboe*.

19. agrafe, *clasp.*

22. baudrier, *shoulder-belt.*

32. aimant, *magnet.*

39. l'arche du miracle, *i.e.* the receptacle of the host. The expression is,
of course, used figuratively.

40–42. le vase embaumé, etc. The same meaning as for *l'arche du miracle*.
In both cases Sainte-Beuve is using Hebraic terms, but probably has in
mind Christian ceremonies. In any case he is using these expressions
figuratively.

88–89. coursiers, etc., *i.e.* the doves that drew Venus' chariot. **Cypris,**
one of the names given to Venus.

90. bocages, *groves.*

LES RAYONS JAUNES

Lurida præterea fiunt quæcumque . . .
Lucrèce, LIV. IV.

Les dimanches d'été, le soir, vers les six heures,
Quand le peuple empressé déserte ses demeures
      Et va s'ébattre aux champs,
Ma persienne fermée, assis à ma fenêtre,
5   Je regarde d'en haut passer et disparaître
      Joyeux bourgeois, marchands,

Ouvriers en habits de fête, au cœur plein d'aise;
Un livre est entr'ouvert, près de moi, sur ma chaise:
      Je lis ou fais semblant;
10 Et les jaunes rayons que le couchant ramène,
Plus jaunes ce soir-là que pendant la semaine,
      Teignent mon rideau blanc.

J'aime à les voir percer vitres et jalousie;
Chaque oblique sillon trace à ma fantaisie
15   Un flot d'atomes d'or;
Puis, m'arrivant dans l'âme à travers la prunelle,
Ils redorent aussi mille pensers en elle,
      Mille atomes encore.

Ce sont des jours confus dont reparaît la trame,
20 Des souvenirs d'enfance, aussi doux à notre âme
      Qu'un rêve d'avenir:
C'était à pareille heure (oh! je me le rappelle)
Qu'après vêpres, enfants, au chœur de la chapelle,
      On nous faisait venir.

25 La lampe brûlait jaune, et jaune aussi les cierges;
Et la lueur glissant aux fronts voilés des vierges
      Jaunissait leur blancheur;
Et le prêtre vêtu de son étole blanche
Courbait un front jauni comme un épi qui penche
30   Sous la faux du faucheur.

Oh! qui dans une église, à genoux sur la pierre,
N'a bien souvent, le soir, déposé sa prière,
    Comme un grain pur de sel?
Qui n'a du crucifix baisé le jaune ivoire?
Qui n'a de l'Homme-Dieu lu la sublime histoire   35
    Dans un jaune missel?

Mais où la retrouver, quand elle s'est perdue,
Cette humble foi du cœur, qu'un ange a suspendue
    En palme à nos berceaux;
Qu'une mère a nourrie en nous d'un zèle immense;   40
Dont chaque jour un prêtre arrosait la semence
    Aux bords des saints ruisseaux?

Peut-elle refleurir lorsqu'a soufflé l'orage,
Et qu'en nos cœurs l'orgueil, debout, a dans sa rage
    Mis le pied sur l'autel?   45
On est bien faible alors, quand le malheur arrive,
Et la mort . . . faut-il donc que l'idée en survive
    Au vœu d'être immortel!

J'ai vu mourir, hélas! ma bonne vieille tante,
L'an dernier; sur son lit, sans voix et haletante,   50
    Elle resta trois jours,
Et trépassa. J'étais près d'elle dans l'alcôve;
J'étais près d'elle encor, quand sur sa tête chauve
    Le linceul fit trois tours.

Le cercueil arriva, qu'on mesura de l'aune;   55
J'étais là . . . puis, autour, des cierges brûlaient jaune,
    Des prêtres priaient bas;
Mais en vain je voulais dire l'hymne dernière;
Mon œil était sans larme et ma voix sans prière,
    Car je ne croyais pas.   60

Elle m'aimait pourtant; . . . et ma mère aussi m'aime,
Et ma mère à son tour mourra; bientôt moi-même
    Dans le jaune linceul

Je l'ensevelirai; je clouerai sous la lame
65 Ce corps flétri, mais cher, ce reste de mon âme;
        Alors je serai seul;

Seul, sans mère, sans sœur, sans frère et sans épouse;
Car qui voudrait m'aimer, et quelle main jalouse
        S'unirait à ma main? . . .
70 Mais déjà le soleil recule devant l'ombre,
Et les rayons qu'il lance à mon rideau plus sombre
        S'éteignent en chemin. . . .

Non, jamais à mon nom ma jeune fiancée
Ne rougira d'amour, rêvant dans sa pensée
75   Au jeune époux absent;
Jamais deux enfants purs, deux anges de promesse,
Ne tiendront suspendus sur moi, durant la messe,
        Le poêle jaunissant.

Non, jamais, quand la mort m'étendra sur ma couche,
80 Mon front ne sentira le baiser d'une bouche,
        Ni mon œil obscurci
N'entreverra l'adieu d'une lèvre mi-close!
Jamais sur mon tombeau ne jaunira la rose,
        Ni le jaune souci!

85 —Ainsi va ma pensée, et la nuit est venue;
Je descends, et bientôt dans la foule inconnue
        J'ai noyé mon chagrin:
Plus d'un bras me coudoie; on entre à la guinguette,
On sort du cabaret; l'invalide en goguette
90   Chevrote un gai refrain.

Ce ne sont que chansons, clameurs, rixes d'ivrogne,
Ou qu'amours en plein air, et baisers sans vergogne,
        Et publiques faveurs;
Je rentre: sur ma route on se presse, on se rue;
95 Toute la nuit j'entends se traîner dans ma rue
        Et hurler les buveurs.

QUESTIONS

1. Explain the significance of the contrast between the last two stanzas and all that precedes.

2. What constitutes the essential novelty of this poem compared to the poems of Lamartine, Vigny, and Hugo with which you are familiar?

NOTES ON *LES RAYONS JAUNES*

Title. The first suggestion for this poem came from Diderot, *Lettres à mademoiselle Volland:* «Une seule qualité physique peut conduire l'esprit qui s'en occupe à une infinité de choses diverses. Prenons une couleur, le jaune, par exemple: l'or est jaune, la soie est jaune, le souci est jaune, la bile est jaune, la lumière est jaune, la paille est jaune; à combien d'autres fils ce fil ne répond-il pas? . . . Le fou ne s'aperçoit pas qu'il en change: il tient un brin de paille jaune et luisante à la main, et il crie qu'il a saisi un rayon de soleil.»

In 1865 Verlaine called *Les Rayons jaunes* «le plus beau poème, à coup sûr, de cet admirable recueil, *Joseph Delorme*, que pour mon compte je mets, comme intensité de mélancolie et comme puissance d'expression, infiniment au-dessus des jérémiades lamartiniennes et autres.»

On the other hand, A. France considered this poem « pénible et affecté,» for, he says, « Nous ne nous laissons conduire d'une idée à une autre par des analogies de forme, de couleur ou de parfum, qu' à la condition de ne pas nous apercevoir du fil qui nous mène ou plutôt qui nous égare. Dès que le lien nous apparaît, nous le brisons. Sainte-Beuve, au contraire, s'est obstiné à montrer son fil conducteur.»

Lalou says of the poem: «Qu'on la relise attentivement: il est certain qu'elle tient de la gageure, que Sainte-Beuve insiste trop sur le fil conducteur de ces imaginations. Mais son introduction et sa fin attestent un sens très réel du décor moderne; et surtout on y voit, à travers des recherches laborieuses, poindre, sous une forme encore brutale et matérielle, ce souci des accords poétiques qui, spiritualisé par le génie, deviendra bientôt l'affirmation baudelairienne des correspondances.» (*Vers une alchimie lyrique,* p. 28.)

Lurida præterea fiunt quæcumque. . . . Sainte-Beuve has rather twisted the meaning of these words from line 332 of Book IV of *De rerum natura.* A more complete and accurate quotation would be: Lurida præterea fiunt quæcumque tuentur arquati, . . . which means: "Again, whatever the jaundiced look at becomes a greenish-yellow."

19. trame, *woof.*

28. étole, *stole.*

30. faux, *scythe.*

49. tante. See introductory note to Sainte-Beuve.

55. de l'aune, *by the ell.*

78. poêle, *pall, canopy.*

88. guinguette = *cabaret de banlieue.*

89. goguette, usually found in the plural. **Etre en goguettes,** *to be in a merry mood.*

90. chevrote, *sings* (in a tremulous voice).

91. rixes, *brawls.*

PROMENADE

> . . . Sylvas inter reptare salubres.
> HORACE.
> Reptare per limitem.
> PLINE LE JEUNE.

S'il m'arrive un matin et par un beau soleil
De me sentir léger et dispos au réveil,
Et si, pour mieux jouir des champs et de soi-même,
De bonne heure je sors par le sentier que j'aime,
5   Rasant le petit mur jusqu'au coin hasardeux,
Sans qu'un fâcheux m'ait dit: «Mon cher, allons tous
Lorsque sous la colline, au creux de la prairie,   [deux;»]
Je puis errer enfin, tout à ma rêverie,
Comme loin des frelons une abeille à son miel,
10   Et que je suis bien seul en face d'un beau ciel;
Alors . . . oh! ce n'est pas une scène sublime,
Un fleuve résonnant, des forêts dont la cime
Flotte comme une mer, ni le front sourcilleux
Des vieux monts tout voûtés se mirant aux lacs bleus!
15   Laissons Chateaubriand, loin des traces profanes,
A vingt ans s'élancer en d'immenses savanes,
Un bâton à la main, et ne rien demander
Que d'entendre la foudre en longs éclats gronder,
Ou mugir le lion dans les forêts superbes,
20   Ou sonner le serpent au fond des hautes herbes;
Et bientôt, se couchant sur un lit de roseaux,
S'abandonner pensif au cours des grandes eaux.
Laissons à Lamartine, à Nodier, nobles frères,

Leur Jura bien-aimé, tant de scènes contraires
En un même horizon, et des blés blondissants, 25
Et des pampres jaunis, et des bœufs mugissants,
Pareils à des points noirs dans les verts pâturages,
Et plus haut, et plus près du séjour des orages,
Des sapins étagés en bois sombre et profond,
Le soleil au-dessus et les Alpes au fond. 30
Qu'aussi Victor Hugo, sous un donjon qui croule,
Et le Rhin à ses pieds, interroge et déroule
Les souvenirs des lieux; quelle puissante main
Posa la tour carrée au plein cintre romain,
Ou quel doigt amincit ces longs fuseaux de pierre, 35
Comme fait son fuseau de lin la filandière;
Que du fleuve qui passe il écoute les voix,
Et que le grand vieillard lui parle d'autrefois!
Bien; il faut l'aigle aux monts, le géant à l'abîme,
Au sublime spectacle un spectateur sublime. 40
Moi, j'aime à cheminer et je reste plus bas.
Quoi? des rocs, des forêts, des fleuves? . . . oh! non pas,
Mais bien moins; mais un champ, un peu d'eau qui mur-
Un vent frais agitant une grêle ramure; [mure,
L'étang sous la bruyère avec le jonc qui dort; 45
Voir couler en un pré la rivière à plein bord;
Quelque jeune arbre au loin, dans un air immobile,
Découpant sur l'azur son feuillage débile;
A travers l'épaisseur d'une herbe qui reluit,
Quelque sentier poudreux qui rampe et qui s'enfuit; 50
Ou si, levant les yeux, j'ai cru voir disparaître
Au détour d'une haie un pied blanc qui fait naître
Tout d'un coup en mon âme un long roman d'amour . . . ,
C'est assez de bonheur, c'est assez pour un jour.
Et revenant alors, comme entouré d'un charme, 55
Plein d'oubli, lentement, et dans l'œil une larme,
Croyant à toi, mon Dieu, toi que j'osais nier!
Au chapeau de l'aveugle apportant mon denier,
Heureux d'un lendemain qu'à mon gré je décore.

60 Je sens et je me dis que je suis jeune encore,
Que j'ai le cœur bien tendre et bien prompt à guérir,
Pour m'ennuyer de vivre et pour vouloir mourir.

QUESTIONS

1. Define Sainte-Beuve's appreciation of nature and compare it with
Lamartine's and Hugo's.
2. Show that in spite of certain special characteristics Sainte-Beuve is
none the less a Romantic poet.

NOTES ON *PROMENADE*

Sylvas inter reptare salubres, to stroll through healthgiving forests.
Reptare per limitem, to saunter round his grounds.
9. frelons, drones.
15 ff. An allusion to Chateaubriand's *Voyage en Amérique*, published in
1826. Chateaubriand had previously described the American wilderness
in *Atala*, 1801. As for line 19, not even the author of *Atala* had discovered lions in the part of America he claimed to have visited.
16. savanes, prairies.
23. Nodier. Charles Nodier (1780–1844) was prominent in the Romantic
school. He lived for some years at Besançon and Dôle and other places
in the Jura region. In 1824 he headed the first Cénacle which met in his
quarters at the Arsenal.
24. Jura, a mountain range which forms the frontier between France and
Switzerland. The name also indicates a department in that region.
26. pampres, vine-branches.
31 ff. Cf. Hugo's *Odes et Ballades*, «Le Géant.»
34. cintre, arch.
35–36. fuseau, spindle or distaff; **lin,** flax.
39. Cf. Hugo's *Odes et Ballades*, «Le Génie» and «A mon ami S.–B.»
45. bruyère, heath; **jonc,** rush.

SONNET

IMITÉ DE WORDSWORTH

Ne ris point des sonnets, ô critique moqueur!
Par amour autrefois en fit le grand Shakspeare
C'est sur ce luth heureux que Pétrarque soupire,
Et que le Tasse aux fers soulage un peu son cœur,

Camoens de son exil abrège la longueur, 5
Car il chante en sonnets l'amour et son empire;
Dante aime cette fleur de myrte, et la respire,
Et la mêle au cyprès qui ceint son front vainqueur;

Spenser s'en revenant de l'île des féeries,
Exhale en longs sonnets ses tristesses chéries; 10
Milton, chantant les siens, ranimait son regard;

Moi, je veux rajeunir le doux sonnet en France;
Du Bellay, le premier, l'apporta de Florence,
Et l'on en sait plus d'un de notre vieux Ronsard.

NOTES ON *NE RIS POINT DES SONNETS, Ô CRITIQUE MOQUEUR!*

Subtitle. With the exception of the last tiercet, this sonnet follows closely Wordsworth's " Scorn not the Sonnet; Critic you have frowned," published in 1827.

4. le Tasse aux fers. Torquato Tasso (1544–1595), the author of the *Gerusalemme Liberata*, was confined in an asylum from 1579 to 1586.

5. Camoens, 1524–1580, author of an epic entitled the *Lusiads*, was exiled from Lisbon in 1546. He also composed numerous sonnets.

13. Sainte-Beuve is in error here. Mellin de Saint-Gelais was the first to introduce the sonnet into France.

SUBJECTS FOR COMPOSITION

1. Sainte-Beuve's Place in the History of French Poetry during the First Half of the Nineteenth Century.
2. Literary Criticism in Sainte-Beuve's Poetry.
3. The Permanent Value of Sainte-Beuve's Poetry.
4. Sainte-Beuve and the Lake Poets.

VICTOR HUGO
1802–1885
I
BEFORE 1850 *

I. Victor Hugo, the uncontested leader of the Romantic school, was born at Besançon in 1802. His mother, Sophie Trébuchet Hugo, was of Breton origin; his father, Léopold-Sigisbert Hugo, a general of the Empire. In infancy Hugo traveled to Corsica; at the age of five he visited Naples. In 1808, Mme Hugo and her children took quarters in Paris in a building which had formerly been a monastery, « le couvent des Feuillantines.» Three delightful years passed quickly; then in 1811 came the trip to Spain. This enchanting journey, which made a profound impression on the boy's mind, was followed by a few months in school at Madrid. But General Hugo soon deemed it prudent to send his family back to Paris, where they lived first at the Feuillantines, then in the Rue du Cherche-Midi.

In 1814, General Hugo, soon to be retired by the Restoration, put his sons in school, in the « pension Cordier.» They took courses at the same time at the Lycée Louis-le-Grand. Hugo's first attempts at poetry date from this period. His translations of Virgil, *L'Achéménide*, *L'Antre des Cyclopes*, *Cacus* reveal something of his future talent. After a fairly distinguished scholastic career, he left Louis-le-Grand in November, 1818.

More serious poetic efforts followed. *Les Vierges de Verdun* and *Le Rétablissement de la statue de Henri IV* were awarded prizes by the Jeux Floraux. The ode on *La Mort du duc de Berry* made the young poet widely known. More ambitious still, Hugo decided to found a periodical. With his brothers he launched, in December, 1819, the *Conservateur littéraire*, which lasted till March, 1821.

* See p. 311 for the second part of Hugo's career.

146

In the meantime, Victor Hugo had fallen in love with Adèle Foucher. Their marriage on October 12, 1822 crowned a lyrical courtship which has been preserved in written form in the *Lettres à la Fiancée*. The union had been made possible by a royal annuity granted to Hugo soon after the publication in June, 1822, of his *Odes et poésies diverses*.

The following years were rich in activity. New editions of odes appeared. Hugo played a prominent rôle in the first Cénacle which met in Nodier's quarters at the Arsenal. His family rapidly increased. He traveled to Switzerland. In 1827 he assumed the leadership of the Romantic school with the *Préface de Cromwell*, and the next year published the complete edition of the *Odes et Ballades*. In the interim he had met Sainte-Beuve, and an extremely intimate friendship sprang up between them. Sainte-Beuve became one of the most important figures of the second Cénacle which met at Hugo's house and which attracted Louis Boulanger, Delacroix, Deveria, Vigny, Musset, and others.

The year 1829 was made notable by *Les Orientales*, a revelation of Hugo's technical virtuosity, and by the composition of *Marion Delorme* and *Hernani*. The famous *bataille d' «Hernani»* in February, 1830 cannot be recounted here; it marked, of course, the definite triumph of Romanticism. Hugo followed up this achievement with *Notre-Dame de Paris* and *Les Feuilles d'automne*. This series of publications gave him tremendous renown and opened for him a dazzling future.

His private life was not so satisfactory. Sainte-Beuve had fallen in love with Adèle Hugo. Her husband's happiness was slowly undermined, and his growing distress led to his liaison with Juliette Drouet, an actress whom he came to know during the rehearsals of *Lucrèce Borgia*. Their intimacy lasted for many years, till Juliette's death, and was an inspiration for more than one poem. Three new volumes of poetry, *Les Chants du crépuscule* (1835), *Les Voix intérieures* (1837), and *Les Rayons et les Ombres* (1840), show traces of this association.

In 1841 Hugo was elected to the Academy. Two years later

he met his greatest literary defeat, for *Les Burgraves* was a complete failure. It was followed by a personal tragedy, the death of his beloved daughter Léopoldine. This catastrophe, on the one hand, and his political activity, on the other,—he was made peer of France in 1845—combined to suppress any literary publications for several years. But his political ambitions were not destined to be realized. The Revolution of 1848 blasted all such hopes as far as the monarchy was concerned. Hugo, bewildered by the course of events, hardly knew in which direction to turn. It was then that the fatal figure of Louis Napoleon appeared upon the scene.

II. CONSULT: A. Bellessort, *Victor Hugo*, Paris, Perrin, 1930; E. Benoit-Lévy, *La Jeunesse de Victor Hugo*, Paris, Michel, 1928; P. Berret, *Victor Hugo*, Paris, Garnier, 1927; E. Biré, *Victor Hugo avant 1830*, Paris, Gervais, 1883; *Victor Hugo après 1830*, 2 vols., Paris, Perrin, 1891; M. Duclaux, *Victor Hugo*, Paris, Plon, 1925; E. Dupuy, *La Jeunesse des Romantiques*, Paris, Société française d'imprimerie et de librairie, 1905; R. Escholier, *Victor Hugo artiste*, Paris, Crès, 1926; W. F. Giese, *Victor Hugo. The Man and the Poet*, N.Y., Dial Press, 1926; L. Guimbaud, *Les «Orientales» de Victor Hugo*, Amiens, Malfère, 1928; *Victor Hugo et Juliette Drouet*, Paris, Blaizot, 1914; A. Joussain, *L'Esthétique de Victor Hugo. Le Pittoresque dans le lyrisme et l'épopée*, Paris, Boivin, 1921; P. de Lacretelle, *Vie politique de Victor Hugo*, Paris, Hachette, 1928; A. Le Breton, *La Jeunesse de Victor Hugo*, Paris, Hachette, 1928; M. Levaillant, *Victor Hugo: «Tristesse d'Olympio»*. *Fac-similé du Manuscrit autographe avec une étude*, Paris, Champion, 1928; M. Levaillant, *L'Œuvre de Victor Hugo, Poésie, prose, théâtre*, Paris, Delagrave, 1931; Ch. Renouvier, *Victor Hugo, le poète*, Paris, Colin, 1893; *Victor Hugo, le philosophe*, Paris, Colin, 1900; D. Saurat, *La Religion de Victor Hugo*, Paris, Hachette, 1929; A. Schinz, «L'Unité dans la carrière politique de Victor Hugo,» *R.H.L.*, 1932; L. Séché, *Le Cénacle de Joseph Delorme*, 2 vols., Paris, Mercure de France, 1912.

Odes et Ballades

The history of this *recueil* is complicated. In June, 1822, Hugo published a small volume of *Odes et poésies diverses*. The next year saw a second edition, entitled simply *Odes;* the *poésies diverses* were omitted and two new odes included. In 1824 Hugo brought out *Nouvelles odes*. In 1826 appeared the first volume bearing the title *Odes et Ballades*. In 1828 came the complete edition.

The book contains poems composed during a period of ten years and reveals Hugo's technical progress, on the one hand, and his intellectual evolution, on the other. His mastery of versification becomes increasingly evident; as these years pass, he becomes bolder and surer. The prefaces to the various editions reveal his march toward Romanticism. Those of 1822 and 1823 are conventional enough. In the preface of 1824 he is still able to maintain that he is unaware of what constitutes the *genre classique* and the *genre romantique*. But two years later he makes his famous comparison between the gardens of Versailles and the primitive forest of the New World, making the one symbolic of a «littérature artificielle» and the other symbolic of a «poésie originale.» A further step is taken in 1828 when Hugo closes his preface with the significant sentence: «Espérons qu'un jour le dix-neuvième siècle, politique et littéraire, pourra être résumé d'un mot: la liberté dans l'ordre, la liberté dans l'art.»

Throughout the *Odes et Ballades*, Victor Hugo's monarchical and catholic sentiments remain unshaken. On the other hand, his feelings toward Napoleon undergo modification. Beginning with strong dislike for Bonaparte, he reveals growing admiration for the glories of the Empire, an admiration which is clearly manifested in his ode *A la colonne de la place Vendôme*.

The most brilliant poems of this collection are the ballads. Too long to be included here, they are nevertheless the best measure of Hugo's genius at this time.

In addition to the poem given here, students should read *Le Sacre de Charles X, A la colonne de la place Vendôme, Le Génie, Mon enfance, Le Géant, La Fiancée du timbalier*, and *Le Pas d'armes du roi Jean*.

LES FUNÉRAILLES DE LOUIS XVIII

Ces changements lui sont peu difficiles;
c'est l'œuvre de la droite du Très-Haut.
Ps. LXXVI, 10.
Il a permis ces choses, afin que ce qu'il
y a de caché dans beaucoup de cœurs fût
révélé.
Luc. II, 35.

I

La foule au seuil d'un temple en priant est venue;
Mères, enfants, vieillards, gémissent réunis;
Et l'airain qu'on balance ébranle dans la nue
Les hauts clochers de Saint-Denis.
5 Le sépulcre est troublé dans ses mornes ténèbres.
La Mort, de ces couches funèbres,
Resserre les rangs incomplets.
Silence au noir séjour que le trépas protège!
Le Roi Chrétien, suivi de son dernier cortège,
10 Entre dans son dernier palais.

II

Un autre avait dit:—«De ma race
Ce grand tombeau sera le port;
Je veux, aux rois que je remplace,
Succéder jusque dans la mort.
15 Ma dépouille ici doit descendre!
C'est pour faire place à ma cendre
Qu'on dépeupla ces noirs caveaux.
Il faut un nouveau maître au monde:
A ce sépulcre, que je fonde,
20 Il faut des ossements nouveaux.

«Je promets ma poussière à ces voûtes funestes.
A cet insigne honneur ce temple a seul des droits;
Car je veux que le ver qui rongera mes restes
Ait déjà dévoré des rois.

Et, lorsque mes neveux, dans leur fortune altière,   25
    Domineront l'Europe entière,
    Du Kremlin à l'Escurial,
Ils viendront tour à tour dormir dans ces lieux sombres,
Afin que je sommeille, escorté de leurs ombres,
    Dans mon linceul impérial!»   30

    Celui qui disait ces paroles
    Croyait, soldat audacieux,
    Voir, en magnifiques symboles,
    Sa destinée écrite aux cieux.
    Dans ses étreintes foudroyantes,   35
    Son aigle aux serres flamboyantes
    Eût étouffé l'aigle romain;
    La Victoire était sa compagne;
    Et le globe de Charlemagne
    Était trop léger pour sa main.   40

Eh bien! des potentats ce formidable maître
Dans l'espoir de sa mort par le ciel fut trompé.
De ses ambitions c'est la seule peut-être
    Dont le but lui soit échappé.
En vain tout secondait sa marche meurtrière;   45
    En vain sa gloire incendiaire
    En tous lieux portait son flambeau;
Tout chargé de faisceaux, de sceptres, de couronnes,
Ce vaste ravisseur d'empires et de trônes
    Ne put usurper un tombeau!   50

    Tombé sous la main qui châtie,
    L'Europe le fit prisonnier.
    Premier roi de sa dynastie,
    Il en fut aussi le dernier.
    Une île où grondent les tempêtes   55
    Reçut ce géant des conquêtes,
    Tyran que nul n'osait juger,

Vieux guerrier qui, dans sa misère,
Dut l'obole de Bélisaire
60   A la pitié de l'étranger.

Loin du sacré tombeau qu'il s'arrangeait naguère,
C'est là que, dépouillé du royal appareil,
Il dort enveloppé de son manteau de guerre,
    Sans compagnon de son sommeil.
65   Et, tandis qu'il n'a plus de l'empire du monde
        Qu'un noir rocher battu de l'onde,
        Qu'un vieux saule battu du vent,
Un roi longtemps banni, qui fit nos jours prospères
Descend au lit de mort où reposaient ses pères,
70   Sous la garde du Dieu vivant.

III

C'est qu'au gré de l'humble qui prie,
Le Seigneur qui donne et reprend,
Rend à l'exilé sa patrie,
Livre à l'exil le conquérant!
75   Dieu voulait qu'il mourût en France,
Ce roi si grand dans la souffrance,
Qui des douleurs portait le sceau,
Pour que, victime consolée,
Du seuil noir de son mausolée,
80   Il pût voir encor son berceau.

IV

Oh! qu'il s'endorme en paix dans la nuit funéraire!
N'a-t-il pas oublié ses maux pour nos malheurs?
Ne nous lègue-t-il pas à son généreux frère,
        Qui pleure en essuyant nos pleurs?
85   N'a-t-il pas, dissipant nos rêves politiques,
        De notre âge et des temps antiques
        Proclamé l'auguste traité?

Loi sage qui, domptant la fougue populaire,
Donne aux sujets égaux un maître tutélaire,
    Esclave de leur liberté!   90

    Sur nous un roi chevalier veille.
    Qu'il conserve l'aspect des cieux!
    Que nul bruit de longtemps n'éveille
    Ce sépulcre silencieux!
    Hélas! le démon régicide,   95
    Qui, du sang des Bourbons avide,
    Paya de meurtres leurs bienfaits,
    A comblé d'assez de victimes
    Ces murs, dépeuplés par des crimes,
    Et repeuplés par des forfaits!   100

Qu'il sache que jamais la couronne ne tombe!
Ce haut sommet échappe à son fatal niveau.
Le supplice où des rois le corps mortel succombe
    N'est pour eux qu'un sacre nouveau.
Louis, chargé de fers par des mains déloyales,   105
    Dépouillé des pompes royales,
    Sans cour, sans guerriers, sans hérauts,
Gardant sa royauté devant la hache même,
Jusque sur l'échafaud prouva son droit suprême,
    En faisant grâce à ses bourreaux!   110

            V

    De Saint-Denis, de Sainte-Hélène,
    Ainsi je méditais le sort,
    Sondant d'une vue incertaine
    Ces grands mystères de la mort.
    Qui donc êtes-vous, Dieu superbe?   115
    Quel bras jette les tours sous l'herbe,
    Change la pourpre en vil lambeau?
    D'où vient votre souffle terrible?
    Et quelle est la main invisible
    Qui garde les clefs du tombeau?   120

QUESTIONS

1. What are the essential political ideas contained in this poem?
2. Compare the form of this ode with previous odes in French literature, those of Ronsard and Malherbe, for example.

NOTES ON *LES FUNÉRAILLES DE LOUIS XVIII*

Title. Louis XVIII, who mounted the throne after the fall of Napoleon, died in 1824.

4. Saint-Denis. The church of Saint-Denis, near Paris, became at an early date the burial place of the kings of France.

11. Un autre, *i.e.* Napoleon. He had planned to use Saint-Denis as a mausoleum for his own dynasty.

15. dépouille, *remains.*

25. neveux, here *descendants.*

27. Kremlin, the citadel and imperial palace in Moscow, Russia. **Escurial,** the royal palace not far from Madrid; it contains the mausoleum of the kings of Spain.

30. linceul, *shroud.*

36. serres, *claws.*

39. globe, the symbol of temporal power.

48. faisceaux, *fasces* (comparable to those of ancient Rome, symbols of authority).

59. obole, *mite.* **Bélisaire,** Belisarius (505–565), a famous general of the Roman Empire who in his old age was forced to beg for bread from door to door.

77. sceau, *seal* or *mark.*

83. frère, Charles X, who reigned from 1824 till the Revolution of July, 1830.

87. l'auguste traité, an allusion to the *Charte constitutionnelle du 4 juin 1814,* granted by Louis XVIII to his subjects. It established a constitutional monarchy.

104. sacre, *consecration* or *crowning.*

105. Louis, *i.e.* Louis XVI.

Les Orientales

Les Orientales were published in January, 1829. Composed during the four preceding years they constitute an important «étape» in Hugo's poetic evolution, showing on the one side further experimentation with stanza and rhythm, and on the other an intense preoccupation with color and form. Hugo's close contact with certain artists of the period exerted an incontestable influence on this *recueil*. He was, moreover, something of an artist himself. In 1827 he had assumed the leadership of the Romantic school, and, in technique at least, he swings more and more to the left.

An important group of poems is devoted to the Greek War of Independence which broke out in 1821. The following year Alfred de Vigny published *Héléna*, philhellenic in tone. In 1824 the death of Byron at Missolonghi made the Greek cause still more popular in France. Lamartine wrote the *Dernier chant du pèlerinage d'Harold;* Chateaubriand intervened with his eloquent *Note sur la Grèce;* Delphine Gay composed and recited her *Quête pour les Grecs;* Benjamin Constant, Guiraud, Delavigne, Mme Tastu, and many others contributed to the subject. An important work utilized by more than one French writer was Fauriel's *Chants populaires de la Grèce moderne* with its long preface on the history, customs, and manners of the Greek revolutionists.

The Biblical Orient and the Orient of song and fable were also sources of inspiration for Victor Hugo. He had not seen the East himself, but his reading (directed in part by his friend Ernest Fouinet, a reliable Orientalist) and his imagination led him to construct a poetic Orient rich in color and precise in form.

Spain and Egypt completed Hugo's vision of the Orient. In the first case, Grenada with its «pompe orientale» under a «ciel enchanté» appealed to his artist's eye. Egypt, on the other hand, suggested the career of Napoleon. *Les Orientales* mark a further evolution in Hugo's judgment of the former Emperor.

It must not be forgotten that Hugo had visited Spain as a child and had retained a vivid memory of its splendors, and that early in the century Chateaubriand had brought the East home with *Les Martyrs* and specially with his *Itinéraire de Paris à Jérusalem.*

In addition to the poems given here, students should read *Le Feu du ciel, Canaris, Clair de lune, Sara la baigneuse,** *Lazzara, Romance mauresque, Mazeppa, Extase.*

L'Enfant

O horror! horror! horror!
SHAKSPEARE, *Macbeth.*

Les Turcs ont passé là. Tout est ruine et deuil.
Chio, l'île des vins n'est plus qu'un sombre écueil,
    Chio, qu'ombrageaient les charmilles,
Chio, qui dans les flots reflétait ses grands bois,
5   Ses coteaux, ses palais, et le soir quelquefois
    Un chœur dansant de jeunes filles.

Tout est désert. Mais non; seul près des murs noircis,
Un enfant aux yeux bleus, un enfant grec, assis,
    Courbait sa tête humiliée;
10 Il avait pour asile, il avait pour appui
Une blanche aubépine, une fleur, comme lui
    Dans le ravage oubliée.

Ah! pauvre enfant, pieds nus sur les rocs anguleux!
Hélas! pour essuyer les pleurs de tes yeux bleus
15   Comme le ciel et comme l'onde,
Pour que dans leur azur, de larmes orageux,
Passe le vif éclair de la joie et des jeux,
    Pour relever ta tête blonde,

Que veux-tu? Bel enfant, que te faut-il donner
20 Pour rattacher gaîment et gaîment ramener
    En boucles sur ta blanche épaule
Ces cheveux, qui du fer n'ont pas subi l'affront,
Et qui pleurent épars autour de ton beau front,
    Comme les feuilles sur le saule?

* Hugo uses in this poem the stanza and rhythm of Remi Belleau, recommended by Sainte-Beuve in his *Tableau historique* and adopted by him in his *Ode à la rime*. See p. 137.

Qui pourrait dissiper tes chagrins nébuleux? 25
Est-ce d'avoir ce lys, bleu comme tes yeux bleus,
Qui d'Iran borde le puits sombre?
Ou le fruit du tuba, de cet arbre si grand,
Qu'un cheval au galop met, toujours en courant,
Cent ans à sortir de son ombre? 30

Veux-tu, pour me sourire, un bel oiseau des bois,
Qui chante avec un chant plus doux que le hautbois,
Plus éclatant que les cymbales?
Que veux-tu? fleur, beau fruit, ou l'oiseau merveilleux?
—Ami, dit l'enfant grec, dit l'enfant aux yeux bleus, 35
Je veux de la poudre et des balles.

8–10 juin 1828.

QUESTIONS

1. Compare this poem with Lamartine's *Invocation pour les Grecs* in his
Harmonies.
2. This poem illustrates Hugo's use of antithesis. Do you know of
any other poem or play of Hugo in which antithesis plays an important rôle?

NOTES ON *L'ENFANT*

2. Chio, an island of the Grecian archipelago. Chio is famous for its wines,
its fruits, and its climate.
3. charmilles, *arbors.*
11. aubépine, *hawthorn.*
24. saule, *willow.*
26–27. lys . . . Iran. The lily of Iran (or Persia) is renowned for its
beauty.
28. tuba, an Oriental tree. Hugo says in a note: «Voyez le Koran
pour l'arbre tuba . . . le paradis des Turcs, comme leur enfer, a son
arbre.»
32. hautbois, *hautboy* or *oboe.*

LES DJINNS

E come i gru van cantando lor lai,
Facendo in aer di sè lunga riga;
Così vid'io venir, traendo guai,
Ombre portate dalla detta briga.
DANTE.

Et comme les grues qui font dans l'air
de longues files vont chantant leur
plainte, ainsi je vis venir traînant des
gémissements les ombres emportées par
cette tempête.

Murs, ville,
Et port,
Asile
De mort,
5   Mer grise
Où brise
La brise,
Tout dort.

Dans la plaine
10   Naît un bruit.
C'est l'haleine
De la nuit.
Elle brame
Comme une âme
15   Qu'une flamme
Toujours suit!

La voix plus haute
Semble un grelot.
D'un nain qui saute
20   C'est le galop.
Il fuit, s'élance,
Puis en cadence
Sur un pied danse
Au bout d'un flot.

La rumeur approche, 25
L'écho la redit.
C'est comme la cloche
D'un couvent maudit;
Comme un bruit de foule
Qui tonne et qui roule, 30
Et tantôt s'écroule,
Et tantôt grandit.

Dieu! la voix sépulcrale
Des Djinns! . . . Quel bruit ils font!
Fuyons sous la spirale 35
De l'escalier profond.
Déjà s'éteint ma lampe,
Et l'ombre de la rampe,
Qui le long du mur rampe,
Monte jusqu'au plafond. 40

C'est l'essaim des Djinns qui passe,
Et tourbillonne en sifflant!
Les ifs, que leur vol fracasse,
Craquent comme un pin brûlant.
Leur troupeau, lourd et rapide, 45
Volant dans l'espace vide,
Semble un nuage livide
Qui porte un éclair au flanc.

Ils sont tout près!—Tenons fermée
Cette salle, où nous les narguons. 50
Quel bruit dehors! Hideuse armée
De vampires et de dragons!
La poutre du toit descellée
Ploie ainsi qu'une herbe mouillée,
Et la vieille porte rouillée 55
Tremble à déraciner ses gonds!

Cris de l'enfer! voix qui hurle et qui pleure!
L'horrible essaim, poussé par l'aquilon,
Sans doute, ô ciel! s'abat sur ma demeure.
60   Le mur fléchit sous le noir bataillon.
La maison crie et chancelle penchée,
Et l'on dirait que, du sol arrachée,
Ainsi qu'il chasse une feuille séchée,
Le vent la roule avec leur tourbillon!

65   Prophète! si ta main me sauve
De ces impurs démons des soirs,
J'irai prosterner mon front chauve
Devant tes sacrés encensoirs!
Fais que sur ces portes fidèles
70   Meure leur souffle d'étincelles,
Et qu'en vain l'ongle de leurs ailes
Grince et crie à ces vitraux noirs!

Ils sont passés!—Leur cohorte
S'envole et fuit, et leurs pieds
75   Cessent de battre ma porte
De leurs coups multipliés.
L'air est plein d'un bruit de chaînes,
Et dans les forêts prochaines
Frissonnent tous les grands chênes,
80   Sous leur vol de feu pliés!

De leurs ailes lointaines
Le battement décroît,
Si confus dans les plaines,
Si faible, que l'on croît
85   Ouïr la sauterelle
Crier d'une voix grêle,
Ou pétiller la grêle
Sur le plomb d'un vieux toit.

D'étranges syllabes
Nous viennent encor; 90
Ainsi, des Arabes
Quand sonne le cor,
Un chant sur la grève
Par instants s'élève,
Et l'enfant qui rêve 95
Fait des rêves d'or.

Les Djinns funèbres,
Fils du trépas,
Dans les ténèbres
Pressent leurs pas; 100
Leur essaim gronde;
Ainsi, profonde,
Murmure une onde
Qu'on ne voit pas.

Ce bruit vague 105
Qui s'endort,
C'est la vague
Sur le bord;
C'est la plainte
Presque éteinte, 110
D'une sainte
Pour un mort.

On doute
La nuit . . .
J'écoute:— 115
Tout fuit,
Tout passe;
L'espace
Efface
Le bruit. 120

28 août 1828.

QUESTIONS

1. Show that this poem constitutes a complete break with the classical tradition both in subject and in form.
2. Show by what means Hugo succeeds in representing in words the gradual approach of the Djinns and their departure.
3. What striking metaphors and similes do you find in this poem?

NOTES ON *LES DJINNS*

Title. Hugo defined the Djinns as « Génies, esprits de la nuit » (note to *Clair de lune*).

E come i gru, *etc.* Epigraph taken from Dante's *Inferno*, V, 46–49.

13. brame, *bells* (sound made by deer).

43. ifs, *yew-trees.*

50. nous les narguons, *we defy them.*

53. poutre, *beam.*

65. Prophète, *i.e.* Mahomet.

85. sauterelle, *locust.*

L U I

J'étais géant alors, et haut de cent coudées.
BONAPARTE.

I

Toujours lui! Lui partout!—Ou brûlante ou glacée,
Son image sans cesse ébranle ma pensée.
Il verse à mon esprit le souffle créateur.
Je tremble, et dans ma bouche abondent les paroles
5 Quand son nom gigantesque, entouré d'auréoles,
Se dresse dans mon vers de toute sa hauteur.

Là, je le vois, guidant l'obus aux bonds rapides,
Là, massacrant le peuple au nom des régicides,
Là, soldat, aux tribuns arrachant leurs pouvoirs,
10 Là, consul jeune et fier, amaigri par des veilles
Que des rêves d'empire emplissaient de merveilles,
Pâle sous ses longs cheveux noirs.

Puis, empereur puissant, dont la tête s'incline,
Gouvernant un combat du haut de la colline,
15 Promettant une étoile à ses soldats joyeux.

Faisant signe aux canons qui vomissent les flammes,
De son âme à la guerre armant six cent mille âmes,
Grave et serein, avec un éclair dans les yeux.

Puis, pauvre prisonnier, qu'on raille et qu'on tourmente,
Croisant ses bras oisifs sur son sein qui fermente,   20
En proie aux geôliers vils comme un vil criminel,
Vaincu, chauve, courbant son front noir de nuages,
Promenant sur un roc où passent les orages
      Sa pensée, orage éternel.

Qu'il est grand, là surtout! quand, puissance brisée,   25
Des porte-clefs anglais misérable risée,
Au sacre du malheur il retrempe ses droits,
Tient au bruit de ses pas deux mondes en haleine,
Et, mourant de l'exil, gêné dans Sainte-Hélène,
Manque d'air dans la cage où l'exposent les rois!   30

Qu'il est grand à cette heure où, prêt à voir Dieu même,
Son œil qui s'éteint roule une larme suprême!
Il évoque à sa mort sa vieille armée en deuil,
Se plaint à ses guerriers d'expirer solitaire,
Et, prenant pour linceul son manteau militaire,   35
      Du lit de camp passe au cercueil!

II

A Rome, où du Sénat hérite le conclave,
A l'Elbe, aux monts blanchis de neige ou noirs de lave,
Au menaçant Kremlin, à l'Alhambra riant,
Il est partout!—Au Nil je le retrouve encore.   40
L'Égypte resplendit des feux de son aurore;
Son astre impérial se lève à l'orient.

Vainqueur, enthousiaste, éclatant de prestiges,
Prodige, il étonna la terre des prodiges.
Les vieux scheiks vénéraient l'émir jeune et prudent,   45

Le peuple redoutait ses armes inouïes;
Sublime, il apparut aux tribus éblouies
     Comme un Mahomet d'Occident.

    Leur féerie a déjà réclamé son histoire;
50   La tente de l'Arabe est pleine de sa gloire.
Tout Bédouin libre était son hardi compagnon;
Les petits enfants, l'œil tourné vers nos rivages,
Sur un tambour français règlent leurs pas sauvages,
Et les ardents chevaux hennissent à son nom.

55   Parfois il vient, porté sur l'ouragan numide,
Prenant pour piédestal la grande pyramide,
Contempler les déserts, sablonneux océans.
Là, son ombre, éveillant le sépulcre sonore,
Comme pour la bataille y ressuscite encore
60   Les quarante siècles géants.

Il dit: Debout! Soudain chaque siècle se lève,
Ceux-ci portant le sceptre et ceux-là ceints du glaive,
Satrapes, pharaons, mages, peuple glacé;
Immobiles, poudreux, muets, sa voix les compte;
65   Tous semblent, adorant son front qui les surmonte,
Faire à ce roi des temps une cour du passé.

Ainsi tout, sous les pas de l'homme ineffaçable,
Tout devient monument; il passe sur le sable;
Mais qu'importe qu'Assur de ses flots soit couvert,
70   Que l'aquilon sans cesse y fatigue son aile!
Son pied colossal laisse une trace éternelle
     Sur le front mouvant du désert.

III

Histoire, poésie, il joint du pied vos cimes.
Éperdu, je ne puis dans ces mondes sublimes
75   Remuer rien de grand sans toucher à son nom;

Oui, quand tu m'apparais, pour le culte ou le blâme,
Les chants volent pressés sur mes lèvres de flamme,
Napoléon! soleil dont je suis le Memnon!

Tu domines notre âge; ange ou démon, qu'importe?
Ton aigle dans son vol, haletants, nous emporte.   80
L'œil même qui te fuit te retrouve partout.
Toujours dans nos tableaux tu jettes ta grande ombre;
Toujours Napoléon, éblouissant et sombre,
      Sur le seuil du siècle est debout.

Ainsi, quand, du Vésuve explorant le domaine,   85
De Naple à Portici l'étranger se promène,
Lorsqu'il trouble, rêveur, de ses pas importuns,
Ischia, de ses fleurs embaumant l'onde heureuse
Dont le bruit, comme un chant de sultane amoureuse,
Semble une voix qui vole au milieu des parfums;   90

Qu'il hante de Pæstum l'auguste colonnade,
Qu'il écoute à Pouzzol la vive sérénade
Chantant la tarentelle au pied d'un mur toscan;
Qu'il éveille en passant cette cité momie,
Pompéi, corps gisant d'une ville endormie,   95
      Saisie un jour par le volcan;

Qu'il erre au Pausilippe avec la barque agile
D'où le brun marinier chante Tasse à Virgile;
Toujours, sous l'arbre vert, sur les lits de gazon,
Toujours il voit, du sein des mers et des prairies,   100
Du haut des caps, du bord des presqu'îles fleuries,
Toujours le noir géant qui fume à l'horizon!

Décembre 1828.

QUESTIONS

1. Which line of this poem sums up its entire thought?
2. Trace the evolution of Hugo's judgment of Napoleon from 1818 to 1829.

NOTES ON *LUI*

J'étais géant, *etc.* See L. A. Rozelaar in *The French Quarterly,* 1927–8.

7. obus, *shell.* The line refers to Napoleon's siege of Toulon in 1793.

8. This line refers to Napoleon's firing on the mob which threatened the Convention, in Paris, October 5, 1795.

9. A reference to the overthrowing of the Directory and the establishment of the Consulate.

10. Napoleon became First Consul by a *coup d'état,* November 9 (18 Brumaire), 1799.

13. empereur puissant. Napoleon became emperor on May 18, 1804.

26. risée, *laughing-stock.*

35. linceul, *shroud.*—Napoleon was buried in the military cloak which he had worn in his campaigns ever since Marengo (1800).

37. le conclave, *i.e.* the conclave of cardinals.

39. Kremlin. See note to line 27 of *Les Funérailles de Louis XVIII.* **Alhambra,** the citadel and palace of Granada.

45. émir, an Arabian nobleman, chief of a family or of a tribe.

55. numide, *Numidian.*

60. Les quarante siècles géants. An allusion to Napoleon's speech to his army before the battle of the Pyramids, in which he said: «Soldats, du haut de ces pyramides quarante siècles vous contemplent!»

63. Satrapes, *satraps,* a Persian term for governors of provinces.

69. Assur, *Assyria.*

78. soleil dont je suis le Memnon. Hugo had in mind the famous statue of Memnon, King of Egypt, who claimed to be a son of the Sun-god. The statue was located near Thebes. When the rays of the rising sun struck the statue, it gave forth harmonious sounds.

86. Portici, a town on the bay of Naples.

88. Ischia, an island near the entrance to the bay of Naples.

91. Pæstum, a town 40 kilometers from Naples. Important Greek ruins exist there. Hugo says in a note: «Il eût fallu dire la route de Pæstum, car de Pæstum on ne voit pas le Vésuve.»

92. Pouzzol, on the bay of Naples.

93. la tarentelle, an Italian dance.

97. Pausilippe, a promontory in the middle of the bay of Naples.

98. Tasse, Tasso. See note, p. 145.

Les Feuilles d'automne

The tone of this new volume, composed during the years 1828 to 1831, and published in December, 1831, differs strikingly from that of *Les Orientales.* The poet is here more personal, and in that sense more lyric. He gives expression to the feeling of melancholy which swept over him after the death of his father in January, 1828. Perhaps the intimate poetry of Sainte-Beuve's *Joseph Delorme* also aided in turning his thoughts toward such subjects as his childhood and youth, his engagement to Adèle Foucher, and his children. The spectacle of nature inspired him as never before and led him to disquieting problems of a philosophic tendency. His firm religious faith of the early 20's seems to have been somewhat shaken, and a note of disillusion, if not of outright scepticism, is audible.

Hugo published this volume the same year that *Notre-Dame de Paris* appeared, and a year after *Hernani*. In 1832 he produced *Le Roi s'amuse*. His literary activity was stupendous.

In addition to the poems given here, students should read *Ce siècle avait deux ans, La Pente de la rêverie, Bièvre, La Prière pour tous*.

CE QU'ON ENTEND SUR LA MONTAGNE

O altitudo!

Avez-vous quelquefois, calme et silencieux,
Monté sur la montagne, en présence des cieux?
Était-ce aux bords du Sund? aux côtes de Bretagne?
Aviez-vous l'Océan au pied de la montagne?
Et là, penché sur l'onde et sur l'immensité,   5
Calme et silencieux, avez-vous écouté?

Voici ce qu'on entend, du moins un jour qu'en rêve
Ma pensée abattit son vol sur une grève,
Et, du sommet d'un mont plongeant au gouffre amer,
Vit d'un côté la terre et de l'autre la mer;   10
J'écoutai, j'entendis, et jamais voix pareille
Ne sortit d'une bouche et n'émut une oreille.

Ce fut d'abord un bruit large, immense, confus,
Plus vague que le vent dans les arbres touffus,
Plein d'accords éclatants, de suaves murmures,   15

Doux comme un chant du soir, fort comme un choc
Quand la sourde mêlée étreint les escadrons   [d'armures
Et souffle, furieuse, aux bouches des clairons.
C'était une musique ineffable et profonde,
20   Qui, fluide, oscillait sans cesse autour du monde,
Et dans les vastes cieux, par ses flots rajeunis,
Roulait élargissant ses orbes infinis
Jusqu'au fond où son flux s'allait perdre dans l'ombre
Avec le temps, l'espace et la forme et le nombre.
25   Comme une autre atmosphère épars et débordé,
L'hymne éternel couvrait tout le globe inondé.
Le monde, enveloppé dans cette symphonie,
Comme il vogue dans l'air, voguait dans l'harmonie.
Et pensif, j'écoutais ces harpes de l'éther,
30   Perdu dans cette voix comme dans une mer.

Bientôt je distinguai, confuses et voilées,
Deux voix dans cette voix l'une à l'autre mêlées,
De la terre et des mers s'épanchant jusqu'au ciel,
Qui chantaient à la fois le chant universel;
35   Et je les distinguai dans la rumeur profonde,
Comme on voit deux courants qui se croisent sous l'onde.

L'une venait des mers; chant de gloire! hymne heureux!
C'était la voix des flots qui se parlaient entre eux;
L'autre, qui s'élevait de la terre où nous sommes,
40   Était triste; c'était le murmure des hommes;
Et dans ce grand concert, qui chantait jour et nuit,
Chaque onde avait sa voix et chaque homme son bruit.

Or, comme je l'ai dit, l'Océan magnifique
Épandait une voix joyeuse et pacifique,
45   Chantait comme la harpe aux temples de Sion,
Et louait la beauté de la création.
Sa clameur, qu'emportaient la brise et la rafale,
Incessamment vers Dieu montait plus triomphale,
Et chacun de ses flots, que Dieu seul peut dompter,

Quand l'autre avait fini, se levait pour chanter.   50
Comme ce grand lion dont Daniel fut l'hôte,
L'Océan par moments abaissait sa voix haute,
Et moi je croyais voir, vers le couchant en feu,
Sous sa crinière d'or passer la main de Dieu.

Cependant, à côté de l'auguste fanfare,   55
L'autre voix, comme un cri de coursier qui s'effare,
Comme le gond rouillé d'une porte d'enfer,
Comme l'archet d'airain sur la lyre de fer,
Grinçait; et pleurs, et cris, l'injure, l'anathème,
Refus du viatique et refus du baptême,   60
Et malédiction, et blasphème, et clameur,
Dans le flot tournoyant de l'humaine rumeur
Passaient, comme le soir on voit dans les vallées
De noirs oiseaux de nuit qui s'en vont par volées.
Qu'était-ce que ce bruit dont mille échos vibraient?   65
Hélas! c'était la terre et l'homme qui pleuraient.

Frères! de ces deux voix étranges, inouïes,
Sans cesse renaissant, sans cesse évanouies,
Qu'écoute l'Éternel durant l'éternité,
L'une disait: Nature! et l'autre: Humanité!   70

Alors je méditai; car mon esprit fidèle,
Hélas! n'avait jamais déployé plus grande aile;
Dans mon ombre jamais n'avait lui tant de jour;
Et je rêvai longtemps, contemplant tour à tour,
Après l'abîme obscur que me cachait la lame,   75
L'autre abîme sans fond qui s'ouvrait dans mon âme.
Et je me demandai pourquoi l'on est ici,
Quel peut être après tout le but de tout ceci,
Que fait l'âme, lequel vaut mieux d'être ou de vivre,
Et pourquoi le Seigneur, qui seul lit à son livre,   80
Mêle éternellement dans un fatal hymen
Le chant de la nature au cri du genre humain?

27 juillet 1829.

QUESTIONS

1. Analyze the composition of this poem tracing the development of the thought from beginning to end.

2. Analyze the versification: look for romantic lines and strictly classical lines; «enjambements»; «rejets»; «trimètres.»

NOTES ON *CE QU'ON ENTEND SUR LA MONTAGNE*

3. Sund, the Sound, a sea passage between Sweden and the island of Zealand (a Danish possession).

8. This line is a good example of a «trimètre» with three principal accents. There are others in this poem.

39–40. Notice not only the «enjambement,» but specially the «rejet.»

45. aux temples de Sion, *i.e.* in the temple of Jerusalem.

58–59. See note to lines 39–40.

60. viatique, *viaticum, i.e.* the eucharist given to a person before death.

62–63. See note to lines 39–40.

Lorsque l'enfant paraît

Le toit s'égaye et rit.
André Chénier.

Lorsque l'enfant paraît, le cercle de famille
Applaudit à grands cris. Son doux regard qui brille
      Fait briller tous les yeux,
Et les plus tristes fronts, les plus souillés peut-être,
5   Se dérident soudain à voir l'enfant paraître,
      Innocent et joyeux.

Soit que juin ait verdi mon seuil, ou que novembre
Fasse autour d'un grand feu vacillant dans la chambre
      Les chaises se toucher,
10   Quand l'enfant vient, la joie arrive et nous éclaire.
On rit, on se récrie, on l'appelle, et sa mère
      Tremble à le voir marcher.

Quelquefois nous parlons, en remuant la flamme,
De patrie et de Dieu, des poètes, de l'âme
15   Qui s'élève en priant;

L'enfant paraît, adieu le ciel et la patrie
Et les poètes saints! la grave causerie
    S'arrête en souriant.

La nuit, quand l'homme dort, quand l'esprit rêve, à l'heure
Où l'on entend gémir, comme une voix qui pleure,   20
    L'onde entre les roseaux,
Si l'aube tout à coup là-bas luit comme un phare,
Sa clarté dans les champs éveille une fanfare
    De cloches et d'oiseaux.

Enfant, vous êtes l'aube et mon âme est la plaine   25
Qui des plus douces fleurs embaume son haleine
    Quand vous la respirez;
Mon âme est la forêt dont les sombres ramures
S'emplissent pour vous seul de suaves murmures
    Et de rayons dorés!   30

Car vos beaux yeux sont pleins de douceurs infinies,
Car vos petites mains, joyeuses et bénies,
    N'ont point mal fait encor;
Jamais vos jeunes pas n'ont touché notre fange,
Tête sacrée! enfant aux cheveux blonds! bel ange   35
    A l'auréole d'or!

Vous êtes parmi nous la colombe de l'arche.
Vos pieds tendres et purs n'ont point l'âge où l'on marche,
    Vos ailes sont d'azur.
Sans le comprendre encor vous regardez le monde.   40
Double virginité! corps où rien n'est immonde,
    Ame où rien n'est impur!

Il est si beau, l'enfant, avec son doux sourire,
Sa douce bonne foi, sa voix qui veut tout dire,
    Ses pleurs vite apaisés,   45

Laissant errer sa vue étonnée et ravie,
Offrant de toutes parts sa jeune âme à la vie
Et sa bouche aux baisers!

Seigneur! préservez-moi, préservez ceux que j'aime,
50 Frères, parents, amis, et mes ennemis même
Dans le mal triomphants,
De jamais voir, Seigneur! l'été sans fleurs vermeilles,
La cage sans oiseaux, la ruche sans abeilles,
La maison sans enfants!

18 mai 1830.

NOTES ON *LORSQUE L'ENFANT PARAÎT*

11. se récrie, *exclaims, cries out.*
22. phare, *beacon.*
34. fange, *mire;* here, *earth.*
37. la colombe de l'arche, *the dove of the Ark.*
41. immonde, *unclean.*

SOLEILS COUCHANTS

Merveilleux tableaux que la vue découvre
à la pensée.

CH. NODIER.

I

J'aime les soirs sereins et beaux, j'aime les soirs,
Soit qu'ils dorent le front des antiques manoirs
Ensevelis dans les feuillages;
Soit que la brume au loin s'allonge en bancs de feu;
5 Soit que mille rayons brisent dans un ciel bleu
A des archipels de nuages.

Oh! regardez le ciel! cent nuages mouvants,
Amoncelés là-haut sous le souffle des vents,
Groupent leurs formes inconnues;
10 Sous leurs flots par moments flamboie un pâle éclair,
Comme si tout à coup quelque géant de l'air
Tirait son glaive dans les nues.

Le soleil, à travers leurs ombres, brille encor;
Tantôt fait, à l'égal des larges dômes d'or,
    Luire le toit d'une chaumière;   15
Ou dispute aux brouillards les vagues horizons;
Ou découpe, en tombant sur les sombres gazons,
    Comme de grands lacs de lumière.

Puis voilà qu'on croit voir, dans le ciel balayé,
Pendre un grand crocodile au dos large et rayé,   20
    Aux trois rangs de dents acérées;
Sous son ventre plombé glisse un rayon du soir;
Cent nuages ardents luisent sous son flanc noir
    Comme des écailles dorées.

Puis se dresse un palais. Puis l'air tremble, et tout fuit. 25
L'édifice effrayant des nuages détruit
    S'écroule en ruines pressées;
Il jonche au loin le ciel, et ses cônes vermeils
Pendent, la pointe en bas, sur nos têtes, pareils
    A des montagnes renversées.   30

Ces nuages de plomb, d'or, de cuivre, de fer,
Où l'ouragan, la trombe, et la foudre, et l'enfer
    Dorment avec de sourds murmures,
C'est Dieu qui les suspend en foule aux cieux profonds,
Comme un guerrier qui pend aux poutres des plafonds 35
    Ses retentissantes armures

Tout s'en va! Le soleil, d'en haut précipité,
Comme un globe d'airain qui, rouge, est rejeté
    Dans les fournaises remuées,
En tombant sur leurs flots que son choc désunit   40
Fait en flocons de feu jaillir jusqu'au zénith
    L'ardente écume des nuées.

Oh! contemplez le ciel! et dès qu'a fui le jour,
En tout temps, en tout lieu, d'un ineffable amour,
    Regardez à travers ses voiles;   45

Un mystère est au fond de leur grave beauté,
L'hiver, quand ils sont noirs comme un linceul, l'été,
Quand la nuit les brode d'étoiles.

Novembre 1828.

VI

Le soleil s'est couché ce soir dans les nuées.
Demain viendra l'orage, et le soir, et la nuit;
Puis l'aube, et ses clartés de vapeurs obstruées;
Puis les nuits, puis les jours, pas du temps qui s'enfuit!

5   Tous ces jours passeront; ils passeront en foule
Sur la face des mers, sur la face des monts,
Sur les fleuves d'argent, sur les forêts où roule
Comme un hymne confus des morts que nous aimons.

Et la face des eaux, et le front des montagnes,
10   Ridés et non vieillis, et les bois toujours verts
S'iront rajeunissant; le fleuve des campagnes
Prendra sans cesse aux monts le flot qu'il donne aux mers.

Mais moi, sous chaque jour courbant plus bas ma tête,
Je passe, et, refroidi sous ce soleil joyeux,
15   Je m'en irai bientôt, au milieu de la fête,
Sans que rien manque au monde, immense et radieux!

22 avril 1829.

QUESTION

1. Show that while the first of these two poems is a picture, the second
is essentially a «méditation.»   Compare the second with Lamartine's
L'Isolement.

NOTES ON *SOLEILS COUCHANTS*

Title.   Six poems of varying length are grouped under the title of *Soleils
couchants*. Levaillant says excellently of this group: «Le poète rassemble
sous ce titre six croquis rêvés ou notés par lui pendant les promenades
où, avec ses amis, il allait voir coucher le soleil sur la plaine de Montrouge
ou de Vaugirard.   Les cinq premiers, dont les dates vont de juin à sep-

tembre 1828, sont de véritables «orientales,» des féeries de couleurs: mais dans la pièce VI, datée d'avril 1829, passe le même frisson de tristesse qui agite les *Feuilles d'automne;* la splendeur de la nature fait ressouvenir le poète de sa fragilité et lui suggère, par contraste, l'idée de la mort. Il ne faut chercher d'autre «source» à de tels vers que la vision et l'imagination de Victor Hugo; on doit croire néanmoins qu'il avait lu dans les *Études de la nature* les pages où Bernardin de Saint-Pierre peint, en coloriste, la beauté des nuages au soleil couchant; dans le *Génie du christianisme* la description fameuse de la Prière du soir en mer, et surtout celle de la *Nuit dans une forêt d'Amérique,* où Chateaubriand étudie curieusement la forme changeante des nuages dans un ciel éclairé, cette fois, par la lune.» (*L'Œuvre de Victor Hugo,* Paris, Delagrave, 1931, p. 211.)

Merveilleux tableaux, *etc.* Epigraph taken from Nodier's *Les Aveugles de Chamouny.*

1–5. Cf. Vigny's *Le Cor.*

5. brisent, used here intransitively.

28. Il jonche, *it strews.*

32. la trombe, *water-spout.*

47. linceul, *shroud.*

VI. 5–8. Cf. Lamartine's *Le Lac.*

11. s'iront rajeunissant. This «tournure» is rather archaic.

13–15. Cf. later poems of Hugo such as *Tristesse d'Olympio.*

Les Chants du crépuscule

Les Chants du crépuscule were composed during the years 1830 to 1835. They are partly political in inspiration, partly lyrical; in both cases, rather sombre. The Revolution of July brought forth *Dicté après juillet 1830;* the glory of Napoleon and the Chamber of Deputies' refusal to bury the Emperor's ashes in Paris inspired *A la colonne.* On the other hand, Hugo's recent liaison with Juliette Drouet is the basis for *Oh! n'insultez jamais une femme qui tombe* and *Dans l'église de* . . . . The concluding poem of the volume, *Date lilia,* is a tribute to the poet's wife.

The note of uneasiness discernible in *Les Feuilles d'automne* becomes in *Les Chants du crépuscule* a perfectly clear note of scepticism. Such a poem as *Que nous avons le doute en nous* reveals a complete loss of faith. Hugo remains, however, if not orthodox, essentially religious. His scepticism did not turn him away from God.

The volume was none too well received when it appeared in 1835. If the critics unanimously admired *A Louis B.* (popularly known as *La Cloche*), they were by no means so favorable to the rest. Sainte-Beuve in the *Revue des Deux Mondes* hypocritically reproached his former friend with having included in the volume «deux encens qui se repoussent» and added: «Il n'a pas vu que l'impression de tous serait qu'un objet respecté eût été mieux honoré et loué par une omission entière.» Gustave Planche in *Le Constitutionnel* bitterly criticized Hugo's political poems. Désiré Nisard stated bluntly that the *Chants du crépuscule* marked the «déclin rapide d'un beau talent.»

In addition to the poems given here, students should read *Dicté après juillet 1830, A la colonne, Napoléon II., Oh! n'insultez jamais une femme qui tombe, Espoir en Dieu, A Louis B., Dans l'église de . . . , Date lilia.*

H Y M N E

Ceux qui pieusement sont morts pour la patrie
Ont droit qu'à leur cercueil la foule vienne et prie.
Entre les plus beaux noms leur nom est le plus beau.
Toute gloire près d'eux passe et tombe éphémère;
5   Et, comme ferait une mère,
La voix d'un peuple entier les berce en leur tombeau.

Gloire à notre France éternelle!
Gloire à ceux qui sont morts pour elle!
Aux martyrs! aux vaillants! aux forts!
10   A ceux qu'enflamme leur exemple,
Qui veulent place dans le temple,
Et qui mourront comme ils sont morts!

C'est pour ces morts, dont l'ombre est ici bienvenue,
Que le haut Panthéon élève dans la nue,

Au-dessus de Paris, la ville aux mille tours,   15
La reine de nos Tyrs et de nos Babylones,
    Cette couronne de colonnes
Que le soleil levant redore tous les jours!

    Gloire à notre France éternelle!
        Etc.

Ainsi, quand de tels morts sont couchés dans la tombe,   25
En vain l'oubli, nuit sombre où va tout ce qui tombe,
Passe sur leur sépulcre où nous nous inclinons;
Chaque jour, pour eux seuls se levant plus fidèle,
    La gloire, aube toujours nouvelle,
Fait luire leur mémoire et redore leurs noms!   30

    Gloire à notre France éternelle!
        Etc.
                Juillet 1831.

NOTES ON *HYMNE*

Title. The government in 1831 asked Hugo to compose a hymn in honor
of the men who died in the Revolution of July. Hugo at the time was
visiting Bertin, the director of the *Journal des Débats*, at Les Roches.
There he composed his hymn which he originally entitled *Hymne aux
morts de juillet* and sent it to Herold who was to write the music. The
hymn was sung on July 27, 1831, at an imposing ceremony held in the
Pantheon. A choir of five hundred voices was organized to render it.
The text was published the next day in the *Journal des Débats*.

13. Panthéon. The present edifice was built during the second part of the
eighteenth century and was destined to be a church. It was converted
during the French Revolution into a Pantheon, or temple of fame, for
the burial of great men. Used during the Empire and the Restoration
as a church, it again became a Pantheon after 1830. It contains the
tombs of Rousseau, Voltaire, Hugo, Jaurès, and others.

16. Tyrs, *Tyres.*

25. ainsi. «La gloire est comparée au soleil. «La gloire est le soleil des
morts» dira bientôt Balzac.»—Note by Levaillant, *op. cit.*, p. 229.

A MADEMOISELLE LOUISE B.

QUE NOUS AVONS LE DOUTE EN NOUS

De nos jours,—plaignez-nous, vous, douce et noble femme!
L'intérieur de l'homme offre un sombre tableau.
Un serpent est visible en la source de l'eau,
Et l'incrédulité rampe au fond de notre âme.

5   Vous qui n'avez jamais de sourire moqueur
Pour les accablements dont une âme est troublée,
Vous qui vivez sereine, attentive et voilée,
Homme par la pensée et femme par le cœur,

Si vous me demandez, vous muse, à moi poète,
10 D'où vient qu'un rêve obscur semble agiter mes jours,
Que mon front est couvert d'ombres, et que toujours,
Comme un rameau dans l'air, ma vie est inquiète;

Pourquoi je cherche un sens au murmure des vents;
Pourquoi souvent, morose et pensif dès la veille,
15 Quand l'horizon blanchit à peine, je m'éveille
Même avant les oiseaux, même avant les enfants;

Et pourquoi, quand la brume a déchiré ses voiles,
Comme dans un palais dont je ferais le tour
Je vais dans le vallon, contemplant tour à tour
20 Et le tapis de fleurs et le plafond d'étoiles;

Je vous dirai qu'en moi je porte un ennemi;
Le doute, qui m'emmène errer dans le bois sombre,
Spectre myope et sourd, qui, fait de jour et d'ombre,
Montre et cache à la fois toute chose à demi.

25 Je vous dirai qu'en moi j'interroge à toute heure
Un instinct qui bégaye, en mes sens prisonnier,
Près du besoin de croire un désir de nier,
Et l'esprit qui ricane auprès du cœur qui pleure.

Aussi vous me voyez souvent parlant tout bas,
Et, comme un mendiant à la bouche affamée   30
Qui rêve assis devant une porte fermée,
On dirait que j'attends quelqu'un qui n'ouvre pas.

Le doute! mot funèbre et qu'en lettres de flammes
Je vois écrit partout, dans l'aube, dans l'éclair,
Dans l'azur de ce ciel, mystérieux et clair,   35
Transparent pour les yeux, impénétrable aux âmes!

C'est notre mal à nous, enfants des passions
Dont l'esprit n'atteint pas votre calme sublime;
A nous dont le berceau, risqué sur un abîme,
Vogua sur le flot noir des révolutions.   40

Les superstitions, ces hideuses vipères,
Fourmillent sous nos fronts où tout germe est flétri.
Nous portons dans nos cœurs le cadavre pourri
De la religion qui vivait dans nos pères.

Voilà pourquoi je vais, triste et réfléchissant;   45
Pourquoi souvent, la nuit, je regarde et j'écoute,
Solitaire, et marchant au hasard sur la route
A l'heure où le passant semble étrange au passant.

Heureux qui peut aimer, et qui dans la nuit noire,
Tout en cherchant la foi, peut rencontrer l'amour!   50
Il a du moins la lampe en attendant le jour.
Heureux ce cœur! aimer, c'est la moitié de croire.

13 octobre 1835.

QUESTIONS

1. Compare the scepticism revealed in this poem with that of Montaigne, Descartes, and Voltaire.
2. What particularly interesting metaphors are there in this poem?

NOTES ON *QUE NOUS AVONS LE DOUTE EN NOUS*

Title. This poem is the first of three which should be grouped together in order to understand Hugo's attitude toward religion during the decade 1830–1840. The other two are *Pensar, Dudar* (in *Les Voix intérieures*) and *A mademoiselle Louise B.—Sagesse* (in *Les Rayons et les Ombres*).— The Mlle Louise B. to whom the first and third poems are dedicated is Louise Bertin.

23. myope, *short-sighted.*

28. ricane, *sneers, chuckles.*

Les Voix intérieures

Les Voix intérieures appeared in 1837 at a time when Hugo, in spite of his happy relations with Juliette Drouet, was none too serene. The criticisms leveled at his plays and at *Les Chants du crépuscule* had profoundly disturbed him. Worse still, the French Academy seemed to side with his tormentors, for during 1835 and 1836 it rejected three times his candidacy. His domestic life was also unsatisfactory. Sainte-Beuve's passion for his wife still preyed upon his mind. In February, 1837, the death of his brother Eugène added new sadness to an old tragedy.*

Hugo's distress is translated in the poem *A Olympio* which tries to console the poet for the misunderstanding and the calumny from which he suffers. Olympio is but a name for the poet himself, a fictitious figure, an *alter ego*, which permits him to appear to speak impersonally. So pleased with this creation was Hugo that he thought of publishing a collection of poems under the title of *Les Contemplations d'Olympio*, but he gave up the project.

The inspiration of this volume is essentially lyric. Hugo sings of nature and of children. He recalls the early joys of his brother and himself. He betrays once more his loss of faith in another poem addressed to Louise Bertin. The death of Charles X, to be sure, caused him to write *Sunt lacrymae rerum*, but the subject

* Eugène Hugo had become insane in 1822, at the time of his brother's marriage

is treated with lyrical fervor rather than with oratorical con-
viction.

In addition to the poems given here, students should read
*Ce siècle est grand et fort, Sunt lacrymae rerum, Passé, Soirée
en mer, Pensar, Dudar, A Eugène, vicomte H.*, and *A Olympio*.

A Ol

O poète! je vais, dans ton âme blessée,
Remuer jusqu'au fond ta profonde pensée.

Tu ne l'avais pas vue encor, ce fut un soir,
A l'heure où dans le ciel les astres se font voir,
Qu'elle apparut soudain à tes yeux, fraîche et belle,   5
Dans un lieu radieux qui rayonnait moins qu'elle.
Ses cheveux pétillaient de mille diamants.
Un orchestre tremblait à tous ses mouvements
Tandis qu'elle enivrait la foule haletante,
Blanche avec des yeux noirs, jeune, grande, éclatante.   10
Tout en elle était feu qui brille, ardeur qui rit.
La parole parfois tombait de son esprit
Comme un épi doré du sac de la glaneuse,
Ou sortait de sa bouche en vapeur lumineuse.
Chacun se récriait, admirant tour à tour   15
Son front plein de pensée éclose avant l'amour,
Son sourire entr'ouvert comme une vive aurore,
Et son ardente épaule, et, plus ardents encore,
Comme les soupiraux d'un centre étincelant,
Ses yeux où l'on voyait luire son cœur brûlant.   20
Elle allait et passait comme un oiseau de flamme,
Mettant sans le savoir le feu dans plus d'une âme,
Et dans les yeux fixés sur tous ses pas charmants
Jetant de toutes parts des éblouissements!

Toi, tu la contemplais n'osant approcher d'elle,   25
Car le baril de poudre a peur de l'étincelle.

Mai 1837.

NOTES ON *A OL*

Title. This poem must not be confused with *A Olympio* mentioned in the second paragraph of the introductory note. They are two separate poems.

3 ff. The first meeting between Hugo and Juliette Drouet took place on January 2, 1833, at an artists' ball.

13. glaneuse, *gleaner.*

19. soupiraux, *air-holes.*

LA VACHE

Devant la blanche ferme où parfois vers midi
Un vieillard vient s'asseoir sur le seuil attiédi,
Où cent poules gaîment mêlent leurs crêtes rouges,
Où, gardiens du sommeil, les dogues dans leurs bouges
5 Écoutent les chansons du gardien du réveil,
Du beau coq vernissé qui reluit au soleil,
Une vache était là, tout à l'heure arrêtée.
Superbe, énorme, rousse et de blanc tachetée,
Douce comme une biche avec ses jeunes faons,
10 Elle avait sous le ventre un beau groupe d'enfants,
D'enfants aux dents de marbre, aux cheveux en brous-
Frais, et plus charbonnés que de vieilles murailles, [sailles,
Qui, bruyants, tous ensemble, à grands cris appelant
D'autres qui, tout petits, se hâtaient en tremblant,
15 Dérobant sans pitié quelque laitière absente,
Sous leur bouche joyeuse et peut-être blessante
Et sous leurs doigts pressant le lait par mille trous,
Tiraient le pis fécond de la mère au poil roux.
Elle, bonne et puissante et de son trésor pleine,
20 Sous leurs mains par moments faisant frémir à peine
Son beau flanc plus ombré qu'un flanc de léopard,
Distraite, regardait vaguement quelque part.

Ainsi, Nature! abri de toute créature!
O mère universelle! indulgente Nature!
25 Ainsi, tous à la fois, mystiques et charnels,

Cherchant l'ombre et le lait sous tes flancs éternels,
Nous sommes là, savants, poètes, pêle-mêle,
Pendus de toutes parts à ta forte mamelle!
Et tandis qu'affamés, avec des cris vainqueurs,
A tes sources sans fin désaltérant nos cœurs,   30
Pour en faire plus tard notre sang et notre âme,
Nous aspirons à flots ta lumière et ta flamme,
Les feuillages, les monts, les prés verts, le ciel bleu,
Toi, sans te déranger, tu rêves à ton Dieu!

Mai 1837.

QUESTIONS

1. Compare Hugo's attitude toward nature as expressed in this poem with that of Lamartine and Vigny.

2. Compare the ideas expressed in this poem with those contained in *Tristesse d'Olympio* and *Oceano Nox*.

NOTES ON *LA VACHE*

4. bouges, *dens.*
6. vernissé, *varnished, glazed.*
12. charbonnés, *dirty, besmutted.*
18. pis, *udder.*
22. Notice that this line is a « trimètre » with three principal accents.
25. mystiques, *i.e. artistes ou savants ou idéalistes;* **charnels,** *i.e. matéria-
listes.*
30. désaltérant, *quenching the thirst of, satisfying.*
29–32. Cf. Musset's *Nuit de mai,* lines 153 ff.

Les Rayons et les Ombres

Les Rayons et les Ombres appeared in May, 1840. The volume closes in a sense a poetic cycle inaugurated in 1831; Hugo later wrote: «On a des familles dans l'esprit. Les idées forment des groupes. *Les Feuilles d'automne, Les Chants du crépuscule, Les Voix intérieures, Les Rayons et les Ombres* adhèrent . . .» While political inspiration is not absent from this new *recueil,* and while humanitarian preoccupations are manifested in such poems as *Regard jeté dans une mansarde* and *Rencontre,* the inspiration of *Les Rayons et les Ombres* is essentially lyric. Once again Hugo sings of nature, of his childhood, of love, of the durability of happiness and of the inexorable flight of time.

In the poem *Fonction du poète* Hugo defines his conception of the poet's mission. He is completely opposed to the theory of Art-for-Art's-sake which had recently been advanced by Théophile Gautier in the preface to *Mademoiselle de Maupin* (1835). Like Vigny (cf. *Chatterton*), Hugo believes that the poet should be a pilot, and going even farther, Hugo would have the poet play the rôle of prophet and active leader.

In addition to the poems given here, students should read *Fonction du poète, Ce qui se passait aux Feuillantines vers 1813, Regard jeté dans une mansarde, Rencontre, Cæruleum mare, A mademoiselle Louise B.—Sagesse.*

Tristesse d'Olympio *

Les champs n'étaient point noirs, les cieux n'étaient pas
Non, le jour rayonnait dans un azur sans bornes   [mornes,
Sur la terre étendu,
L'air était plein d'encens et les prés de verdures
5   Quand il revit ces lieux où par tant de blessures
Son cœur s'est répandu!

* In 1822 Victor Hugo and his fiancée Adèle Foucher spent some time to-gether at Gentilly in the «vallée de la Bièvre» where the Foucher family had gone for a vacation. After his marriage, Hugo returned with his wife to Gentilly. Then years later, Hugo visited another part of the same valley—la vallée de la Bièvre—when he accepted the hospitality of his friend Bertin, the owner of *Le Journal des Débats*, whose estate called Les Roches was located near the village of Bièvres. In 1831 a sojourn at Les Roches inspired the poem entitled *Bièvre* published immediately in *Les Feuilles d'automne*. In 1834 Hugo and his family were again invited to Les Roches. This time Hugo took Juliette Drouet with him and found a room for her in a peasant's house in the neighboring ham-let of Les Metz. They saw each other every day, usually meeting in the wood which lay between Les Metz and Bertin's estate.

The year 1837 was a difficult one for Hugo, and in a moment of melancholy he decided to return to Les Roches, but to go there alone. On the 15th or 16th of October he went to see his friends, walked to Les Metz, and revisited all the places where Juliette and he had spent so many happy moments. Certain changes in the landscape led Hugo to meditate upon the problem of the dur-ability of happiness in connection with the inevitable passage of time. Doubt-less Lamartine's treatment of the problem in *Le Lac* and in the 9th «époque» of *Jocelyn* (where the poet exclaims: «Oh! qu'en peu de saisons, les étés et les

L'automne souriait; les coteaux vers la plaine
Penchaient leurs bois charmants qui jaunissaient à peine;
  Le ciel était doré;
Et les oiseaux, tournés vers celui que tout nomme, 10
Disant peut-être à Dieu quelque chose de l'homme,
  Chantaient leur chant sacré!

Il voulut tout revoir, l'étang près de la source,
La masure où l'aumône avait vidé leur bourse,
  Le vieux frêne plié, 15
Les retraites d'amour au fond des bois perdues,
L'arbre où dans les baisers leurs âmes confondues
  Avaient tout oublié!

Il chercha le jardin, la maison isolée,
La grille d'où l'œil plonge en une oblique allée, 20
  Les vergers en talus.
Pâle, il marchait.—Au bruit de son pas grave et
Il voyait à chaque arbre, hélas! se dresser l'ombre [sombre,
  Des jours qui ne sont plus!

Il entendait frémir dans la forêt qu'il aime 25
Ce doux vent qui, faisant tout vibrer en nous-même,
  Y réveille l'amour,
Et, remuant le chêne ou balançant la rose,
Semble l'âme de tout qui va sur chaque chose
  Se poser tour à tour! 30

Les feuilles qui gisaient dans le bois solitaire,
S'efforçant sous ses pas de s'élever de terre,
  Couraient dans le jardin;

giaces Avaient fait du vallon évanouir les traces!») came to his mind. Musset
had touched upon the problem in *La Nuit d'octobre*, just published.
 In any event, during the days that followed Hugo composed his meditation,
the first draft of which was completed on October 21. (See M. Levaillant,
«*Tristesse d'Olympio*.» *Fac-similé du Manuscrit autographe avec une étude.*
Paris, Champion, 1928.)

Ainsi, parfois, quand l'âme est triste, nos pensées
35 S'envolent un moment sur leurs ailes blessées,
      Puis retombent soudain.

Il contempla longtemps les formes magnifiques
Que la nature prend dans les champs pacifiques;
      Il rêva jusqu'au soir;
40 Tout le jour il erra le long de la ravine,
Admirant tour à tour le ciel, face divine,
      Le lac, divin miroir!

Hélas! se rappelant ses douces aventures,
Regardant, sans entrer, par-dessus les clôtures,
45   Ainsi qu'un paria,
Il erra tout le jour. Vers l'heure où la nuit tombe,
Il se sentit le cœur triste comme une tombe,
      Alors il s'écria:

«O douleur! j'ai voulu, moi dont l'âme est troublée,
50 Savoir si l'urne encor conservait sa liqueur,
Et voir ce qu'avait fait cette heureuse vallée
De tout ce que j'avais laissé là de mon cœur!

«Que peu de temps suffit pour changer toutes choses!
Nature au front serein, comme vous oubliez!
55 Et comme vous brisez dans vos métamorphoses
Les fils mystérieux où nos cœurs sont liés!

«Nos chambres de feuillage en halliers sont changées!
L'arbre où fut notre chiffre est mort ou renversé;
Nos roses dans l'enclos ont été ravagées
60 Par les petits enfants qui sautent le fossé.

«Un mur clôt la fontaine où, par l'heure échauffée,
Folâtre, elle buvait en descendant des bois;
Elle prenait de l'eau dans sa main, douce fée,
Et laissait retomber des perles de ses doigts!

«On a pavé la route âpre et mal aplanie, 65
Où, dans le sable pur se dessinant si bien,
Et de sa petitesse étalant l'ironie,
Son pied charmant semblait rire à côté du mien!

«La borne du chemin, qui vit des jours sans nombre,
Où jadis pour m'attendre elle aimait à s'asseoir, 70
S'est usée en heurtant, lorsque la route est sombre,
Les grands chars gémissants qui reviennent le soir.

«La forêt ici manque et là s'est agrandie.
De tout ce qui fut nous presque rien n'est vivant;
Et, comme un tas de cendre éteinte et refroidie, 75
L'amas des souvenirs se disperse à tout vent!

«N'existons-nous donc plus? Avons-nous eu notre heure?
Rien ne la rendra-t-il à nos cris superflus?
L'air joue avec la branche au moment où je pleure;
Ma maison me regarde et ne me connaît plus. 80

«D'autres vont maintenant passer où nous passâmes.
Nous y sommes venus, d'autres vont y venir;
Et le songe qu'avaient ébauché nos deux âmes,
Ils le continueront sans pouvoir le finir!

«Car personne ici-bas ne termine et n'achève; 85
Les pires des humains sont comme les meilleurs;
Nous nous réveillons tous au même endroit du rêve.
Tout commence en ce monde et tout finit ailleurs.

«Oui, d'autres à leur tour viendront, couples sans tache,
Puiser dans cet asile heureux, calme, enchanté, 90
Tout ce que la nature à l'amour qui se cache
Mêle de rêverie et de solennité!

«D'autres auront nos champs, nos sentiers, nos retraites;
Ton bois, ma bien-aimée, est à des inconnus.
D'autres femmes viendront, baigneuses indiscrètes, 95
Troubler le flot sacré qu'ont touché tes pieds nus!

«Quoi donc! c'est vainement qu'ici nous nous aimâmes!
Rien ne nous restera de ces coteaux fleuris
Où nous fondions notre être en y mêlant nos flammes!
100 L'impassible nature a déjà tout repris.

«Oh! dites-moi, ravins, frais ruisseaux, treilles mûres,
Rameaux chargés de nids, grottes, forêts, buissons,
Est-ce que vous ferez pour d'autres vos murmures?
Est-ce que vous direz à d'autres vos chansons?

105 «Nous vous comprenions tant! doux, attentifs, austères,
Tous nos échos s'ouvraient si bien à votre voix!
Et nous prêtions si bien, sans troubler vos mystères,
L'oreille aux mots profonds que vous dites parfois!

«Répondez, vallon pur, répondez, solitude,
110 O nature abritée en ce désert si beau,
Lorsque nous dormirons tous deux dans l'attitude
Que donne aux morts pensifs la forme du tombeau,

«Est-ce que vous serez à ce point insensible
De nous savoir couchés, morts avec nos amours,
115 Et de continuer votre fête paisible,
Et de toujours sourire et de chanter toujours?

«Est-ce que, nous sentant errer dans vos retraites,
Fantômes reconnus par vos monts et vos bois,
Vous ne nous direz pas de ces choses secrètes
120 Qu'on dit en revoyant des amis d'autrefois?

«Est-ce que vous pourrez, sans tristesse et sans plainte,
Voir nos ombres flotter où marchèrent nos pas,
Et la voir m'entraîner, dans une morne étreinte,
Vers quelque source en pleurs qui sanglote tout bas?

125 «Et s'il est quelque part, dans l'ombre où rien ne veille,
Deux amants sous vos fleurs abritant leurs transports,
Ne leur irez-vous pas murmurer à l'oreille:
—Vous qui vivez, donnez une pensée aux morts!

«Dieu nous prête un moment les prés et les fontaines,
Les grands bois frissonnants, les rocs profonds et sourds, 130
Et les cieux azurés et les lacs et les plaines,
Pour y mettre nos cœurs, nos rêves, nos amours;

«Puis il nous les retire. Il souffle notre flamme;
Il plonge dans la nuit l'antre où nous rayonnons;
Et dit à la vallée, où s'imprima notre âme, 135
D'effacer notre trace et d'oublier nos noms.

«Eh bien! oubliez-nous, maison, jardin, ombrages!
Herbe, use notre seuil! ronce, cache nos pas!
Chantez, oiseaux! ruisseaux, coulez! croissez, feuillages!
Ceux que vous oubliez ne vous oublieront pas. 140

«Car vous êtes pour nous l'ombre de l'amour même!
Vous êtes l'oasis qu'on rencontre en chemin!
Vous êtes, ô vallon, la retraite suprême
Où nous avons pleuré nous tenant par la main!

«Toutes les passions s'éloignent avec l'âge, 145
L'une emportant son masque et l'autre son couteau,
Comme un essaim chantant d'histrions en voyage
Dont le groupe décroît derrière le coteau.

«Mais toi, rien ne t'efface, amour! toi qui nous charmes,
Toi qui, torche ou flambeau, luis dans notre brouillard! 150
Tu nous tiens par la joie, et surtout par les larmes.
Jeune homme on te maudit, on t'adore vieillard.

«Dans ces jours où la tête au poids des ans s'incline,
Où l'homme, sans projets, sans but, sans visions,
Sent qu'il n'est déjà plus qu'une tombe en ruine 155
Où gisent ses vertus et ses illusions;

«Quand notre âme en rêvant descend dans nos entrailles,
Comptant dans notre cœur, qu'enfin la glace atteint,
Comme on compte les morts sur un champ de batailles,
Chaque douleur tombée et chaque songe éteint, 160

«Comme quelqu'un qui cherche en tenant une lampe,
Loin des objets réels, loin du monde rieur,
Elle arrive à pas lents par une obscure rampe
Jusqu'au fond désolé du gouffre intérieur;

165 «Et là, dans cette nuit qu'aucun rayon n'étoile,
L'âme, en un repli sombre où tout semble finir,
Sent quelque chose encor palpiter sous un voile . . . —
C'est toi qui dors dans l'ombre, ô sacré souvenir!»

21 octobre 1837.

QUESTIONS

1. Analyze the composition of this poem, tracing the development of the thought from beginning to end.
2. Compare this poem with *Le Lac* and (if you have read Musset) with *Souvenir.*
3. What specially fine metaphors are there in this poem?

NOTES ON *TRISTESSE D'OLYMPIO*

Title. «*Tristesse* et non *La Tristesse;* car Olympio est grave et dédaigneux mais non pas triste: il ne le devient que par occasion et par la faute de la nature: aussitôt après avoir gémi, il trouve une consolation à sa tristesse éphémère. C'est le sens de tout le poème que l'article aurait trahi.» —Note by Levaillant, *L'Œuvre de Victor Hugo*, Paris, Delagrave, 1931, p. 359.

17. L'arbre. A large chestnut-tree under which Hugo and Juliette Drouet usually met and which they used as a letter-box.

57. halliers, *thickets.*

59. l'enclos, *i.e.* the garden belonging to the house at Les Metz.

61–68. These lines were added to the poem to please Juliette Drouet.

69. la borne, *the mile-stone* or *boundary-stone.*

81–96. «Ce développement douloureux sur la necessité de céder la place aux représentants des générations qui nous suivent, est un écho direct d'un passage fameux de Lucrèce, connu sous le nom de Prosopopée de la Nature (*De natura rerum*, III, 870–978): «La vie n'est la propriété de personne, elle est l'usufruit de tous.»—Mais la pensée de Lucrèce paraît bien être venue à Victor Hugo par l'intermédiaire du *Sermon sur la Mort* de Bossuet: «La Nature nous fait signifier qu'elle ne *peut pas nous laisser longtemps* ce peu de matière qu'*elle nous prête:* elle en a

besoin pour *d'autres formes*, elle la redemande *pour d'autres* ouvrages. Cette recrue continuelle du genre humain, je veux dire les enfants qui naissent . . . , semblent nous pousser de l'épaule, et nous dire: Retirez-vous. C'est maintenant *notre tour*. Ainsi, *comme nous en voyons passer d'autres devant nous, d'autres nous verront passer,* qui doivent à leurs successeurs le même spectacle. *O Dieu! qu'est-ce que de nous?* . . .»
Note by Levaillant, *op. cit.*, p. 365.

83. ébauché, *sketched.*

123. étreinte, *embrace,*

134. antre, *cavern.*

147. essaim, *swarm;* histrions, *actors.*

150. torche ou flambeau.   The words are symbolical: *torche*=passion; *flambeau*=tenderness, a milder but steadier affection.   The antithesis makes one think of Hugo's passion for Mme Drouet on the one hand; and of his affection for his wife, on the other.

166. repli, *recess.*

OCEANO NOX*

Saint-Valery-sur-Somme.

Oh! combien de marins, combien de capitaines
Qui sont partis joyeux pour des courses lointaines,
Dans ce morne horizon se sont évanouis!
Combien ont disparu, dure et triste fortune!
Dans une mer sans fond, par une nuit sans lune,   5
Sous l'aveugle océan à jamais enfouis!

Combien de patrons morts avec leurs équipages!
L'ouragan de leur vie a pris toutes les pages
Et d'un souffle il a tout dispersé sur les flots!
Nul ne saura leur fin dans l'abîme plongée.   10
Chaque vague en passant d'un butin s'est chargée;
L'une a saisi l'esquif, l'autre les matelots!

---

* Composed in July, 1836, after having witnessed the effect of a storm upon the sea. On the 16th he was at Yvetot, when he learned that a tempest was raging on the coast.   He returned immediately to Saint-Valéry-en-Caux, and the next day wrote to his wife: «Je viens de voir un merveilleux spectacle: l'ouragan qui avait fait rage toute la nuit était tombé quand je suis arrivé. Mais la mer était encore émue et toute palpitante de colère. Nous avons passé huit heures à la regarder, courant à la jetée, grimpant aux falaises . . .»
Hugo had seen the sea for the first time in August, 1834.

Nul ne sait votre sort, pauvres têtes perdues!
Vous roulez à travers les sombres étendues,
15 Heurtant de vos fronts morts des écueils inconnus.
Oh! que de vieux parents, qui n'avaient plus qu'un rêve,
Sont morts en attendant tous les jours sur la grève
      Ceux qui ne sont pas revenus!

On s'entretient de vous parfois dans les veillées.
20 Maint joyeux cercle, assis sur des ancres rouillées,
Mêle encor quelque temps vos noms d'ombre couverts
Aux rires, aux refrains, aux récits d'aventures,
Aux baisers qu'on dérobe à vos belles futures,
Tandis que vous dormez dans les goëmons verts!

25 On demande:—Où sont-ils? sont-ils rois dans quelque île?
Nous ont-ils délaissés pour un bord plus fertile?—
Puis votre souvenir même est enseveli.
Le corps se perd dans l'eau, le nom dans la mémoire.
Le temps, qui sur toute ombre en verse une plus noire,
30 Sur le sombre océan jette le sombre oubli.

Bientôt des yeux de tous votre ombre est disparue.
L'un n'a-t-il pas sa barque et l'autre sa charrue?
Seules, durant ces nuits où l'orage est vainqueur,
Vos veuves aux fronts blancs, lasses de vous attendre,
35 Parlent encor de vous en remuant la cendre
      De leur foyer et de leur cœur!

Et quand la tombe enfin a fermé leur paupière,
Rien ne sait plus vos noms, pas même une humble pierre
Dans l'étroit cimetière où l'écho nous répond,
40 Pas même un saule vert qui s'effeuille à l'automne,
Pas même la chanson naïve et monotone
Que chante un mendiant à l'angle d'un vieux pont!

Où sont-ils, les marins sombrés dans les nuits noires?
O flots, que vous savez de lugubres histoires!
45 Flots profonds redoutés des mères à genoux!

Vous vous les racontez en montant les marées,
Et c'est ce qui vous fait ces voix désespérées
Que vous avez le soir quand vous venez vers nous!

Juillet 1836.

QUESTIONS

1. Show that the poem is a development of line 28.
2. Compare Hugo's attitude toward nature in this poem with his attitude in *La Vache* and *Tristesse d'Olympio*.

NOTES ON *OCEANO NOX*

Title. Oceano Nox. The expression comes from Virgil's *Æneid*, II, 250: *Vertitur interea cælum, et ruit Oceano Nox,* " The sky turns, meanwhile, and Night rushes from the depths of the Ocean." The title, *Oceano Nox,* taken by itself can be translated: " Night broods over the sea."

Saint-Valery-sur-Somme. A mistake on Hugo's part. It was at Saint-Valéry-en-Caux (see p. 191, *n*) that he saw the sea after the storm.

7. **équipages,** *crews.*

11. **butin,** *booty.*

24. **goëmons,** *sea-weed.*

40. **saule,** *willow.*

43. **sombrés,** *foundered.*

46. **marées,** *tides.*

SUBJECTS FOR COMPOSITION

1. Hugo's Political Ideas before 1848.
2. Hugo's Religious Ideas before 1848.
3. Exoticism in Hugo's Poetry before 1848.
4. Hugo's Use of the «trimètre» during this Period.
5. Hugo's Imagination.
6. Hugo's Attitude toward Nature.
7. Hugo's Originality.

ALFRED DE MUSSET

1810–1857

I. Of the great Romantic poets, Alfred de Musset was the only one to be born in Paris. Some of the Parisian wit which sparkles in the writings of Molière and Voltaire exists in much of Musset's work and sets him apart from Lamartine, Hugo, and Vigny.

He was born on December 11, 1810. The son of Musset-Pathay, a prominent «fonctionnaire» of the Empire and the editor of an excellent edition of Jean-Jacques Rousseau, Musset was brought up to admire the Emperor, and was sent to the Lycée Henri IV where he made an excellent record. After graduation he first studied law, then medicine, and found both equally disagreeable. Introduced by Paul Foucher to Victor Hugo, Musset became an habitué of the great Cénacle and of the lesser Romantic gatherings as well. In this milieu he was completely at ease, while his grace and his charm won him friends among both sexes.

Musset had begun to write poetry which he read at Hugo's to the Cénacle, at the Arsenal, at Deschamps', and Deveria's. His poetry pleased his literary acquaintances but alarmed his family who forced him to take a position as «expéditionnaire» in the office of a contractor for the heating of military establishments. He persisted nevertheless in his literary activities, and in 1830 published his first volume, *Les Contes d'Espagne et d'Italie*. The poems were highly successful and brought Musset great fame to which he added two years later by the publication of *Un spectacle dans un fauteuil*.

In April, 1833, Musset, who had been dreaming like a good many of his generation of a «grande passion,» met George Sand at a dinner given by François Buloz to all the collaborators of the *Revue des Deux Mondes*. Within a few weeks Musset was writing her letters declaring his love. In September they went to Fontainebleau together. In December they left for Italy. Musset had visioned a romantic honeymoon in the land made famous by Mme de Staël. But George Sand spoiled the dream, first by falling ill, and then, after their arrival in Venice, by devoting hours to her manuscript. Musset was furious. But soon he, too, fell ill, seriously ill. George Sand with almost motherly affection nursed him. Then she called in an Italian doctor by the name of Pagello who prescribed for the patient and consoled the nurse. Musset discovered his mistress' infidelity, and as soon as he could travel, left Venice and returned to Paris. He reached the capital in April, 1834, just one year after his first meeting with the author of *Indiana*.

Difficult weeks followed. «Je m'abandonnai à la douleur en désespéré,» says Musset himself, adding: «la douleur se calma peu à peu, les larmes se tarirent, les insomnies cessèrent, je connus et j'aimai la mélancolie.» It was then that Musset conceived the idea of writing an account of his unhappy love affair. Obtaining George Sand's permission he announced in July that he had begun the novel (he published it two years later under the title of *La Confession d'un enfant du siècle*).

During the late summer of 1834 Musset and Sand resumed friendly relations. At a distance it was easy to maintain them on that level, but when George Sand returned to Paris—accompanied by Pagello—the situation changed. In October the two authors became lovers again, and it was Pagello's turn to seek the consolation of his own country. A few months sufficed to bring this renewed liaison, however, to a close. In March, 1835, Musset and Sand definitely broke off relations.

This two years' episode marks an important change in Musset. He had been the lightest and gayest of poets; he became serious and grave. The emotional drama he had just experienced gave birth to a second drama, equally emotional, which can be traced in the series of poems he composed from 1835 to 1841: *La Nuit de mai*, 1835; *La Nuit de décembre*, 1835; *Lettre à Lamartine*, 1836; *La Nuit d'août*, 1836; *La Nuit d'octobre*, 1837; *Souvenir*,

1841. They are Musset's most significant poems, and are among the most beautiful products of the Romantic school.

The last years of Musset's life were extremely pathetic. In spite of occasional efforts, he never really recovered from the blow he had received. Toward the end of Louis-Philippe's reign, to be sure, he won new successes with his plays. In 1852 he was elected to the Academy. But alcohol and illness gradually destroyed him, and he died prematurely on May 2, 1857.

II. CONSULT: J. Charpentier, *La Vie meurtrie d'Alfred de Musset*, Paris, Piazza, 1928; M. Donnay, *Alfred de Musset*, Paris, Hachette, 1914; A. Feugère, *George Sand et Alfred de Musset*, Paris, Boivin, 1927; J. Giraud, «Musset et la poésie du Nord,» *Revue germanique*, 1911; R. Lenoir, «La Philosophie de Musset,» *R.H.L.*, July, 1929; P. Peltier, «Alfred de Musset et le *Rhin allemand*,» *Revue mondiale*, May 15 and June 15, 1919; H. D. Sedgwick, *Alfred de Musset*, Indianapolis, 1931.

Premières poésies

This volume of Musset's work contains his poems written from 1829 to 1835, including *Les Contes d'Espagne et d'Italie*, *Un spectacle dans un fauteuil*, *Le Saule*, and others. Exoticism, unbridled passion, Byronism, freedom of versification, and overflowing wit, such are the characteristics of *Les Contes d'Espagne et d'Italie*. In 1830, when they appeared, these poems had almost a «succès de scandale,» denounced, on the one hand, by the remaining classicists, and praised, on the other, by the young generation. The Cénacle, it must be admitted, if admiring, was a bit uneasy, for Musset, though Romantic, was strangely independent; he dared poke fun at Romanticism itself, and did so cleverly in the *Ballade à la lune*.

Under the title of *Un spectacle dans un fauteuil*, Musset published two separate plays in verse: *La Coupe et les lèvres* and *A quoi rêvent les jeunes filles*. The one introduces a typical Romantic hero, Frank, a sombre Byronic figure, a Don Juan in revolt against society, the victim of a blind and cruel fate. The other is a light comedy with a very delicate and subtle charm, a precursor of Musset's later *Comédies et proverbes*.

Un spectacle dans un fauteuil caused a complete break with the
Cénacle, for Musset in his rhymed preface repudiated more
than one of its doctrines.

In addition to the poems given here, students should read
Les Marrons du feu, L'Andalouse, Madrid, Ballade à la lune,
and *A quoi rêvent les jeunes filles.*

L'ÉTOILE DU SOIR*

Pâle étoile du soir, messagère lointaine,
Dont le front sort brillant des voiles du couchant,
De ton palais d'azur, au sein du firmament,
    Que regardes-tu dans la plaine?

La tempête s'éloigne et les vents sont calmés.   5
La forêt, qui frémit, pleure sur la bruyère;
Le phalène doré, dans sa course légère,
    Traverse les prés embaumés.
    Que cherches-tu sur la terre endormie?
Mais déjà vers les monts je te vois t'abaisser;   10
Tu fuis en souriant, mélancolique amie,
Et ton tremblant regard est près de s'effacer.

Étoile qui descends sur la verte colline,
Triste larme d'argent du manteau de la Nuit,
Toi que regarde au loin le pâtre qui chemine,   15
Tandis que pas à pas son long troupeau le suit,

Étoile, où t'en vas-tu, dans cette nuit immense?
Cherches-tu sur la rive un lit dans les roseaux?
Ou t'en vas-tu, si belle, à l'heure du silence,
Tomber comme une perle au sein profond des eaux?   20

Ah! si tu dois mourir, bel astre, et si ta tête,
Va dans la vaste mer plonger ses blonds cheveux,
Avant de nous quitter, un seul instant arrête;—
Étoile de l'amour, ne descends pas des cieux!

* Composed about 1830 and inserted in *Le Saule*, but frequently published
separately.

QUESTIONS

1. What lyric themes are treated in this poem?

2. Musset imitated Ossian, to be sure, but he added a great deal to his source. What is the significance (1) of his imitation, (2) of the part that can be considered original?

NOTES ON *L'ÉTOILE DU SOIR*

1 ff. Musset was undoubtedly influenced by a passage from the *Poems of Ossian*, in particular by a passage from the *Songs of Selma:* «Étoile, compagne de la nuit, dont la tête sort brillante des nuages du couchant, et qui imprimes tes pas majestueux sur l'azur du firmament, que regardes-tu dans la plaine? Les vents orageux du jour se taisent; le bruit du torrent semble s'être éloigné; les vagues apaisées rampent au pied du rocher; les moucherons du soir, rapidement portés sur leurs ailes légères remplissent de leurs bourdonnements le silence des airs. Étoile brillante, que regardes-tu dans la plaine? Mais je te vois t'abaisser en souriant sur les bords de l'horizon. Les vagues se rassemblent avec joie autour de toi et baignent ta radieuse chevelure. Adieu, étoile silencieuse.» (Letourneur's translation, ed. 1777, t. 1., p. 211.) Compare also: «Levez-vous, vents d'automne, levez-vous, soufflez sur la noire bruyère. . . . Roule sur les nuages brisés, o lune! montre par intervalles ta face mélancolique et pâlissante.» (*Ibid.*, p. 219.) For further influences, see Giraud, « Musset et la poésie du Nord,» *Revue germanique*, 1911.

7. phalène, *moth.* The word is feminine in present-day French.

15. pâtre, *shepherd.*

18. roseaux, *reeds.*

A JUANA *

O ciel! je vous revois, madame—
De tous les amours de mon âme
Vous le plus tendre et le premier.
Vous souvient-il de notre histoire?
5   Moi, j'en ai gardé la mémoire:—
C'était, je crois, l'été dernier.

Ah! marquise, quand on y pense,
Ce temps qu'en folie on dépense,

* Composed in 1831. The poem is similar in tone and treatment to many poems of *Les Contes d'Espagne et d'Italie.*

Comme il nous échappe et nous fuit!
Sais-tu bien, ma vieille maîtresse,   10
Qu'à l'hiver, sans qu'il y paraisse,
J'aurai vingt ans, et toi dix-huit?

Eh bien! m'amour, sans flatterie,
Si ma rose est un peu pâlie,
Elle a conservé sa beauté.   15
Enfant! jamais tête espagnole
Ne fut si belle ni si folle—
Te souviens-tu de cet été?

De nos soirs, de notre querelle?
Tu me donnas, je me rappelle,   20
Ton collier d'or pour m'apaiser,—
Et pendant trois nuits, que je meure,
Je m'éveillais tous les quarts d'heure,
Pour le voir et pour le baiser!

Et ta duègne, ô duègne damnée!   (25
Et la diabolique journée
Où tu pensas faire mourir,
O ma perle d'Andalousie,
Ton vieux mari de jalousie,
Et ton jeune amant de plaisir!   30

Ah! prenez-y garde, marquise,
Cet amour-là, quoi qu'on en dise,
Se retrouvera quelque jour.
Quand un cœur vous a contenue,
Juana, la place est devenue   35
Trop vaste pour un autre amour.

Mais que dis-je? ainsi va le monde.
Comment lutterais-je avec l'onde
Dont les flots ne reculent pas?

40   Ferme tes yeux, tes bras, ton âme;
     Adieu, ma vie,—adieu, madame.
     Ainsi va le monde ici-bas.

     Le temps emporte sur son aile
     Et le printemps et l'hirondelle,
45   Et la vie et les jours perdus;
     Tout s'en va comme la fumée,
     L'espérance et la renommée,
     Et moi qui vous ai tant aimée,
     Et toi qui ne t'en souviens plus!

QUESTION

1. What are the essential characteristics of this poem?

NOTES ON *A JUANA*

13. m'amour = *mon amour.*

22. que je meure, *may I die* (if it is not true).

25. duègne, *duenna* (female attendant).

28. Andalousie, *Andalusia,* a province in southern Spain.

38–39. Comment lutterais-je, *etc.* A probable allusion to the legend of King Canute who, to show his flattering courtiers that he was not all-powerful, commanded the incoming tide to recede.

Poésies nouvelles

Under this colorless title are grouped the poems of Musset's early manhood and maturity. They include *Rolla* with its famous diatribe against Voltaire (first published in the *Revue des Deux Mondes,* August 15, 1833), the important series of *Nuits, A la Malibran* (a eulogy of a famous singer), *Une soirée perdue,* a poem which proves that Musset could recapture the cleverness and wit of the *Contes d'Espagne et d'Italie, Le Rhin allemand* (see pp. 73–74, *n*), and many others.

In addition to the poems given here, students should read *Rolla, A la Malibran, L'Espoir en Dieu, Une soirée perdue,* and *Le Rhin allemand.*

La Nuit de Mai*

La Muse

Poète, prends ton luth, et me donne un baiser;
La fleur de l'églantier sent ses bourgeons éclore.
Le printemps naît ce soir; les vents vont s'embraser;
Et la bergeronnette, en attendant l'aurore,
Aux premiers buissons verts commence à se poser.   5
Poète, prends ton luth, et me donne un baiser.

Le Poète

Comme il fait noir dans la vallée!
J'ai cru qu'une forme voilée
Flottait là-bas sur la forêt.
Elle sortait de la prairie;   10
Son pied rasait l'herbe fleurie:
C'est une étrange rêverie;
Elle s'efface et disparaît.

La Muse

Poète, prends ton luth; la nuit, sur la pelouse,
Balance le zéphyr dans son voile odorant.   15
La rose, vierge encor, se referme jalouse
Sur le frelon nacré qu'elle enivre en mourant.
Écoute! tout se tait; songe à ta bien-aimée.
Ce soir, sous les tilleuls, à la sombre ramée
Le rayon du couchant laisse un adieu plus doux.   20
Ce soir, tout va fleurir: l'immortelle nature
Se remplit de parfums, d'amour et de murmure,
Comme le lit joyeux de deux jeunes époux.

Le Poète

Pourquoi mon cœur bat-il si vite?
Qu'ai-je donc en moi qui s'agite,   25
Dont je me sens épouvanté?

* First published in the *Revue des Deux Mondes*, June 15, 1835.

Ne frappe-t-on pas à ma porte?
Pourquoi ma lampe à demi morte
M'éblouit-elle de clarté?
30   Dieu puissant! tout mon corps frissonne.
Qui vient? qui m'appelle?—Personne.
Je suis seul; c'est l'heure qui sonne;
O solitude! O pauvreté!

La Muse

Poète, prends ton luth; le vin de la jeunesse
35   Fermente cette nuit dans les veines de Dieu.
Mon sein est inquiet; la volupté l'oppresse.
Et les vents altérés m'ont mis la lèvre en feu.
O paresseux enfant; regarde, je suis belle.
Notre premier baiser, ne t'en souviens-tu pas,
40   Quand je te vis si pâle au toucher de mon aile,
Et que, les yeux en pleurs, tu tombas dans mes bras?
Ah! je t'ai consolé d'une amère souffrance!
Hélas! bien jeune encor, tu te mourais d'amour.
Console-moi ce soir, je me meurs d'espérance;
45   J'ai besoin de prier pour vivre jusqu'au jour.

Le Poète

Est-ce toi dont la voix m'appelle,
O ma pauvre Muse! est-ce toi?
O ma fleur! ô mon immortelle!
Seul être pudique et fidèle
50   Où vive encor l'amour de moi!
Oui, te voilà, c'est toi, ma blonde,
C'est toi, ma maîtresse et ma sœur!
Et je sens, dans la nuit profonde,
De ta robe d'or qui m'inonde
55   Les rayons glisser dans mon cœur.

La Muse

Poète, prends ton luth; c'est moi, ton immortelle,
Qui t'ai vu cette nuit triste et silencieux,
Et qui, comme un oiseau que sa couvée appelle,
Pour pleurer avec toi descends du haut des cieux.
Viens, tu souffres, ami. Quelque ennui solitaire   60
Te ronge; quelque chose a gémi dans ton cœur;
Quelque amour t'est venu, comme on en voit sur terre,
Une ombre de plaisir, un semblant de bonheur.
Viens, chantons devant Dieu; chantons dans tes pensées,
Dans tes plaisirs perdus, dans tes peines passées;   65
Partons, dans un baiser, pour un monde inconnu.
Éveillons au hasard les échos de ta vie,
Parlons-nous de bonheur, de gloire et de folie,
Et que ce soit un rêve, et le premier venu.
Inventons quelque part des lieux où l'on oublie;   70
Partons, nous sommes seuls; l'univers est à nous.
Voici la verte Écosse et la brune Italie,
Et la Grèce, ma mère, où le miel est si doux,
Argos, et Ptéléon, ville des hécatombes;
Et Messa la divine, agréable aux colombes;   75
Et le front chevelu du Pélion changeant;
Et le bleu Titarèse, et le golfe d'argent
Qui montre dans ses eaux, où le cygne se mire,
La blanche Oloossone à la blanche Camyre.
Dis-moi, quel songe d'or nos chants vont-ils bercer?   80
D'où vont venir les pleurs que nous allons verser?
Ce matin, quand le jour a frappé ta paupière,
Quel séraphin pensif, courbé sur ton chevet,
Secouait des lilas dans sa robe légère,
Et te contait tout bas les amours qu'il rêvait?   85
Chanterons-nous l'espoir, la tristesse ou la joie?
Tremperons-nous de sang les bataillons d'acier?
Suspendrons-nous l'amant sur l'échelle de soie?
Jetterons-nous au vent l'écume du coursier?

90 Dirons-nous quelle main, dans les lampes sans nombre
De la maison céleste, allume nuit et jour
L'huile sainte de vie et d'éternel amour?
Crierons-nous à Tarquin: «Il est temps, voici l'ombre?»
Descendrons-nous cueillir la perle au fond des mers?
95 Mènerons-nous la chèvre aux ébéniers amers?
Montrerons-nous le ciel à la Mélancolie?
Suivrons-nous le chasseur sur les monts escarpés?
La biche le regarde; elle pleure et supplie;
Sa bruyère l'attend; ses faons sont nouveau-nés;
100 Il se baisse, il l'égorge, il jette à la curée
Sur les chiens en sueur son cœur encor vivant.
Peindrons-nous une vierge à la joue empourprée,
S'en allant à la messe, un page la suivant,
Et d'un regard distrait, à côté de sa mère,
105 Sur sa lèvre entr'ouverte oubliant sa prière?
Elle écoute en tremblant, dans l'écho du pilier,
Résonner l'éperon d'un hardi cavalier.
Dirons-nous aux héros des vieux temps de la France
De monter tout armés aux créneaux de leurs tours,
110 Et de ressusciter la naïve romance
Que leur gloire oubliée apprit aux troubadours?
Vêtirons-nous de blanc une molle élégie?
L'homme de Waterloo nous dira-t-il sa vie,
Et ce qu'il a fauché du troupeau des humains,
115 Avant que l'envoyé de la nuit éternelle
Vînt sur son tertre vert l'abattre d'un coup d'aile,
Et sur son cœur de fer lui croiser les deux mains?
Clouerons-nous au poteau d'une satire altière
Le nom sept fois vendu d'un pâle pamphlétaire,
120 Qui, poussé par la faim, du fond de son oubli,
S'en vient, tout grelottant d'envie et d'impuissance,
Sur le front du génie insulter l'espérance,
Et mordre le laurier que son souffle a sali?
Prends ton luth! prends ton luth! je ne peux plus me taire.

Mon aile me soulève au souffle du printemps. 125
Le vent va m'emporter; je vais quitter la terre.
Une larme de toi! Dieu m'écoute; il est temps.

Le Poète

S'il ne te faut, ma sœur chérie,
Qu'un baiser d'une lèvre amie
Et qu'une larme de mes yeux, 130
Je te les donnerai sans peine;
De nos amours qu'il te souvienne,
Si tu remontes dans les cieux.
Je ne chante ni l'espérance,
Ni la gloire, ni le bonheur, 135
Hélas! pas même la souffrance.
La bouche garde le silence
Pour écouter parler le cœur.

La Muse

Crois-tu donc que je sois comme le vent d'automne,
Qui se nourrit de pleurs jusque sur un tombeau, 140
Et pour qui la douleur n'est qu'une goutte d'eau?
O poète! un baiser, c'est moi qui te le donne.
L'herbe que je voulais arracher de ce lieu,
C'est ton oisiveté; ta douleur est à Dieu.
Quel que soit le souci que ta jeunesse endure, 145
Laisse-la s'élargir, cette sainte blessure
Que les noirs séraphins t'ont faite au fond du cœur;
Rien ne nous rend si grands qu'une grande douleur.
Mais, pour en être atteint, ne crois pas, ô poète,
Que ta voix ici-bas doive rester muette. 150
Les plus désespérés sont les chants les plus beaux,
Et j'en sais d'immortels qui sont de purs sanglots.
Lorsque le pélican, lassé d'un long voyage,
Dans les brouillards du soir retourne à ses roseaux,
Ses petits affamés courent sur le rivage 155

En le voyant au loin s'abattre sur les eaux.
Déjà, croyant saisir et partager leur proie,
Ils courent à leur père avec des cris de joie,
En secouant leurs becs sur leurs goîtres hideux.
160 Lui, gagnant à pas lents une roche élevée,
De son aile pendante abritant sa couvée,
Pêcheur mélancolique, il regarde les cieux.
Le sang coule à longs flots de sa poitrine ouverte;
En vain il a des mers fouillé la profondeur;
165 L'Océan était vide et la plage déserte;
Pour toute nourriture il apporte son cœur.
Sombre et silencieux, étendu sur la pierre,
Partageant à ses fils ses entrailles de père,
Dans son amour sublime il berce sa douleur;
170 Et regardant couler sa sanglante mamelle,
Sur son festin de mort il s'affaisse et chancelle,
Ivre de volupté, de tendresse et d'horreur.
Mais parfois, au milieu du divin sacrifice,
Fatigué de mourir dans un trop long supplice,
175 Il craint que ses enfants ne le laissent vivant;
Alors il se soulève, ouvre son aile au vent,
Et se frappant le cœur avec un cri sauvage,
Il pousse dans la nuit un si funèbre adieu,
Que les oiseaux des mers désertent le rivage,
180 Et que le voyageur attardé sur la plage,
Sentant passer la mort, se recommande à Dieu.
Poète, c'est ainsi que font les grands poètes.
Ils laissent s'égayer ceux qui vivent un temps;
Mais les festins humains qu'ils servent à leurs fêtes
185 Ressemblent la plupart à ceux des pélicans.
Quand ils parlent ainsi d'espérances trompées
De tristesse et d'oubli, d'amour et de malheur,
Ce n'est pas un concert à dilater le cœur.
Leurs déclamations sont comme des épées;
190 Elles tracent dans l'air un cercle éblouissant,
Mais il y pend toujours quelque goutte de sang.

ALFRED DE MUSSET   **207**

Le Poète

O Muse! spectre insatiable,
Ne m'en demande pas si long.
L'homme n'écrit rien sur le sable
A l'heure où passe l'aquilon.   195
J'ai vu le temps où ma jeunesse
Sur mes lèvres était sans cesse
Prête à chanter comme un oiseau.
Mais j'ai souffert un dur martyre,
Et le moins que j'en pourrais dire,   200
Si je l'essayais sur ma lyre,
La briserait comme un roseau.

QUESTIONS

1. Analyze the composition of the poem, tracing the development of the thought from beginning to end.

2. Analyze in detail the «récit symbolique» which begins at line 153. What rhyme scheme is used? What is the psychological contrast between the pelican and his young? Etc.

3. What is the importance of the theory expressed in this poem from the point of view of literary history?

NOTES ON *LA NUIT DE MAI*

1. et me donne un baiser. A survival of seventeenth century construction, which in a series of imperatives permitted the absence of inversion in the last. Cf. Corneille's *Le Cid*, where Don Diègue says to his son: Va, cours, vole et *nous venge!*

2. églantier, *eglantine, wild rosebush.* **Bourgeons,** *buds.*

4. bergeronnette, *wagtail.*

19. tilleuls, *linden-trees.*

20–23. Cf. Goethe, *Mois de mai:* «O doux réveil de la nature! que le soleil est brillant, que la prairie est ravissante! De toutes parts, naissent des fleurs; les buissons s'animent et retentissent de mille gazouillements amoureux. Le bonheur, l'espérance fait palpiter notre cœur; une volupté douce se répand dans l'atmosphère parfumée.» This French translation appeared in 1825; see J. Giraud, «Musset et la poésie du Nord,» *Revue germanique,* 1911.

43. An allusion to an early love affair considerably prior to the one with George Sand.

61–63. An allusion to the liaison with George Sand.

74–79. Argos, *etc.* These Greek names are found in the second canto of the *Iliad*. **Titarèse** (Titaressus), a river in Thessaly. **Oloosone,** a city in Thessaly, situated in a region containing much clay. Camyros was located on the west side of the island of Rhodes at the top of a chalky cliff. Hence the adjective «blanche.»

88. An allusion to Romeo and Juliet.

89. Cf. Hugo's *Mazeppa* in *Les Orientales.*

90–92. Philosophical and religious poetry.

93. Tarquin, Sextus Tarquinius, guilty of the rape of Lucretia. Musset is referring to Shakspere's *Rape of Lucrece*, where Tarquin enters Lucrece's room at midnight.

94. Cf. Vigny's *Chatterton*, played in February, 1835. Chatterton speaks of his mission as a poet and says: «Moi qui cherche avec tant de fatigues, dans les ruines nationales, quelques fleurs de poésie dont je puisse extraire un parfum durable; moi qui veux ajouter une perle de plus à la couronne d'Angleterre, et qui plonge dans tant de mers et de fleuves pour la chercher.» And cf. line 20 of Musset's *Étoile du soir.*

95. Pastoral poetry.

100. curée, usually *quarry;* here, *scramble.*

102. Suggested perhaps, according to Merlant, by some painting of Marguerite (in Goethe's *Faust*) by Ary Scheffer who popularized many scenes from the German masterpiece. (See J. Merlant, *Alfred de Musset. Morceaux choisis*, Paris, Didier, 1928, p. 262.)

110. romance, «ancienne histoire, écrite en vers simples et naïfs, dont le fond est touchant, et la forme appropriée au chant» (Littré). The *romance* was extremely popular during the first three decades of the nineteenth century. Many *romances* appeared in such publications as the *Almanach des Muses*, the *Almanach des dames*, and the *Chansonnier des grâces*. Mme Desbordes-Valmore composed a considerable number of them.

119. un pâle pamphlétaire, *i.e.* Barthélemy, who had insulted Lamartine in *Némésis*, July 3, 1831. Lamartine answered three days later in au ode, *A Némésis.*

151–152. Cf. Shelley's line: " Our sweetest songs are those that tell of saddest thought." (*To a Skylark*, 1820.)

153 ff. The fable of the pelican nourishing its young with its own blood is a very old one. Shakspere used the pelican as a symbol of ingratitude in *King Lear*, Act III, sc. 4. Byron used it as a symbol of regenerating love in the *Giaour*. Musset was acquainted with both of these texts. He may also have been inspired while in Florence by a painting by Giovanni de Fiesole, *La Crucifixion, avec Marie et divers saints*, in which the artist. to symbolize Christ and the redemption of the world, represented a pelican whose breast is being devoured by five little ones.

159. goîtres, *goitres.*
172. Notice the psychological complexity suggested by this line.
189–191. There is a rather violent change of metaphor in these lines, but
the meaning is clear.

LA NUIT DE DÉCEMBRE *

Le Poète

Du temps que j'étais écolier,
Je restais un soir à veiller
Dans notre salle solitaire.
Devant ma table vint s'asseoir
Un pauvre enfant vêtu de noir,   5
Qui me ressemblait comme un frère.

Son visage était triste et beau;
A la lueur de mon flambeau,
Dans mon livre ouvert il vint lire.
Il pencha son front sur ma main,   10
Et resta jusqu'au lendemain.
Pensif, avec un doux sourire.

Comme j'allais avoir quinze ans,
Je marchais un jour, à pas lents,
Dans un bois, sur une bruyère.   15
Au pied d'un arbre vint s'asseoir
Un jeune homme vêtu de noir,
Qui me ressemblait comme un frère.

Je lui demandai mon chemin;
Il tenait un luth d'une main,   20
De l'autre un bouquet d'églantine.
Il me fit un salut d'ami,
Et, se détournant à demi,
Me montra du doigt la colline.

* First published in the *Revue des Deux Mondes*, December 1, 1835.

25 A l'âge où l'on croit à l'Amour,
  J'étais seul dans ma chambre un jour,
  Pleurant ma première misère.
  Au coin de mon feu vint s'asseoir
  Un étranger vêtu de noir,
30 Qui me ressemblait comme un frère.

  Il était morne et soucieux;
  D'une main il montrait les cieux,
  Et de l'autre il tenait un glaive.
  De ma peine il semblait souffrir,
35 Mais il ne poussa qu'un soupir,
  Et s'évanouit comme un rêve.

  A l'âge où l'on est libertin,
  Pour boire un toast en un festin,
  Un jour je soulevai mon verre.
40 En face de moi vint s'asseoir
  Un convive vêtu de noir,
  Qui me ressemblait comme un frère.

  Il secouait sous son manteau
  Un haillon de pourpre en lambeau,
45 Sur sa tête un myrte stérile,
  Son bras maigre cherchait le mien,
  Et mon verre, en touchant le sien,
  Se brisa dans ma main débile.

  Un an après, il était nuit;
50 J'étais à genoux près du lit
  Où venait de mourir mon père.
  Au chevet du lit vint s'asseoir
  Un orphelin vêtu de noir,
  Qui me ressemblait comme un frère

55 Ses yeux étaient noyés de pleurs;
  Comme les anges de douleurs
  Il était couronné d'épine;

Son luth à terre était gisant,
Sa pourpre de couleur de sang,
Et son glaive dans sa poitrine.   60

Je m'en suis si bien souvenu,
Que je l'ai toujours reconnu
A tous les instants de ma vie.
C'est une étrange vision;
Et cependant, ange ou démon,   65
J'ai vu partout cette ombre amie.

Lorsque plus tard, las de souffrir,
Pour renaître ou pour en finir,
J'ai voulu m'exiler de France;
Lorsque, impatient de marcher,   70
J'ai voulu partir, et chercher
Les vestiges d'une espérance;

A Pise, au pied de l'Apennin;
A Cologne, en face du Rhin;
A Nice, au penchant des vallées;   75
A Florence, au fond des palais;
A Brigues, dans les vieux chalets;
Au sein des Alpes désolées;

A Gênes, sous les citronniers;
A Vevay, sous les verts pommiers;   80
Au Havre, devant l'Atlantique;
A Venise, à l'affreux Lido,
Où vient sur l'herbe d'un tombeau
Mourir la pâle Adriatique;

Partout où, sous ces vastes cieux,   85
J'ai lassé mon cœur et mes yeux,
Saignant d'une éternelle plaie;
Partout où le boiteux Ennui,
Traînant ma fatigue après lui,
M'a promené sur une claie;   90

Partout où sans cesse altéré
De la soif d'un monde ignoré,
J'ai suivi l'ombre de mes songes;
Partout où, sans avoir vécu,
95   J'ai revu ce que j'avais vu,
La face humaine et ses mensonges;

Partout où, le long des chemins,
J'ai posé mon front dans mes mains
Et sangloté comme une femme;
100   Partout où j'ai, comme un mouton
Qui laisse sa laine au buisson,
Senti se dénuer mon âme;

Partout où j'ai voulu dormir,
Partout où j'ai voulu mourir,
105   Partout où j'ai touché la terre.
Sur ma route est venu s'asseoir
Un malheureux vêtu de noir,
Qui me ressemblait comme un frère.

Qui donc es-tu, toi que dans cette vie
110   Je vois toujours sur mon chemin?
Je ne puis croire, à ta mélancolie,
Que tu sois mon mauvais Destin.
Ton doux sourire a trop de patience,
Tes larmes ont trop de pitié.
115   En te voyant, j'aime la Providence.
Ta douleur même est sœur de ma souffrance;
Elle ressemble à l'Amitié.

Qui donc es-tu?—Tu n'es pas mon bon ange;
Jamais tu ne viens m'avertir.
120   Tu vois mes maux (c'est une chose étrange!)
Et tu me regardes souffrir.
Depuis vingt ans tu marches dans ma voie,
Et je ne saurais t'appeler.

Qui donc es-tu, si c'est Dieu qui t'envoie?
Tu me souris sans partager ma joie,   125
   Tu me plains sans me consoler!

Ce soir encor je t'ai vu m'apparaître
   C'était par une triste nuit.
L'aile des vents battait à ma fenêtre;
   J'étais seul, courbé sur mon lit.   130
J'y regardais une place chérie,
   Tiède encor d'un baiser brûlant;
Et je songeais comme la femme oublie,
Et je sentais un lambeau de ma vie,
   Qui se déchirait lentement.   135

Je rassemblais des lettres de la veille,
   Des cheveux, des débris d'amour.
Tout ce passé me criait à l'oreille
   Ses éternels serments d'un jour.
Je contemplais ces reliques sacrées,   140
   Qui me faisaient trembler la main:
Larmes du cœur par le cœur dévorées,
Et que les yeux qui les avaient pleurées
   Ne reconnaîtront plus demain!

J'enveloppais dans un morceau de bure   145
   Ces ruines des jours heureux.
Je me disais qu'ici-bas ce qui dure,
   C'est une mèche de cheveux.
Comme un plongeur dans une mer profonde,
   Je me perdais dans tant d'oubli.   150
De tous côtés j'y retournais la sonde,
Et je pleurais, seul, loin des yeux du monde,
   Mon pauvre amour enseveli.

J'allais poser le sceau de cire noire
   Sur ce fragile et cher trésor.   155
J'allais le rendre, et, n'y pouvant pas croire,
   En pleurant j'en doutais encor.

Ah! faible femme, orgueilleuse insensée,
  Malgré toi tu t'en souviendras!
160 Pourquoi, grand Dieu! mentir à sa pensée?
  Pourquoi ces pleurs, cette gorge oppressée,
  Ces sanglots, si tu n'aimais pas?

Oui, tu languis, tu souffres et tu pleures;
  Mais ta chimère est entre nous.
165 Eh bien! adieu. Vous compterez les heures
  Qui me sépareront de vous.
  Partez, partez, et dans ce cœur de glace
  Emportez l'orgueil satisfait.
  Je sens encor le mien jeune et vivace,
170 Et bien des maux pourront y trouver place
  Sur le mal que vous m'avez fait.

Partez, partez! la Nature immortelle
  N'a pas tout voulu vous donner.
  Ah! pauvre enfant, qui voulez être belle,
175 Et ne savez pas pardonner!
  Allez, allez, suivez la destinée;
  Qui vous perd n'a pas tout perdu.
  Jetez au vent notre amour consumée;—
  Éternel Dieu! toi que j'ai tant aimée,
180 Si tu pars, pourquoi m'aimes-tu?

—Mais tout à coup j'ai vu dans la nuit sombre
  Une forme glisser sans bruit.
  Sur mon rideau j'ai vu passer une ombre;
  Elle vient s'asseoir sur mon lit.
185 Qui donc es-tu, morne et pâle visage,
  Sombre portrait vêtu de noir?
  Que me veux-tu, triste oiseau de passage?
  Est-ce un vain rêve? est-ce ma propre image
  Que j'aperçois dans ce miroir?

Qui donc es-tu, spectre de ma jeunesse,   190
  Pèlerin que rien n'a lassé?
Dis-moi pourquoi je te trouve sans cesse
  Assis dans l'ombre où j'ai passé.
Qui donc es-tu, visiteur solitaire,
  Hôte assidu de mes douleurs?   195
Qu'as-tu donc fait pour me suivre sur terre?
Qui donc es-tu, qui donc es-tu, mon frère,
  Qui n'apparais qu'au jour des pleurs?

La Vision

—Ami, notre père est le tien.
Je ne suis ni l'ange gardien,   200
Ni le mauvais destin des hommes.
Ceux que j'aime, je ne sais pas
De quel côté s'en vont leurs pas
Sur ce peu de fange où nous sommes.

Je ne suis ni dieu ni démon,   205
Et tu m'as nommé par mon nom
Quand tu m'as appelé ton frère;
Où tu vas, j'y serai toujours,
Jusques au dernier de tes jours,
Où j'irai m'asseoir sur ta pierre.   210

Le ciel m'a confié ton cœur.
Quand tu seras dans la douleur,
Viens à moi sans inquiétude,
Je te suivrai sur le chemin;
Mais je ne puis toucher ta main;   215
Ami, je suis la Solitude.

QUESTIONS

1. Analyze the composition of this poem, tracing the development of the thought from beginning to end.

2. Compare Musset's conception and treatment of solitude with Lamartine's and Vigny's.

NOTES ON *LA NUIT DE DÉCEMBRE*

5–6. Un pauvre enfant, *etc.* This phantom-like figure is, of course, a projection of Musset himself. In addition, it symbolizes an abstraction which is revealed in the last line of the poem.—The idea of a double may have been suggested to Musset by H. Heine's *Der Doppelganger.* Cf. also Hugo's conception of Olympio.

21. églantine, *eglantine, wild rose.*

27. ma première misère. Cf. line 43 of *La Nuit de mai* and note.

33. glaive, *sword.*

44. un haillon de pourpre en lambeau. Both *haillon* and *lambeau* mean "rag." One might translate here by "a purple garment in tatters."

50–51. Musset lost his father suddenly on April 7, 1832. Paris that year was ravaged by an epidemic of cholera.

77. Brigues (usually spelled *Brigue*), a Swiss city near the Italian border.

79. Gênes, *Genoa.*

80. Vevay, a city on the northern side of Lake Geneva in Switzerland.

82. à l'affreux Lido. Musset calls the Lido (adjacent to Venice) «affreux» because it is connected in his mind with George Sand.

90. claie, *wattle, hurdle.*

91. altéré, *thirsty.*

136. Je rassemblais, *etc.* According to Paul de Musset, this stanza alludes to a love-affair in which George Sand played no part. If that be so, it is none the less true that Musset's mind turns quickly (line 158 ff.) to George Sand.

145. bure, *fustian.*

151. sonde, *plummet, sounding-lead.*

154. sceau, *seal.*

164. ta chimère, *i.e. la chimère de ton orgueil.*

165. Notice the change from *tu* to *vous.*

204. fange, *slime, mud;* here, *earth.*

LA NUIT D'AOÛT *

La Muse

Depuis que le soleil, dans l'horizon immense,
A franchi le Cancer sur son axe enflammé,
Le bonheur m'a quittée, et j'attends en silence
L'heure où m'appellera mon ami bien-aimé.

* First published in the *Revue des Deux Mondes,* August 15, 1836.

Hélas! depuis longtemps sa demeure est déserte;   5
Des beaux jours d'autrefois rien n'y semble vivant.
Seule, je viens encor, de mon voile couverte,
Poser mon front brûlant sur sa porte entr'ouverte,
Comme une veuve en pleurs au tombeau d'un enfant.

Le Poète

Salut à ma fidèle amie.   10
Salut, ma gloire et mon amour.
La meilleure et la plus chérie
Est celle qu'on trouve au retour.
L'opinion et l'avarice
Viennent un temps de m'emporter.   15
Salut, ma mère et ma nourrice!
Salut, salut, consolatrice!
Ouvre tes bras, je viens chanter.

La Muse

Pourquoi, cœur altéré, cœur lassé d'espérance,
T'enfuis-tu si souvent pour revenir si tard?   20
Que t'en vas-tu chercher, sinon quelque hasard?
Et que rapportes-tu, sinon quelque souffrance?
Que fais-tu loin de moi, quand j'attends jusqu'au jour?
Tu suis un pâle éclair dans une nuit profonde.
Il ne te restera de tes plaisirs du monde   25
Qu'un impuissant mépris pour notre honnête amour.
Ton cabinet d'étude est vide quand j'arrive;
Tandis qu'à ce balcon, inquiète et pensive,
Je regarde en rêvant les murs de ton jardin,
Tu te livres dans l'ombre à ton mauvais destin.   30
Quelque fière beauté te retient dans sa chaîne,
Et tu laisses mourir cette pauvre verveine
Dont les derniers rameaux, en des temps plus heureux,
Devaient être arrosés des larmes de tes yeux.
Cette triste verdure est mon vivant symbole.   35

Ami, de ton oubli nous mourrons toutes deux,
Et son parfum léger comme l'oiseau qui vole,
Avec mon souvenir s'enfuira dans les cieux.

Le Poète

Quand j'ai passé par la prairie,
40   J'ai vu, ce soir, dans le sentier,
Une fleur tremblante et flétrie,
Une pâle fleur d'églantier.
Un bourgeon vert à côté d'elle
Se balançait sur l'arbrisseau;
45   J'y vis poindre une fleur nouvelle;
La plus jeune était la plus belle:
L'homme est ainsi, toujours nouveau.

La Muse

Hélas! toujours un homme, hélas! toujours des larmes!
Toujours les pieds poudreux et la sueur au front!
50   Toujours d'affreux combats et de sanglantes armes;
Le cœur a beau mentir, la blessure est au fond.
Hélas! par tous pays, toujours la même vie:
Convoiter, regretter, prendre, et tendre la main,
Toujours mêmes acteurs et même comédie,
55   Et, quoi qu'ait inventé l'humaine hypocrisie,
Rien de vrai là-dessous que le squelette humain.
Hélas! mon bien-aimé, vous n'êtes plus poète.
Rien ne réveille plus votre lyre muette;
Vous vous noyez le cœur dans un rêve inconstant;
60   Et vous ne savez pas que l'amour de la femme
Change et dissipe en pleurs les trésors de votre âme
Et que Dieu compte plus les larmes que le sang.

Le Poète

Quand j'ai traversé la vallée,
Un oiseau chantait sur son nid.
65   Ses petits, sa chère couvée,

Venaient de mourir dans la nuit.
Cependant il chantait l'Aurore;
O ma Muse! ne pleurez pas:
A qui perd tout, Dieu reste encore,
Dieu là-haut, l'espoir ici-bas.   70

La Muse

Et que trouveras-tu, le jour où la misère
Te ramènera seul au paternel foyer?
Quand tes tremblantes mains essuieront la poussière
De ce pauvre réduit que tu crois oublier,
De quel front viendras-tu, dans ta propre demeure,   75
Chercher un peu de calme et l'hospitalité?
Une voix sera là, pour crier à toute heure:
Qu'as-tu fait de ta vie et de ta liberté?
Crois-tu donc qu'on oublie autant qu'on le souhaite?
Crois-tu qu'en te cherchant tu te retrouveras?   80
De ton cœur ou de toi lequel est le poète?
C'est ton cœur, et ton cœur ne te répondra pas.
L'amour l'aura brisé; les passions funestes
L'auront rendu de pierre au contact des méchants;
Tu n'en sentiras plus que d'effroyables restes,   85
Qui remueront encor, comme ceux des serpents.
O ciel! qui t'aidera? que ferai-je moi-même,
Quand celui qui peut tout défendra que je t'aime,
Et quand mes ailes d'or, frémissant malgré moi,
M'emporteront à lui pour me sauver de toi?   90
Pauvre enfant! nos amours n'étaient pas menacées,
Quand dans les bois d'Auteuil, perdu dans tes pensées,
Sous les verts marronniers et les peupliers blancs,
Je t'agaçais le soir en détours nonchalants;
Ah! j'étais jeune alors et Nymphe, et les Dryades   95
Entr'ouvraient pour me voir l'écorce des bouleaux,
Et les pleurs qui coulaient durant nos promenades
Tombaient, purs comme l'or, dans le cristal des eaux;
Qu'as-tu fait, mon amant, des jours de ta jeunesse?

100 Qui m'a cueilli mon fruit sur mon arbre enchanté?
   Hélas! ta joue en fleurs plaisait à la déesse
   Qui porte dans ses mains la force et la santé.
   De tes yeux insensés les larmes l'ont pâlie;
   Ainsi que ta beauté, tu perdras ta vertu.
105 Et moi qui t'aimerai comme une unique amie,
   Quand les dieux irrités m'ôteront ton génie,
   Si je tombe des cieux, que me répondras-tu?

Le Poète

   Puisque l'oiseau des bois voltige et chante encore
   Sur la branche où ses œufs sont brisés dans le nid;
110 Puisque la fleur des champs, entr'ouverte à l'aurore,
   Voyant sur la pelouse une autre fleur éclore,
   S'incline sans murmure et tombe avec la nuit;

   Puisqu'au fond des forêts, sous les toits de verdure,
   On entend le bois mort craquer dans le sentier,
115 Et puisqu'en traversant l'immortelle nature,
   L'homme n'a su trouver de science qui dure,
   Que de marcher toujours et toujours oublier;

   Puisque, jusqu'aux rochers, tout se change en poussière,
   Puisque tout meurt ce soir pour revivre demain;
120 Puisque c'est un engrais que le meurtre et la guerre;
   Puisque sur une tombe on voit sortir de terre
   Le brin d'herbe sacré qui nous donne le pain;

   O Muse! que m'importe ou la mort ou la vie?
   J'aime, et je veux pâlir; j'aime, et je veux souffrir;
125 J'aime, et pour un baiser je donne mon génie;
   J'aime, et je veux sentir sur ma joue amaigrie
   Ruisseler une source impossible à tarir.

   J'aime, et je veux chanter la joie et la paresse,
   Ma folle expérience et mes soucis d'un jour,

Et je veux raconter et répéter sans cesse 130
Qu'après avoir juré de vivre sans maîtresse,
J'ai fait serment de vivre et de mourir d'amour.

Dépouille devant tous l'orgueil qui te dévore,
Cœur gonflé d'amertume et qui t'es cru fermé.
Aime, et tu renaîtras; fais-toi fleur pour éclore; 135
Après avoir souffert, il faut souffrir encore;
Il faut aimer sans cesse, après avoir aimé.

QUESTIONS

1. Analyze the composition of this poem tracing the development of the thought from beginning to end. For the essential thought, see lines 47, 111, 135, 136–137.

2. Is this poem an expression of energy, of resignation, or of discouragement?

3. Compare the rôle of the Muse in this poem and in the *Nuit de mai*.

NOTES ON *LA NUIT D'AOÛT*

Title. «*La Nuit d'août* fut réellement pour l'auteur une nuit de délices. Il avait orné sa chambre et ouvert les fenêtres, la lumière des bougies se jouait parmi les fleurs qui remplissaient quatre grands vases symétriquement disposés. . . . Aucun levain triste ou amer n'étant venu se mêler à l'ivresse poétique, le bien-être dura plusieurs jours.» Paul de Musset, *Alfred de Musset*, p. 174.

1–2. Depuis que, *etc.* That is, since June.

5. Musset had plunged into social, literary, and artistic activities.

14. L'opinion et l'avarice, *etc.* By *opinion*, Musset refers to the poem he wrote on *La Loi sur la presse*. By *avarice*, he refers to articles written on the *Salon de 1836*, in order to earn money. He uses the word *avarice* in its older sense of "avidity."

19. altéré, *thirsty.*

32. verveine, *verbena.*

42. églantier, *eglantine, wild rosebush.*

60–62. «La faute que le poète commet en gaspillant son énergie dans des souffrances sentimentales l'emporte aux yeux de Dieu sur le mérite qu'il acquiert en *donnant son sang* dans ses poèmes.»—Note by J. Merlant, *op. cit.*, p. 363.

92. **les bois d'Auteuil.** Musset lived at Auteuil in 1828. At that time he read and imitated André Chénier.

93. **marronniers . . . peupliers,** *chestnut-trees . . . poplars.*

96. **bouleaux,** *birches.*

120. **engrais,** *fertilizer.*

La Nuit d'Octobre *

Le Poète

Le mal dont j'ai souffert s'est enfui comme un rêve.
Je n'en puis comparer le lointain souvenir
Qu'à ces brouillards légers que l'aurore soulève,
Et qu'avec la rosée on voit s'évanouir.

La Muse

5   Qu'aviez-vous donc, ô mon poète,
Et quelle est la peine secrète
Qui de moi vous a séparé?
Hélas! je m'en ressens encore.
Quel est donc ce mal que j'ignore
10   Et dont j'ai si longtemps pleuré?

Le Poète

C'était un mal vulgaire et bien connu des hommes;
Mais, lorsque nous avons quelque ennui dans le cœur,
Nous nous imaginons, pauvres fous que nous sommes,
Que personne avant nous n'a senti la douleur.

La Muse

15   Il n'est de vulgaire chagrin
Que celui d'une âme vulgaire.
Ami, que ce triste mystère
S'échappe aujourd'hui de ton sein.
Crois-moi, parle avec confiance;

* First published in the *Revue des Deux Mondes*, October 15. 1837.

Le sévère Dieu du silence   20
Est un des frères de la Mort;
En se plaignant, on se console,
Et quelquefois une parole
Nous a délivrés d'un remord.

Le Poète

S'il fallait maintenant parler de ma souffrance,   25
Je ne sais trop quel nom elle devrait porter,
Si c'est amour, folie, orgueil, expérience,
Ni si personne au monde en pourrait profiter.
Je veux bien toutefois t'en raconter l'histoire,
Puisque nous voilà seuls assis près du foyer.   30
Prends cette lyre, approche, et laisse ma mémoire
Au son de tes accords doucement s'éveiller.

La Muse

Avant de me dire ta peine,
O poète! en es-tu guéri?
Songe qu'il t'en faut aujourd'hui   35
Parler sans amour et sans haine.
S'il te souvient que j'ai reçu
Le doux nom de consolatrice,
Ne fais pas de moi la complice
Des passions qui t'ont perdu.   40

Le Poète

Je suis si bien guéri de cette maladie,
Que j'en doute parfois lorsque j'y veux songer;
Et quand je pense aux lieux où j'ai risqué ma vie,
J'y crois voir à ma place un visage étranger.
Muse, sois donc sans crainte; au souffle qui t'inspire   45
Nous pouvons sans péril tous deux nous confier.
Il est doux de pleurer, il est doux de sourire
Au souvenir des maux qu'on pourrait oublier.

La Muse

Comme une mère vigilante
50 Au berceau d'un fils bien-aimé,
Ainsi je me penche tremblante
Sur ce cœur qui m'était fermé.
Parle, ami,—ma lyre attentive
D'une note faible et plaintive
55 Suit déjà l'accent de ta voix;
Et dans un rayon de lumière,
Comme une vision légère,
Passent les ombres d'autrefois.

Le Poète

Jours de travail! seuls jours où j'ai vécu!
60 O trois fois chère solitude!
Dieu soit loué, j'y suis donc revenu,
A ce vieux cabinet d'étude!
Pauvre réduit, murs tant de fois déserts,
Fauteuils poudreux, lampe fidèle,
65 O mon palais, mon petit univers,
Et toi, Muse, ô jeune immortelle,
Dieu soit loué, nous allons donc chanter!
Oui, je veux vous ouvrir mon âme.
Vous saurez tout, et je vais vous conter
70 Le mal que peut faire une femme;
Car c'en est une, ô mes pauvres amis,
(Hélas! vous le saviez peut-être!)
C'est une femme à qui je fus soumis
Comme le serf l'est à son maître.
75 Joug détesté! c'est par là que mon cœur
Perdit sa force et sa jeunesse—
Et cependant, auprès de ma maîtresse,
J'avais entrevu le bonheur.
Près du ruisseau, quand nous marchions ensemble,
80 Le soir, sur le sable argentin,

Quand devant nous le blanc spectre du tremble
De loin nous montrait le chemin;
Je vois encore, aux rayons de la lune,
Ce beau corps plier dans mes bras . . .
N'en parlons plus,—je ne prévoyais pas 85
Où me conduisait la Fortune.
Sans doute alors la colère des dieux
Avait besoin d'une victime;
Car elle m'a puni comme d'un crime
D'avoir essayé d'être heureux. 90

La Muse

L'image d'un doux souvenir
Vient de s'offrir à ta pensée.
Sur la trace qu'il a laissée,
Pourquoi crains-tu de revenir?
Est-ce faire un récit fidèle 95
Que de renier ses beaux jours?
Si ta fortune fut cruelle,
Jeune homme, fais du moins comme elle,
Souris à tes premiers amours.

Le Poète

Non,—c'est à mes malheurs que je prétends sourire. 100
Muse, je te l'ai dit; je veux, sans passion,
Te conter mes ennuis, mes rêves, mon délire,
Et t'en dire le temps, l'heure et l'occasion.
C'était, il m'en souvient, par une nuit d'automne
Triste et froide, à peu près semblable à celle-ci; 105
Le murmure du vent, de son bruit monotone,
Dans mon cerveau lassé berçait mon noir souci.
J'étais à la fenêtre, attendant ma maîtresse;
Et, tout en écoutant dans cette obscurité,
Je me sentais dans l'âme une telle détresse, 110
Qu'il me vint le soupçon d'une infidélité.

La rue où je logeais était sombre et déserte;
Quelques ombres passaient un falot à la main;
Quand la bise soufflait dans la porte entr'ouverte,
115 On entendait de loin comme un soupir humain.
Je ne sais, à vrai dire, à quel fâcheux présage
Mon esprit inquiet alors s'abandonna.
Je rappelais en vain un reste de courage,
Et me sentis frémir lorsque l'heure sonna.
120 Elle ne venait pas. Seul, la tête baissée,
Je regardai longtemps les murs et le chemin,—
Et je ne t'ai pas dit quelle ardeur insensée
Cette inconstante femme allumait en mon sein;
Je n'aimais qu'elle au monde, et vivre un jour sans elle
125 Me semblait un destin plus affreux que la mort;
Je me souviens pourtant qu'en cette nuit cruelle
Pour briser mon lien je fis un long effort.
Je la nommai cent fois perfide et déloyale,
Je comptais tous les maux qu'elle m'avait causés.
130 Hélas! au souvenir de sa beauté fatale,
Quels maux et quels chagrins n'étaient pas apaisés!
Le jour parut enfin.—Las d'une vaine attente,
Sur le bord du balcon, je m'étais assoupi;
Je rouvris la paupière à l'aurore naissante,
135 Et je laissai flotter mon regard ébloui.
Tout à coup, au détour de l'étroite ruelle,
J'entends sur le gravier marcher à petit bruit . . .
Grand Dieu! préservez-moi! je l'aperçois, c'est elle;
Elle entre.—D'où viens-tu? qu'as-tu fait cette nuit?
140 Réponds, que me veux-tu? qui t'amène à cette heure?
Ce beau corps, jusqu'au jour, où s'est-il étendu?
Tandis qu'à ce balcon, seul, je veille et je pleure,
En quel lieu, dans quel lit, à qui souriais-tu?
Perfide! audacieuse! est-il encor possible
145 Que tu viennes offrir ta bouche à mes baisers?
Que demandes-tu donc? par quelle soif horrible
Oses-tu m'attirer dans tes bras épuisés?

Va-t'en, retire-toi, spectre de ma maîtresse!
Rentre dans ton tombeau, si tu t'en es levé;
Laisse-moi pour toujours oublier ma jeunesse, 150
Et, quand je pense à toi, croire que j'ai rêvé!

La Muse

Apaise-toi, je t'en conjure;
Tes paroles m'ont fait frémir.
O mon bien-aimé! ta blessure
Est encor prête à se rouvrir. 155
Hélas! elle est donc bien profonde?
Et les misères de ce monde
Sont si lentes à s'effacer!
Oublie, enfant, et de ton âme
Chasse le nom de cette femme, 166
Que je ne veux pas prononcer.

Le Poète

Honte à toi qui la première
M'as appris la trahison,
Et d'horreur et de colère
M'as fait perdre la raison! 165
Honte à toi, femme à l'œil sombre,
Dont les funestes amours
Ont enseveli dans l'ombre
Mes printemps et mes beaux jours!
C'est ta voix, c'est ton sourire, 170
C'est ton regard corrupteur,
Qui m'ont appris à maudire
Jusqu'au semblant du bonheur;
C'est ta jeunesse et tes charmes
Qui m'ont fait désespérer, 175
Et si je doute des larmes,
C'est que je t'ai vu pleurer.
Honte à toi, j'étais encore

Aussi simple qu'un enfant;
180   Comme une fleur à l'aurore,
Mon cœur s'ouvrait en t'aimant.
Certes, ce cœur sans défense
Put sans peine être abusé;
Mais lui laisser l'innocence
185   Était encor plus aisé.
Honte à toi! tu fus la mère
De mes premières douleurs,
Et tu fis de ma paupière
Jaillir la source des pleurs!
190   Elle coule, sois-en sûre,
Et rien ne la tarira;
Elle sort d'une blessure
Qui jamais ne guérira;
Mais dans cette source amère
195   Du moins je me laverai,
Et j'y laisserai, j'espère,
Ton souvenir abhorré!

La Muse

Poète, c'est assez. Auprès d'une infidèle,
Quand ton illusion n'aurait duré qu'un jour,
200   N'outrage pas ce jour lorsque tu parles d'elle;
Si tu veux être aimé, respecte ton amour.
Si l'effort est trop grand pour la faiblesse humaine
De pardonner les maux qui nous viennent d'autrui,
Épargne-toi du moins le tourment de la haine;
205   A défaut du pardon, laisse venir l'oubli.
Les morts dorment en paix dans le sein de la terre;
Ainsi doivent dormir nos sentiments éteints.
Ces reliques du cœur ont aussi leur poussière;
Sur leurs restes sacrés ne portons pas les mains.
210   Pourquoi, dans ce récit d'une vive souffrance,
Ne veux-tu voir qu'un rêve et qu'un amour trompé?
Est-ce donc sans motif qu'agit la Providence?

Et crois-tu donc distrait le Dieu qui t'a frappé?
Le coup dont tu te plains t'a préservé peut-être,
Enfant; car c'est par là que ton cœur s'est ouvert.   215
L'homme est un apprenti, la douleur est son maître,
Et nul ne se connaît tant qu'il n'a pas souffert.
C'est une dure loi, mais une loi suprême,
Vieille comme le monde et la fatalité,
Qu'il nous faut du malheur recevoir le baptême,   220
Et qu'à ce triste prix tout doit être acheté.
Les moissons pour mûrir ont besoin de rosée;
Pour vivre et pour sentir l'homme a besoin des pleurs.
La joie a pour symbole une plante brisée,
Humide encor de pluie et couverte de fleurs.   225
Ne te disais-tu pas guéri de ta folie?
N'es-tu pas jeune, heureux, partout le bienvenu,
Et ces plaisirs légers qui font aimer la vie,
Si tu n'avais pleuré, quel cas en ferais-tu?
Lorsqu'au déclin du jour, assis sur la bruyère,   230
Avec un vieil ami tu bois en liberté,
Dis-moi, d'aussi bon cœur lèverais-tu ton verre,
Si tu n'avais senti le prix de la gaîté?
Aimerais-tu les fleurs, les prés et la verdure,
Les sonnets de Pétrarque et le chant des oiseaux,   235
Michel-Ange et les arts, Shakspeare et la nature,
Si tu n'y retrouvais quelques anciens sanglots?
Comprendrais-tu des cieux l'ineffable harmonie,
Le silence des nuits, le murmure des flots,
Si quelque part là-bas, la fièvre et l'insomnie   240
Ne t'avaient fait songer à l'éternel repos?
N'as-tu pas maintenant une belle maîtresse?
Et, lorsqu'en t'endormant, tu lui serres la main,
Le lointain souvenir des maux de ta jeunesse
Ne rend-il pas plus doux son sourire divin?   245
N'allez-vous pas aussi vous promener ensemble
Au fond des bois fleuris, sur le sable argentin?
Et dans ce vert palais le blanc spectre du tremble

Ne sait-il plus le soir vous montrer le chemin?
250 Ne vois-tu pas alors, aux rayons de la lune,
Plier comme autrefois un beau corps dans tes bras,
Et si dans le sentier tu trouvais la Fortune,
Derrière elle, en chantant, ne marcherais-tu pas?
De quoi te plains-tu donc? L'immortelle espérance
255 S'est retrempée en toi sous la main du malheur.
Pourquoi veux-tu haïr ta jeune expérience,
Et détester un mal qui t'a rendu meilleur?
O mon enfant! plains-la, cette belle infidèle
Qui fit couler jadis les larmes de tes yeux;
260 Plains-la! c'est une femme, et Dieu t'a fait, près d'elle,
Deviner, en souffrant, le secret des heureux.
Sa tâche fut pénible; elle t'aimait peut-être;
Mais le destin voulait qu'elle brisât ton cœur.
Elle savait la vie, et te l'a fait connaître;
265 Une autre a recueilli le fruit de ta douleur.
Plains-la! son triste amour a passé comme un songe;
Elle a vu ta blessure et n'a pu la fermer.
Dans ses larmes, crois-moi, tout n'était pas mensonge.
Quand tout l'aurait été, plains-la! tu sais aimer.

Le Poète

270 Tu dis vrai; la haine est impie,
Et c'est un frisson plein d'horreur
Quand cette vipère assoupie
Se déroule dans notre cœur.
Écoute-moi donc, ô déesse!
275 Et sois témoin de mon serment:
Par les yeux bleus de ma maîtresse,
Et par l'azur du firmament;
Par cette étincelle brillante
Qui de Vénus porte le nom,
280 Et comme une perle tremblante
Scintille au loin sur l'horizon;
Par la grandeur de la nature,

Par la bonté du créateur;
Par la clarté tranquille et pure
De l'astre cher au voyageur; 285
Par les herbes de la prairie,
Par les forêts, par les prés verts;
Par la puissance de la vie,
Par la sève de l'univers;
Je te bannis de ma mémoire, 290
Reste d'un amour insensé,
Mystérieuse et sombre histoire
Qui dormiras dans le passé!
Et toi qui jadis d'une amie
Portas la forme et le doux nom, 295
L'instant suprême où je t'oublie
Doit être celui du pardon.
Pardonnons-nous,—je romps le charme
Qui nous unissait devant Dieu.
Avec une dernière larme 300
Reçois un éternel adieu.
—Et maintenant, blonde rêveuse,
Maintenant, Muse, à nos amours!
Dis-moi quelque chanson joyeuse
Comme au premier temps des beaux jours. 305
Déjà la pelouse embaumée
Sent les approches du matin;
Viens éveiller ma bien-aimée,
Et cueillir les fleurs du jardin.
Viens voir la nature immortelle 310
Sortir des voiles du sommeil;
Nous allons renaître avec elle
Au premier rayon du soleil!

QUESTIONS

1. Analyze the composition of this poem, tracing the development of the thought from beginning to end.

2. Do you think that Musset will be able to live up to the «serment» of the conclusion?

NOTES ON *LA NUIT D'OCTOBRE*

Title. «Un soir, qu'il [A. de Musset] avait causé longuement avec une femme qui était la franchise et la bonté mêmes, il la soupçonna, je ne sais pourquoi, de mensonge et d'hypocrisie, et, comme il reconnut son injustice tout de suite après, il chercha en lui-même d'où venaient ses odieux soupçons. Il crut découvrir que la cause en était dans la première occasion de sa vie où il s'était trouvé aux prises avec la trahison et le mensonge.

«Tout en racontant les amourettes de Valentin et de Mme Delaunay [characters in a short story, *Les Deux Maîtresses*, which Musset was composing at that time], l'auteur se mit à rêver à d'anciens souvenirs et à des chagrins passés. Ces souvenirs devenant plus vifs, il conçut l'idée d'un supplément et d'une conclusion à la *Nuit de mai*. Il sentait dans son cœur comme une marée montante. Sa muse lui frappa tout à coup sur l'épaule. Elle ne voulait pas attendre; il se leva pour la recevoir et fit bien, car elle lui apportait la *Nuit d'octobre*, qui est, en effet, la suite nécessaire de la *Nuit de mai*, le dernier mot d'une grande douleur et la plus légitime comme la plus accablante des vengeances: le pardon. Le 15 octobre la *Revue* publia la dernière des *Nuits*, et le 1er novembre suivant les *Deux Maîtresses*.» (Paul de Musset, *Alfred de Musset*, p. 191.)

15–16. «Pour les classiques (Corneille), la dignité de l'amour se mesure à la perfection de l'objet aimé; pour un Musset, la beauté de l'amour dépend uniquement de la beauté invisible du sujet aimant.»—Note by J. Merlant, *op. cit.*, p. 408.

41 ff. The sincerity of this passage can be tested by a later one, lines 100 ff.

59–60. «Pendant les deux années de 1837 et 1838, il travailla sans fièvre, sans surexcitation. . . . Il prenait les ennuis de ce monde avec plus de patience; il restait volontiers enfermé au milieu de ses livres.» (Paul de Musset, *op. cit.*, p. 187.)

81. tremble, *aspen.*

104. une nuit d'automne. As a matter of fact, it was in February. Cf. the *Lettre à Lamartine.*

110–111. Notice that a suspicion of infidelity does not cause the distress, but rather that Musset's distress causes him to suspect infidelity.

113. falot, *lantern.*

145. Notice that this line is a « trimètre.»

162 ff. It has been claimed that the seven-syllable line is particularly appropriate for this passage of denunciation. Possibly. It should be remembered, however, that Marceline Desbordes-Valmore, Victor Hugo, and Lamartine used it for quite other purposes. Later in the century

Verlaine praises all « rythme impair » as being « plus vague et plus soluble dans l'air.»

236. **Michel-Ange,** Michelangelo (1475–1564), Italian artist and sculptor.

242. **une belle maîtresse,** *i.e.* Aimée d'Alton.

285. **De l'astre cher au voyageur,** *i.e.* the moon.

TRISTESSE

J'ai perdu ma force et ma vie,
Et mes amis et ma gaîté;
J'ai perdu jusqu'à la fierté
Qui faisait croire à mon génie.

Quand j'ai connu la Vérité,   5
J'ai cru que c'était une amie;
Quand je l'ai comprise et sentie,
J'en étais déjà dégoûté.

Et pourtant elle est éternelle,
Et ceux qui se sont passés d'elle   10
Ici-bas ont tout ignoré.

Dieu parle, il faut qu'on lui réponde.
Le seul bien qui me reste au monde
Est d'avoir quelquefois pleuré.

Bury, 14 juin 1840.

SOUVENIR *

J'espérais bien pleurer, mais je croyais souffrir,
En osant te revoir, place à jamais sacrée,
O la plus chère tombe et la plus ignorée
Où dorme un souvenir!

Que redoutiez-vous donc de cette solitude,   5
Et pourquoi, mes amis, me preniez-vous la main?
Alors qu'une si douce et si vieille habitude
Me montrait ce chemin?

* First published in the *Revue des Deux Mondes*, February 15, 1841.

Les voilà, ces coteaux, ces bruyères fleuries,
10   Et ces pas argentins sur le sable muet,
Ces sentiers amoureux remplis de causeries,
        Où son bras m'enlaçait.

Les voilà, ces sapins à la sombre verdure,
Cette gorge profonde aux nonchalants détours,
15   Ces sauvages amis, dont l'antique murmure
        A bercé mes beaux jours.

Les voilà, ces buissons où toute ma jeunesse,
Comme un essaim d'oiseaux, chante au bruit de mes pas!
Lieux charmants, beau désert qu'aimait tant ma maîtresse,
20   Ne m'attendiez-vous pas?

Ah! laissez-les couler, elles me sont bien chères,
Ces larmes que soulève un cœur encor blessé!
Ne les essuyez pas, laissez sur mes paupières
        Ce voile du passé!

25   Je ne viens point jeter un regret inutile
Dans l'écho de ces bois témoins de mon bonheur.
Fière est cette forêt dans sa beauté tranquille,
        Et fier aussi mon cœur.

Que celui-là se livre à des plaintes amères,
30   Qui s'agenouille et prie au tombeau d'un ami.
Tout respire en ces lieux; les fleurs des cimetières
        Ne poussent point ici.

Voyez! la lune monte à travers ces ombrages.
Ton regard tremble encor, belle reine des nuits;
35   Mais du sombre horizon déjà tu te dégages,
        Et tu t'épanouis.

Ainsi de cette terre, humide encor de pluie,
Sortent, sous tes rayons, tous les parfums du jour;
Aussi calme, aussi pur, de mon âme attendrie
40   Sort mon ancien amour.

Que sont-ils devenus, les chagrins de ma vie?
Tout ce qui m'a fait vieux est bien loin maintenant,
Et rien qu'en regardant cette vallée amie,
    Je redeviens enfant.

O puissance du temps! ô légères années!   45
Vous emportez nos pleurs, nos cris et nos regrets;
Mais la pitié vous prend, et sur nos fleurs fanées
    Vous ne marchez jamais.

Tout mon cœur te bénit, bonté consolatrice!
Je n'aurais jamais cru que l'on pût tant souffrir   50
D'une telle blessure, et que sa cicatrice
    Fût si douce à sentir.

Loin de moi les vains mots, les frivoles pensées,
Des vulgaires douleurs linceul accoutumé,
Que viennent étaler sur leurs amours passées   55
    Ceux qui n'ont point aimé!

Dante, pourquoi dis-tu qu'il n'est pire misère
Qu'un souvenir heureux dans les jours de douleur?
Quel chagrin t'a dicté cette parole amère,
    Cette offense au malheur?   60

En est-il donc moins vrai que la lumière existe,
Et faut-il l'oublier, du moment qu'il fait nuit?
Est-ce bien toi, grande âme immortellement triste,
    Est-ce toi qui l'as dit?

Non, par ce pur flambeau dont la splendeur m'éclaire,   65
Ce blasphème vanté ne vient pas de ton cœur.
Un souvenir heureux est peut-être sur terre
    Plus vrai que le bonheur.

Eh quoi! l'infortuné qui trouve une étincelle
Dans la cendre brûlante où dorment ses ennuis,   70
Qui saisit cette flamme et qui fixe sur elle
    Ses regards éblouis;

Dans ce passé perdu quand son âme se noie,
Sur ce miroir brisé lorsqu'il rêve en pleurant,
75 Tu lui dis qu'il se trompe, et que sa faible joie
        N'est qu'un affreux tourment!

Et c'est à ta Françoise, à ton ange de gloire,
Que tu pouvais donner ces mots à prononcer,
Elle qui s'interrompt, pour conter son histoire,
80   D'un éternel baiser!

Qu'est-ce donc, juste Dieu, que la pensée humaine,
Et qui pourra jamais aimer la vérité,
S'il n'est joie ou douleur si juste et si certaine
        Dont quelqu'un n'ait douté?

85 Comment vivez-vous donc, étranges créatures?
Vous riez, vous chantez, vous marchez à grands pas,
Le ciel et sa beauté, le monde et ses souillures
        Ne vous dérangent pas.

Mais, lorsque par hasard le destin vous ramène
90 Vers quelque monument d'un amour oublié,
Ce caillou vous arrête, et cela vous fait peine
        Qu'il vous heurte le pié.

Et vous criez alors que la vie est un songe,
Vous vous tordez les bras comme en vous réveillant,
95 Et vous trouvez fâcheux qu'un si joyeux mensonge
        Ne dure qu'un instant.

Malheureux! cet instant où votre âme engourdie
A secoué les fers qu'elle traîne ici-bas,
Ce fugitif instant fut toute votre vie;
100   Ne le regrettez pas!

Regrettez la torpeur qui vous cloue à la terre,
Vos agitations dans la fange et le sang,
Vos nuits sans espérance et vos jours sans lumière:
        C'est là qu'est le néant!

Mais que nous revient-il de vos froides doctrines?   105
Que demandent au ciel ces regrets inconstants
Que vous allez semant sur vos propres ruines,
          A chaque pas du Temps?

Oui, sans doute, tout meurt; ce monde est un grand rêve,
Et le peu de bonheur qui nous vient en chemin,   110
Nous n'avons pas plutôt ce roseau dans la main
          Que le vent nous l'enlève.

Oui, les premiers baisers, oui, les premiers serments
Que deux êtres mortels échangèrent sur terre,
Ce fut au pied d'un arbre effeuillé par les vents   115
          Sur un roc en poussière.

Ils prirent à témoin de leur joie éphémère
Un ciel toujours voilé qui change à tout moment,
Et des astres sans nom que leur propre lumière
          Dévore incessamment.   120

Tout mourait autour d'eux, l'oiseau dans le feuillage,
La fleur entre leurs mains, l'insecte sous leurs piés,
La source desséchée où vacillait l'image
          De leurs traits oubliés;

Et sur tous ces débris joignant leurs mains d'argile,   125
Étourdis des éclairs d'un instant de plaisir,
Ils croyaient échapper à cet Être immobile
          Qui regarde mourir!

—Insensés! dit le sage.—Heureux! dit le poète.
Et quels tristes amours as-tu donc dans le cœur,   130
Si le bruit du torrent te trouble et t'inquiète,
          Si le vent te fait peur?

J'ai vu sous le soleil tomber bien d'autres choses
Que les feuilles des bois et l'écume des eaux,
Bien d'autres s'en aller que le parfum des roses   135
          Et le chant des oiseaux.

Mes yeux ont contemplé des objets plus funèbres
Que Juliette morte au fond de son tombeau,
Plus affreux que le toast à l'ange des ténèbres
140   Porté par Roméo.

J'ai vu ma seule amie, à jamais la plus chère,
Devenue elle-même un sépulcre blanchi,
Une tombe vivante où flottait la poussière
        De notre mort chéri,

145 De notre pauvre amour, que, dans la nuit profonde,
Nous avions sur nos cœurs si doucement bercé!
C'était plus qu'une vie, hélas! c'était un monde
        Qui s'était effacé!

Oui, jeune et belle encor, plus belle, osait-on dire,
150 Je l'ai vue, et ses yeux brillaient comme autrefois.
Ses lèvres s'entr'ouvraient, et c'était un sourire,
        Et c'était une voix;

Mais non plus cette voix, non plus ce doux langage,
Ces regards adorés dans les miens confondus;
155 Mon cœur encor plein d'elle errait sur son visage,
        Et ne la trouvait plus.

Et pourtant j'aurais pu marcher alors vers elle,
Entourer de mes bras ce sein vide et glacé,
Et j'aurais pu crier: «Qu'as-tu fait, infidèle,
160   Qu'as-tu fait du passé?»

Mais non; il me semblait qu'une femme inconnue
Avait pris par hasard cette voix et ces yeux;
Et je laissai passer cette froide statue
        En regardant les cieux.

165 Eh bien! ce fut sans doute une horrible misère
Que ce riant adieu d'un être inanimé.
Eh bien! qu'importe encore? O nature! ô ma mère!
        En ai-je moins aimé?

La foudre maintenant peut tomber sur ma tête;
Jamais ce souvenir ne peut m'être arraché!   170
Comme le matelot brisé par la tempête,
    Je m'y tiens attaché.

Je ne veux rien savoir, ni si les champs fleurissent,
Ni ce qu'il adviendra du simulacre humain,
Ni si ces vastes cieux éclaireront demain   175
    Ce qu'ils ensevelissent.

Je me dis seulement: «A cette heure, en ce lieu,
Un jour, je fus aimé, j'aimais, elle était belle.
J'enfouis ce trésor dans mon âme immortelle,
    Et je l'emporte à Dieu!»   180

Février 1841.

QUESTIONS

1. Analyze the composition of the poem, tracing the development of the thought from beginning to end.

2. Compare this poem with *Le Lac* and *Tristesse d'Olympio*.

NOTES ON *SOUVENIR*

Title. Obviously, the title « Souvenir » indicates that Musset wished to treat the problem discussed by Lamartine and Hugo. But while there is undoubtedly this literary inspiration, there is none the less a definite set of circumstances which account for the composition of the poem. In 1840 Musset passed through the forest of Fontainebleau on the way to visit a friend at Angerville. His brother says that at this part of the journey, Alfred de Musset «devint rêveur.» Paul de Musset adds: «Sa mélancolie me gagna. Sans nous faire part de nos impressions, nous nous reportions tous deux au même temps. Ces ombrages profonds, ces futaies hautes comme des églises gothiques, ces coteaux noirs qui se découpaient sur un ciel de feu, rien de tout cela n'avait changé d'aspect depuis 1833. Qu'est-ce que sept ans de plus pour des arbres trois fois centenaires? Alfred sentait à chaque pas ses souvenirs de jeunesse se réveiller plus forts et plus vivaces.» (*Alfred de Musset*, pp. 255–256.)

Five months later Musset unexpectedly met George Sand one evening at the Théâtre des Italiens. Returning home, he spent the night in composing *Souvenir*.

10. Cf. *La Nuit d'octobre*, line 80.

14. cette gorge profonde, *i.e.* la gorge de Franchart, in the forest of Fontainebleau.

57–58. Dante, pourquoi, *etc.* See Dante's *Inferno*, V, 121–123:

> Nessun maggior dolore
> Che ricordarsi del tempo felice
> Nella miseria.
>> etc.

65. flambeau, *i.e.* the moon.

77–80. Françoise. Francesca da Rimini, a character in Dante's *Inferno*, V, 73–142. Her sin was adultery. The passage in Dante is a very famous and a very beautiful one.

92. pié = *pied*.

113–120. The argument in these lines follows a passage in Diderot's *Jacques le Fataliste*, Vol. VI, p. 117, edition published by Garnier Frères. There is a somewhat similar passage also in Diderot's *Supplément au voyage de Bougainville*, III. Musset answers the argument in his conclusion.

139–140. Cf. *Romeo and Juliet*, Act V, sc. 3:

> Ah, dear Juliet,
> What art thou yet so fair? Shall I believe
> That unsubstantial Death is amorous;
>> etc.

142. sépulcre blanchi, *whited sepulchre* (Biblical term; see St. Matthew, XXIII, 27). Cf. *La Nuit d'octobre*, line 148.

SUBJECTS FOR COMPOSITION

1. The Evolution of Musset's Sentiments in the *Nuits* and *Souvenir*.

2. Appreciation of Nature in Musset's Poetry.

3. A Discussion of Musset's Remark: Mon verre n'est pas grand, mais je bois dans mon verre.

4. Exoticism in Musset's Poetry.

5. A Comparison of Musset's Conception of Poetry with That of Alfred de Vigny.

FROM
ROMANTICISM TO
«LE PARNASSE»

FROM ROMANTICISM TO «LE PARNASSE»

After twenty years of Romantic outpouring in the theatre, in the novel, and in poetry it was highly probable that a new tone and a new purpose would penetrate French literature. Such a change was, indeed, made inevitable by the marked contrast between some of the more violent forms of Romanticism and the bourgeois society of France. The reign of Louis-Philippe witnessed a tremendous growth of commercial and industrial activity. Railroads were inaugurated, steamship lines were established, factories and foundries were organized and developed; in short, the industrial revolution, which had earlier swept over England, now definitely got under way in France. It brought wealth, power, and prestige to the commercial classes.

One of the first indications of a weakening in the Romantic current was the failure of Victor Hugo's *Burgraves* in 1843. It was followed by a no less important symptom: the silence of the great Romantic poets. Hugo, who was not only affected by this theatrical disaster, but also profoundly afflicted by the death of his daughter, turned to politics and for ten years published nothing. Vigny, after a series of brilliant poems which Buloz welcomed in the *Revue des Deux Mondes* in 1843 and 1844, lapsed into a ten years' silence. Musset had fallen into that pathetic decline that marked his last years. He composed almost no poetry after 1841. Lamartine, now wholly absorbed by the «douleurs de ses frères,» had abandoned lyric poetry and devoted himself to politics.

The situation was observed and described by Sainte-Beuve in an article on «Quelques vérités sur la situation en littérature,» in the *Revue des Deux Mondes*, July 1, 1843:

Que s'est-il passé littérairement de saillant, de sensible à tous, depuis quelques années?
Et quelle disette d'abord, ou du moins quelle stérile abondance!

243

Signaler la halte, le ralentissement graduel et continu, c'est proclamer ce que chacun s'est déjà dit. Pendant que les hommes en possession de la vogue et de la faveur publique continuaient plus ou moins heureuse-ment d'en user ou d'en abuser, . . . qu'ils appesantissaient leur genre, ou qu'ils le bouleversaient brusquement un beau matin plutôt que de le renouveler, quelles œuvres vraiment nouvelles, quelles apparitions inattendues sont venues varier et rafraîchir le tableau?

Deux faits notables, deux phénomènes littéraires, sont venus, l'un pas plus tard qu'hier, l'autre depuis quelques années déjà, fournir à l'attention avide un sujet, un aliment tant désiré. . . . On a eu au théâtre Mlle Rachel . . . on a eu hier une tragédie qui a attiré la foule, et qui, par des qualités diverses et sérieuses a mérité de faire bruit.

Sainte-Beuve interprets these two facts—the triumph of Rachel in a revival of Racine and the success of Ponsard's *Lucrèce*—as manifestations of reaction. Reaction against the Romantic school, legitimate, inevitable, but superficial: «Réaction, après tout, superficielle et sans grand fond, secousse et agitation légère d'esprits blasés, ennuyés, qui se retournent par dégoût, et qui essaient aujourd'hui de ce qu'ils ont rebuté hier, pour ressentir quelque chose.» Nevertheless, Sainte-Beuve concludes that « l'époque a l'air de se trancher par son milieu; on peut embrasser la marche de la première moitié avec quelque certitude.» If that be true, then the question naturally arises as to what road French literature ought to take.

While in the field of the novel Balzac continued to construct his mighty edifice, a solution of the problem raised by Sainte-Beuve was offered in the theatre by the man whose initial success the great critic had reported. *Lucrèce* was followed by other plays, and in the preface to *Agnès de Méranie* Ponsard set forth a theory summed up in the formula: «Je n'admets que la souveraineté du bon sens.» Ponsard's plays and those of his disciple, Augier, enjoyed considerable popularity. But it soon became apparent that the success of the *école du bon sens* was limited to the theatre, and even there its reign was of short dura-tion. It was quickly succeeded by comedy based on a wider realism.

No other solution was attempted during the reign of Louis-Philippe, and literary preoccupations were completely forgotten in the storm and stress of the following years. The Revolution of 1848 and the confusion of the Second Republic provided an adequate outlet for men's emotions.

With the establishment of the Second Empire and the stabilization of the political situation, literary activities were resumed. Two solutions were then offered concerning the future of French poetry. The first came from Théophile Gautier, Théodore de Banville, and Leconte de Lisle. Rejecting the conception of utilitarian art and the social mission of the poet, they asserted their belief in the "autonomy of art." * Their unique aim they proclaimed to be the creation of beauty. In short, they adopted the ideal of Art for Art's sake. Coming to this conclusion by somewhat divergent roads they made their individual contributions to the "new" poetry during the early years of the Second Empire. The year 1852 is a significant one in the history of French poetry for it saw the publication of Gautier's *Émaux et Camées* and Leconte de Lisle's *Poèmes antiques*.

On the other hand, a group of young writers connected with the *Revue de Paris* proclaimed anew the social mission of the poet and demanded that he seek in the marvels of science and industry fresh sources of poetic beauty. Their campaign was climaxed by the publication in 1855 of Maxime Du Camp's *Chants modernes* whose very title was a challenge to Leconte de Lisle's *Poèmes antiques*. In the preface to his book Du Camp made an eloquent plea for the cause he represented. But his attempt to establish a poetic school ended in failure. The most that can be said is that a few writers like Victor Hugo, who believed in the social mission of the poet, and Sully Prudhomme, who never completely accepted the ideal of Art for Art's sake, did not hesitate to seek in science and industry subjects worthy of poetic treatment.

Throughout the Second Empire French poetry was largely dominated by the ideals of Gautier and Leconte de Lisle. Hugo and Baudelaire, to be sure, were independent voices who did not fail to make themselves heard. In the second decade of the

* Th. Gautier in *L'Artiste.* December, 1856.

Empire Parnassian poetry came definitely into its own.   The term came from *Le Parnasse contemporain, recueil de vers nouveaux*, published in 1866 by Alphonse Lemerre.   In addition to poems by Gautier, Banville, and Leconte de Lisle, this celebrated anthology contained poems by Heredia, Ménard, C. Mendès, L. Dierx, Sully Prudhomme, Verlaine, Mallarmé, and others.   A second volume (bearing the date of 1869 on the title page) was published in 1871,* and a third in 1876.   But the first volume is indisputably the most important, for it provoked widespread comment and brought public recognition of a type of poetry hitherto reserved for an extremely small élite.

The development and the tendencies of Parnassianism will be sufficiently revealed in the texts presented in coming chapters. Attention may, however, be drawn to two or three points.   The influence of the positivistic philosophy of Auguste Comte, the revolutionary theories of Cuvier in the field of natural science, and the determinism of Taine and Renan must not be overlooked.   They affected the generation to which the Parnassian poets belonged.   Foreign influences again play a part.   The English scientist, Darwin, the German scholars, Muller and Mommsen, the Hindoo religious writings are among the forces that modified in one way or another philosophy and art.   Finally, it must be realized that while Parnassianism is a reaction against Romanticism—against the excessively personal poetry of a Musset or a Sainte-Beuve, against the social poetry of Hugo and Lamartine, against the facile composition of most of the Romantic poets, it is at the same time an outgrowth of the preceding movement and could hardly have existed without it.

Consult: A. Cassagne, *La Théorie de l'art pour l'art en France chez les derniers romantiques et les premiers réalistes*, Paris, Hachette, 1906; H. Clouard, *La Poésie française moderne, des romantiques à nos jours*, Paris, Gauthier-Villars, 1924; F. Desonay, *Le Rêve hellénique chez les poètes parnassiens*, Paris, Champion, 1928; J. Ducros, *Le Retour de la poésie française à l'antiquité grecque au milieu du xixe siècle*, Paris, Colin, 1918; P. Fort and L. Mandin, *Histoire de la poésie française*

* The delay was caused by the Franco-Prussian war.

depuis 1850, Paris, Flammarion and Didier, 1926; E. M. Grant, *French Poetry and Modern Industry, 1830–1870*, Harvard University Press, 1927; P. Martino, *Parnasse et Symbolisme*, Paris, Colin, 1925; H. A. Needham, *Le Développement de l'esthétique sociologique en France et en Angleterre au xixᵉ siècle*, Paris, Champion, 1926; H. Peyre, *Bibliographie critique de l'Hellénisme en France de 1843 à 1870*, Yale University Press, 1932; A. Schaffer, *Parnassus in France*, University of Texas, 1929; M. Souriau, *Histoire du Parnasse*, Paris, Éditions Spes, 1929; A. Thibaudet, " Les Romantiques et les Parnassiens de 1870 à 1914," *Revue de Paris*, 1933.

THÉOPHILE GAUTIER
1811–1872

I. Born in the provinces, Théophile Gautier was taken to Paris in 1814. He studied later at the Lycée Charlemagne where he formed a close friendship with Gérard de Nerval. As a young man he displayed great interest in painting and might have devoted all his energies to that art, but his contact with the Romantic poets led him to turn to literature. Introduced to Victor Hugo, he became a faithful disciple, and played an important and well-known part in the Romantic battle. At the first performance of *Hernani*, his costume, composed of a rose-colored satin doublet, sea-green trousers with black velvet piping, a hazel-gray coat with a green satin lining, seemed to symbolize the Romantic revolt and has remained famous.

In 1830 Gautier published his first volume of poetry. As the great Cénacle scattered, he became closely affiliated with a group known as the Petit Cénacle which included Pétrus Borel, Célestin Nanteuil, Philothée O'Neddy, and others. His association with this gathering was not without influence on his next three works, *Albertus* (1832), *Les Jeunes-France* (1833), and *Mademoiselle de Maupin* (1835).

Financial difficulties were to beset Théophile Gautier from this period to his death. To earn not only his own living but others' he was forced into journalism which he was never able to abandon. He succeeded occasionally, however, in indulging his taste for travel. His first trip to Spain in 1840 was followed by others to different parts of Europe.

He never renounced creative literature. His last distinctly Romantic poem was *La Comédie de la mort* (1838). It was followed by *España*, and in 1852 by *Émaux et Camées* on which his literary reputation rests. During these same years he published a series of archeological tales, including *Une nuit de*

248

Cléopâtre (1845), *Le Roi Candaule* (1847), *Arria-Marcella* (1852), and *Le Roman de la momie* (1856). From 1858 to his death Gautier lived at Neuilly surrounded by his family. He wrote additional poems for the *Émaux et Camées*, and during this period produced a long novel, *Le Capitaine Fracasse* (1863), which successfully renewed the subject of Scarron's seventeenth-century *Roman comique*.

II. CONSULT: F. Brunetière, *L'Évolution de la poésie lyrique en France au xix⁰ siècle*, vol. 2, Paris, Hachette, 1894; A. Cassagne, *La Théorie de l'art pour l'art en France chez les derniers romantiques et les premiers réalistes*, Paris, Hachette, 1906; L. B. Dillingham, *The Creative Imagination of Théophile Gautier*, Bryn Mawr, 1927; P. Jarry, «Théophile Gautier à Neuilly,» *Bulletin de la Commission historique de Neuilly-sur-Seine*, 1922; R. Jasinski, *Les Années romantiques de Théophile Gautier*, Paris, Vuibert, 1929; Spoelberch de Lovenjoul, *Histoire des œuvres de Théophile Gautier*, 2 vols., Paris, 1887.

CRITICAL EDITIONS: R. Jasinski, *L'«España» de Th. Gautier*, Paris, Vuibert, 1929; J. Madeleine, *Émaux et Camées*, Paris, Hachette, 1927.

Poésies

Gautier's first collection of poetry, like Alfred de Musset's, appeared in 1830. The volume, entitled simply *Poésies de Théophile Gautier*, contained forty-two poems composed during the five preceding years. No one *genre* dominated the book; elegies, sonnets, «stances,» and ballads had equal attractions for the author, and were, moreover, popular at the time.

Two important influences are clearly discernible: Hugo and Sainte-Beuve. The author of the *Odes et Ballades* had composed poems on *La Demoiselle, Le Cauchemar, Paysage, A une jeune fille*, etc. In Gautier's volume we find *La Demoiselle, Cauchemar, Paysage, La Jeune Fille*. Detailed reminiscences are also to be found. Equally important is the influence exerted by Sainte-Beuve. The modest landscape and intimate sentiment so typical of the *Poésies de Joseph Delorme* are favorite themes with Théophile. Nor does the young poet fail to adopt forms and metres recommended by the eulogist of the Pléiade; the *Poésies* include three sonnets, and more than one poem with «rythme impair.» In certain compositions the influence of Hugo and that of Sainte-Beuve exist side by side. This is notably true in *La Demoiselle*, for if the subject is borrowed from the former, the rhythm comes from the latter.

In addition to the poem given here, students should read *Moyen-Age, Sonnet I, La Demoiselle, Pensées d'automne, La Tête de mort, Soleil couchant, Pan de mur, Paris*.

LA BASILIQUE

Il est une basilique
Aux murs moussus et noircis,
Du vieux temps noble relique,
Où l'âme mélancolique
5   Flotte en pensers indécis.

Des losanges de plomb ceignent
Les vitraux coloriés,
Où les feux du soleil teignent
Les reflets errants qui baignent
10   Les plafonds armoriés.

Cent colonnes découpées
Par de bizarres ciseaux,
Comme des faisceaux d'épées
Au long de la nef groupées
15   Portent les sveltes arceaux.

La fantastique arabesque
Courbe ses légers dessins
Autour du trèfle moresque,
De l'arcade gigantesque
20   Et de la niche des saints.

Dans leurs armes féodales,
Vidames et chevaliers

Sont là, couchés sur les dalles
Des chapelles sépulcrales,
Ou debout près des piliers.   25

Des escaliers en dentelles
Montent avec cent détours
Aux voûtes hautes et frêles,
Mais fortes comme les ailes
Des aigles ou des vautours.   30

Sur l'autel, riche merveille,
Ainsi qu'une étoile d'or.
Reluit la lampe qui veille,
La lampe qui ne s'éveille
Qu'au moment où tout s'endort.   35

Que la prière est fervente
Sous ces voûtes, lorsqu'en feu
Le ciel éclate, qu'il vente,
Et qu'en proie à l'épouvante,
Dans chaque éclair on voit Dieu;   40

Ou qu'à l'autel de Marie,
A genoux sur le pavé,
Pour une vierge chérie
Qu'un mal cruel a flétrie
En pleurant l'on dit: *Ave!*   45

Mais chaque jour qui s'écoule
Ébranle ce vieux vaisseau;
Déjà plus d'un mur s'écroule,
Et plus d'une pierre roule,
Large fragment d'un arceau.   50

Dans la grande tour, la cloche
Craint de sonner l'*Angelus.*

Partout le lierre s'accroche,
Hélas! et le jour approche
55 Où je ne vous dirai plus:

Il est une basilique
Aux murs moussus et noircis,
Du vieux temps noble relique,
Où l'âme mélancolique
60 Flotte en pensers indécis.

QUESTION

1. What are the essentially Romantic qualities of this poem?

NOTES ON *LA BASILIQUE*

Title. Jasinski suggests that this poem is reminiscent of Musset and Chateaubriand: «La *Basilique aux murs moussus et noircis* qu'ébranle l'ouragan est sœur des *vieilles églises décharn'es* qui, dans les *Stances* (1828) dressent leurs tours grises au milieu des éclairs—, fille comme elles des cathédrales gothiques somptueusement dépeintes par Chateaubriand.» (P. 49.)

6. losanges, *lozenges.* A lozenge is a figure with four equal sides, not however a square.

13. faisceaux, *piles.*

15. arceaux, *arches.*

18. trèfle, *trefoil.*

22. vidames, *vidames* (Feudal lords to whom a bishop gave lands on condition that they be protected and properly administered).

52. Angelus. Cf. Lamartine's *La Cloche du village.*

Albertus

In 1832 Gautier published *Albertus, ou l'Ame et le Péché, légende théologique.* The volume also included the original forty-two poems of 1830 and twenty new ones. *Albertus* presents a young painter who discovers to his horror that his beautiful young mistress is in reality a horrible old witch. Composed with an undoubted desire to «épater le bourgeois» as well as to impress the literary circles, the poem is written with verve, gusto, and color.

Albertus was introduced by a preface in which Gautier already formulates a new conception of literature. First, he expresses his contempt for the «utilitaires, utopistes, économistes, saint-simonistes et autres.» Then he declares: «En général, dès qu'une chose devient utile, elle cesse d'être belle.—Elle rentre dans la vie positive; de poésie, elle devient prose; de libre, esclave.—Tout l'art est là. L'art, c'est la liberté, le luxe, l'efflorescence, c'est l'épanouissement de l'âme dans l'oisiveté.—La peinture, la sculpture, la musique ne servent absolument à rien. . . . Il y a et il y aura toujours des âmes artistes à qui les tableaux d'Ingres et de Delacroix, les aquarelles de Boulanger et de Decamps, sembleront plus utiles que les chemins de fer et les bateaux à vapeur.» The paragraph contains, in germ, the theory of Art for Art's sake.

LA MAISON DE LA SORCIÈRE

Cette vieille sorcière habitait une hutte,
Accroupie au penchant d'un maigre tertre, en butte
L'été comme l'hiver au choc des quatre vents;
Le chardon aux longs dards, l'ortie et le lierre
S'étendent à l'entour en nappe irrégulière;   5
L'herbe y pend à foison ses panaches mouvants,
Par les fentes du toit, par les brèches des voûtes
Sans obstacle passant, la pluie à larges gouttes
Inonde les planchers moisis et vermoulus.
A peine si l'on voit dans toute la croisée   10
Une vitre sur trois qui ne soit pas brisée,
    Et la porte ne ferme plus.

La limace baveuse argente la muraille
Dont la pierre se gerce et dont l'enduit s'éraille;
Les lézards verts et gris se logent dans les trous,   15
Et l'on entend le soir sur une note haute
Coasser tout auprès la grenouille qui saute,
Et râler aigrement les crapauds à l'œil roux.

—Aussi, pendant les soirs d'hiver, la nuit venue,
20 Surtout quand du croissant une ouateuse nue
Emmaillotte la corne en un flot de vapeur,
Personne,—non pas même Eisenbach le ministre,—
N'ose passer devant ce repaire sinistre
    Sans trembler et blêmir de peur.

25 De ces dehors riants l'intérieur est digne:
Un pandémonium! où sur la même ligne,
Se heurtent mille objets fantasquement mêlés.
—Maigres chauves-souris aux diaphanes ailes,
Se cramponnant au mur de leurs quatre ongles frêles,
30 Bouteilles sans goulot, plats de terre fêlés,
Crocodiles, serpents empaillés, plantes rares,
Alambics contournés en spirales bizarres,
Vieux manuscrits ouverts sur un fauteuil bancal.
Fœtus mal conservés saisissant d'une lieue
35 L'odorat, et collant leur face jaune et bleue
    Contre le verre du bocal!

Véritable sabbat de couleurs et de formes,
Où la cruche hydropique, avec ses flancs enormes,
Semble un hippopotame, et la fiole au grand cou
40 L'ibis égyptien au bord du sarcophage
De quelque Pharaon ou d'un ancien roi mage;
Ivresse d'opium et vision de fou,
Où les récipients, matras, siphons et pompes, . . .
45 Prennent l'air d'éléphants et de rhinocéros,
Où les monstres tracés autour du zodiaque,
Portant écrit au front leur nom en syriaque,
    Dansent entre eux des boléros!

Poudreux entassement de machines baroques
50 Dont l'œil ne peut saisir les contours équivoques,
Et de bouquins, sans titre en langage chrétien!
Tohu-bohu! chaos où tout fait la grimace,

Se déforme, se tord, et prend une autre face;
Glace vue à l'envers où l'on ne connaît rien,
Car tout est transposé. Le rouge y devient fauve,   55
Le blanc noir, le noir bleu; jamais sous une alcôve
Smarra n'a dessiné de fantômes plus laids.
C'est la réalité des contes fantastiques,
C'est le type vivant des songes drôlatiques;
  C'est Hoffmann, et c'est Rabelais!   60

Pour rendre le tableau complet, au bord des planches
Quelques têtes de morts vous apparaissent blanches
Avec leurs crânes nus, avec leurs grandes dents,
Et leurs nez faits en trèfle et leurs orbites vides
Qui semblent vous couver de leurs regards avides.   65
Un squelette debout et les deux bras pendants,
Au gré du jour qui passe au treillis de ses côtes,
Que du sépulcre à peine ont désertés les hôtes,
Jette son ombre au mur en linéaments droits.
En entrant là, Satan, bien qu'il soit hérétique,   70
D'épouvante glacé, comme un bon catholique
  Ferait le signe de la croix.

QUESTIONS

1. What is to be said of this type of Romantic poetry? What is its value
as compared with other types?

2. To what extent do Gautier's personal associations explain the composition of such a poem as this?

NOTES ON *LA MAISON DE LA SORCIÈRE*

4. chardon . . . ortie, *thistle . . . nettle.*
10. croisée, *window.*
13. limace, *slug.*
14. se gerce, *cracks.*
17. coasser, *croak.*
20. ouateuse, *full of cotton-wadding.*
30. goulot, *neck.*
32. Alambics, *stills.*

36. bocal, *glass bowl* or *bottle.*
47. syriaque, *Syriac.*
48. boléros. The *boléro* is a Spanish dance.
57. Smarra. An evil genius responsible for nightmares, etc. In 1821 Charles Nodier published a tale called *Smarra, ou les démons de la nuit, songes romantiques.*
60. Hoffmann, German writer (1776–1822), author of fantastic tales.
64. trèfle, *trefoil.*

España

The series of poems entitled *España* was inspired by a journey taken by Th. Gautier and Eugène Piot beyond the Pyrenees in 1840. Some of the poems were composed on the spot; some, begun in Spain, were completed in Paris; others written after Gautier's return. *España* appeared as a section in a volume of *Poésies complètes* published in 1845. *España* includes forty-three poems, and, as Gautier's most recent biographer puts it, is an «œuvre de transition, étape incertaine entre *la Comédie de la mort* et les *Émaux et Camées.*»

In addition to the poems given here, students should read *Ribeira, L'Escurial, Dans la Sierra,* and *Perspective.*

In deserto *

Les pitons des sierras, les dunes du désert,
Où ne pousse jamais un seul brin d'herbe vert;
Les monts aux flancs zébrés de tuf, d'ocre et de marne,
Et que l'éboulement de jour en jour décharne,
5   Le grès plein de micas papillotant aux yeux,
Le sable sans profit buvant les pleurs des cieux,
Le rocher refrogné dans sa barbe de ronce,
L'ardente solfatare avec la pierre ponce,
Sont moins secs et moins morts aux végétations
10 Que le roc de mon cœur ne l'est aux passions.
Le soleil de midi sur le sommet aride
Répand à flots plombés sa lumière livide,
Et rien n'est plus lugubre et désolant à voir

* First published in the *Revue de Paris,* August 28, 1842.

Que ce grand jour frappant sur ce grand désespoir.
Le lézard pâmé bâille, et parmi l'herbe cuite   15
On entend résonner les vipères en fuite.
Là, point de marguerite au cœur étoilé d'or,
Point de muguet prodigue égrenant son trésor;
Là, point de violette ignorée et charmante,
Dans l'ombre se cachant comme une pâle amante;   20
Mais la broussaille rousse et le tronc d'arbre mort,
Que le genou du vent, comme un arc, plie et tord.
Là, point d'oiseau chanteur, ni d'abeille en voyage,
Pas de ramier plaintif déplorant son veuvage;
Mais bien quelque vautour, quelque aigle montagnard,   25
Sur le disque enflammé fixant son œil hagard,
Et qui, du haut du pic où son pied prend racine,
Dans l'or fauve du soir durement se dessine.
Tel était le rocher que Moïse, au désert,
Toucha de sa baguette, et dont le flanc ouvert,   30
Tressaillant tout à coup, fit jaillir en arcade
Sur les lèvres du peuple une fraîche cascade.
Ah! s'il venait à moi, dans mon aridité,
Quelque reine des cœurs, quelque divinité,
Une magicienne, un Moïse femelle,   35
Traînant dans le désert les peuples après elle,
Qui frappât le rocher dans mon cœur endurci!
Comme de l'autre roche, on en verrait aussi
Sortir en jets d'argent des eaux étincelantes,
Où viendraient s'abreuver les racines des plantes;   40
Où les pâtres errants conduiraient leurs troupeaux
Pour se coucher à l'ombre et prendre le repos;
Où, comme en un vivier, les cigognes fidèles
Plongeraient leurs grands becs et laveraient leurs ailes.

La Guardia.

QUESTION

1. What new qualities are discernible in this poem as compared with those of 1830?

NOTES ON *IN DESERTO*

Title. Cf. Gautier's *Voyage en Espagne* ch. xi: «Toute cette partie du royaume de Tolède que nous traversions est d'une aridité effroyable, et se ressent des approches de la Manche, patrie de Don Quichotte, la province d'Espagne la plus désolée et la plus stérile. Nous eûmes bientôt dépassé la Guardia, petit bourg insignifiant et de l'aspect le plus misérable.»

1. pitons, *peaks.*

3. tuf, ocre, marne, *tufa, ochre, chalk.*

5. grès, *sandstone.*

8. solfatare . . . pierre ponce, *solfatara* (land covered with small craters from which sulphurous vapors emerge) . . . *pumice-stone.*

24. Pas de ramier, *etc.* Jasinski, crit. ed., p. 145: «Le vers 24 . . . est une allusion à la romance que chante Cardenio à l'orée de la sierra Morena (*Don Quichotte* I, 27), et dont le doux Florian traduisait ainsi les premiers vers:

> Triste ramier de la montagne
> Quel malheur a pu te ravir
> Ta douce et fidèle compagne?»

29–32. See Exodus, XVII.

35. une magicienne, *etc.* Gautier possibly is thinking of Carlotta Grisi, a talented Italian ballet-dancer of whom he was very fond and with whom he was to correspond for years.

37 ff. Jasinski, crit. ed., p. 145: «En écrivant la fin de la pièce Gautier s'est vraisemblablement rappelé le beau tableau de Murillo, *Moïse frappant le rocher,* qu'il vit à la Caridad de Séville et auquel une estampe du graveur Estève donnait alors une célébrité particulière.»

43. vivier, *fish-pond.*

A ZURBARAN *

Moines de Zurbaran, blancs chartreux qui, dans l'ombre,
Glissez silencieux sur les dalles des morts,
Murmurant des *Pater* et des *Ave* sans nombre,

Quel crime expiez-vous par de si grands remords?
5   Fantômes tonsurés, bourreaux à face blême,
Pour le traiter ainsi, qu'a donc fait votre corps?

* First published in the *Revue de Paris*, January 21, 1844.

Votre corps, modelé par le doigt de Dieu même,
Que Jésus-Christ, son fils, a daigné revêtir,
Vous n'avez pas le droit de lui dire: «Anathème!»

Je conçois les tourments et la foi du martyr,   10
Les jets de plomb fondu, les bains de poix liquide,
La gueule des lions prête à vous engloutir,

Sur un rouet de fer les boyaux qu'on dévide,
Toutes les cruautés des empereurs romains;
Mais je ne comprends pas ce morne suicide!   15

Pourquoi donc, chaque nuit, pour vous seuls inhumains,
Déchirer votre épaule à coups de discipline,
Jusqu'à ce que le sang ruisselle sur vos reins?

Pourquoi ceindre toujours la couronne d'épine,
Que Jésus sur son front ne mit que pour mourir,   20
Et frapper à plein poing votre maigre poitrine?

Croyez-vous donc que Dieu s'amuse à voir souffrir,
Et que ce meurtre lent, cette froide agonie,
Fassent pour vous le ciel plus facile à s'ouvrir?

Cette tête de mort entre vos doigts jaunie,   25
Pour ne plus en sortir, qu'elle rentre au charnier!
Que votre fosse soit par un autre finie!

L'esprit est immortel, on ne peut le nier;
Mais dire, comme vous, que la chair est infâme,
Statuaire divin, c'est te calomnier!   30

Pourtant quelle énergie et quelle force d'âme
Ils avaient, ces chartreux, sous leur pâle linceul,
Pour vivre, sans amis, sans famille et sans femme,

Tout jeunes, et déjà plus glacés qu'un aïeul,
N'ayant pour horizon qu'un long cloître en arcades,   35
Avec une pensée, en face de Dieu seul!

Tes moines, Lesueur, près de ceux-là sont fades:
Zurbaran de Séville a mieux rendu que toi
Leurs yeux plombés d'extase et leurs têtes malades,

40   Le vertige divin, l'enivrement de foi
Qui les fait rayonner d'une clarté fiévreuse,
Et leur aspect étrange, à vous donner l'effroi.

Comme son dur pinceau les laboure et les creuse!
Aux pleurs du repentir comme il ouvre des lits
45   Dans les rides sans fond de leur face terreuse!

Comme du froc sinistre il allonge les plis;
Comme il sait lui donner les pâleurs du suaire,
Si bien que l'on dirait des morts ensevelis!

Qu'il vous peigne en extase au fond du sanctuaire,
50   Du cadavre divin baisant les pieds sanglants,
Fouettant votre dos bleu comme un fléau bat l'aire,

Vous promenant rêveurs le long des cloîtres blancs,
Par file assis à table au frugal réfectoire,
Toujours il fait de vous des portraits ressemblants.

55   Deux teintes seulement, clair livide, ombre noire;
Deux poses, l'une droite et l'autre à deux genoux,
A l'artiste ont suffi pour peindre votre histoire.

Forme, rayon, couleur, rien n'existe pour vous;
A tout objet réel vous êtes insensibles,
60   Car le ciel vous enivre et la croix vous rend fous,

Et vous vivez muets, inclinés sur vos Bibles,
Croyant toujours entendre aux plafonds entr'ouverts
Éclater brusquement les trompettes terribles!

O moines! maintenant, en tapis frais et verts,
65   Sur les fosses par vous à vous-mêmes creusées,
L'herbe s'étend.—Eh bien! que dites-vous aux vers?

Quels rêves faites-vous? quelles sont vos pensées?
Ne regrettez-vous pas d'avoir usé vos jours
Entre ces murs étroits, sous ces voûtes glacées?

Ce que vous avez fait, le feriez-vous toujours? 70

Séville, *1844*

QUESTION

1. Comment on the following opinion: «C'est d'après les peintures de Zurbaran, non d'après la réalité vivante, que Gautier s'est représenté la vie monastique espagnole.»

NOTES ON *A ZURBARAN*

Title. Zurbaran (1598–1663) was primarily a painter of religious subjects. Two of his works impressed Gautier with special force, *The Monk at Prayer* (now owned by the National Gallery in London) and *The Monks' Dinner* (Seville Museum). For a general criticism of Zurbaran's work by Gautier, see the passage quoted by Jasinski in his critical edition, p. 237.

From Chateaubriand to Vigny, the life of the cloister had been a Romantic theme (cf. Nodier's *Méditations au cloître*, 1803; Hugo's *Trappiste à la Meilleraye* in *Les Feuilles d'automne;* Lamartine's *L'Abbaye de Vallombreuse* in his *Harmonies;* Vigny's *Le Trappiste*). Gautier, as Jasinski suggests, reacts in the present poem against monastic " suicide," and in favor of active life.

1–3. The rhyme scheme is the famous *terza rima* used by Dante in the *Divine Comedy.*

3. Pater . . . Ave, *i.e.* the Lord's Prayer and the Ave Maria (Hail Mary).

11. poix, *pitch.*

13. boyaux, *intestines.*

17. discipline, *whip.*

18. reins, *loins.*

37. Lesueur. Eustache Lesueur, 1617–1655, French painter.

51. l'aire, *threshing-floor.*

Émaux et Camées

The title, *Émaux et Camées*, according to Gautier himself, expresses «le dessein de traiter sous forme restreinte de petits sujets, tantôt sur plaque d'or ou de cuivre avec les vives couleurs de l'émail, tantôt avec la roue du graveur de pierres fines, sur l'agate, la cornaline ou l'onyx.» The book is the climax of a literary evolution begun in the preface of 1832, continued in the preface to *Mademoiselle de Maupin*, and carried still further in *España*. *Émaux et Camées* represent the triumph of two doctrines, the conception of Art for Art's sake and the theory known «transposition d'arts.» According to the first, the sole preoccupation of the poet should be the creation of beauty; he should pursue no moral, political, or social aim. According to the second, the technique of one art may be used for another. In Gautier's case there is a special effort to assimilate poetry to the plastic arts.

The first edition of *Émaux et Camées* appeared in 1852 and contained eighteen poems. New editions followed in which new compositions were included. In 1872, the year of the poet's death, came the definitive edition with a total of forty-seven poems.

In addition to the poems given here, students should read *Affinités secrètes*, *Nostalgies d'obélisques*, and *La Source*.

SYMPHONIE EN BLANC MAJEUR*

> De leur col blanc courbant les lignes
> On voit dans les contes du Nord,
> Sur le vieux Rhin, des femmes-cygnes
> Nager en chantant près du bord,
>
> 5   Ou, suspendant à quelque branche
> Le plumage qui les revêt,
> Faire luire leur peau plus blanche
> Que la neige de leur duvet.

* First published in the *Revue des Deux Mondes*, January 15, 1849, in a group entitled *Variations nouvelles sur de vieux thèmes*.

De ces femmes il en est une
Qui chez nous descend quelquefois,   10
Blanche comme le clair de lune
Sur les glaciers dans les cieux froids;

Conviant la vue enivrée
De sa boréale fraîcheur
A des régals de chair nacrée,   15
A des débauches de blancheur!

Son sein, neige moulée en globe,
Contre les camélias blancs
Et le blanc satin de sa robe
Soutient des combats insolents.   20

Dans ces grandes batailles blanches,
Satins et fleurs ont le dessous,
Et, sans demander leurs revanches,
Jaunissent comme des jaloux.

Sur les blancheurs de son épaule,   25
Paros au grain éblouissant,
Comme dans une nuit du pôle,
Un givre invisible descend.

De quel mica de neige vierge,
De quelle moelle de roseau,   30
De quelle hostie et de quel cierge
A-t-on fait le blanc de sa peau?

A-t-on pris la goutte lactée
Tachant l'azur du ciel d'hiver,
Le lis à la pulpe argentée,   35
La blanche écume de la mer;

Le marbre blanc, chair froide et pâle
Où vivent les divinités,
L'argent mat, la laiteuse opale
Qu'irisent de vagues clartés;   40

L'ivoire, où ses mains ont des ailes,
Et, comme des papillons blancs,
Sur la pointe des notes frêles
Suspendent leurs baisers tremblants;

45 L'hermine vierge de souillure,
Qui, pour abriter leurs frissons,
Ouate de sa blanche fourrure
Les épaules et les blasons;

Le vif-argent aux fleurs fantasques
50 Dont les vitraux sont ramagés;
Les blanches dentelles des vasques,
Pleurs de l'ondine en l'air figés;

L'aubépine de mai qui plie
Sous les blancs frimas de ses fleurs;
55 L'albâtre où la mélancolie
Aime à retrouver ses pâleurs;

Le duvet blanc de la colombe,
Neigeant sur les toits du manoir,
Et la stalactite qui tombe,
60 Larme blanche de l'antre noir?

Des Groenlands et des Norvèges
Vient-elle avec Séraphita?
Est-ce la Madone des neiges,
Un sphinx blanc que l'hiver sculpta,

65 Sphinx enterré par l'avalanche,
Gardien des glaciers étoilés,
Et qui, sous sa poitrine blanche,
Cache de blancs secrets gelés?

Sous la glace où calme il repose,
70 Oh! qui pourra fondre ce cœur!
Oh! qui pourra mettre un ton rose
Dans cette implacable blancheur!

QUESTION

1. Show how this poem realizes the conception of poetry mentioned in the introductory note to *Émaux et Camées*.

NOTES ON *SYMPHONIE EN BLANC MAJEUR*

3. des femmes-cygnes, *etc.* This is a fairly common « motif » in both German and Scandinavian legend. In the Eddas there are princesses who are transformed into swans. The Valkyries, generally represented in Northern mythology as divine maidens, who, sent by Odin, ride through the air to determine the course of battles and to select brave warriors for Valhalla, sometimes appear in the shape of swans. Gautier has rather in mind the swan-maidens—Schwanen-jungfrauen—of old German sagas and tales. See, for example, the *Nibelungenlied,* " Kriemhild's Revenge," 1535 ff.

9. il en est une. Marie de Nesselrode, Madame Kalergis, the wife of the Greek minister to France during the reign of Louis-Philippe. She was by birth half Polish and half Russian. A favorite pupil of Chopin, famous for her beauty, she was dubbed " the Swan " by Heine.

28. givre, *hoar-frost.*

47. ouate, *pads.* The noun *ouate* means " cotton-wool padding."

50. ramagés, *flowered.*

51. vasques, *basins.*

52. ondine, *water-sprite.*

54. frimas, *hoar-frost, rime.*

60. antre, *cavern.*

62. Séraphita, the Norwegian heroine of Balzac's novel of the same name. Related to Swedenborg, she is represented by Balzac as being divinely inspired.

CŒRULEI OCULI *

Une femme mystérieuse,
Dont la beauté trouble mes sens,
Se tient debout, silencieuse,
Au bord des flots retentissants.

Ses yeux, où le ciel se reflète,   5
Mêlent à leur azur amer,
Qu'étoile une humide paillette,
Les teintes glauques de la mer.

* First published in the *Revue de Paris,* January, 1852.

Dans les langueurs de leurs prunelles,
10   Une grâce triste sourit;
Les pleurs mouillent les étincelles
Et la lumière s'attendrit;

Et leurs cils comme des mouettes
Qui rasent le flot aplani,
15   Palpitent, ailes inquiètes,
Sur leur azur indéfini.

Comme dans l'eau bleue et profonde,
Où dort plus d'un trésor coulé,
On y découvre à travers l'onde
20   La coupe du roi de Thulé.

Sous leur transparence verdâtre,
Brille, parmi le goëmon,
L'autre perle de Cléopâtre
Près de l'anneau de Salomon.

25   La couronne au gouffre lancée
Dans la ballade de Schiller,
Sans qu'un plongeur l'ait ramassée,
Y jette encor son reflet clair.

Un pouvoir magique m'entraîne
30   Vers l'abîme de ce regard,
Comme au sein des eaux la sirène
Attirait Harald Harfagar.

Mon âme, avec la violence
D'un irrésistible désir,
35   Au milieu du gouffre s'élance
Vers l'ombre impossible à saisir.

Montrant son sein, cachant sa queue,
La sirène amoureusement
Fait ondoyer sa blancheur bleue
40   Sous l'émail vert du flot dormant.

L'eau s'enfle comme une poitrine
Aux soupirs de la passion;
Le vent, dans sa conque marine,
Murmure une incantation.

«Oh! viens dans ma couche de nacre,   45
Mes bras d'onde t'enlaceront;
Les flots, perdant leur saveur âcre,
Sur ta bouche en miel couleront.

«Laissant bruire sur nos têtes
La mer qui ne peut s'apaiser,   50
Nous boirons l'oubli des tempêtes
Dans la coupe de mon baiser.»

Ainsi parle la voix humide
De ce regard céruléen,
Et mon cœur, sous l'onde perfide,   55
Se noie et consomme l'hymen.

QUESTION

1. Show how this poem carries out the purpose of the *Émaux et Camées* as defined by Gautier himself. (See the introductory note.)

NOTES ON *CŒRULEI OCULI*

Title. Cœrulei oculi, *dark blue eyes.* The poem was probably inspired by Carlotta Grisi. See note to line 35 of *In deserto.*

13. mouettes, *gulls.*

20. La coupe du roi de Thulé. See Goethe's ballad, *Der Konig in Thule,* inserted in *Faust,* Erster Theil, Abend.

22. goëmon, *sea-weed.*

23. L'autre perle de Cléopâtre. Cleopatra, queen of Egypt, to show her contempt for riches detached a valuable pearl which she wore as an earring, dissolved it in vinegar and drank it. The remaining pearl is the one referred to in the text. According to Pliny this pearl was snatched from the vinegar and later made into earrings for the statue of Venus in the Pantheon in Rome.

24. l'anneau de Salomon. A magic ring forged by Solomon according to Oriental legends. Stolen and cast into the sea, it was afterwards recovered in a fish.

25–26. la couronne, *etc.* Cf. Schiller's *Der Taucher* (The Diver).

32. Harald Harfagar. Harold Fairhair, king of Norway and unifier of the country, reigned from 863 to 930. Lines 31–32 are inspired by "König Harald Harfagar," one of Heine's *Romanzen*, presumably as translated into French by Gérard de Nerval.

45. nacre, *mother-of-pearl.*

L'ART *

Oui, l'œuvre sort plus belle
D'une forme au travail
    Rebelle,
Vers, marbre, onyx, émail.

5   Point de contraintes fausses!
Mais que pour marcher droit
    Tu chausses,
Muse, un cothurne étroit.

Fi du rythme commode,
10   Comme un soulier trop grand,
    Du mode
Que tout pied quitte et prend!

Statuaire, repousse
L'argile que pétrit
15   Le pouce
Quand flotte ailleurs l'esprit;

Lutte avec le carrare,
Avec le paros dur
    Et rare,
20   Gardiens du contour pur;

* First published in *L'Artiste*, September 13, 1857; included in the 1858 edition of *Émaux et Camées*.

Emprunte à Syracuse
Son bronze où fermement
    S'accuse
Le trait fier et charmant;

D'une main délicate   25
Poursuis dans un filon
    D'agate
Le profil d'Apollon.

Peintre, fuis l'aquarelle,
Et fixe la couleur   30
    Trop frêle
Au four de l'émailleur.

Fais les sirènes bleues,
Tordant de cent façons
    Leurs queues,   35
Les monstres des blasons;

Dans son nimbe trilobe
La Vierge et son Jésus,
    Le globe
Avec la croix dessus.   40

Tout passe.—L'art robuste
Seul a l'éternité.
    Le buste
Survit à la cité.

Et la médaille austère   45
Que trouve un laboureur
    Sous terre
Révèle un empereur.

Les dieux eux-mêmes meurent.
Mais les vers souverains   50
    Demeurent
Plus forts que les airains.

Sculpte, lime, cisèle;
Que ton rêve flottant
55   Se scelle
Dans le bloc résistant!

QUESTIONS

1. This poem can be considered as a sort of *Art poétique*. What important doctrines does it set forth?

2. Does this poem contain *all* the elements of the doctrine of Art for Art's sake?

3. Compare the artistic theories set forth here with those of the Romantic school and with those of Boileau.

NOTES ON *L'ART*

Title. The original title of this poem was *A Théodore de Banville, Réponse à son odelette.* Banville's «odelette» was entitled *L'Art.*

8. cothurne, *buskin.*

14. pétrit, *kneads.*

17–18. carrare . . . paros. Carrara, an Italian city, and Paros, an island in the Ægean sea, produce white marble of fine quality.

21. Syracuse. In classical antiquity the bronze of Syracuse was very precious and much sought after.

29. aquarelle, *water-color.*

37. nimbe trilobe, *three-cusped nimbus* or *halo.*

SUBJECTS FOR COMPOSITION

1. Gautier as a Romanticist.
2. Gautier's Literary Evolution.
3. Gautier's Influence.
4. The Qualities and the Limitations of Gautier's Art.
5. Gautier's Exoticism as Compared with That of Hugo.

LECONTE DE LISLE

1818–1894

I. Charles Leconte de Lisle was born in 1818 on Reunion Island * (east of Madagascar). Taken to France when still a small child, he returned to Reunion at the age of ten and remained there till 1837. A briefer sojourn lasted from 1843 to 1845. But though he never again visited his native isle, the vision of its tropical beauty remained with him all through his life, and glimpses of its luxuriant verdure are scattered throughout his poetry.

As a young man, Leconte de Lisle was intensely republican and profoundly interested in social reform. Even though it meant the ruin of his family's fortunes, he espoused the cause of freedom for the slaves. From 1845 to 1848 he contributed articles to *La Démocratie pacifique* and poems to *La Phalange*, both socialistic journals which advocated the doctrines of Charles Fourier. He joyfully welcomed the Revolution of 1848, and went to Brittany to carry on propaganda. There he met with unexpected hostility, and had to flee for safety. The experience was a bitter disappointment. Thoroughly disillusioned he wrote to a friend: «Que le grand diable d'enfer emporte les sales populations de la province. . . . Que l'humanité est une sale et dégoûtante engeance! Que le peuple est stupide! C'est une éternelle race d'esclaves qui ne peut vivre sans bât. . . . Qu'il crève donc de faim et de froid, ce peuple facile à tromper, qui va bientôt se mettre à massacrer ses vrais amis.» The establishment of the Second Empire not long after was not calculated to reconcile the young Republican to humanity.

Leconte de Lisle then turned to his second ideal, the creation of beauty, which became his chief preoccupation and his prin-

* Often called Bourbon Island.

cipal aim. Adopting the doctrine of Art for Art's sake, he soon published his first collection of poetry. The *Poèmes antiques* (1852) are primarily an attempt to recreate a beautiful past, particularly the beauty of ancient Greece. They were followed by *Poèmes et poésies* in 1855; by *Poèmes barbares* in 1862; by *Poèmes tragiques* in 1884.

From the publication of *Poèmes barbares* in 1862, Leconte de Lisle's literary position was enviable. He became unquestionably the leader of a school, and grouped about him a *Cénacle* of younger writers. They met at his house every week. «Avec quelle impatience,» confesses Catulle Mendès, «chaque semaine accrue, nous attendions le samedi, le précieux samedi, où il nous était donné de nous retrouver, unis d'esprit et de cœur, autour de celui qui avait toute notre admiration et toute notre tendresse!» Less well known to the general public than Victor Hugo, who was then publishing *Les Misérables* and continuing his *Légende des siècles*, Leconte de Lisle's influence on the younger poets was doubtless greater than that of the illustrious exile.

The Franco-Prussian war culminating in the siege of Paris, the excesses of the Commune embittered the poet who had never really lost the republican faith of his youth. The revelation at that time of his acceptance of a small annuity from Napoleon III added to his bitterness. With the advent of the Third Republic, his material existence was made easy, for he was appointed assistant-librarian to the Senate, and enjoyed that sinecure till the end in 1894. Eight years before his death he was elected by the French Academy to fill the chair which had been occupied by Victor Hugo.

II. CONSULT: F. Calmettes, *Leconte de Lisle et ses amis*, Paris, Librairies-Imprimeries réunies, 1902; E. Carcassonne, «Leconte de Lisle et la philosophie indienne,» *R.L.C.*, October, 1931; A. R. Chisholm, "The Tragedy of the Cosmic Will: A Study of Leconte de Lisle," *The French Quarterly*, September, 1931; F. Desonay, *Le Rêve hellénique chez les poètes parnassiens*, Louvain, Uystpruyst, 1928; J. K. Ditchy, *Le Thème de la mer chez les Parnassiens*, Paris, Belles Lettres, 1927; J. Dornis, *Essai sur Leconte de Lisle*, Paris, Ollendorf, 1909; J. Ducros, *Le Retour de la poésie française à l'antiquité grecque au milieu du xixe*

siècle, Paris, Colin, 1918; E. Estève, *Leconte de Lisle. L'homme et l'œuvre*, Paris, Boivin, 1922; G. Falshaw, *Leconte de Lisle et l'Inde*, Paris, D'Arthez, 1923; M.-A. Leblond, *Leconte de Lisle d'après des documents nouveaux*, Paris, Mercure de France, 1906; Ed. Schuré, «Leconte de Lisle. L'homme, le poète, le penseur,» *La Revue*, 1910; L. Tiercelin, *Bretons de lettres*, Paris, Champion, 1905; J. Vianey, *Les Sources de Leconte de Lisle*, Montpellier, Coulet et fils, 1907; J. H. Whiteley, *Étude sur la langue et le style de Leconte de Lisle*, Oxford, 1910.

EDITION: *Poésies complètes de Leconte de Lisle. Texte définitif avec notes et variantes*, 4 vols., Paris, Lemerre, 1927–1928.

Poèmes antiques *

The first edition of the *Poèmes antiques*, 1852, contained thirty-one poems of diverse inspiration. The dominating subject, nevertheless, was ancient Greece, to which Leconte de Lisle had been attracted for a number of years. While under the influence of Fourier, he had seen in Greece the image of the harmonious society of the future. Now that his idealistic visions had been destroyed by his experiences during the Revolution and by the subsequent political reaction, he sought in Greece a reliable source of beauty. In that search he was greatly stimulated by his friendship with Louis Ménard, a Hellenist and a poet of real value.

Another civilization, that of ancient India, made its appearance in the first edition of the *Poèmes antiques*, and was to play a far more important part in the edition of 1874. Leconte de Lisle's interest in India, natural on the part of a man who had spent so many years on an east African island, was quickened by the translations of Burnouf (*Le Bhâgavata purâna*, 1840–1847) and of Langlois (*Rig-Véda ou livre des Hymnes*, 1848), and by the articles of Ampère and Quinet in the *Revue des Deux Mondes*.

* It is true, as M. Maurice Souriau states in his *Histoire du Parnasse*, that the three *grands recueils* of Leconte de Lisle are composites with no definite cleavage. Greek poems and Hindoo poems, for example, appear in all three. Nevertheless, Leconte de Lisle divided his work into three volumes with distinct titles, and I prefer to keep the categories which he established, and even though there be some overlapping, to approach his work as he presumably would have wished.

The preface to the volume opens with an attack on Romantic poetry: «Ce livre est un recueil d'études, un retour réfléchi à des formes négligées ou peu connues. Les émotions personnelles n'y ont laissé que peu de traces; les passions et les faits contemporains n'y apparaissent point. Bien que l'art puisse donner, dans une certaine mesure, un caractère de généralité à tout ce qu'il touche, il y a dans l'aveu public des angoisses du cœur et de ses voluptés non moins amères, une vanité et une profanation gratuites.» The aim of the poet should be the careful creation of beauty through the utilization of the scientific, accumulated learning of mankind. «L'art et la science,» concludes Leconte de Lisle, «longtemps séparés par suite des efforts divergents de l'intelligence, doivent donc tendre à s'unir étroitement, si ce n'est à se confondre.»

In addition to the poems given here, students should read the rest of *Bhagavat, L'Arc de Civa, La Vision de Brahma, Le Vase, L'Enfance d'Hèraklès, Juin, Nox,* and *Dies Irae.*

BHAGAVAT *

Le grand Fleuve, à travers les bois aux mille plantes,
Vers le Lac infini roulait ses ondes lentes,
Majestueux, pareil au bleu lotus du ciel,
Confondant toute voix en un chant éternel;
5   Cristal immaculé, plus pur et plus splendide
Que l'innocent esprit de la vierge candide.
Les Sûras bienheureux qui calment les douleurs,
Cygnes au corps de neige, aux guirlandes de fleurs,
Gardaient le Réservoir des âmes, le saint Fleuve,
10   La coupe de saphir où Bhagavat s'abreuve.
Au pied des jujubiers déployés en arceaux,
Trois sages méditaient, assis dans les roseaux;
Des larges nymphéas contemplant les calices,
Ils goûtaient, absorbés, de muettes délices.
15   Sur les bambous prochains, accablés de sommeil,

* First published in *Poèmes antiques*, 1852.

Les oiseaux aux becs d'or luisaient en plein soleil,
Sans daigner secouer, comme des étincelles,
Les mouches qui mordaient la pourpre de leurs ailes.
Revêtu d'un poil rude et noir, le Roi des ours
Au grondement sauvage, irritable toujours,   20
Allait, se nourrissant de miel et de bananes.
Les singes oscillaient suspendus aux lianes.
Tapi dans l'herbe humide et sur soi reployé,
Le tigre au ventre blanc, au souple dos rayé,
Dormait; et par endroits, le long des vertes îles,   25
Comme des troncs pesants flottaient les crocodiles.
Parfois, un éléphant songeur, roi des forêts,
Passait et se perdait dans les sentiers secrets,
Vaste contemporain des races terminées,
Triste, et se souvenant des antiques années.   30
L'inquiète gazelle, attentive à tout bruit,
Venait, disparaissait comme le trait qui fuit;
Au-dessus des nopals bondissait l'antilope;
Et sous les noirs taillis dont l'ombre l'enveloppe,
L'œil dilaté, le corps nerveux et frémissant,   35
La panthère à l'affût humait leur jeune sang.
Du sommet des palmiers pendaient les grands reptiles;
Des couleuvres glissaient en spirales subtiles;
Et sur les fleurs de pourpre et sur les lys d'argent,
Emplissant l'air d'un vol sonore et diligent,   40
Dans la forêt touffue aux longues échappées
Les abeilles vibraient, d'un rayon d'or frappées.
Telle, la Vie immense, auguste, palpitait,
Rêvait, étincelait, soupirait et chantait;
Tels, les germes éclos et les formes à naître   45
Brisaient ou soulevaient le sein large de l'Etre.
Mais, dans l'inaction surhumaine plongés,
Les Brahmanes muets et de longs jours chargés,
Ensevelis vivants dans leurs songes austères
Et des roseaux du Fleuve habitants solitaires,   50
Las des vaines rumeurs de l'homme et des cités,

En un monde inconnu puisaient leurs voluptés.
Des parts faites à tous choisissant la meilleure,
Ils fixaient leur esprit sur l'Ame intérieure.

QUESTIONS

1. Study the poetic technique revealed in this passage. Notice the care with which it was composed,—introduction, development, and conclusion. Notice the skilful use of *rejets*, of alliteration, of contrasts of form, movement, and color.

2. Compare this conception of nature with that of Lamartine and Hugo.

NOTES ON THE INTRODUCTION TO *BHAGAVAT*

Title. The chief literary source of this poem is the *Bhâgavata purâna ou Histoire poétique de Krichna*, translated and published by Eugène Burnouf from 1840 to 1847. Other sources are the prologue to *Atala* and *Paul et Virginie*. It must also be remembered that Leconte de Lisle came from Reunion Island where a tropical climate existed.

1. Le grand Fleuve, *i.e.* The Ganges.

7. Les Sûras. Cf. Burnouf's translation, Bk. I, ch. vi, 12: «Des montagnes riches en métaux variés, couvertes d'arbres dont les branches étaient brisées par les éléphants, des lacs dont l'eau donne le salut, des étangs fertiles en lotus, fréquentés par les Suras.» *Sûras* is another form of *Asuras*, Vedic gods.

10. Bhagavat (or Vishnu): the supreme god of neo-Brahmanism.

11. jujubiers. Cf. Burnouf, Bk. I, ch. vii, 3: «Là, assis dans sa demeure, embellie par une multitude de jujubiers, Vyâsa, après avoir fait ses ablutions, retint fortement son cœur au dedans de lui.» **Jujubier** = *jujube-tree*.

13. nymphéas, *white water-lilies.*

15 ff. Cf. Burnouf, Bk. I, ch. vi, 13–14: «Je vis une forêt impénétrable pleine de roseaux, de bambous, de cannes, de touffes d'herbes et de plantes à tige creuse, Une forêt immense, redoutable, effrayante, habitée par des serpents, des chacals, des grenouilles et des chouettes.»

33. nopals, *cochineal-trees.*

47. Cf. Burnouf, Bk. I, ch. vii, 8: «Après avoir rédigé et arrangé méthodiquement cette composition consacrée à Bhagavat, le solitaire la fit lire à Çuka son fils, qui s'était voué à l'inaction.» Cf. also Bk. III, ch. xxxii: «Mais les hommes . . . qui sont dévoués aux devoirs de l'inaction . . . parviennent, par la route du soleil, au séjour de Purucha dont la face est partout.»

La Mort de Valmiki *

Valmiki, le poète immortel, est très vieux.

Toute chose éphémère a passé dans ses yeux
Plus prompte que le bond léger de l'antilope.
Il a cent ans. L'ennui de vivre l'enveloppe.
Comme l'aigle, altéré d'un immuable azur,   5
S'agite et bat de l'aile au bord du nid obscur,
L'Esprit, impatient des entraves humaines,
Veut s'enfuir au delà des apparences vaines.
C'est pourquoi le Chanteur des antiques héros
Médite le silence et songe au long repos,   10
A l'ineffable paix où s'anéantit l'âme,
Au terme du désir, du regret et du blâme,
Au sublime sommeil sans rêve et sans moment,
Sur qui l'Oubli divin plane éternellement.

Le temps coule, la vie est pleine, l'œuvre est faite.   15

Il a gravi le sombre Himavat jusqu'au faîte.
Ses pieds nus ont rougi l'âpre sentier des monts,
Le vent des hautes nuits a mordu ses poumons;
Mais sans plus retourner ni l'esprit ni la tête,
Il ne s'est arrêté qu'où le monde s'arrête.   20
Sous le vaste Figuier qui verdit respecté
De la neige hivernale et du torride été,
Croissant ses maigres mains sur le bâton d'érable,
Et vêtu de sa barbe épaisse et vénérable,
Il contemple, immobile, une dernière fois,   25
Les fleuves, les cités, et les lacs et les bois,
Les monts, piliers du ciel, et l'Océan sonore
D'où s'élance et fleurit le Rosier de l'aurore.

L'homme impassible voit cela, silencieux.

* Included for the first time in the *Poèmes antiques* in 1881.

30   La lumière sacrée envahit terre et cieux;
Du zénith au brin d'herbe et du gouffre à la nue,
Elle vole, palpite et nage et s'insinue,
Dorant d'un seul baiser clair, subtil, frais et doux,
Les oiseaux dans la mousse, et, sous les noirs bambous
35   Les éléphants pensifs qui font frémir leurs rides
Au vol strident et vif des vertes cantharides,
Les radjahs et les chiens, Richis et Parias,
Et l'insecte invisible et les Himalayas.
Un rire éblouissant illumine le monde.
40   L'arome de la Vie inépuisable inonde
L'immensité du rêve énergique où Brahma
Se vit, se reconnut, resplendit et s'aima.

L'âme de Valmiki plonge dans cette gloire.

Quel souffle a dissipé le temps expiatoire?
45   O vision des jours anciens, d'où renais-tu?
O large chant d'amour, de bonté, de vertu,
Qui berces à jamais de ta flottante haleine
Le grand Daçarathide et la Mytiléenne,
Les sages, les guerriers, les vierges et les Dieux,
50   Et le déroulement des siècles radieux,
Pourquoi, tout parfumé des roses de l'abîme,
Sembles-tu rejaillir de ta source sublime?
Ramayana! L'esprit puissant qui t'a chanté
Suit ton vol au ciel bleu de la félicité,
55   Et, dans l'enivrement des saintes harmonies,
Se mêle au tourbillon des âmes infinies.

Le soleil grandit, monte, éclate, et brûle en paix.

Une muette ardeur, par effluves épais,
Tombe de l'orbe en flamme où tout rentre et se noie,
60   Les formes, les couleurs, les parfums et la joie
Des choses, la rumeur humaine et le soupir
De la mer qui halète et vient de s'assoupir.
Tout se tait. L'univers embrasé se consume.

Et voici, hors du sol qui se gerce et qui fume,
Une blanche fourmi qu'attire l'air brûlant; 65
Puis cent autres, puis mille et mille, et, pullulant
Toujours, des millions encore, qui, sans trêve,
Vont à l'assaut de l'homme absorbé dans son rêve,
Debout contre le tronc du vieil arbre moussu,
Et qui s'anéantit dans ce qu'il a conçu. 70

L'esprit ne sait plus rien des sens ni de soi-même.

Et les longues fourmis, traînant leur ventre blême,
Ondulent vers leur proie inerte, s'amassant,
Circulant, s'affaissant, s'enflant et bruissant
Comme l'ascension d'une écume marine. 75
Elles couvrent ses pieds, ses cuisses, sa poitrine,
Mordent, rongent la chair, pénètrent par les yeux
Dans la concavité du crâne spacieux,
S'engouffrent dans la bouche ouverte et violette,
Et de ce corps vivant font un roide squelette 80
Planté sur l'Himavat comme un Dieu sur l'autel,
Et qui fut Valmiki, le poète immortel,
Dont l'âme harmonieusement emplit l'ombre où nous
Et ne se taira plus sur les lèvres des hommes. [sommes

QUESTIONS

1. What would be Leconte de Lisle's reasons for treating such a subject as this?
2. Do you consider this poem a beautiful one? For what reasons?
3. Does this poem carry out the doctrines set forth in the preface to the *Poèmes antiques*?

NOTES ON *LA MORT DE VALMIKI*

Title. Valmiki was the author of the *Ramayana*, a poem on the adventures of Rama-Tchandra, one of the legendary heroes of India. Leconte de Lisle chose Valmiki to be the central figure of his poem, but the conception of an ascetic devoured by ants comes from another source, from an episode of the *Maha-Bharata* (translated into French by H. Fauche in 1865): «Bhrigou, le grand saint, avait un fils, appelé Tchyavana.

Rempli de splendeur, il cultivait la pénitence sur la rive du lac.—Cet
ascète éclatant se tint longtemps dans un même lieu, immobile comme
un pieu, avec une constance héroique.—Le rishi devint une fourmilière,
dérobée comme par des lianes, et, après beaucoup de temps écoulé, il était
rempli de fourmis.—Le sage ainsi caché était de tous les côtés semblable
à une boule de terre, et, enterré dans cette fourmilière, il souffrait une
épouvantable pénitence.» Quoted by J. Vianey, *Les Sources de Leconte
de Lisle*, p. 1.

4. Cf. Vigny's *Moïse*.

5. altéré, *thirsty*.

10 ff. Cf. the conclusion to *Midi*.

25. Il contemple, *etc*. Cf. the attitude of Moses in Vigny's poem.

36. cantharides, *cantharides* (sometimes called " Spanish flies " or " blister
flies").

37. Richis . . . Parias. The former are Hindoo patricians; the latter are
the outcasts.

48. Le grand Daçarathide et la Mytiléenne. By « Daçarathide » Leconte
de Lisle means the son of Daçaratha, who was the father of Rama and
Bharata (see note to the title of this poem and see also *L'Arc de Civa*).
By «la Mytiléenne» he means Sita, the daughter of the king of Mythila.
She married Rama.

58. effluves, *effluvia*. "Effluvium" is a sort of invisible vapor.

64. se gerce, *cracks*.

HYPATIE *

Au déclin des grandeurs qui dominent la terre,
Quand les cultes divins, sous les siècles ployés,
Reprenant de l'oubli le sentier solitaire,
Regardent s'écrouler leurs autels foudroyés;

5   Quand du chêne d'Hellas la feuille vagabonde
Des parvis désertés efface le chemin,
Et qu'au delà des mers, où l'ombre épaisse abonde,
Vers un jeune soleil flotte l'esprit humain;

Toujours des Dieux vaincus embrassant la fortune,
10 Un grand cœur les défend du sort injurieux:
L'aube des jours nouveaux le blesse et l'importune,
Il suit à l'horizon l'astre de ses aïeux.

* First published in *La Phalange*, July, 1847; republished, somewhat modified,
in the first edition, 1852.

Pour un destin meilleur qu'un autre siècle naisse
Et d'un monde épuisé s'éloigne sans remords:
Fidèle au songe heureux où fleurit sa jeunesse,   15
Il entend tressaillir la poussière des morts.

Les sages, les héros se lèvent pleins de vie!
Les poètes en chœur murmurent leurs beaux noms;
Et l'Olympe idéal, qu'un chant sacré convie,
Sur l'ivoire s'assied dans les blancs Parthénons.   20

O vierge, qui, d'un pan de ta robe pieuse,
Couvris la tombe auguste où s'endormaient tes Dieux,
De leur culte éclipsé prêtresse harmonieuse,
Chaste et dernier rayon détaché de leurs cieux!

Je t'aime et te salue, ô vierge magnanime!   25
Quand l'orage ébranla le monde paternel,
Tu suivis dans l'exil cet Œdipe sublime,
Et tu l'enveloppas d'un amour éternel.

Debout, dans ta pâleur, sous les sacrés portiques
Que des peuples ingrats abandonnait l'essaim,   30
Pythonisse enchaînée aux trépieds prophétiques,
Les Immortels trahis palpitaient dans ton sein.

Tu les voyais passer dans la nue enflammée!
De science et d'amour ils t'abreuvaient encor;
Et la terre écoutait, de ton rêve charmée,   35
Chanter l'abeille attique entre tes lèvres d'or.

Comme un jeune lotos croissant sous l'œil des sages,
Fleur de leur éloquence et de leur équité,
Tu faisais, sur la nuit moins sombre des vieux âges,
Resplendir ton génie à travers ta beauté!   40

Le grave enseignement des vertus éternelles
S'épanchait de ta lèvre au fond des cœurs charmés;
Et les Galiléens qui te rêvaient des ailes
Oubliaient leur Dieu mort pour tes Dieux bien aimés.

45   Mais le siècle emportait ces âmes insoumises
    Qu'un lien trop fragile enchaînait à tes pas;
    Et tu les voyais fuir vers les terres promises;
    Mais toi, qui savais tout, tu ne les suivis pas!

    Que t'importait, ô vierge, un semblable délire?
50   Ne possédais-tu pas cet idéal cherché?
    Va! dans ces cœurs troublés tes regards savaient lire,
    Et les Dieux bienveillants ne t'avaient rien caché.

    O sage enfant, si pure entre tes sœurs mortelles!
    O noble front, sans tache entre les fronts sacrés!
55   Quelle âme avait chanté sur des lèvres plus belles,
    Et brûlé plus limpide en des yeux inspirés?

    Sans effleurer jamais ta robe immaculée,
    Les souillures du siècle ont respecté tes mains:
    Tu marchais, l'œil tourné vers la Vie étoilée,
60   Ignorante des maux et des crimes humains.

    Le vil Galiléen t'a frappée et maudite,
    Mais tu tombas plus grande! Et maintenant, hélas!
    Le souffle de Platon et le corps d'Aphrodite
    Sont partis à jamais pour les beaux cieux d'Hellas!

65   Dors, ô blanche victime, en notre âme profonde,
    Dans ton linceul de vierge et ceinte de lotos;
    Dors! L'impure laideur est la reine du monde,
    Et nous avons perdu le chemin de Paros.

    Les Dieux sont en poussière et la terre est muette;
70   Rien ne parlera plus dans ton ciel déserté.
    Dors! mais vivante en lui, chante au cœur du poète
    L'hymne mélodieux de la sainte Beauté!

    Elle seule survit, immuable, éternelle.
    La mort peut disperser les univers tremblants,
75   Mais la Beauté flamboie, et tout renaît en elle,
    Et les mondes encor roulent sous ses pieds blancs!

QUESTION

1. To what extent can this poem be considered as Leconte de Lisle's *Art poétique?*

NOTES ON *HYPATIE*

Title. Hypatia was born at Alexandria, Egypt, about 370 and died in 415. She was a philosopher and mathematician. She was killed by a mob of fanatical Christians. One of Charles Kingsley's best known novels is devoted to her career.

5. Hellas, *Greece.*

6. parvis, *halls, temples.*

27. cet Œdipe sublime. When Christianity (« l'orage ») shook the pagan world, you (Hypatia) remained faithful to the civilization of your fathers. Hypatia is compared to Antigone who accompanied her father Œdipus in his blindness and exile.

31. Pythonisse, *i.e.* prophetess, seer. The poet compares Hypatia with the pythoness of classical antiquity. **Trépied,** *tripod.*

43. les Galiléens, *i.e.* the followers of Christ. **qui te rêvaient des ailes,** *i.e.* who were inclined (at first) to see in you an impressive figure (like the Sphinx which had the face of a woman, the wings of a bird, and the tail of a lion).

61. Le vil Galiléen, *i.e.* the followers of Christ.

63. Le souffle de Platon et le corps d'Aphrodite, *i.e.* the philosophical talents and the beauty of Hypatia.

68. Paros, an island in the Ægean sea which produces beautiful white marble. Here it symbolizes beauty.

La Robe du Centaure *

Antique justicier, ô divin Sagittaire,
Tu foulais de l'Oita la cime solitaire,
Et dompteur en repos, dans ta force couché,
Sur ta solide main ton front s'était penché.
Les pins de Thessalie, avec de fiers murmures,   5
T'abritaient gravement de leurs larges ramures;
Détachés de l'épaule et du bras indompté,
Ta massue et ton arc dormaient à ton côté.
Tel, glorieux lutteur, tu contemplais, paisible,

* First published in *La Phalange*, November–December, 1845; republished, somewhat modified, in the first edition, 1852.

10   Le sol sacré d'Hellas où tu fus invincible.
     Ni trêve, ni repos! Il faut encor souffrir:
     Il te faut expier ta grandeur, et mourir.

     O robe aux lourds tissus, à l'étreinte suprême!
     Le Néméen s'endort dans l'oubli de soi-même:
15   De l'immense clameur d'une angoisse sans frein
     Qu'il frappe, ô Destinée, à ta voûte d'airain!
     Que les chênes noueux, rois aux vieilles années,
     S'embrasent en éclats sous ses mains acharnées;
     Et, saluant d'en bas l'Olympe radieux,
20   Que l'Oita flamboyant l'exhale dans les cieux!

     Désirs que rien ne dompte, ô robe expiatoire,
     Tunique dévorante et manteau de victoire!
     C'est peu d'avoir planté d'une immortelle main
     Douze combats sacrés aux haltes du chemin;
25   C'est peu, multipliant sa souffrance infinie,
     D'avoir longtemps versé la sueur du génie.
     O source de sanglots, ô foyer de splendeurs,
     Un invisible souffle irrite vos ardeurs;
     Vos suprêmes soupirs, avant-coureurs sublimes,
30   Guident aux cieux ouverts les âmes magnanimes;
     Et sur la hauteur sainte, où brûle votre feu,
     Vous consumez un homme et vous faites un Dieu!

QUESTIONS

1. What does the «robe du Centaure» symbolize?
2. Compare this conception of the fate of genius with that held by Vigny and Hugo.

NOTES ON *LA ROBE DU CENTAURE*

Title. La robe du Centaure, Nessus' shirt. Nessus, mortally wounded by Hercules, to take revenge, gave his blood-stained tunic to Dejanira, Hercules' wife, telling her that it would cause the wearer to love her. Dejanira gave it to her husband, who having donned it suffered such terrific agony that he built a funeral pyre and burned himself alive.

The subject was suggested by Ovid's *Metamorphoses*, IX, 229, and by André Chénier's *La Mort d'Alcide*.

1. Sagittaire, *i.e.* Hercules.

2. Oita, the Greek form of Œta.

10. Hellas, *Greece.*

14. Le Néméen, Hercules.

24. Douze combats. An allusion to the twelve labors of Hercules.

VÉNUS DE MILO *

Marbre sacré, vêtu de force et de génie,
Déesse irrésistible au port victorieux,
Pure comme un éclair et comme une harmonie,
O Vénus, ô beauté, blanche mère des Dieux!

Tu n'es pas Aphrodite, au bercement de l'onde,   5
Sur ta conque d'azur posant un pied neigeux,
Tandis qu'autour de toi, vision rose et blonde,
Volent les Rires d'or avec l'essaim des Jeux.

Tu n'es pas Kythérée, en ta pose assouplie,
Parfumant de baisers l'Adônis bienheureux,   10
Et n'ayant pour témoins sur le rameau qui plie
Que colombes d'albâtre et ramiers amoureux.

Et tu n'es pas la Muse aux lèvres éloquentes,
La pudique Vénus, ni la molle Astarté
Qui, le front couronné de roses et d'acanthes,   15
Sur un lit de lotos se meurt de volupté.

Non! les Rires, les Jeux, les Grâces enlacées,
Rougissantes d'amour, ne t'accompagnent pas.
Ton cortège est formé d'étoiles cadencées,
Et les globes en chœur s'enchaînent sur tes pas.   20

Du bonheur impassible ô symbole adorable,
Calme comme la mer en sa sérénité,
Nul sanglot n'a brisé ton sein inaltérable,
Jamais les pleurs humains n'ont terni ta beauté.

* First published in *La Phalange*, March, 1846; republished, considerably shortened, in the first edition, 1852.

25   Salut! A ton aspect le cœur se précipite.
       Un flot marmoréen inonde tes pieds blancs;
       Tu marches, fière et nue, et le monde palpite,
       Et le monde est à toi, Déesse aux larges flancs!

       Iles, séjour des Dieux! Hellas, mère sacrée!
30   Oh! que ne suis-je né dans le saint Archipel,
       Aux siècles glorieux où la Terre inspirée
       Voyait le Ciel descendre à son premier appel!

       Si mon berceau, flottant sur la Thétis antique,
       Ne fut point caressé de son tiède cristal;
35   Si je n'ai point prié sous le fronton attique,
       Beauté victorieuse, à ton autel natal;

       Allume dans mon sein la sublime étincelle,
       N'enferme point ma gloire au tombeau soucieux;
       Et fais que ma pensée en rythmes d'or ruisselle,
40   Comme un divin métal au moule harmonieux!

QUESTION

1. Is this poem a plastic description such as one would expect from a poet like Leconte de Lisle or rather an apostrophe? If it is the former, analyze it; if the latter, show how it differs from the Romantic type.

NOTES ON *VÉNUS DE MILO*

Title. The Venus de Milo was discovered in 1820 and shortly after was given to the Louvre.

5. Aphrodite, the Greek goddess of beauty.

9. Kythérée, *Cytherea* (Venus).

14. Astarté, the Oriental Venus.

29. Hellas, *Greece.*

33. la Thétis antique. Thetis was a sea-goddess and the most famous of the Nereids. She personifies the sea, and frequently poets use the term " Thetis " instead of " Ocean."

MIDI*

Midi, roi des étés, épandu sur la plaine,
Tombe en nappes d'argent des hauteurs du ciel bleu.
Tout se tait. L'air flamboie et brûle sans haleine;
La terre est assoupie en sa robe de feu.

L'étendue est immense, et les champs n'ont point d'ombre, 5
Et la source est tarie où buvaient les troupeaux;
La lointaine forêt, dont la lisière est sombre,
Dort là-bas, immobile, en un pesant repos.

Seuls, les grands blés mûris, tels qu'une mer dorée,
Se déroulent au loin, dédaigneux du sommeil;   10
Pacifiques enfants de la terre sacrée,
Ils épuisent sans peur la coupe du soleil.

Parfois, comme un soupir de leur âme brûlante,
Du sein des épis lourds qui murmurent entre eux,
Une ondulation majestueuse et lente   15
S'éveille, et va mourir à l'horizon poudreux.

Non loin, quelques bœufs blancs, couchés parmi les herbes,
Bavent avec lenteur sur leurs fanons épais,
Et suivent de leurs yeux languissants et superbes
Le songe intérieur qu'ils n'achèvent jamais.   20

Homme, si, le cœur plein de joie ou d'amertume,
Tu passais vers midi dans les champs radieux,
Fuis! la nature est vide et le soleil consume:
Rien n'est vivant ici, rien n'est triste ou joyeux.

Mais si, désabusé des larmes et du rire,   25
Altéré de l'oubli de ce monde agité,
Tu veux, ne sachant plus pardonner ou maudire,
Goûter une suprême et morne volupté;

* First published in the first edition of 1852.

Viens! Le soleil te parle en paroles sublimes;
30   Dans sa flamme implacable absorbe-toi sans fin;
Et retourne à pas lents vers les cités infimes,
Le cœur trempé sept fois dans le néant divin.

QUESTIONS

1. State as carefully as possible the principal idea of this poem.

2. Can any interesting comparison be made between this poem and Lamartine's *L'Isolement?*

3. Compare this conception of nature with that in *Bhagavat* and with that of Lamartine.

4. Study the art of this poem, metaphors, rhythm, alliteration, etc.

NOTES ON *MIDI*

17 ff. Cf. Hugo's poem, *La Vache.*

18. fanons, *dewlaps.*

26. altéré, *thirsty.*

Poèmes barbares

The first edition of the *Poèmes barbares* appeared in 1862 and included only thirty-six poems. In 1872 a so-called definitive edition was published containing seventy-seven poems, many of which had previously been inserted in *Poèmes et poésies*, 1855.

The doctrines which dominated the *Poèmes antiques* continue to hold sway over the author of the *Poèmes barbares*. The qualities he displayed in 1852 do not disappear in later years. In two important respects, however, the new volume differs from its predecessor. Greece no longer fills the poet's imagination. Leconte de Lisle turns to the land of the Vikings for a new source of beauty,—barbarous and primitive, but beautiful in its strength and vigor. In the second place, a strikingly large group of poems is devoted to the animal world, particularly to the wild, powerful animals of the African and Indian forests. «Leconte de Lisle,» says Estève, «est . . . un de nos meilleurs animaliers, le Barye et le Frémiet de la poésie française.» The sculpture of Barye was famous during the reign of Louis-Philippe and the Second Empire. In 1847, for instance, he produced his

Lion assis in bronze, a work considered by many critics as his masterpiece. It was followed in 1850 by *Un Centaure et un Lapithe* and his *Jaguar dévorant un lièvre*. During the same period Frémiet's *Gazelle* and *Chien courant blessé* were greatly admired. The work of these two men may well have inspired Leconte de Lisle.

In addition to the poems given here, students should read *Qaïn, La Fontaine aux lianes, Le Manchy, La Panthère noire, Le Bernica, Ultra cælos,* and *Solvet seclum.*

LE CŒUR DE HIALMAR*

Une nuit claire, un vent glacé. La neige est rouge.
Mille braves sont là qui dorment sans tombeaux,
L'épée au poing, les yeux hagards. Pas un ne bouge.
Au-dessus tourne et crie un vol de noirs corbeaux.

La lune froide verse au loin sa pâle flamme.   5
Hialmar se soulève entre les morts sanglants,
Appuyé des deux mains au tronçon de sa lame.
La pourpre du combat ruisselle de ses flancs.

—Holà! Quelqu'un a-t-il encore un peu d'haleine,
Parmi tant de joyeux et robustes garçons   10
Qui, ce matin, riaient et chantaient à voix pleine
Comme des merles dans l'épaisseur des buissons?

Tous sont muets. Mon casque est rompu, mon armure
Est trouée, et la hache a fait sauter ses clous.
Mes yeux saignent. J'entends un immense murmure   15
Pareil aux hurlements de la mer ou des loups.

Viens par ici, Corbeau, mon brave mangeur d'hommes!
Ouvre-moi la poitrine avec ton bec de fer.
Tu nous retrouveras demain tels que nous sommes.
Porte mon cœur tout chaud à la fille d'Ylmer.   20

* First published in the *Revue nouvelle*, January, 1864; republished in *Le Parnasse contemporain*, 1866, and in the 1872 edition of the *Poèmes barbares*.

Dans Upsal, où les Jarls boivent la bonne bière,
Et chantent, en heurtant les cruches d'or, en chœur,
A tire-d'aile vole, ô rôdeur de bruyère!
Cherche ma fiancée et porte-lui mon cœur.

25 Au sommet de la tour que hantent les corneilles
Tu la verras debout, blanche, aux longs cheveux noirs.
Deux anneaux d'argent fin lui pendent aux oreilles,
Et ses yeux sont plus clairs que l'astre des beaux soirs.

Va, sombre messager, dis-lui bien que je l'aime,
30 Et que voici mon cœur. Elle reconnaîtra
Qu'il est rouge et solide et non tremblant et blême;
Et la fille d'Ylmer, Corbeau, te sourira!

Moi, je meurs. Mon esprit coule par vingt blessures.
J'ai fait mon temps. Buvez. ô loups, mon sang vermeil.
35 Jeune, brave, riant, libre et sans flétrissures,
Je vais m'asseoir parmi les Dieux, dans le soleil!

QUESTIONS

1. Study the art of this poem, metaphors, rhythm, rhyme, alliteration, etc.

2. Compare carefully the poem and its sources. What important differences are there? What conclusions are to be drawn?

NOTES ON *LE CŒUR DE HIALMAR*

Title. There is a double source for this poem. On the one hand, as Vianey disclosed, Leconte de Lisle was impressed by the Icelandic « Chant de mort de Hialmar » in X. Marmier's *Chants populaires du Nord* (Paris, 1842). Hialmar, mortally wounded, cries out:

«J'ai seize blessures et mon armure est rompue. Tout devient noir devant moi; je chancelle en marchant. L'épée d'Angantyr m'a atteint au cœur, cette épée sanglante, . . .
«A Upsal, dans la demeure de Josur, bien des jarls boivent joyeusement la bière, bien des jarls échangent de vives paroles; moi, je suis dans cette île frappé par la pointe du glaive.

«La blanche fille de Hilmer m'a suivi à Aguafik, au delà des écueils;
ses paroles se vérifient, elle me disait que je ne retournerais jamais
près d'elle.

«Tire de mon doigt cet anneau d'or rouge, porte-le à ma jeune
Ingeborg, il lui rappellera qu'elle ne doit jamais me revoir.

«A l'est s'élève le corbeau de la bruyère; après le corbeau arrive
l'aigle plus grand encor. Je serai la pâture de l'aigle qui viendra boire
le sang de mon cœur.»

On the other hand, the item of the warrior's heart being sent to his
fiancée comes in all probability from a purely French source.   In the
Middle Ages a tale existed about the Châtelain de Coucy who was sup-
posed to have forced his guilty wife to eat her lover's heart. A more
modern version is that of De Belloy's *Gabrielle de Vergy*. In that tragedy,
Raoul de Coucy, seriously wounded, requests his friend Monlac to take
his heart to Gabrielle. Coucy, however, recovers. When Fayel, Gabrielle's jealous husband, discovers his wife's affection for Coucy, he kills
the latter in a duel, has his heart cut out, and brought to Gabrielle in a
vase.

21. **Upsal,** the ancient residence of the kings of Sweden. **Jarls,** Scandinavian noblemen.

Les Elfes *

Couronnés de thym et de marjolaine,
Les Elfes joyeux dansent sur la plaine.

Du sentier des bois aux daims familier,
Sur un noir cheval, sort un chevalier.
Son éperon d'or brille en la nuit brune;   5
Et, quand il traverse un rayon de lune,
On voit resplendir, d'un reflet changeant,
Sur sa chevelure un casque d'argent.

Couronnés de thym et de marjolaine,
Les Elfes joyeux dansent sur la plaine.   10

Ils l'entourent tous d'un essaim léger
Qui dans l'air muet semble voltiger.
—Hardi chevalier, par la nuit sereine,

* First published in *Poèmes et poésies*, 1855; included in the 1872 edition of
the *Poèmes barbares*.

Où vas-tu si tard? dit la jeune Reine.
15 De mauvais esprits hantent les forêts;
Viens danser plutôt sur les gazons frais.

Couronnés de thym et de marjolaine,
Les Elfes joyeux dansent sur la plaine.

—Non! ma fiancée aux yeux clairs et doux
20 M'attend, et demain nous serons époux.
Laissez-moi passer, Elfes des prairies,
Qui foulez en rond les mousses fleuries;
Ne m'attardez pas loin de mon amour,
Car voici déjà les lueurs du jour.—

25 Couronnés de thym et de marjolaine,
Les Elfes joyeux dansent sur la plaine.

—Reste, chevalier. Je te donnerai
L'opale magique et l'anneau doré,
Et, ce qui vaut mieux que gloire et fortune,
30 Ma robe filée au clair de la lune.
—Non! dit-il. —Va donc!— Et de son doigt blanc
Elle touche au cœur le guerrier tremblant.

Couronnés de thym et de marjolaine,
Les Elfes joyeux dansent sur la plaine.

35 Et sous l'éperon le noir cheval part.
Il court, il bondit et va sans retard;
Mais le chevalier frissonne et se penche;
Il voit sur la route une forme blanche
Qui marche sans bruit et lui tend les bras:
40 —Elfe, esprit, démon, ne m'arrête pas!—

Couronnés de thym et de marjolaine,
Les Elfes joyeux dansent sur la plaine.

—Ne m'arrête pas, fantôme odieux!
Je vais épouser ma belle aux doux yeux.
—O mon cher époux, la tombe éternelle   45
Sera notre lit de noce, dit-elle.
Je suis morte!—Et lui, la voyant ainsi,
D'angoisse et d'amour tombe mort aussi.

Couronnés de thym et de marjolaine,
Les Elfes joyeux dansent sur la plaine.   50

QUESTION

1. By what specific means does Leconte de Lisle create the tragic beauty of this poem?

NOTES ON *LES ELFES*

Title. The source of this poem is to be found in Scandinavian legends. Henri Heine in his book *De l'Allemagne*—Heine's works were translated and published in 1835—gave a version of the legend concerning Oluf and his fiancée which attracted Leconte de Lisle's attention. Oluf rides through the forest on his way to invite friends to his wedding; he is stopped by the daughter of the king of the Elfs who invites him to dance with her and her companions; she even offers him a silk shirt and a golden scarf; he refuses and she kills him. Oluf's fiancée dies when his body is brought to her. Somewhat similar, though less tragic legends were included by X. Marmier in his *Chants populaires du Nord*.

Leconte de Lisle modified very successfully the legends which he found in Heine and Marmier.

1. thym . . . marjolaine, *thyme . . . sweet marjoram*.

38–39. «En faisant mourir la fiancée du coup porté au cœur de son fiancé, Leconte de Lisle donne, on en conviendra, une grâce nouvelle à la vieille légende suédoise, sans en altérer l'esprit.» (Vianey, *op. cit.*, p. 147.)

LA VÉRANDAH*

Au tintement de l'eau dans les porphyres roux
Les rosiers de l'Iran mêlent leurs frais murmures,
Et les ramiers rêveurs leurs roucoulements doux.
Tandis que l'oiseau grêle et le frelon jaloux,

* First published in *Le Parnesse contemporain*, 1866; republished in *Poèmes barbares*, 1872.

5   Sifflant et bourdonnant, mordent les figues mûres,
Les rosiers de l'Iran mêlent leurs frais murmures
Au tintement de l'eau dans les porphyres roux.

Sous les treillis d'argent de la vérandah close,
Dans l'air tiède embaumé de l'odeur des jasmins,
10   Où la splendeur du jour darde une flèche rose,
La Persane royale, immobile, repose,
Derrière son col brun croisant ses belles mains,
Dans l'air tiède, embaumé de l'odeur des jasmins,
Sous les treillis d'argent de la vérandah close.

15   Jusqu'aux lèvres que l'ambre arrondi baise encor,
Du cristal d'où s'échappe une vapeur subtile
Qui monte en tourbillons légers et prend l'essor,
Sur les coussins de soie écarlate, aux fleurs d'or,
La branche du hûka rôde comme un reptile
20   Du cristal d'où s'échappe une vapeur subtile
Jusqu'aux lèvres que l'ambre arrondi baise encor.

Deux rayons noirs, chargés d'une muette ivresse,
Sortent de ses longs yeux entr'ouverts à demi;
Un songe l'enveloppe, un souffle la caresse;
25   Et parce que l'effluve invincible l'oppresse,
Parce que son beau sein qui se gonfle a frémi,
Sortent de ses longs yeux entr'ouverts à demi
Deux rayons noirs, chargés d'une muette ivresse.

Et l'eau vive s'endort dans les porphyres roux,
30   Les rosiers de l'Iran ont cessé leurs murmures,
Et les ramiers rêveurs leurs roucoulements doux.
Tout se tait. L'oiseau grêle et le frelon jaloux
Ne se querellent plus autour des figues mûres.
Les rosiers de l'Iran ont cessé leurs murmures,
35   Et l'eau vive s'endort dans les porphyres roux.

QUESTION

1. Study the art of this poem, rhythm, rhyme-scheme, alliteration, etc., and show how these technical details create a certain definite impression and picture.

NOTES ON *LA VÉRANDAH*

2. Iran, *Persia.*

4. frelon, *hornet, drone.*

19. hûka. For *houka,* an Oriental pipe.

25. effluve, *effluvium.* See p. 280.

35. Estève: «Si l'on veut mesurer jusqu'à quel degré d'exquise finesse et de subtilité ingénieuse va chez Leconte de Lisle le sens des sonorités, il n'est que de comparer entre elles les deux strophes d'une si parfaite harmonie dont l'une commence et l'autre termine le gracieux poème intitulé *La Vérandah.*» (*Op. cit.,* p. 202.)

LES HURLEURS*

Le soleil dans les flots avait noyé ses flammes,
La ville s'endormait au pied des monts brumeux.
Sur de grands rocs lavés d'un nuage écumeux
La mer sombre en grondant versait ses hautes lames.

La nuit multipliait ce long gémissement.   5
Nul astre ne luisait dans l'immensité nue;
Seule, la lune pâle, en écartant la nue,
Comme une morne lampe oscillait tristement.

Monde muet, marqué d'un signe de colère,
Débris d'un globe mort au hasard dispersé,   10
Elle laissait tomber de son orbe glacé
Un reflet sépulcral sur l'océan polaire.

Sans borne, assise au Nord, sous les cieux étouffants,
L'Afrique, s'abritant d'ombre épaisse et de brume,
Affamait ses lions dans le sable qui fume,   15
Et couchait près des lacs ses troupeaux d'éléphants.

* First published in *Poèmes et poésies,* 1855, and in *R.D.M.,* February 15, 1855; republished in 1872 edition of *Poèmes barbares.*

Mais sur la plage aride, aux odeurs insalubres,
Parmi des ossements de bœufs et de chevaux,
De maigres chiens, épars, allongeant leurs museaux,
20   Se lamentaient, poussant des hurlements lugubres.

La queue en cercle sous leurs ventres palpitants,
L'œil dilaté, tremblant sur leurs pattes fébriles,
Accroupis çà et là, tous hurlaient, immobiles,
Et d'un frisson rapide agités par instants.

25   L'écume de la mer collait sur leurs échines
De longs poils qui laissaient les vertèbres saillir;
Et, quand les flots par bonds les venaient assaillir,
Leurs dents blanches claquaient sous leurs rouges babines.

Devant la lune errante aux livides clartés,
30   Quelle angoisse inconnue, au bord des noires ondes,
Faisait pleurer une âme en vos formes immondes?
Pourquoi gémissiez-vous, spectres épouvantés?

Je ne sais; mais, ô chiens qui hurliez sur les plages,
Après tant de soleils qui ne reviendront plus,
35   J'entends toujours, du fond de mon passé confus,
Le cri désespéré de vos douleurs sauvages!

QUESTION

1. How is this poem to be interpreted?

NOTES ON *LES HURLEURS*

Title. The source of this poem is probably a personal reminiscence of the journey Leconte de Lisle made in 1837 from Reunion Island to France. His ship stopped at the Cape of Good Hope where the poet was impressed by the aridity of the coast and by the howling of dogs in the distance. See M.–A. Leblond, *Leconte de Lisle d'après des documents nouveaux*, p. 56.

28. babines, *lips, chops.*

Les Éléphants*

Le sable rouge est comme une mer sans limite,
Et qui flambe, muette, affaissée en son lit.
Une ondulation immobile remplit
L'horizon aux vapeurs de cuivre où l'homme habite.

Nulle vie et nul bruit. Tous les lions repus   5
Dorment au fond de l'antre éloigné de cent lieues,
Et la girafe boit dans les fontaines bleues,
Là-bas, sous les dattiers des panthères connus.

Pas un oiseau ne passe en fouettant de son aile
L'air épais, où circule un immense soleil.   10
Parfois quelque boa, chauffé dans son sommeil,
Fait onduler son dos dont l'écaille étincelle.

Tel l'espace enflammé brûle sous les cieux clairs.
Mais, tandis que tout dort aux mornes solitudes,
Les éléphants rugueux, voyageurs lents et rudes,   15
Vont au pays natal à travers les déserts.

D'un point de l'horizon, comme des masses brunes,
Ils viennent, soulevant la poussière, et l'on voit,
Pour ne pas dévier du chemin le plus droit,
Sous leur pied large et sûr crouler au loin les dunes.   20

Celui qui tient la tête est un vieux chef. Son corps
Est gercé comme un tronc que le temps ronge et mine;
Sa tête est comme un roc, et l'arc de son échine
Se voûte puissamment à ses moindres efforts.

Sans ralentir jamais et sans hâter sa marche,   25
Il guide au but certain ses compagnons poudreux;
Et, creusant par derrière un sillon sablonneux,
Les pèlerins massifs suivent leur patriarche.

* First published in *Poèmes et poésies*, 1855; included in the 1872 edition of the
Poèmes barbares.

L'oreille en éventail, la trompe entre les dents,
30   Ils cheminent, l'œil clos. Leur ventre bat et fume,
Et leur sueur dans l'air embrasé monte en brume;
Et bourdonnent autour mille insectes ardents.

Mais qu'importent la soif et la mouche vorace,
Et le soleil cuisant leur dos noir et plissé?
35   Ils rêvent en marchant du pays délaissé,
Des forêts de figuiers où s'abrita leur race.

Ils reverront le fleuve échappé des grands monts,
Où nage en mugissant l'hippopotame énorme,
Où, blanchis par la lune et projetant leur forme,
40   Ils descendaient pour boire en écrasant les joncs.

Aussi, pleins de courage et de lenteur, ils passent
Comme une ligne noire, au sable illimité;
Et le désert reprend son immobilité
Quand les lourds voyageurs à l'horizon s'effacent.

QUESTION

1. Study the pictorial and sculptural qualities of this poem.

NOTES ON *LES ÉLÉPHANTS*

5. repus, *fed.*
6. antre, *cavern.*
15. rugueux, *rough.*
22. gercé, *cracked.*
32. Et bourdonnent, *etc.* Notice the inversion of verb and subject.

LE SOMMEIL DU CONDOR*

Par delà l'escalier des roides Cordillères,
Par delà les brouillards hantés des aigles noirs,
Plus haut que les sommets creusés en entonnoirs
Où bout le flux sanglant des laves familières,
5   L'envergure pendante et rouge par endroits,
Le vaste Oiseau, tout plein d'une morne indolence,

*First published in *Revue française*, August 1, 1857.

Regarde l'Amérique et l'espace en silence,
Et le sombre soleil qui meurt dans ses yeux froids.
La nuit roule de l'Est, où les pampas sauvages
Sous les monts étagés s'élargissent sans fin;   10
Elle endort le Chili, les villes, les rivages,
Et la mer Pacifique et l'horizon divin;
Du continent muet elle s'est emparée:
Des sables aux coteaux, des gorges aux versants,
De cime en cime, elle enfle, en tourbillons croissants,   15
Le lourd débordement de sa haute marée.
Lui, comme un spectre, seul, au front du pic altier,
Baigné d'une lueur qui saigne sur la neige,
Il attend cette mer sinistre qui l'assiège:
Elle arrive, déferle et le couvre en entier.   20
Dans l'abîme sans fond la Croix australe allume
Sur les côtes du ciel son phare constellé.
Il râle de plaisir, il agite sa plume,
Il érige son cou musculeux et pelé,
Il s'enlève en fouettant l'âpre neige des Andes,   25
Dans un cri rauque il monte où n'atteint pas le vent,
Et, loin du globe noir, loin de l'astre vivant,
Il dort dans l'air glacé, les ailes toutes grandes.

QUESTIONS

1. What does the condor symbolize?
2. Compare this poem with Musset's *Nuit de mai*, lines 153 ff.

NOTES ON *LE SOMMEIL DU CONDOR*

Title. The symbol and central idea of this poem was probably suggested by the conclusion of Hugo's ode, *Le Génie* (in *Odes et Ballades*):

> Tel l'oiseau du cap des tempêtes
> Voit les nuages sur nos têtes
> Rouler leurs flots séditieux;
> Pour lui, loin des bruits de la terre,
> Bercé par son vol solitaire,
> Il va s'endormir dans les cieux!

See also Lamartine's *Hymne du matin*, line 100.

1. **Cordillères.** A South American mountain range.
3. **entonnoirs,** *funnels.*
5. **envergure,** literally, *spread of wings.*
20. **déferle,** *breaks* (like surf on a beach).
21. **la Croix australe,** *the Southern Cross.*

LES MONTREURS *

Tel qu'un morne animal, meurtri, plein de poussière,
La chaîne au cou, hurlant au chaud soleil d'été,
Promène qui voudra son cœur ensanglanté
Sur ton pavé cynique, ô plèbe carnassière!

5   Pour mettre un feu stérile en ton œil hébété,
Pour mendier ton rire ou ta pitié grossière,
Déchire qui voudra la robe de lumière
De la pudeur divine et de la volupté.

Dans mon orgueil muet, dans ma tombe sans gloire,
10 Dussé-je m'engloutir pour l'éternité noire,
Je ne te vendrai pas mon ivresse ou mon mal,

Je ne livrerai pas ma vie à tes huées,
Je ne danserai pas sur ton tréteau banal
Avec tes histrions et tes prostituées.

QUESTIONS

1. Compare this sonnet with Musset's *Nuit de mai*, lines 153 ff.
2. Was Leconte de Lisle always faithful to this ideal?

NOTES ON *LES MONTREURS*

3. **Promène qui voudra,** *Let him who will display.*
5. **hébété,** *stupefied.*
13. **tréteau,** *stage.*
14. **histrions,** *actors.*

* First published in the *Revue contemporaine*, June 30, 1862; republished in the 1872 edition of the *Poèmes barbares*.

LE SOIR D'UNE BATAILLE *

Tels que la haute mer contre les durs rivages,
A la grande tuerie ils se sont tous rués,
Ivres et haletants, par les boulets troués,
En d'épais tourbillons pleins de clameurs sauvages.

Sous un large soleil d'été, de l'aube au soir,   5
Sans relâche, fauchant les blés, brisant les vignes,
Longs murs d'hommes, ils ont poussé leurs sombres lignes,
Et là, par blocs entiers, ils se sont laissés choir.

Puis, ils se sont liés en étreintes féroces,
Le souffle au souffle uni, l'œil de haine chargé.   10
Le fer d'un sang fiévreux à l'aise s'est gorgé;
La cervelle a jailli sous la lourdeur des crosses.

Victorieux, vaincus, fantassins, cavaliers,
Les voici maintenant, blêmes, muets, farouches,
Les poings fermés, serrant les dents, et les yeux louches, 15
Dans la mort furieuse étendus par milliers.

La pluie, avec lenteur lavant leurs pâles faces,
Aux pentes du terrain fait murmurer ses eaux;
Et par la morne plaine où tourne un vol d'oiseaux
Le ciel d'un noir sinistre estompe au loin leurs masses.   20

Tous les cris se sont tus, les râles sont poussés.
Sur le sol bossué de tant de chair humaine,
Aux dernières lueurs du jour on voit à peine
Se tordre vaguement des corps entrelacés;

Et là-bas, du milieu de ce massacre immense,   25
Dressant son cou roidi, percé de coups de feu,
Un cheval jette au vent un rauque et triste adieu
Que la nuit fait courir à travers le silence.

* First published in the *Revue contemporaine*, January 15, 1860; republished in
the first edition of the *Poèmes barbares*. Published separately in 1871.

O boucherie! ô soif du meurtre! acharnement
30 Horrible! odeur des morts qui suffoques et navres!
Soyez maudits devant ces cent mille cadavres
Et la stupide horreur de cet égorgement.

Mais, sous l'ardent soleil ou sur la plaine noire,
Si, heurtant de leur cœur la gueule du canon,
35 Ils sont morts, Liberté, ces braves, en ton nom,
Béni soit le sang pur qui fume vers ta gloire!

QUESTIONS

1. Does this poem affect in any way the charge of impassivity sometimes made against Leconte de Lisle?
2. Study the art of this poem,—realism, versification, alliteration, etc.

NOTES ON *LE SOIR D'UNE BATAILLE*

12. crosses, *rifle-butts.*
20. estompe, *dims.*
21. râles, *death-rattles.*
22. bossué, *humped, dented.*

LE VENT FROID DE LA NUIT*

Le vent froid de la nuit siffle à travers les branches
Et casse par moments les rameaux desséchés;
La neige, sur la plaine où les morts sont couchés,
Comme un suaire étend au loin ses nappes blanches.

5 En ligne noire, au bord de l'étroit horizon,
Un long vol de corbeaux passe en rasant la terre,
Et quelques chiens, creusant un tertre solitaire,
Entre-choquent les os dans le rude gazon.

J'entends gémir les morts sous les herbes froissées.
10 O pâles habitants de la nuit sans réveil,
Quel amer souvenir, troublant votre sommeil,
S'échappe en lourds sanglots de vos lèvres glacées?

* First published in *Poèmes et poésies,* 1855; republished in 1872 edition of the *Poèmes barbares.*

Oubliez, oubliez! Vos cœurs sont consumés;
De sang et de chaleur vos artères sont vides.
O morts, morts bienheureux, en proie aux vers avides,   15
Souvenez-vous plutôt de la vie, et dormez!

Ah! dans vos lits profonds quand je pourrai descendre,
Comme un forçat vieilli qui voit tomber ses fers,
Que j'aimerai sentir, libre des maux soufferts,
Ce qui fut moi rentrer dans la commune cendre!   20

Mais, ô songe! Les morts se taisent dans leur nuit.
C'est le vent, c'est l'effort des chiens à leur pâture,
C'est ton morne soupir, implacable nature!
C'est mon cœur ulcéré qui pleure et qui gémit.

Tais-toi. Le ciel est sourd, la terre te dédaigne.   25
A quoi bon tant de pleurs si tu ne peux guérir?
Sois comme un loup blessé qui se tait pour mourir,
Et qui mord le couteau, de sa gueule qui saigne.

Encore une torture, encore un battement.
Puis, rien. La terre s'ouvre, un peu de chair y tombe;   30
Et l'herbe de l'oubli, cachant bientôt la tombe,
Sur tant de vanité croît éternellement.

QUESTIONS

1. Compare the pessimism of this poem with Vigny's pessimism.
2. Can this poem be considered as a complete statement of Leconte de Lisle's philosophy? If not, what other poems read so far must be added?

Poèmes tragiques

The first edition of the *Poèmes tragiques* appeared in 1884. Among the thirty-seven poems then published the general tone was, as the title indicates, sombre, pessimistic, tragic. Of diverse inspiration, no one subject dominated the volume. The Orient, Spain, the destructive animals of forest, sky, and sea,—such

are the subjects to which the poet turned in his sixties, even as
he had in earlier years.

In addition to the poems given here, students should read
*Pantouns malais, La Chasse de l'aigle, Les Siècles maudits,
L'Incantation du loup, Le Sacre de Paris, Si l'Aurore,* and *La
Maya.*

L'ILLUSION SUPRÊME *

Quand l'homme approche enfin des sommets où la vie
Va plonger dans votre ombre inerte, ô mornes cieux'
Debout sur la hauteur aveuglément gravie,
Les premiers jours vécus éblouissent ses yeux.

5   Tandis que la nuit monte et déborde les grèves,
Il revoit, au delà de l'horizon lointain,
Tourbillonner le vol des désirs et des rêves
Dans la rose clarté de son heureux matin.

Monde lugubre, où nul ne voudrait redescendre
10   Par le même chemin solitaire, âpre et lent,
Vous, stériles soleils, qui n'êtes plus que cendre,
Et vous, ô pleurs muets, tombés d'un cœur sanglant'

Celui qui va goûter le sommeil sans aurore
Dont l'homme ni le Dieu n'ont pu rompre le sceau,
15   Chair qui va disparaître, âme qui s'évapore,
S'emplit des visions qui hantaient son berceau.

Rien du passé perdu qui soudain ne renaisse:
La montagne natale et les vieux tamarins,
Les chers morts qui l'aimaient au temps de sa jeunesse
20   Et qui dorment là-bas dans les sables marins.

Sous les lilas géants où vibrent les abeilles,
Voici le vert coteau, la tranquille maison,
Les grappes de letchis et les mangues vermeilles
Et l'oiseau bleu dans le maïs en floraison;

---

* First published in *La Nouvelle Revue*, December 1, 1880; republished in the
first edition of the *Poèmes tragiques.*

Aux pentes des pitons, parmi les cannes grêles   25
Dont la peau d'ambre mûr s'ouvre au jus attiédi,
Le vol vif et strident des roses sauterelles
Qui s'enivrent de la lumière de midi;

Les cascades, en un brouillard de pierreries,
Versant du haut des rocs leur neige en éventail;   30
Et la brise embaumée autour des sucreries,
Et le fourmillement des Hindous au travail;

Le café rouge, par monceaux, sur l'aire sèche;
Dans les mortiers massifs le son des calaous;
Les grands parents assis sous la varangue fraîche   35
Et les rires d'enfants à l'ombre des bambous;

Le ciel vaste où le mont dentelé se profile,
Lorsque ta pourpre, ô soir, le revêt tout entier!
Et le chant triste et doux des Bandes à la file
Qui s'en viennent des hauts et s'en vont au quartier.   40

Voici les bassins clairs entre les blocs de lave;
Par les sentiers de la savane, vers l'enclos,
Le beuglement des bœufs bossus de Tamatave
Mêlé dans l'air sonore au murmure des flots,

Et sur la côte, au pied des dunes de Saint-Gilles,   45
Le long de son corail merveilleux et changeant,
Comme un essaim d'oiseaux les pirogues agiles
Trempant leur aile aiguë aux écumes d'argent.

Puis, tout s'apaise et dort. La lune se balance,
Perle éclatante, au fond des cieux d'astres emplis;   50
La mer soupire et semble accroître le silence
Et berce le reflet des mondes dans ses plis.

Mille aromes légers émanent des feuillages
Où la mouche d'or rôde, étincelle et bruit;
Et les feux des chasseurs, sur les mornes sauvages,   55
Jaillissent dans le bleu splendide de la nuit.

Et tu renais aussi, fantôme diaphane,
Qui fis battre son cœur pour la première fois,
Et, fleur cueillie avant que le soleil te fane,
60   Ne parfumas qu'un jour l'ombre calme des bois!

O chère Vision, toi qui répands encore,
De la plage lointaine où tu dors à jamais,
Comme un mélancolique et doux reflet d'aurore
Au fond d'un cœur obscur et glacé désormais!

65   Les ans n'ont pas pesé sur ta grâce immortelle,
La tombe bienheureuse a sauvé ta beauté:
Il te revoit, avec tes yeux divins, et telle
Que tu lui souriais en un monde enchanté!

Mais quand il s'en ira dans le muet mystère
70   Où tout ce qui vécut demeure enseveli,
Qui saura que ton âme a vécu sur la terre,
O doux rêve, promis à l'infaillible oubli?

Et vous, joyeux soleils des naïves années,
Vous, éclatantes nuits de l'infini béant,
75   Qui versiez votre gloire aux mers illuminées,
L'esprit qui vous songea vous entraîne au néant.

Ah! tout cela, jeunesse, amour, joie et pensée,
Chants de la mer et des forêts, souffles du ciel
Emportant à plein vol l'Espérance insensée,
80   Qu'est-ce que tout cela, qui n'est pas éternel?

Soit! la poussière humaine, en proie au temps rapide,
Ses voluptés, ses pleurs, ses combats, ses remords,
Les Dieux qu'elle a conçus et l'univers stupide
Ne valent pas la paix impassible des morts.

QUESTION

1. Analyze this poem, tracing the development of the thought from beginning to end.

NOTES ON *L'ILLUSION SUPRÊME*

Title. According to Souriau (*Histoire du Parnasse*, p. 186), this poem was composed in 1857. In any case, it was written «à une heure de découragement, intense jusqu'au désespoir.»

17 ff. Leconte de Lisle evokes Reunion Island.

18. tamarins, *tamarinds* (bot.).

23. letchis . . . mangues, *letchis* (a tropical fruit-tree of Chinese origin; cf. *Le Manchy,* line 27) . . . *mangoes.*

33. aire, *barn-floor.*

34. calaous, native pestles.

35. varangue. A *varangue* is a kind of porch.

42. savane, *prairie.*

43. Tamatave, a northeastern section of Madagascar.

47. pirogues, *canoes.*

57. fantôme diaphane. Mlle de Lanux, a cousin of the poet. He knew and loved her during this youthful period. She died prematurely. See *Le Manchy.*

SACRA FAMES *

L'immense mer sommeille. Elle hausse et balance
Ses houles où le ciel met d'éclatants îlots.
Une nuit d'or emplit d'un magique silence
La merveilleuse horreur de l'espace et des flots.

Les deux gouffres ne font qu'un abîme sans borne   5
De tristesse, de paix et d'éblouissement,
Sanctuaire et tombeau, désert splendide et morne
Où des millions d'yeux regardent fixement.

Tels, le ciel magnifique et les eaux vénérables
Dorment dans la lumière et dans la majesté,   10
Comme si la rumeur des vivants misérables
N'avait troublé jamais leur rêve illimité.

Cependant, plein de faim dans sa peau flasque et rude,
Le sinistre Rôdeur des steppes de la mer
Vient, va, tourne, et, flairant au loin la solitude,   15
Entre-bâille d'ennui ses mâchoires de fer.

* First published in the first edition of the *Poèmes tragiques.*

Certes, il n'a souci de l'immensité bleue,
Des Trois Rois, du Triangle ou du long Scorpion
Qui tord dans l'infini sa flamboyante queue,
20 Ni de l'Ourse qui plonge au clair Septentrion.

Il ne sait que la chair qu'on broie et qu'on dépèce,
Et, toujours absorbé dans son désir sanglant,
Au fond des masses d'eau lourdes d'une ombre épaisse
Il laisse errer son œil terne, impassible et lent.

25 Tout est vide et muet. Rien qui nage ou qui flotte,
Qui soit vivant ou mort, qu'il puisse entendre ou voir.
Il reste inerte, aveugle, et son grêle pilote
Se pose pour dormir sur son aileron noir.

Va, monstre! tu n'es pas autre que nous ne sommes,
30 Plus hideux, plus féroce, ou plus désespéré.
Console-toi! demain tu mangeras des hommes,
Demain par l'homme aussi tu seras dévoré.

La Faim sacrée est un long meurtre légitime
Des profondeurs de l'ombre aux cieux resplendissants,
35 Et l'homme et le requin, égorgeur ou victime,
Devant ta face, ô Mort, sont tous deux innocents.

QUESTIONS

1. Study the art of this poem,—rhythm, metaphors, alliteration, effects of light and shade, etc.

2. Connect the central thought of this poem with Leconte de Lisle's general philosophy.

NOTES ON *SACRA FAMES*

Title. Sacra fames. The expression is taken from Virgil's *Æneid*, Bk. III, 56, but whereas Virgil used " fames " in the sense of "avidity," Leconte de Lisle uses it in the sense of " hunger."

The poem is perhaps in part a reminiscence of one of Leconte de Lisle's sea-journeys between France and Reunion Island. At that period, the trip frequently lasted three months. The infinite silence, the star-lit skies, the immensity of the ocean remained definitely fixed in the poet's memory.

2. houles, *swells* (of the ocean).

18. Trois Rois, Jacob's Staff, the three stars in a straight line in Orion's girdle. **Triangle,** *Triangulum,* a constellation of the boreal hemisphere. **Scorpion.** The term usually refers to the eighth sign of the zodiac. It is also a constellation.

27. pilote, *pilot-fish,* which often accompanies the shark.

28. aileron, *fin.*

35. requin, *shark.*

L'ALBATROS *

Dans l'immense largeur du Capricorne au Pôle
Le vent beugle, rugit, siffle, râle et miaule,
Et bondit à travers l'Atlantique tout blanc
De bave furieuse. Il se rue, éraflant
L'eau blême qu'il pourchasse et dissipe en buées;   5
Il mord, déchire, arrache et tranche les nuées
Par tronçons convulsifs où saigne un brusque éclair;
Il saisit, enveloppe et culbute dans l'air
Un tournoiement confus d'aigres cris et de plumes
Qu'il secoue et qu'il traîne aux crêtes des écumes,   10
Et, martelant le front massif des cachalots,
Mêle à ses hurlements leurs monstrueux sanglots.
Seul, le Roi de l'espace et des mers sans rivages
Vole contre l'assaut des rafales sauvages.
D'un trait puissant et sûr, sans hâte ni retard,   15
L'œil dardé par delà le livide brouillard,
De ses ailes de fer rigidement tendues
Il fend le tourbillon des rauques étendues,
Et, tranquille au milieu de l'épouvantement,
Vient, passe, et disparaît majestueusement.   20

QUESTION

1. Compare this poem with Baudelaire's on the same subject.

* First published in the first edition of 1884.

NOTES ON *L'ALBATROS*

4. éraflant, *grazing, scratching lightly.*
7. tronçons, *stumps, fragments.*
11. cachalots, *spermaceti-whales.*

SUBJECTS FOR COMPOSITION

1. Leconte de Lisle's Pessimism.
2. Leconte de Lisle's Republicanism.
3. The Literary Theories of Leconte de Lisle.
4. Exoticism in Leconte de Lisle's Work.
5. Appreciation of Nature in Leconte de Lisle.
6. Leconte de Lisle's Poetic Art.
7. Leconte de Lisle's Attitude toward Science and Industry.

VICTOR HUGO
1802–1885
II
AFTER 1850

I. In August 1848, Victor Hugo and his followers founded a newspaper which they named *L'Événement*. Three months later—on October 28—*L'Événement* declared itself in favor of Louis Bonaparte's candidacy and soon conducted on his behalf an ardent campaign terminated by his election to the presidency on December 10, 1848. The new executive, however, alienated the poet-politician, first, undoubtedly, by failing to reward him with any important post, but above all by adopting certain reactionary policies. Hugo's indignation broke forth in two magnificent speeches: that of January 15, 1850, on the school bill—known as the *Loi Falloux*—which tended to put education into the hands of the clergy, and that of April 5, 1850, on the proposed law for the deportation and imprisonment of political offenders. In hardly more than a year the author of *Les Rayons et les Ombres* turned against the man whom he had enthusiastically supported. The break became bitter enmity when Hugo on July 17, 1851, denounced on the floor of the legislative Assembly Louis Napoleon's evident ambition. After the *coup d'état* of December 2, 1851, Hugo was forced to flee and succeeded in crossing the frontier.

A brief sojourn in Brussels was followed by three years on the island of Jersey. From there the poet migrated to Guernsey where in Hauteville-House with its magnificent outlook on the sea he spent the rest of his long exile. During these years he published the great works of his maturity: *Châtiments*, in 1853; *Les Contemplations*, in 1856; *La Légende des siècles*, in 1859; *Les Misérables*, in 1862, the same year that Leconte de

311

Lisle published his *Poèmes barbares; Les Chansons des rues et des bois*, in 1865; *Les Travailleurs de la mer*, in 1866.

The exile lasted nineteen years. It might have ended in 1859 when the emperor granted a political amnesty. Hugo rejected the offer, declaring: «Quand la liberté rentrera, je rentrerai.» Whatever one may think of his motives in attacking the usurper of December 2, one cannot deny the fortitude and dignity with which he endured a painful separation from his native land.

The Franco-Prussian war gave Hugo, now sixty-eight years old, his chance. On September 5, 1870, the day after the proclamation of the Third Republic, he returned to Paris where he was triumphantly received. During the Commune he stayed in Brussels, returning again to France at its conclusion. In 1874 he published *Quatre-vingt-treize*. In 1876 he was elected to the Senate. The following year he published the second series of *La Légende des siècles* and the volume of poems entitled *L'Art d'être grand-père*. Other works continued to pour from his pen: in 1878, *Le Pape;* in 1879, *La Pitié suprême;* in 1881, *Les Quatre Vents de l'esprit;* in 1883, the final volume of *La Légende des siècles*. When in 1885 the patriarch of Paris died, his funeral became a national ceremony and his body was laid to rest in the Pantheon beside Voltaire and Rousseau.

II. CONSULT: The bibliography given on page 148, and in addition: P. Berret, *Le Moyen Age européen dans la Légende des siècles, et les sources de Victor Hugo*, Paris, Paulin, 1911; P. Berret, *La Philosophie de Victor Hugo en 1854–1859*, Paris, Paulin, 1910; P. Berret, «L'Inspiration des Châtiments,» *R.D.M.*, June 1, 1930; E. Biré, *Victor Hugo après 1852*, Paris, Perrin, 1894; Clément-Janin, *Victor Hugo en exil*, Paris, Éd. du monde nouveau, 1922; G. Collas, «Victor Hugo et Baudelaire,» *R.H.L.*, 1929; J. K. Ditchy, *La Mer dans l'œuvre littéraire de Victor Hugo*, Paris, Belles Lettres, 1925; P. Hazard, *Avec Victor Hugo en exil (Études françaises, 23e cahier)*, Paris, Belles Lettres, 1931; M. Levaillant, «Dans l'atelier de Victor Hugo,» *R.D.M.*, May 1, 1930; G. Rudler, «La Chronologie des *Châtiments* d'après le Manuscrit,» *The French Quarterly*, January, 1919; G. Simon, *Les Tables tournantes de Jersey*, Paris, Conard, 1923; P. Stapfer, *Victor Hugo et la grande poésie satirique en France*, Paris, Ollendorff, 1901; P. Stapfer, *Victor Hugo à*

Guernesey, Paris, Société française d'imprimerie et de librairie, 1905; L. Vianey, «La Bible dans la poésie française depuis Marot,» *R.C.C.*, January, 1923.

CRITICAL EDITIONS: P. Berret, *Victor Hugo. Légende des siècles. Nouvelle édition publiée d'après les manuscrits et les éditions originales avec des variantes, une introduction, des notices et des notes*, 6 vols., Paris, Hachette, 1920–1926; P. Berret, *Victor Hugo. Les Châtiments. Nouvelle édition publiée d'après les manuscrits*, etc., 2 vols., Paris, Hachette, 1932–1933; J. Vianey, *Victor Hugo. Les Contemplations. Nouvelle édition publiée d'après les manuscrits*, etc., 3 vols., Paris, Hachette, 1922.

Châtiments

Ronsard in some of his poetic *Discours*, Agrippa d'Aubigné in *Les Tragiques*, André Chénier in his short *Iambes*, and Auguste Barbier in his volume of *Iambes* are Victor Hugo's principal French predecessors in the domain of satirical poetry. Hugo surpassed them all in intensity, in amplitude, in violence, in lyric beauty. He is, beyond any question, the greatest satirical poet France has produced.

After having written *Histoire d'un crime* (not published till 1877) and *Napoléon le Petit* (published in 1852) Hugo spent the winter of 1852 and 1853 in Jersey composing *Châtiments*. The volume appeared in Brussels in November, 1853. Forbidden in France, many copies were nevertheless smuggled across the frontier and sold in Paris.

The book is a long denunciation of the usurper. Thwarted in his own legitimate ambitions, enraged by the destruction of French liberties, Hugo lashed Napoleon III without pity and without restraint. The volume is not, however, entirely devoid of a calmer note. While the first poem is significantly entitled *Nox*, the last, with equal significance, is labeled *Lux* and contains a statement of the poet's faith in the ultimate return of justice and fraternity.

In addition to the poems given here, students should read *Nox, Sacer esto, Le Manteau impérial, Stella*, «*Sonnez, sonnez toujours, clairons . . .* », *Force des choses, Ultima verba, Lux*

SOUVENIR DE LA NUIT DU QUATRE

L'enfant avait reçu deux balles dans la tête.
Le logis était propre, humble, paisible, honnête;
On voyait un rameau bénit sur un portrait.
Une vieille grand'mère était là qui pleurait.
5   Nous le déshabillions en silence. Sa bouche,
Pâle, s'ouvrait; la mort noyait son œil farouche;
Ses bras pendants semblaient demander des appuis.
Il avait dans sa poche une toupie en buis.
On pouvait mettre un doigt dans les trous de ses plaies.
10   Avez-vous vu saigner la mûre dans les haies?
Son crâne était ouvert comme un bois qui se fend.
L'aïeule regarda déshabiller l'enfant,
Disant:—Comme il est blanc! approchez donc la lampe.
Dieu! ses pauvres cheveux sont collés sur sa tempe!—
15   Et quand ce fut fini, le prit sur ses genoux.
La nuit était lugubre; on entendait des coups
De fusil dans la rue où l'on en tuait d'autres.
—Il faut ensevelir l'enfant, dirent les nôtres.
Et l'on prit un drap blanc dans l'armoire en noyer.
20   L'aïeule cependant l'approchait du foyer,
Comme pour réchauffer ses membres déjà roides.
Hélas! ce que la mort touche de ses mains froides
Ne se réchauffe plus aux foyers d'ici-bas!
Elle pencha la tête et lui tira ses bas,
25   Et dans ses vieilles mains prit les pieds du cadavre.
—Est-ce que ce n'est pas une chose qui navre!
Cria-t-elle; monsieur, il n'avait pas huit ans!
Ses maîtres, il allait en classe, étaient contents.
Monsieur, quand il fallait que je fisse une lettre,
30   C'est lui qui l'écrivait. Est-ce qu'on va se mettre
A tuer les enfants maintenant? Ah! mon Dieu!
On est donc des brigands? Je vous demande un peu,
Il jouait ce matin, là, devant la fenêtre!
Dire qu'ils m'ont tué ce pauvre petit être!

Il passait dans la rue, ils ont tiré dessus. 35
Monsieur, il était bon et doux comme un Jésus.
Moi je suis vieille, il est tout simple que je parte;
Cela n'aurait rien fait à monsieur Bonaparte
De me tuer au lieu de tuer mon enfant!—
Elle s'interrompit, les sanglots l'étouffant, 40
Puis elle dit, et tous pleuraient près de l'aïeule:
—Que vais-je devenir à présent toute seule?
Expliquez-moi cela, vous autres, aujourd'hui.
Hélas! je n'avais plus de sa mère que lui.
Pourquoi l'a-t-on tué? je veux qu'on me l'explique. 45
L'enfant n'a pas crié vive la République.—

Nous nous taisions, debout et graves, chapeau bas,
Tremblant devant ce deuil qu'on ne console pas.

Vous ne compreniez point, mère, la politique.
Monsieur Napoléon, c'est son nom authentique, 50
Est pauvre, et même prince; il aime les palais;
Il lui convient d'avoir des chevaux, des valets,
De l'argent pour son jeu, sa table, son alcôve,
Ses chasses; par la même occasion, il sauve
La famille, l'église et la société; 55
Il veut avoir Saint-Cloud, plein de roses l'été,
Où viendront l'adorer les préfets et les maires;
C'est pour cela qu'il faut que les vieilles grand'mères,
De leurs pauvres doigts gris que fait trembler le temps,
Cousent dans le linceul des enfants de sept ans. 60

2 décembre 1852.—Jersey.

NOTES ON *SOUVENIR DE LA NUIT DU QUATRE*

Title. The episode related in this poem was recounted by Hugo in *Histoire d'un crime* (« Le Massacre. La rue Tiquetonne »). The child in question was named Bourrier and was killed December 4, 1851, during a fusilade which preceded the capture of a number of barricades in the faubourg Saint-Denis. Victor Hugo saw the boy's body during the course of the night. (Levaillant, *op. cit.*, p. 403.)

3. rameau bénit, *consecrated palm.*
8. toupie en buis, *top made of boxwood.*
10. mûre, *blackberry.*
56. Saint-Cloud. The château and park of Saint-Cloud are very close to Paris.
60. linceul, *shroud*

L'Expiation

I

Il neigeait. On était vaincu par sa conquête.
Pour la première fois l'aigle baissait la tête.
Sombres jours! l'empereur revenait lentement,
Laissant derrière lui brûler Moscou fumant.
5   Il neigeait. L'âpre hiver fondait en avalanche.
Après la plaine blanche une autre plaine blanche.
On ne connaissait plus les chefs ni le drapeau.
Hier la grande armée, et maintenant troupeau.
On ne distinguait plus les ailes ni le centre.
10 Il neigeait. Les blessés s'abritaient dans le ventre
Des chevaux morts; au seuil des bivouacs désolés
On voyait des clairons à leur poste gelés,
Restés debout, en selle et muets, blancs de givre,
Collant leur bouche en pierre aux trompettes de cuivre.
15 Boulets, mitraille, obus, mêlés aux flocons blancs,
Pleuvaient; les grenadiers, surpris d'être tremblants,
Marchaient pensifs, la glace à leur moustache grise.
Il neigeait, il neigeait toujours! La froide bise
Sifflait; sur le verglas, dans des lieux inconnus,
20 On n'avait pas de pain et l'on allait pieds nus.
Ce n'étaient plus des cœurs vivants, des gens de guerre:
C'était un rêve errant dans la brume, un mystère,
Une procession d'ombres sous le ciel noir.
La solitude vaste, épouvantable à voir,
25 Partout apparaissait, muette vengeresse.
Le ciel faisait sans bruit avec la neige épaisse
Pour cette immense armée un immense linceul.

Et chacun se sentant mourir, on était seul.
—Sortira-t-on jamais de ce funeste empire?
Deux ennemis! le czar, le nord. Le nord est pire. 30
On jetait les canons pour brûler les affûts.
Qui se couchait, mourait. Groupe morne et confus,
Ils fuyaient; le désert dévorait le cortège.
On pouvait, à des plis qui soulevaient la neige,
Voir que des régiments s'étaient endormis là. 35
O chutes d'Annibal! lendemains d'Attila!
Fuyards, blessés, mourants, caissons, brancards, civières,
On s'écrasait aux ponts pour passer les rivières,
On s'endormait dix mille, on se réveillait cent.
Ney, que suivait naguère une armée, à présent 40
S'évadait, disputant sa montre à trois cosaques.
Toutes les nuits, qui vive! alerte, assauts! attaques!
Ces fantômes prenaient leur fusil, et sur eux
Ils voyaient se ruer, effrayants, ténébreux,
Avec des cris pareils aux voix des vautours chauves, 45
D'horribles escadrons, tourbillons d'hommes fauves.
Toute une armée ainsi dans la nuit se perdait.
L'empereur était là, debout, qui regardait.
Il était comme un arbre en proie à la cognée.
Sur ce géant, grandeur jusqu'alors épargnée, 50
Le malheur, bûcheron sinistre, était monté;
Et lui, chêne vivant, par la hache insulté,
Tressaillant sous le spectre aux lugubres revanches,
Il regardait tomber autour de lui ses branches.
Chefs, soldats, tous mouraient. Chacun avait son tour. 55
Tandis qu'environnant sa tente avec amour,
Voyant son ombre aller et venir sur la toile,
Ceux qui restaient, croyant toujours à son étoile,
Accusaient le destin de lèse-majesté,
Lui se sentit soudain dans l'âme épouvanté. 60
Stupéfait du désastre et ne sachant que croire,
L'empereur se tourna vers Dieu; l'homme de gloire
Trembla; Napoléon comprit qu'il expiait

Quelque chose peut-être, et, livide, inquiet,
65 Devant ses légions sur la neige semées:
«Est-ce le châtiment, dit-il, Dieu des armées?»
Alors il s'entendit appeler par son nom
Et quelqu'un qui parlait dans l'ombre lui dit: Non.

II

Waterloo! Waterloo! Waterloo! morne plaine!
70 Comme une onde qui bout dans une urne trop pleine,
Dans ton cirque de bois, de coteaux, de vallons,
La pâle mort mêlait les sombres bataillons.
D'un côté c'est l'Europe et de l'autre la France.
Choc sanglant! des héros Dieu trompait l'espérance;
75 Tu désertais, victoire, et le sort était las.
O Waterloo! je pleure et je m'arrête, hélas!
Car ces derniers soldats de la dernière guerre
Furent grands; ils avaient vaincu toute la terre,
Chassé vingt rois, passé les Alpes et le Rhin,
80 Et leur âme chantait dans les clairons d'airain!

Le soir tombait; la lutte était ardente et noire.
Il avait l'offensive et presque la victoire;
Il tenait Wellington acculé sur un bois.
Sa lunette à la main, il observait parfois
85 Le centre du combat, point obscur où tressaille
La mêlée, effroyable et vivante broussaille,
Et parfois l'horizon, sombre comme la mer.
Soudain, joyeux, il dit: Grouchy!—C'était Blücher.
L'espoir changea de camp, le combat changea d'âme,
90 La mêlée en hurlant grandit comme une flamme.
La batterie anglaise écrasa nos carrés.
La plaine, où frissonnaient les drapeaux déchirés,
Ne fut plus, dans les cris des mourants qu'on égorge,
Qu'un gouffre flamboyant, rouge comme une forge;
95 Gouffre où les régiments comme des pans de murs
Tombaient, où se couchaient comme des épis mûrs

Les hauts tambours-majors aux panaches énormes,
Où l'on entrevoyait des blessures difformes!
Carnage affreux! moment fatal! L'homme inquiet
Sentit que la bataille entre ses mains pliait. 100
Derrière un mamelon la garde était massée.
La garde, espoir suprême et suprême pensée!
«Allons! faites donner la garde!» cria-t-il.
Et, lanciers, grenadiers aux guêtres de coutil,
Dragons que Rome eût pris pour des légionnaires, 105
Cuirassiers, canonniers qui traînaient des tonnerres,
Portant le noir colback ou le casque poli,
Tous, ceux de Friedland et ceux de Rivoli,
Comprenant qu'ils allaient mourir dans cette fête,
Saluèrent leur dieu, debout dans la tempête. 110
Leur bouche, d'un seul cri, dit: vive l'empereur!
Puis, a pas lents, musique en tête, sans fureur,
Tranquille, souriant à la mitraille anglaise,
La garde impériale entra dans la fournaise.
Hélas! Napoléon, sur sa garde penché, 115
Regardait, et, sitôt qu'ils avaient débouché
Sous les sombres canons crachant des jets de soufre,
Voyait, l'un après l'autre, en cet horrible gouffre,
Fondre ces régiments de granit et d'acier
Comme fond une cire au souffle d'un brasier. 120
Ils allaient, l'arme au bras, front haut, graves, stoïques.
Pas un ne recula. Dormez, morts héroïques!
Le reste de l'armée hésitait sur leurs corps
Et regardait mourir la garde.—C'est alors
Qu'élevant tout à coup sa voix désespérée, 125
La Déroute, géante à la face effarée,
Qui, pâle, épouvantant les plus fiers bataillons,
Changeant subitement les drapeaux en haillons,
A de certains moments, spectre fait de fumées,
Se lève grandissante au milieu des armées, 130
La Déroute apparut au soldat qui s'émeut,
Et, se tordant les bras, cria: Sauve qui peut!

Sauve qui peut!—affront! horreur!—toutes les bouches
Criaient; à travers champs, fous, éperdus, farouches,
135 Comme si quelque souffle avait passé sur eux,
Parmi les lourds caissons et les fourgons poudreux,
Roulant dans les fossés, se cachant dans les seigles,
Jetant shakos, manteaux, fusils, jetant les aigles,
Sous les sabres prussiens, ces vétérans, ô deuil!
140 Tremblaient, hurlaient, pleuraient, couraient!—En un clin
Comme s'envole au vent une paille enflammée,   [d'œil,
S'évanouit ce bruit qui fut la grande armée,
Et cette plaine, hélas, où l'on rêve aujourd'hui,
Vit fuir ceux devant qui l'univers avait fui!
145 Quarante ans sont passés, et ce coin de la terre,
Waterloo, ce plateau funèbre et solitaire,
Ce champ sinistre où Dieu mêla tant de néants,
Tremble encor d'avoir vu la fuite des géants!

Napoléon les vit s'écouler comme un fleuve;
150 Hommes, chevaux, tambours, drapeaux;—et dans l'épreuve
Sentant confusément revenir son remords,
Levant les mains au ciel, il dit: «Mes soldats morts.
Moi vaincu! mon empire est brisé comme verre.
Est-ce le châtiment cette fois, Dieu sévère?»
155 Alors parmi les cris, les rumeurs, le canon,
Il entendit la voix qui lui répondait: Non!

III

Il croula. Dieu changea la chaîne de l'Europe.

Il est, au fond des mers que la brume enveloppe,
Un roc hideux, débris des antiques volcans.
160 Le Destin prit des clous, un marteau, des carcans,
Saisit, pâle et vivant, ce voleur du tonnerre,
Et, joyeux, s'en alla sur le pic centenaire
Le clouer, excitant par son rire moqueur
Le vautour Angleterre à lui ronger le cœur.

Evanouissement d'une splendeur immense!   165
Du soleil qui se lève à la nuit qui commence,
Toujours l'isolement, l'abandon, la prison,
Un soldat rouge au seuil, la mer à l'horizon,
Des rochers nus, des bois affreux, l'ennui, l'espace,
Des voiles s'enfuyant comme l'espoir qui passe,   170
Toujours le bruit des flots, toujours le bruit des vents!
Adieu, tente de pourpre aux panaches mouvants,
Adieu, le cheval blanc que César éperonne!
Plus de tambours battant aux champs, plus de couronne,
Plus de rois prosternés dans l'ombre avec terreur,   175
Plus de manteau traînant sur eux, plus d'empereur!
Napoléon était retombé Bonaparte.
Comme un Romain blessé par la flèche du Parthe,
Saignant, morne, il songeait à Moscou qui brûla.
Un caporal anglais lui disait: halte-là!   180
Son fils aux mains des rois! sa femme aux bras d'un autre!
Plus vil que le pourceau qui dans l'égout se vautre,
Son sénat qui l'avait adoré l'insultait.
Au bord des mers, à l'heure où la bise se tait,
Sur les escarpements croulant en noirs décombres,   185
Il marchait, seul, rêveur, captif des vagues sombres.
Sur les monts, sur les flots, sur les cieux, triste et fier,
L'œil encore ébloui des batailles d'hier,
Il laissait sa pensée errer à l'aventure.
Grandeur, gloire, ô néant! calme de la nature!   190
Les aigles qui passaient ne le connaissaient pas.
Les rois, ses guichetiers, avaient pris un compas
Et l'avaient enfermé dans un cercle inflexible.
Il expirait. La mort de plus en plus visible
Se levait dans sa nuit et croissait à ses yeux   195
Comme le froid matin d'un jour mystérieux.
Son âme palpitait, déjà presque échappée.
Un jour enfin il mit sur son lit son épée,
Et se coucha près d'elle, et dit: c'est aujourd'hui!
On jeta le manteau de Marengo sur lui.   200

Ses batailles du Nil, du Danube, du Tibre,
Se penchaient sur son front, il dit: «Me voici libre!
Je suis vainqueur! je vois mes aigles accourir!»
Et, comme il retournait sa tête pour mourir,
205 Il aperçut, un pied dans la maison déserte,
Hudson Lowe guettant par la porte entr'ouverte.
Alors, géant broyé sous le talon des rois,
Il cria: «La mesure est comble cette fois!
Seigneur! c'est maintenant fini! Dieu que j'implore,
210 Vous m'avez châtié!» La voix dit: Pas encore!

IV

O noirs événements, vous fuyez dans la nuit!
L'empereur mort tomba sur l'empire détruit.
Napoléon alla s'endormir sous le saule.
Et les peuples alors, de l'un à l'autre pôle,
215 Oubliant le tyran, s'éprirent du héros.
Les poètes, marquant au front les rois bourreaux,
Consolèrent, pensifs, cette gloire abattue.
A la colonne veuve on rendit sa statue.
Quand on levait les yeux, on le voyait debout
220 Au-dessus de Paris, serein, dominant tout,
Seul, le jour dans l'azur et la nuit dans les astres.
Panthéons, on grava son nom sur vos pilastres!
On ne regarda plus qu'un seul côté du temps,
On ne se souvint plus que des jours éclatants;
225 Cet homme étrange avait comme enivré l'histoire;
La justice à l'œil froid disparut sous sa gloire;
On ne vit plus qu'Essling, Ulm, Arcole, Austerlitz;
Comme dans les tombeaux des Romains abolis,
On se mit à fouiller dans ces grandes années;
230 Et vous applaudissiez, nations inclinées,
Chaque fois qu'on tirait de ce sol souverain
Ou le consul de marbre ou l'empereur d'airain!

V

Le nom grandit quand l'homme tombe;
Jamais rien de tel n'avait lui.
Calme, il écoutait dans sa tombe   235
La terre qui parlait de lui.

La terre disait: «—La victoire
A suivi cet homme en tous lieux.
Jamais tu n'as vu, sombre histoire,
Un passant plus prodigieux!   240

«Gloire au maître qui dort sous l'herbe!
Gloire à ce grand audacieux!
Nous l'avons vu gravir, superbe,
Les premiers échelons des cieux!

«Il envoyait, âme acharnée,   245
Prenant Moscou, prenant Madrid,
Lutter contre la destinée
Tous les rêves de son esprit.

«A chaque instant, rentrant en lice,
Cet homme aux gigantesques pas   250
Proposait quelque grand caprice
A Dieu, qui n'y consentait pas.

«Il n'était presque plus un homme.
Il disait, grave et rayonnant,
En regardant fixement Rome: 255
C'est moi qui règne maintenant!

«Il voulait, héros et symbole,
Pontife et roi, phare et volcan,
Faire du Louvre un Capitole
Et de Saint-Cloud un Vatican.   260

«César, il eût dit à Pompée:
Sois fier d'être mon lieutenant!
On voyait luire son épée
Au fond d'un nuage tonnant.

265   «Il voulait, dans les frénésies
De ses vastes ambitions,
Faire devant ses fantaisies
Agenouiller les nations.

«Ainsi qu'en une urne profonde,
270   Mêler races, langues, esprits,
Répandre Paris sur le monde,
Enfermer le monde en Paris!

«Comme Cyrus dans Babylone,
Il voulait sous sa large main
275   Ne faire du monde qu'un trône
Et qu'un peuple du genre humain,

«Et bâtir, malgré les huées,
Un tel empire sous son nom,
Que Jéhovah dans les nuées
280   Fût jaloux de Napoléon!»

VI

Enfin, mort triomphant, il vit sa délivrance,
Et l'océan rendit son cercueil à la France.
L'homme, depuis douze ans, sous le dôme doré
Reposait, par l'exil et par la mort sacré.
285   En paix!—Quand on passait près du monument sombre,
On se le figurait, couronne au front, dans l'ombre,
Dans son manteau semé d'abeilles d'or, muet,
Couché sous cette voûte où rien ne remuait,
Lui, l'homme qui trouvait la terre trop étroite,
290   Le sceptre en sa main gauche et l'épée en sa droite,

A ses pieds son grand aigle ouvrant l'œil à demi,
Et l'on disait: C'est là qu'est César endormi!

Laissant dans la clarté marcher l'immense ville,
Il dormait; il dormait confiant et tranquille.

VII

Une nuit,—c'est toujours la nuit dans le tombeau,—   295
Il s'éveilla. Luisant comme un hideux flambeau,
D'étranges visions emplissaient sa paupière;
Des rires éclataient sous son plafond de pierre;
Livide, il se dressa; la vision grandit;
O terreur! une voix qu'il reconnut, lui dit: 300

—Réveille-toi. Moscou, Waterloo, Sainte-Hélène,
L'exil, les rois geôliers, l'Angleterre hautaine
Sur ton lit accoudée à ton dernier moment,
Sire, cela n'est rien. Voici le châtiment:

La voix alors devint âpre, amère, stridente,   305
Comme le noir sarcasme et l'ironie ardente;
C'était le rire amer mordant un demi-dieu.

—Sire! on t'a retiré de ton Panthéon bleu!
Sire! on t'a descendu de ta haute colonne!
Regarde. Des brigands, dont l'essaim tourbillonne, 310
D'affreux bohémiens, des vainqueurs de charnier
Te tiennent dans leurs mains et t'ont fait prisonnier.
A ton orteil d'airain leur patte infâme touche.
Ils t'ont pris. Tu mourus, comme un astre se couche.
Napoléon le Grand, empereur; tu renais   315
Bonaparte, écuyer du cirque Beauharnais.
Te voilà dans leurs rangs, on t'a, l'on te harnache.
Ils t'appellent tout haut grand homme, entre eux, ganache.
Ils traînent, sur Paris qui les voit s'étaler,
Des sabres qu'au besoin ils sauraient avaler.   320
Aux passants attroupés devant leur habitacle,

Ils disent, entends-les:—Empire à grand spectacle!
Le pape est engagé dans la troupe; c'est bien,
Nous avons mieux; le czar en est; mais ce n'est rien,
325 Le czar n'est qu'un sergent, le pape n'est qu'un bonze.
Nous avons avec nous le bonhomme de bronze!
Nous sommes les neveux du grand Napoléon!—
Et Fould, Magnan, Rouher, Parieu caméléon,
Font rage. Ils vont montrant un sénat d'automates.
330 Ils ont pris de la paille au fond des casemates
Pour empailler ton aigle, ô vainqueur d'Iéna!
Il est là, mort, gisant, lui qui si haut plana,
Et du champ de bataille il tombe au champ de foire.
Sire, de ton vieux trône ils recousent la moire.
335 Ayant dévalisé la France au coin d'un bois,
Ils ont à leurs haillons du sang, comme tu vois,
Et dans son bénitier Sibour lave leur linge.
Toi, lion, tu les suis; leur maître, c'est le singe.
Ton nom leur sert de lit, Napoléon premier.
340 On voit sur Austerlitz un peu de leur fumier.
Ta gloire est un gros vin dont leur honte se grise.
Cartouche essaie et met ta redingote grise,
On quête des liards dans le petit chapeau;
Pour tapis sur la table ils ont mis ton drapeau;
345 A cette table immonde où le grec devient riche,
Avec le paysan on boit, on joue, on triche;
Tu te mêles, compère, à ce tripot hardi,
Et ta main qui tenait l'étendard de Lodi,
Cette main qui portait la foudre, ô Bonaparte,
350 Aide à piper les dés et fait sauter la carte.
Ils te forcent à boire avec eux, et Carlier
Pousse amicalement d'un coude familier
Votre majesté, sire, et Piétri dans son antre
Vous tutoie, et Maupas vous tape sur le ventre.
355 Faussaires, meurtriers, escrocs, forbans, voleurs,
Ils savent qu'ils auront, comme toi, des malheurs;
Leur soif en attendant vide la coupe pleine

A ta santé; Poissy trinque avec Sainte-Hélène.
Regarde! bals, sabbats, fêtes matin et soir.
La foule au bruit qu'ils font se culbute pour voir;   360
Debout sur le tréteau qu'assiège une cohue
Qui rit, bâille, applaudit, tempête, siffle, hue,
Entouré de pasquins agitant leur grelot,
—Commencer par Homère et finir par Callot!
Épopée! épopée! oh! quel dernier chapitre!—   365
Entre Troplong paillasse et Chaix-d'Est-Ange pitre,
Devant cette baraque, abject et vil bazar
Où Mandrin mal lavé se déguise en César,
Riant, l'affreux bandit, dans sa moustache épaisse,
Toi, spectre impérial, tu bats la grosse caisse!—   370

L'horrible vision s'éteignit. L'empereur,
Désespéré, poussa dans l'ombre un cri d'horreur,
Baissant les yeux, dressant ses mains épouvantées.
Les Victoires de marbre à la porte sculptées,
Fantômes blancs debout hors du sépulcre obscur,   375
Se faisaient du doigt signe, et, s'appuyant au mur,
Écoutaient le titan pleurer dans les ténèbres.
Et lui, cria: «Démon aux visions funèbres,
Toi qui me suis partout, que jamais je ne vois,
Qui donc es-tu?—Je suis ton crime», dit la voix.   380
La tombe alors s'emplit d'une lumière étrange
Semblable à la clarté de Dieu quand il se venge;
Pareils aux mots que vit resplendir Balthazar,
Deux mots dans l'ombre écrits flamboyaient sur César;
Bonaparte, tremblant comme un enfant sans mère,   385
Leva sa face pâle et lut:—DIX-HUIT BRUMAIRE!

25–30 novembre. **Jersey.**

QUESTIONS

1. Analyze the poem, tracing the development of the thought from beginning to end.

2. Show how Hugo skilfully combines here both epic and satirical poetry.

3. Study Hugo's art: metaphors, rhythm, alliteration, antitheses, etc.

NOTES ON *L'EXPIATION*

Title. The explanation of the title becomes clear as the poem proceeds. The antithesis between Napoleon the Great and Napoleon the Small had been developed by Hugo in 1851 in his famous July 17th speech: «Quoi! après Auguste, Augustule! Quoi? parce que nous avons eu Napoléon le Grand, il faut que nous ayons Napoléon le Petit!» Hugo composed the poem in November, 1852.

1. Il neigeait. Notice the repetition of this formula in succeeding lines. By this simple device Hugo effectively creates an impression of limitless snow and intolerable hardship.

1 ff. Levaillant: «Pour peindre, en ce raccourci saisissant, la retraite de Moscou, Victor Hugo s'est inspiré: 1° de témoignages oraux qui lui sont venus par plusieurs survivants de la Grande Armée, en particulier par son oncle le général Louis Hugo; 2° du tableau déjà épique, tracé par Chateaubriand en 1814, dans sa brochure fameuse, *De Buonaparte et des Bourbons . . . ;* 3° du livre alors fort connu, *Histoire de Napoléon et de la Grande Armée en 1812,* publié en 1824 par le comte de Ségur, son ami et son confrère à l'Académie.» (*L'Œuvre de Victor Hugo,* p. 409.)

4. Napoleon left Moscow on October 18, 1812.

10–11. Cf. Ségur, *op. cit.:* «Un de ces infortunés vécut plusieurs jours dans le cadavre d'un cheval ouvert par un obus.» Quoted by Levaillant.

11–14. Cf. Chateaubriand, *op. cit.:* «Des escadrons entiers, hommes et chevaux, étaient gelés pendant la nuit; et le matin on voyait encore ces fantômes debout au milieu des frimas.»

16. Pleuvaient. An effective « rejet.» There are others in the poem.

19. verglas, *glazed frost.*

31. affûts, *gun-carriages.*

32. Qui se couchait. «Détail donné par Napoléon lui-même, dans une page des *Papiers de Sainte-Hélène* que Chateaubriand reproduit (*Mémoires d'Outre-Tombe*).»—Note by Levaillant, *op. cit.,* p. 410.

34–35. Cf. Chateaubriand: «Ils tombent, la neige les couvre; ils forment sur le sol de petits sillons de tombeaux.»

36. Annibal . . . Attila. Hannibal, a Carthaginian general. During the Second Punic War he won the battles of the Trebia (218 B.C.), Lake Trasimene, and Cannæ, but ultimately lost the war to Rome. Attila, king of the Huns, reigned from 433 to 453 A.D. He invaded Gaul in 451, but was defeated near Troyes by a Roman-Gothic army under Ætius and Theodoric.

37–38. An allusion to the crossing of the Berezina, November 26–27, 1812.

37. brancards, civières, *stretchers, litters.*

40. Ney, Napoleon's great marshal (1769–1815).

41. The source of this anecdote remains undiscovered.

59. lèse-majesté, *high treason.*

69 ff. For a prose description of the battle of Waterloo, see Hugo's *Les Misérables*, Part II, Bk. I. The battle occurred on June 18, 1815.

88. Grouchy . . . Blücher. Grouchy, the French marshal, ordered to pursue Blücher who had been defeated on the 16th at Ligny; Grouchy was to return as soon as possible to provide reënforcements. Blücher, the Prussian general, succeeded in reaching Waterloo before Grouchy.

95. pans de murs, *sections of walls.*

96. épis, *ears* (of corn or grain).

97. tambours-majors . . . panaches. *Drum-majors . . . plumes.*

101. mamelon, *hillock.*

104. coutil, *duck.*

107. colback, fur helmet shaped like a truncated cone.

108. Friedland. Pronounced here in three syllables. The battle of Friedland took place in Prussia on June 14, 1807. At Rivoli (1797) Napoleon defeated the Austrians.

111–114. Notice the rhythm of these lines: 111: 3–3–6; 112: 4–5–3; 113: 2–4–4–2; 114: 2–4–2–4.

128. haillons, *tatters.*

136. fourgons, *vans.*

137. seigle, *rye.*

138. shakos . . . aigles, *shakos . . . standards.*

160. carcans, *irons.*

161. ce voleur du tonnerre. Hugo compares Napoleon with Prometheus. Cf. Chateaubriand, *Mémoires d'Outre-Tombe:* «Qui dira les pensées de ce Prométhée déchiré vivant par la mort, lorsqu'il promenait ses regards sur les flots?»

178. A vague allusion to the defeat of Crassus by the Parthians in 59 B.C.

181. Son fils, *etc.* Napoleon's son was entrusted to the emperor of Austria in 1815. Napoleon's wife, Marie-Louise, entered into a liaison with an Austrian general, Count Neipperg, whom she married after her husband's death.

183. se vautre, *wallows.*

185. décombres, *ruins.*

200. le manteau de Marengo. An allusion to the military cloak worn by Napoleon after the battle of Marengo (1800) to his death.

206. Hudson Lowe (1769–1844), the governor of St. Helena.

218. A la colonne veuve. In 1814 the statue of Napoleon was removed from the column in the Place Vendôme. A new statue was placed there in 1833.

227. Essling, *etc.* Napoleon was defeated at Essling in 1809. **Ulm,** 1805, and **Arcola,** 1796, were victories. **Austerlitz,** 1805, was Napoleon's greatest victory.

273. Cyrus, the founder of the Persian Empire (sixth century before Christ).

282. On December 15, 1840, Napoleon's remains were placed in the Invalides.

287. abeilles d'or. The golden bees symbolized the activity of the Empire.

311. bohémiens, . . . charnier, *Gypsies . . . charnel-house.*

313. orteil, *toe.*

316. Beauharnais. Napoleon III was the son of Hortense de Beauharnais, the stepdaughter of Napoleon I and the wife of the emperor's brother, Louis Bonaparte.

318. ganache, *lout, blockhead.*

325. bonze, *bonze* (Buddhist priest).

328. Fould, *etc.* Fould (1800–1867), a financier; Magnan (1791–1865), Marshal of France and senator during the Second Empire; Rouher (1814–1884), statesman and minister; Parieu (1815–1893), a former republican who became the president of Napoleon III's Conseil d'Etat.

330. casemates, *dungeons.*

335. dévalisé, *plundered.*

337. Sibour (1792–1857), Archbishop of Paris.

342. Cartouche. A celebrated robber (1693–1721).

347. tripot, *gambling den.*

348. Lodi. At the battle of Lodi (May 10, 1796) Napoleon commanded in person the attack on the bridge over the Adda and carried the flag across.

350. piper . . . fait sauter, *load . . . juggles.*

351. Carlier. A politician who aided Napoleon III in the *coup d'état* of December 2, 1851.

353. Piétri. A French statesman attached to Napoleon III. **antre,** *cavern.*

354. Maupas. One of Napoleon III's ministers.

355. escrocs, forbans, *sharpers, pirates.*

358. Poissy, a small town, not far from Paris, where there was a penitentiary.

359. sabbats, *revels.*

363. pasquins, *i.e.* comic characters (from Pasquino of the Italian Commedia dell' arte).

364. Callot. Jacques Callot (1592–1635), a famous artist, who excelled in rendering the burlesque, the grotesque, and the hideous.

366. Troplong (1795–1869), President of the Senate under Napoleon III. **Chaix-d'Est-Ange,** a prominent lawyer who became attorney-general under Napoleon III.

368. Mandrin, a famous robber of the eighteenth century.

374. Victoires de marbre, twelve statues by Pradier which surround the tomb of Napoleon.

383. Balthazar, *Belshazzar.* See the book of Daniel, V, 25–30.

386. Dix-huit Brumaire, November 9, 1799. On that day and the next, Bonaparte abolished the government of the Directory and became First Consul. It was the first step on the road to the Empire.

Les Contemplations

In February, 1854, Victor Hugo wrote to Paul Meurice: «Je crois que le moment serait bon pour publier un volume de vers calmes. *Les Contemplations* après *les Châtiments.* Après l'effet rouge, l'effet bleu.» Two years later *Les Contemplations* appeared in two volumes, the first entitled «Autrefois,» the second «Aujourd'hui.»

The preface defined Hugo's conception of his work:

Qu'est-ce que les *Contemplations?* C'est ce qu'on pourrait appeler, si le mot n'avait quelque prétention, les *Mémoires d'une âme.*

Ce sont, en effet, toutes les impressions, tous les souvenirs, toutes les réalités, tous les fantômes vagues, riants ou funèbres, que peut contenir une conscience, revenus et rappelés, rayon à rayon, soupir à soupir, et mêlés dans la même nuée sombre. C'est l'existence humaine sortant de l'énigme du berceau et aboutissant à l'énigme du cercueil; c'est un esprit qui marche de lueur en lueur en laissant derrière lui la jeunesse, l'amour, l'illusion, le combat, le désespoir, et qui s'arrête éperdu «au bord de l'infini.» Cela commence par un sourire, continue par un sanglot, et finit par un bruit du clairon de l'abîme. . . .

Nous venons de le dire, c'est une âme qui se raconte dans ces deux volumes. *Autrefois, Aujourd'hui.* Un abîme les sépare, le tombeau.

The tomb is that of Hugo's daughter Léopoldine, killed in a boating accident in 1843. The poems of the first volume bear dates prior to September, 1843; those of the second are dated from 1843 to 1856. As a matter of fact, a large majority of the poems (111 out of 139) were composed considerably after Léopoldine's death. The printed dates rarely coincide with the actual dates of composition.

The inspiration of *Les Contemplations*—as the title and preface indicate—is essentially lyric. The death of Léopoldine and the father's despair, appreciation of nature, the destiny of man,— such are the dominating themes of the work. But minor themes are not completely neglected. *Réponse à un acte d'accusation* discusses the Romantic revolution in French versification. *La*

Fête chez Thérèse is a picture in the style of Watteau. *Le Rouet d'Omphale* is Hugo's contribution to the homage paid during the 1840's to ancient Greece.

In addition to the poems given here, students should read *Réponse à un acte d'accusation, La Fête chez Thérèse, Le Rouet d'Omphale, Sous les arbres, Melancholia, Magnitudo parvi, Elle avait pris ce pli, Mors, Mugitusque boum, Cerigo, Ibo, Les Mages, Ce que dit la bouche d'ombre.*

A U X A R B R E S

Arbres de la forêt, vous connaissez mon âme!
Au gré des envieux la foule loue et blâme;
Vous me connaissez, vous!—vous m'avez vu souvent,
Seul dans vos profondeurs, regardant et rêvant.
5 Vous le savez, la pierre où court un scarabée,
Une humble goutte d'eau de fleur en fleur tombée,
Un nuage, un oiseau, m'occupent tout un jour.
La contemplation m'emplit le cœur d'amour.
Vous m'avez vu cent fois, dans la vallée obscure,
10 Avec ces mots que dit l'esprit à la nature,
Questionner tout bas vos rameaux palpitants,
Et du même regard poursuivre en même temps,
Pensif, le front baissé, l'œil dans l'herbe profonde,
L'étude d'un atome et l'étude du monde.
15 Attentif à vos bruits qui parlent tous un peu,
Arbres, vous m'avez vu fuir l'homme et chercher Dieu!
Feuilles qui tressaillez à la pointe des branches,
Nids dont le vent au loin sème les plumes blanches,
Clairières, vallons verts, déserts sombres et doux,
20 Vous savez que je suis calme et pur comme vous.
Comme au ciel vos parfums, mon culte à Dieu s'élance,
Et je suis plein d'oubli comme vous de silence!
La haine sur mon nom répand en vain son fiel;
Toujours,—je vous atteste, ô bois aimés du ciel!—
25 J'ai chassé loin de moi toute pensée amère,
Et mon cœur est encor tel que le fit ma mère!

Arbres de ces grands bois qui frissonnez toujours,
Je vous aime, et vous, lierre au seuil des antres sourds,
Ravins où l'on entend filtrer les sources vives,
Buissons que les oiseaux pillent, joyeux convives!   30
Quand je suis parmi vous, arbres de ces grands bois,
Dans tout ce qui m'entoure et me cache à la fois,
Dans votre solitude où je rentre en moi-même,
Je sens quelqu'un de grand qui m'écoute et qui m'aime!

Aussi, taillis sacrés où Dieu même apparaît,   35
Arbres religieux, chênes, mousses, forêt,
Forêt! c'est dans votre ombre et dans votre mystère,
C'est sous votre branchage auguste et solitaire,
Que je veux abriter mon sépulcre ignoré,
Et que je veux dormir quand je m'endormirai.   40

Juin 1843.

QUESTION

1. Compare with Lamartine's *Le Vallon* and Leconte de Lisle's *Midi*.

NOTES ON *AUX ARBRES*

Title. Vianey suggests several literary sources: two poems by Victor de Laprade, *A un grand arbre* and *La Mort du chêne* (published in the *Revue indépendante* in December, 1841, and July, 1842); Bernardin de Saint-Pierre's meditation on the forest in his *Harmonies de la nature;* one of Rousseau's letters to Malesherbes; and Lamartine's *Le Chêne* in his *Harmonies poétiques et religieuses.*

5. scarabée, *beetle.*

23. A possible allusion either to the critics of *Les Burgraves*, or, more likely, to the critics of his liaison with Juliette Drouet.

28. antres, *caverns.*

35. taillis, *copse, thicket.*

35 ff. Cf. Ronsard, *De l'élection de son sépulcre.*

A VILLEQUIER

Maintenant que Paris, ses pavés et ses marbres,
Et sa brume et ses toits sont bien loin de mes yeux;
Maintenant que je suis sous les branches des arbres,
Et que je puis songer à la beauté des cieux:

5   Maintenant que du deuil qui m'a fait l'âme obscure
          Je sors, pâle et vainqueur,
   Et que je sens la paix de la grande nature
          Qui m'entre dans le cœur;

   Maintenant que je puis, assis au bord des ondes,
10 Ému par ce superbe et tranquille horizon,
   Examiner en moi les vérités profondes
   Et regarder les fleurs qui sont dans le gazon;

   Maintenant, ô mon Dieu! que j'ai ce calme sombre
          De pouvoir désormais
15 Voir de mes yeux la pierre où je sais que dans l'ombre
          Elle dort pour jamais;

   Maintenant qu'attendri par ces divins spectacles,
   Plaines, forêts, rochers, vallons, fleuve argenté,
   Voyant ma petitesse et voyant vos miracles,
20 Je reprends ma raison devant l'immensité;

   Je viens à vous, Seigneur, père auquel il faut croire;
          Je vous porte, apaisé,
   Les morceaux de ce cœur tout plein de votre gloire
          Que vous avez brisé;

25 Je viens à vous, Seigneur! confessant que vous êtes
   Bon, clément, indulgent et doux, ô Dieu vivant!
   Je conviens que vous seul savez ce que vous faites,
   Et que l'homme n'est rien qu'un jonc qui tremble au vent;

   Je dis que le tombeau qui sur les morts se ferme
30   Ouvre le firmament;
   Et que ce qu'ici-bas nous prenons pour le terme
          Est le commencement;

   Je conviens à genoux que vous seul, père auguste,
   Possédez l'infini, le réel, l'absolu;
35 Je conviens qu'il est bon, je conviens qu'il est juste
   Que mon cœur ait saigné, puisque Dieu l'a voulu!

Je ne résiste plus à tout ce qui m'arrive
   Par votre volonté.
L'âme de deuils en deuils, l'homme de rive en rive,
   Roule à l'éternité.   40

Nous ne voyons jamais qu'un seul côté des choses;
L'autre plonge en la nuit d'un mystère effrayant.
L'homme subit le joug sans connaître les causes.
Tout ce qu'il voit est court, inutile et fuyant.

Vous faites revenir toujours la solitude   45
   Autour de tous ses pas.
Vous n'avez pas voulu qu'il eût la certitude
   Ni la joie ici-bas!

Dès qu'il possède un bien, le sort le lui retire.
Rien ne lui fut donné, dans ses rapides jours, 50
Pour qu'il s'en puisse faire une demeure, et dire:
C'est ici ma maison, mon champ et mes amours!

Il doit voir peu de temps tout ce que ses yeux voient;
   Il vieillit sans soutiens.
Puisque ces choses sont, c'est qu'il faut qu'elles soient; 55
   J'en conviens, j'en conviens!

Le monde est sombre, ô Dieu! l'immuable harmonie
Se compose des pleurs aussi bien que des chants;
L'homme n'est qu'un atome en cette ombre infinie,
Nuit où montent les bons, où tombent les méchants. 60

Je sais que vous avez bien autre chose à faire
   Que de nous plaindre tous,
Et qu'un enfant qui meurt, désespoir de sa mère,
   Ne vous fait rien, à vous.

Je sais que le fruit tombe au vent qui le secoue, 65
Que l'oiseau perd sa plume et la fleur son parfum,
Que la création est une grande roue
Qui ne peut se mouvoir sans écraser quelqu'un;

Les mois, les jours, les flots des mers, les yeux qui pleurent,
70   Passent sous le ciel bleu;
Il faut que l'herbe pousse et que les enfants meurent.
        Je le sais, ô mon Dieu!

Dans vos cieux, au delà de la sphère des nues,
Au fond de cet azur immobile et dormant,
75 Peut-être faites-vous des choses inconnues
Où la douleur de l'homme entre comme élément.

Peut-être est-il utile à vos desseins sans nombre
        Que des êtres charmants
S'en aillent, emportés par le tourbillon sombre
80   Des noirs événements.

Nos destins ténébreux vont sous des lois immenses
Que rien ne déconcerte et que rien n'attendrit.
Vous ne pouvez avoir de subites clémences
Qui dérangent le monde, ô Dieu, tranquille esprit!

85 Je vous supplie, ô Dieu! de regarder mon âme,
        Et de considérer
Qu'humble comme un enfant et doux comme une femme
        Je viens vous adorer!

Considérez encor que j'avais, dès l'aurore,
90 Travaillé, combattu, pensé, marché, lutté,
Expliquant la nature à l'homme qui l'ignore,
Éclairant toute chose avec votre clarté;

Que j'avais, affrontant la haine et la colère,
        Fait ma tâche ici-bas,
95 Que je ne pouvais pas m'attendre à ce salaire.
        Que je ne pouvais pas

Prévoir que, vous aussi, sur ma tête qui ploie,
Vous appesantiriez votre bras triomphant,
Et que, vous qui voyiez comme j'ai peu de joie,
100 Vous me reprendriez si vite mon enfant!

Qu'une âme ainsi frappée à se plaindre est sujette,
        Que j'ai pu blasphémer,
Et vous jeter mes cris comme un enfant qui jette
        Une pierre à la mer!

Considérez qu'on doute, ô mon Dieu! quand on souffre, 105
Que l'œil qui pleure trop finit par s'aveugler,
Qu'un être que son deuil plonge au plus noir du gouffre,
Quand il ne vous voit plus, ne peut vous contempler,

Et qu'il ne se peut pas que l'homme, lorsqu'il sombre
        Dans les afflictions,   110
Ait présente à l'esprit la sérénité sombre
        Des constellations!

Aujourd'hui, moi qui fus faible comme une mère,
Je me courbe à vos pieds devant vos cieux ouverts.
Je me sens éclairé dans ma douleur amère   115
Par un meilleur regard jeté sur l'univers.

Seigneur, je reconnais que l'homme est en délire
        S'il ose murmurer;
Je cesse d'accuser, je cesse de maudire,
        Mais laissez-moi pleurer!   120

Hélas! laissez les pleurs couler de ma paupière,
Puisque vous avez fait les hommes pour cela!
Laissez-moi me pencher sur cette froide pierre
Et dire à mon enfant: Sens-tu que je suis là?

Laissez-moi lui parler, incliné sur ses restes,   125
        Le soir, quand tout se tait,
Comme si, dans sa nuit rouvrant ses yeux célestes,
        Cet ange m'écoutait!

Hélas! vers le passé tournant un œil d'envie,
Sans que rien ici-bas puisse m'en consoler,   130
Je regarde toujours ce moment de ma vie
Où je l'ai vue ouvrir son aile et s'envoler.

Je verrai cet instant jusqu'à ce que je meure,
L'instant, pleurs superflus!
135 Où je criai: L'enfant que j'avais tout à l'heure,
Quoi donc! je ne l'ai plus!

Ne vous irritez pas que je sois de ia sorte,
O mon Dieu! cette plaie a si longtemps saigné!
L'angoisse dans mon âme est toujours la plus forte,
140 Et mon cœur est soumis, mais n'est pas résigné.

Ne vous irritez pas! fronts que le deuil réclame,
Mortels sujets aux pleurs.
Il nous est malaisé de retirer notre âme
De ces grandes douleurs.

145 Voyez-vous, nos enfants nous sont bien nécessaires,
Seigneur; quand on a vu dans sa vie, un matin,
Au milieu des ennuis, des peines, des misères,
Et de l'ombre que fait sur nous notre destin,

Apparaître un enfant, tête chère et sacrée,
150   Petit être joyeux,
Si beau, qu'on a cru voir s'ouvrir à son entrée
Une porte des cieux;

Quand on a vu, seize ans, de cet autre soi-même
Croître la grâce aimable et la douce raison,
155 Lorsqu'on a reconnu que cet enfant qu'on aime
Fait le jour dans notre âme et dans notre maison;

Que c'est la seule joie ici-bas qui persiste
De tout ce qu'on rêva,
Considérez que c'est une chose bien triste
160   De le voir qui s'en va!

Villequier, *4 septembre 1847.*

QUESTIONS

1. Analyze the composition of the poem, tracing the development of the thought from beginning to end. What one line sums up the poem?

2. What lyric themes are treated in this poem?

3. Compare this poem with Malherbe's *Consolation à Du Périer sur la mort de sa fille.*

NOTES ON *A VILLEQUIER*

Title. Hugo's daughter Léopoldine and her husband Charles Vacquerie were killed in a boating accident at Villequier (near Caudebec on the Seine), September 4, 1843. The young couple—married only six months— were plunged into the water by a sudden squall. Vacquerie, unable to save his wife, let himself drown.

Hugo was traveling at the time in southwestern France. At Rochefort on the 9th of September he read in a daily paper the news of his daughter's death. His grief was immeasurable, for Léopoldine was probably the person whom he loved the most. It was a year before he recovered sufficiently to view the event with the slightest objectivity. It was then that he composed the remarkable elegy which is the masterpiece of *Les Contemplations.*

Other poems of *Les Contemplations* are devoted to Léopoldine and her tragic death. They form a special group entitled «Pauca meae.»

Vianey and other critics point out that in *A Villequier* Hugo has combined the two traditional stanzas of the French elegy, that of Malherbe's *Consolation à Du Périer sur la mort de sa fille* and that of Lamartine's *L'Isolement.*

The poem was completed in 1846; see Journet & Robert, *Le Manuscrit des «Contemplations,»* 1956, pp. 101–2.

24. Vianey refers to Job, XXX, 22.

28. Cf. Pascal's *Pensées:* «L'homme n'est qu'un roseau, le plus faible de la nature. . . .»

35–36. Cf. Job, I, 21.

41–60. Passage added in 1846.

69–72. Cf. Job, XIV (French version): «Les jours de l'homme sont courts; le nombre de ses mois est entre vos mains. . . . Un arbre . . . quoiqu'on le coupe ne laisse pas de reverdir. . . . Mais quand l'homme est mort . . . , que devient-il? De même que si les eaux d'une mer se retiraient . . . ainsi quand l'homme est mort. . . .»—Note by Vianey.

73–80. Passage added in 1846.

79. Cf. Job, XXX, 15.

102–104. Blasphémer—mer. A so-called « rime normande,» frequently
used by Corneille in the seventeenth century, but rare in Hugo's poetry.
105–112. Passage added in 1846.
132. An admirable « trimètre.»
156. Fait le jour dans notre âme. Cf. line 5.

CADAVER

O mort! heure splendide! ô rayons mortuaires!
Avez-vous quelquefois soulevé des suaires?
Et, pendant qu'on pleurait, et qu'au chevet du lit,
Frères, amis, enfants, la mère qui pâlit,
5   Éperdus, sanglotaient dans le deuil qui les navre,
Avez-vous regardé sourire le cadavre?
Tout à l'heure il râlait, se tordait, étouffait;
Maintenant il rayonne. Abîme! qui donc fait
Cette lueur qu'a l'homme en entrant dans les ombres?
10   Qu'est-ce que le sépulcre? et d'où vient, penseurs
Cette sérénité formidable des morts?   [sombres,
C'est que le secret s'ouvre et que l'être est dehors;
C'est que l'âme—qui voit, puis brille, puis flamboie,—
Rit, et que le corps même a sa terrible joie.
15   La chair se dit:—Je vais être terre, et germer,
Et fleurir comme sève, et, comme fleur, aimer!
Je vais me rajeunir dans la jeunesse énorme
Du buisson, de l'eau vive, et du chêne, et de l'orme,
Et me répandre aux lacs, aux flots, aux monts, aux prés,
20   Aux rochers, aux splendeurs des grands couchants
Aux ravins, aux halliers, aux brises de la nue,   [pourprés,
Aux murmures profonds de la vie inconnue!
Je vais être oiseau, vent, cri des eaux, bruit des cieux,
Et palpitation du tout prodigieux!—
25   Tous ces atomes las, dont l'homme était le maître,
Sont joyeux d'être mis en liberté dans l'être,
De vivre, et de rentrer au gouffre qui leur plaît.
L'haleine, que la fièvre aigrissait et brûlait,
Va devenir parfum, et la voix harmonie;

Le sang va retourner à la veine infinie,   30
Et couler, ruisseau clair, aux champs où le bœuf roux
Mugit le soir avec l'herbe jusqu'aux genoux;
Les os ont déjà pris la majesté des marbres;
La chevelure sent le grand frisson des arbres,
Et songe aux cerfs errants, au lierre, aux nids chantants 35
Qui vont l'emplir du souffle adoré du printemps.
Et voyez le regard, qu'une ombre étrange voile,
Et qui, mystérieux, semble un lever d'étoile!

Oui, Dieu le veut, la mort, c'est l'ineffable chant
De l'âme et de la bête à la fin se lâchant;   40
C'est une double issue ouverte à l'être double.
Dieu disperse, à cette heure inexprimable et trouble,
Le corps dans l'univers et l'âme dans l'amour.
Une espèce d'azur que dore un vague jour,
L'air de l'éternité, puissant, calme, salubre,   45
Frémit et resplendit sous le linceul lugubre;
Et des plis du drap noir tombent tous nos ennuis.
La mort est bleue. O mort! ô paix! L'ombre des nuits,
Le roseau des étangs, le roc du monticule,
L'épanouissement sombre du crépuscule,   50
Le vent, souffle farouche ou providentiel,
L'air, la terre, le feu, l'eau, tout, même le ciel,
Se mêle à cette chair qui devient solennelle.
Un commencement d'astre éclôt dans la prunelle.

Au cimetière, août 1855.

QUESTIONS

1. What specific elements explain the great beauty of this poem?
2. Discuss this interpretation of death from the point of view of religious orthodoxy.

NOTES ON *CADAVER*

Title. According to Vianey the title was suggested by the Latin title *Mors* of poem XIV in Book IV of *Les Contemplations.*

Vianey suggests several literary sources: the description of the body of René's father in Chateaubriand's *René;* a passage describing the corpse of Jocelyn in the prologue of Lamartine's poem; a number of lines from Lamartine's *Milly* in which the poet rejoices at the thought that his ashes will be mingled with his native land and will blossom with the flowers; a paragraph in George Sand's *Sept Cordes de la lyre* which speaks of the possible transformation of the body into roses or lilies. To these I should add Musset's *Nuit d'août*, lines 119–122.

7. râlait, *was uttering the death-rattle.*

21. halliers, *thickets.*

46. linceul, *shroud.*

La Légende des siècles

The epic tone audible in certain poems of the *Odes et Ballades* and *Les Orientales*, more impressively heard in *Cromwell*, *Hernani*, and *Ruy Blas* reverberated in more than one poem of *Les Châtiments*. It reaches its climax in *La Légende des siècles*, the first series of which was published in 1859.

The work has been well characterized by Hugo himself. In the preface he states that «les poèmes qui composent ces deux volumes ne sont donc autre chose que des empreintes successives du profil humain, de date en date, depuis Ève, mère des hommes, jusqu'à la Révolution, mère des peuples; empreintes prises, tantôt sur la barbarie, tantôt sur la civilisation, presque toujours sur le vif de l'histoire; empreintes moulées sur le masque des siècles.» In these lines one feels the possible influence of Vigny's *Poèmes antiques et modernes* and Leconte de Lisle's *Poèmes antiques*. But Hugo departs markedly from these predecessors when he introduces his own special philosophy—at this date, a combination of pythagorism, pantheism, and optimism—into his work. He concludes his preface by saying: «L'épanouissement du genre humain de siècle en siècle, l'homme montant des ténèbres à l'idéal, la transfiguration paradisiaque de l'enfer terrestre, l'éclosion lente et suprême de la liberté, droit pour cette vie, responsabilité pour l'autre; une espèce d'hymne religieux à mille strophes, ayant dans ses entrailles une foi profonde et sur son sommet une haute prière; le drame de la création éclairé par le visage du créateur, voilà ce que sera, terminé, ce poème dans son ensemble; si Dieu, maître des existences humaines, y consent.» Lamartine had conceived an equally grandiose work, but, unlike Hugo, he did not bring it to completion.

La Légende des siècles, in spite of certain serious defects, is a magnificent production by virtue of the intensity of its colors, the plastic quality of its pictures, the firmness and suppleness of its rhythm, and the richness of imagination which it reveals. It remains a monument of Hugo's mature genius and of the supremacy of his art.

In addition to the poems given here, students should read *Le Sacre de la femme, La Conscience, Le Petit Roi de Galice, Sultan mourad,* all of *Le Satyre, La Rose de l'infante, Pleine mer. L'Aigle du casque,* and *L'Épopée du ver.*

Booz endormi

Booz s'était couché de fatigue accablé;
Il avait tout le jour travaillé dans son aire;
Puis avait fait son lit à sa place ordinaire;
Booz dormait auprès des boisseaux pleins de blé.

Ce vieillard possédait des champs de blés et d'orge;   5
Il était, quoique riche, à la justice enclin;
Il n'avait pas de fange en l'eau de son moulin;
Il n'avait pas d'enfer dans le feu de sa forge.

Sa barbe était d'argent comme un ruisseau d'avril.
Sa gerbe n'était point avare ni haineuse;   10
Quand il voyait passer quelque pauvre glaneuse:
«Laissez tomber exprès des épis», disait-il.

Cet homme marchait pur loin des sentiers obliques,
Vêtu de probité candide et de lin blanc;
Et, toujours du côté des pauvres ruisselant,   15
Ses sacs de grains semblaient des fontaines publiques.

Booz était bon maître et fidèle parent;
Il était généreux, quoiqu'il fût économe;
Les femmes regardaient Booz plus qu'un jeune homme,
20 Car le jeune homme est beau, mais le vieillard est grand.

Le vieillard, qui revient vers la source première,
Entre aux jours éternels et sort des jours changeants;
Et l'on voit de la flamme aux yeux des jeunes gens,
Mais dans l'œil du vieillard on voit de la lumière.

*

25 Donc, Booz dans la nuit dormait parmi les siens.
Près des meules, qu'on eût prises pour des décombres,
Les moissonneurs couchés faisaient des groupes sombres;
Et ceci se passait dans des temps très anciens.

Les tribus d'Israël avaient pour chef un juge;
30 La terre, où l'homme errait sous la tente, inquiet
Des empreintes de pieds de géants qu'il voyait,
Était mouillée encor et molle du déluge.

*

Comme dormait Jacob, comme dormait Judith,
Booz, les yeux fermés, gisait sous la feuillée;
35 Or, la porte du ciel s'étant entre-bâillée
Au-dessus de sa tête, un songe en descendit.

Et ce songe était tel, que Booz vit un chêne
Qui, sorti de son ventre, allait jusqu'au ciel bleu;
Une race y montait comme une longue chaîne;
40 Un roi chantait en bas, en haut mourait un Dieu.

Et Booz murmurait avec la voix de l'âme:
«Comment se pourrait-il que de moi ceci vînt?
Le chiffre de mes ans a passé quatre-vingt,
Et je n'ai pas de fils, et je n'ai plus de femme.

Voilà longtemps que celle avec qui j'ai dormi, 45
O Seigneur! a quitté ma couche pour la vôtre;
Et nous sommes encor tout mêlés l'un à l'autre,
Elle à demi vivante et moi mort à demi.

Une race naîtrait de moi! Comment le croire?
Comment se pourrait-il que j'eusse des enfants? 50
Quand on est jeune, on a des matins triomphants;
Le jour sort de la nuit comme d'une victoire;

Mais vieux, on tremble ainsi qu'à l'hiver le bouleau;
Je suis veuf, je suis seul, et sur moi le soir tombe,
Et je courbe, ô mon Dieu! mon âme vers la tombe, 55
Comme un bœuf ayant soif penche son front vers l'eau.»

Ainsi parlait Booz dans le rêve et l'extase,
Tournant vers Dieu ses yeux par le sommeil noyés;
Le cèdre ne sent pas une rose à sa base,
Et lui ne sentait pas une femme à ses pieds. 60

*

Pendant qu'il sommeillait, Ruth, une Moabite,
S'était couchée aux pieds de Booz, le sein nu,
Espérant on ne sait quel rayon inconnu
Quand viendrait du réveil la lumière subite.

Booz ne savait point qu'une femme était là, 65
Et Ruth ne savait point ce que Dieu voulait d'elle.
Un frais parfum sortait des touffes d'asphodèle;
Les souffles de la nuit flottaient sur Galgala.

L'ombre était nuptiale, auguste et solennelle;
Les anges y volaient sans doute obscurément, 70
Car on voyait passer dans la nuit, par moment,
Quelque chose de bleu qui paraissait une aile.

La respiration de Booz qui dormait
Se mêlait au bruit sourd des ruisseaux sur la mousse
75   On était dans le mois où la nature est douce,
Les collines ayant des lys sur leur sommet.

Ruth songeait et Booz dormait; l'herbe était noire;
Les grelots des troupeaux palpitaient vaguement;
Une immense bonté tombait du firmament;
80   C'était l'heure tranquille où les lions vont boire.

Tout reposait dans Ur et dans Jérimadeth;
Les astres émaillaient le ciel profond et sombre;
Le croissant fin et clair parmi ces fleurs de l'ombre
Brillait à l'occident, et Ruth se demandait,

85   Immobile, ouvrant l'œil à moitié sous ses voiles,
Quel dieu, quel moissonneur de l'éternel été,
Avait, en s'en allant, négligemment jeté
Cette faucille d'or dans le champ des étoiles.

1er mai 1859

QUESTIONS

1. By what specific means does Hugo create (a) the Biblical atmosphere of this poem, (b) the serene beauty of the poem?

2. How would you classify this poem? Is it Romantic, Parnassian, or something else?

3. Does the poem carry out the intentions of the author as stated in the preface?

NOTES ON *BOOZ ENDORMI*

Title. Hugo utilized for the composition of this poem the book of Ruth, and chapters XV, XVII, and XVIII of Genesis. He had long been impressed by the story of Ruth. In *Aux Feuillantines* (in *Les Contemplations*) he wrote of the charm which the Bible had for him even in his childhood:

Nous lûmes tous les trois ainsi, tout le matin,
Joseph, Ruth et Booz, le bon Samaritain,
Et toujours plus charmés, le soir nous le relûmes.

2. aire, *threshing-floor.*

10. gerbe, *sheaf.*

11. glaneuse, *gleaner.*

20–24. Cf. *Hernani,* Act III, sc. I.

26. décombres, *ruins.*

33. Jacob, the son of Isaac and Rebecca, had a dream in which he saw a ladder stretching from heaven to earth and full of angels.—Judith slept long and peacefully before going to kill the Assyrian general Holophernes.

36–40. P. Berret: «C'est là proprement un arbre de Jessé. Au Moyen Age, la généalogie du Christ était figurée par un arbre sortant du corps du patriarche Jessé; sur les branches de cet arbre se trouvaient les ancêtres du Christ; Jessé, fils d'Obed, est le petit-fils de Ruth et de Booz. V. Hugo n'altère donc pas beaucoup la tradition en prêtant cette vision par anticipation à Booz lui-même.»—Critical edition.

40. Un roi, *i.e.* David.

42–44. Cf. Genesis, XVII, 17.

47–56. Cf. Genesis, XV, 2 and XVIII, 11–12.

61. Moabite. The land of Moab is located east of the Jordan.

67. asphodèle, *asphodel, wild daffodil.*

68. Galgala, hills about nine or ten miles from Bethlehem.

81. Jérimadeth. Berret considers that the term is a deformation of Jerahmeel, mentioned in the Vulgate. The tribe of Jerahmeel was located in the south of Judæa.—**Ur,** on the other hand, is far to the north.

88. The metaphor comes from Louis Bouilhet's *Bucolique,* published in *L'Artiste,* March 1, 1857:

> La nuit se met en chemin,
> Moissonneuse à la peau brune,
> Qui, pour faucille, à sa main,
> Tient le croissant de la lune.

faucille, *sickle.*

LE MARIAGE DE ROLAND

Ils se battent—combat terrible!—corps à corps.
Voilà déjà longtemps que leurs chevaux sont morts;
Ils sont là seuls tous deux dans une île du Rhône.
Le fleuve à grand bruit roule un flot rapide et jaune,
Le vent trempe en sifflant les brins d'herbe dans l'eau.   5
L'archange saint Michel attaquant Apollo
Ne ferait pas un choc plus étrange et plus sombre;
Déjà, bien avant l'aube, ils combattaient dans l'ombre.

Qui, cette nuit, eût vu s'habiller ces barons,
10   Avant que la visière eût dérobé leurs fronts,
Eût vu deux pages blonds, roses comme des filles.
Hier, c'étaient deux enfants riant à leurs familles,
Beaux, charmants;—aujourd'hui, sur ce fatal terrain,
C'est le duel effrayant de deux spectres d'airain,
15   Deux fantômes auxquels le démon prête une âme,
Deux masques dont les trous laissent voir de la flamme.
Ils luttent, noirs, muets, furieux, acharnés.
Les bateliers pensifs qui les ont amenés
Ont raison d'avoir peur et de fuir dans la plaine,
20   Et d'oser, de bien loin, les épier à peine,
Car de ces deux enfants, qu'on regarde en tremblant,
L'un s'appelle Olivier et l'autre a nom Roland.

Et, depuis qu'ils sont là, sombres, ardents, farouches,
Un mot n'est pas encor sorti de ces deux bouches.

25   Olivier, sieur de Vienne et comte souverain,
A pour père Gérard et pour aïeul Garin.
Il fut pour ce combat habillé par son père.
Sur sa targe est sculpté Bacchus faisant la guerre
Aux Normands, Rollon ivre et Rouen consterné,
30   Et le dieu souriant par des tigres traîné
Chassant, buveur de vin, tous ces buveurs de cidre.
Son casque est enfoui sous les ailes d'une hydre;
Il porte le haubert que portait Salomon;
Son estoc resplendit comme l'œil d'un démon;
35   Il y grava son nom afin qu'on s'en souvienne;
Au moment du départ, l'archevêque de Vienne
A béni son cimier de prince féodal.

Roland a son habit de fer, et Durandal.

Ils luttent de si près, avec de sourds murmures,
40   Que leur souffle âpre et chaud s'empreint sur leurs
Le pied presse le pied; l'île à leurs noirs assauts   [armures:
Tressaille au loin; l'acier mord le fer; des morceaux

De heaume et de haubert, sans que pas un s'émeuve,
Sautent à chaque instant dans l'herbe et dans le fleuve.
Leurs brassards sont rayés de longs filets de sang   45
Qui coule de leur crâne et dans leurs yeux descend.
Soudain, sire Olivier, qu'un coup affreux démasque,
Voit tomber à la fois son épée et son casque.
Main vide et tête nue, et Roland l'œil en feu!
L'enfant songe à son père et se tourne vers Dieu.   50
Durandal sur son front brille. Plus d'espérance!
«Çà, dit Roland, je suis neveu du roi de France,
Je dois me comporter en franc neveu de roi.
Quand j'ai mon ennemi désarmé devant moi,
Je m'arrête. Va donc chercher une autre épée,   55
Et tâche, cette fois, qu'elle soit bien trempée.
Tu feras apporter à boire en même temps,
Car j'ai soif.
                    —Fils, merci, dit Olivier.
                                        —J'attends,
Dit Roland, hâte-toi.»
                          Sire Olivier appelle
Un batelier caché derrière une chapelle.   60

«Cours à la ville, et dis à mon père qu'il faut
Une autre épée à l'un de nous, et qu'il fait chaud.»
Cependant les héros, assis dans les broussailles,
S'aident à délacer leurs capuchons de mailles,
Se lavent le visage, et causent un moment.   65
Le batelier revient, il a fait promptement;
L'homme a vu le vieux comte; il rapporte une épée
Et du vin, de ce vin qu'aimait le grand Pompée
Et que Tournon récolte au flanc de son vieux mont.
L'épée est cette illustre et fière Closamont   70
Que d'autres quelquefois appellent Haute-Claire.
L'homme a fui. Les héros achèvent sans colère
Ce qu'ils disaient; le ciel rayonne au-dessus d'eux;
Olivier verse à boire à Roland; puis tous deux

75   Marchent droit l'un vers l'autre, et le duel recommence.
   Voilà que par degrés de sa sombre démence
   Le combat les enivre; il leur revient au cœur
   Ce je ne sais quel dieu qui veut qu'on soit vainqueur,
   Et qui, s'exaspérant aux armures frappées,
80   Mêle l'éclair des yeux aux lueurs des épées.

   Ils combattent, versant à flots leur sang vermeil.
   Le jour entier se passe ainsi. Mais le soleil
   Baisse vers l'horizon. La nuit vient.

                    «Camarade,
   Dit Roland, je ne sais, mais je me sens malade.
85   Je ne me soutiens plus, et je voudrais un peu
   De repos.
          —Je prétends, avec l'aide de Dieu,
   Dit le bel Olivier, le sourire à la lèvre,
   Vous vaincre par l'épée et non point par la fièvre.
   Dormez sur l'herbe verte, et cette nuit, Roland,
90   Je vous éventerai de mon panache blanc.
   Couchez-vous, et dormez.
              —Vassal, ton âme est neuve,
   Dit Roland. Je riais, je faisais une épreuve.
   Sans m'arrêter et sans me reposer, je puis
   Combattre quatre jours encore, et quatre nuits.»

95   Le duel reprend. La mort plane, le sang ruisselle,
   Durandal heurte et suit Closamont; l'étincelle
   Jaillit de toutes parts sous leurs coups répétés.
   L'ombre autour d'eux s'emplit de sinistres clartés.
   Ils frappent; le brouillard du fleuve monte et fume;
100 Le voyageur s'effraye et croit voir dans la brume
   D'étranges bûcherons qui travaillent la nuit.

   Le jour naît, le combat continue à grand bruit;
   La pâle nuit revient, ils combattent; l'aurore
   Reparaît dans les cieux, ils combattent encore.

Nul repos. Seulement, vers le troisième soir,   105
Sous un arbre, en causant, ils sont allés s'asseoir;
Puis ont recommencé.

           Le vieux Gérard dans Vienne
Attend depuis trois jours que son enfant revienne.
Il envoie un devin regarder sur les tours;
Le devin dit: «Seigneur, ils combattent toujours.»   110

Quatre jours sont passés, et l'île et le rivage
Tremblent sous ce fracas monstrueux et sauvage.
Ils vont, viennent, jamais fuyant, jamais lassés,
Froissent le glaive au glaive et sautent les fossés,
Et passent, au milieu des ronces remuées,   115
Comme deux tourbillons et comme deux nuées.
O chocs affreux! terreur! tumulte étincelant!
Mais enfin Olivier saisit au corps Roland,
Qui de son propre sang en combattant s'abreuve,
Et jette d'un revers Durandal dans le fleuve.   120

«C'est mon tour maintenant, et je vais envoyer
Chercher un autre estoc pour vous, dit Olivier.
Le sabre du géant Sinnagog est à Vienne.
C'est, après Durandal, le seul qui vous convienne.
Mon père le lui prit alors qu'il le défit.   125
Acceptez-le.»
           Roland sourit. «Il me suffit
De ce bâton.» Il dit, et déracine un chêne.

Sire Olivier arrache un orme dans la plaine
Et jette son épée, et Roland, plein d'ennui,
L'attaque. Il n'aimait pas qu'on vînt faire après lui   130
Les générosités qu'il avait déjà faites.

Plus d'épée en leurs mains, plus de casque à leurs têtes,
Ils luttent maintenant, sourds, effarés, béants,
A grands coups de troncs d'arbre, ainsi que des géants.

135 Pour la cinquième fois, voici que la nuit tombe.
Tout à coup Olivier, aigle aux yeux de colombe,
S'arrête et dit:

«Roland, nous n'en finirons point.
Tant qu'il nous restera quelque tronçon au poing,
Nous lutterons ainsi que lions et panthères.
140 Ne vaudrait-il pas mieux que nous devinssions frères?
Écoute, j'ai ma sœur, la belle Aude au bras blanc,
Épouse-la.

—Pardieu! je veux bien, dit Roland.
Et maintenant buvons, car l'affaire était chaude.»

C'est ainsi que Roland épousa la belle Aude.

QUESTIONS

1. In Jubinal's account the duel was stopped by divine intervention; an angel descended and separated the two warriors. Why did Hugo eliminate this detail and with what effect?

2. What part does the landscape play in the poem?

3. Jubinal devotes much space to Oliver's sister, describing her difficult situation, etc. What is Hugo's purpose in keeping her so completely in the background?

NOTES ON *LE MARIAGE DE ROLAND*

Title. This poem was composed between 1846 and 1855, doubtless nearer the first date than the second. Its source is an article on *Quelques romans chez nos aïeux*, published by Achille Jubinal in the *Journal du Dimanche*, November 1, 1846. In this article Jubinal adapted or translated passages from three different *chansons de geste: Girard de Viane, Aymeri de Narbonne*, and *Raoul de Cambrai*. The duel between Roland and Oliver is found in the first of the three.

6. Apollo. The usual form in French is *Apollon*.

26. In *Girard de Viane* Oliver is the nephew of Girard. Garin, *i.e.* Garin de Monglane, the father of Girard.

28–31. targe, *etc.* Hugo, Berret says, «croit de bonne foi qu'une des caractéristiques de l'art du Moyen Age consiste dans le rapprochement des rois bibliques (Salomon), des dieux païens (Bacchus) et des guerriers féodaux. . . . Rien n'oblige non plus à considérer comme un anachronisme la présence de Rollon (886–911) et du siège de Rouen sur un bouclier du temps de Charlemagne, mort en 814: n'est-ce point la coutume des poètes épiques de faire figurer sur les boucliers des héros, les événements futurs qui intéressent l'histoire de leur patrie? V. Hugo a pu songer au bouclier d'Énée.» Rollon was the first duke of Normandy; he was a Viking who invaded Normandy and captured Rouen.

34. estoc, *sword.*

56. trempée, *tempered.*

68. Pompée. Pompey (106–48 B.C.) pacified this region in 76 B.C.

69. Tournon, a city on the Rhone.

70. Closamont. Hugo repeats an error made by Jubinal. Closamont was the name of an emperor, not a sword. He had a sword called Hauteclaire.

123. Sinnagog. Another error by Jubinal. The giant's name was Sinagos (in the nominative case), Sinagot (in the accusative).

127. The detail comes either from Barjaud, *Fragments du poème de «Charlemagne,» publiés à la suite du poème d'«Homère»*, Paris, 1811, or from Tressan's version of *Roland furieux*, ch. XXIII.

LE SATYRE

III

LE SOMBRE

Il ne les voyait pas, quoiqu'il fût devant eux.

Il chanta l'Homme. Il dit cette aventure sombre;
L'homme, le chiffre élu, tête auguste du nombre,
Effacé par sa faute, et, désastreux reflux, 465
Retombé dans la nuit de ce qu'on ne voit plus;
Il dit les premiers temps, le bonheur, l'Atlantide;
Comment le parfum pur devint miasme fétide,
Comment l'hymne expira sous le clair firmament,
Comment la liberté devint joug, et comment 470
Le silence se fit sur la terre domptée;
Il ne prononça pas le nom de Prométhée,
Mais il avait dans l'œil l'éclair du feu volé;
Il dit l'humanité mise sous le scellé;
Il dit tous les forfaits et toutes les misères, 475
Depuis les rois peu bons jusqu'aux dieux peu sincères.

Tristes hommes! ils ont vu le ciel se fermer.
En vain, pieux, ils ont commencé par s'aimer;
En vain, frères, ils ont tué la Haine infâme,
480 Le monstre à l'aile onglée, aux sept gueules de flamme;
Hélas! comme Cadmus, ils ont bravé le sort;
Ils ont semé les dents de la bête; il en sort
Des spectres tournoyant comme la feuille morte,
Qui combattent, l'épée à la main, et qu'emporte
485 L'évanouissement du vent mystérieux.
Ces spectres sont les rois; ces spectres sont les dieux.
Ils renaissent sans fin, ils reviennent sans cesse;
L'antique égalité devient sous eux bassesse;
Dracon donne la main à Busiris; la Mort
490 Se fait code, et se met aux ordres du plus fort,
Et le dernier soupir libre et divin s'exhale
Sous la difformité de la loi colossale:
L'homme se tait, ployé sous cet entassement;
Il se venge; il devient pervers; il vole, il ment;
495 L'âme inconnue et sombre a des vices d'esclave;
Puisqu'on lui met un mont sur elle, elle en sort lave;
Elle brûle et ravage au lieu de féconder.
Et dans le chant du faune on entendait gronder
Tout l'essaim des fléaux furieux qui se lève.
500 Il dit la guerre; il dit la trompette et le glaive;
La mêlée en feu, l'homme égorgé sans remord,
La gloire, et dans la joie affreuse de la mort
Les plis voluptueux des bannières flottantes;
L'aube naît; les soldats s'éveillent sous les tentes;
505 La nuit, même en plein jour, les suit, planant sur eux;
L'armée en marche ondule au fond des chemins creux;
La baliste en roulant s'enfonce dans les boues;
L'attelage fumant tire, et l'on pousse aux roues;
Cris des chefs, pas confus; les moyeux des charrois
510 Balafrent les talus des ravins trop étroits.
On se rencontre, ô choc hideux! les deux armées
Se heurtent, de la même épouvante enflammées,

Car la rage guerrière est un gouffre d'effroi.
O vaste effarement! chaque bande a son roi.
Perce, épée! ô cognée, abats! massue, assomme!   515
Cheval, foule aux pieds l'homme, et l'homme, et l'homme et
Hommes, tuez, traînez les chars, roulez les tours; [l'homme!
Maintenant, pourrissez, et voici les vautours!
Des guerres sans fin naît le glaive héréditaire;
L'homme fuit dans les trous, au fond des bois, sous terre; 520
Et, soulevant le bloc qui ferme son rocher,
Écoute s'il entend les rois là-haut marcher;
Il se hérisse; l'ombre aux animaux le mêle;
Il déchoit; plus de femme, il n'a qu'une femelle;
Plus d'enfants, des petits; l'amour qui le séduit   525
Est fils de l'Indigence et de l'Air de la nuit;
Tous ses instincts sacrés à la fange aboutissent;
Les rois, après l'avoir fait taire, l'abrutissent,
Si bien que le bâillon est maintenant un mors.
Et sans l'homme pourtant les horizons sont morts;   530
Qu'est la création sans cette initiale?
Seul sur la terre il a la lueur faciale;
Seul il parle; et sans lui tout est décapité.
Et l'on vit poindre aux yeux du faune la clarté
De deux larmes coulant comme à travers la flamme.   535
Il montra tout le gouffre acharné contre l'âme;
Les ténèbres croisant leurs funestes rameaux,
Et la forêt du sort et la meute des maux.
Les hommes se cachant, les dieux suivant leurs pistes.
Et, pendant qu'il chantait toutes ces strophes tristes, 540
Le grand souffle vivant, ce transfigurateur,
Lui mettait sous les pieds la céleste hauteur;
En cercle autour de lui se taisaient les Borées;
Et, comme par un fil invisible tirées,
Les brutes, loups, renards, ours, lions chevelus,   545
Panthères, s'approchaient de lui de plus en plus;
Quelques-unes étaient si près des dieux venues,
Pas à pas, qu'on voyait leurs gueules dans les nues.

Les dieux ne riaient plus; tous ces victorieux,
550 Tous ces rois, commençaient à prendre au sérieux
Cette espèce d'esprit qui sortait d'une bête.

Il reprit: «Donc, les dieux et les rois sur le faîte,
»L'homme en bas; pour valets aux tyrans, les fléaux.
»L'homme ébauché ne sort qu'à demi du chaos,
555 »Et jusqu'à la ceinture il plonge dans la brute;
»Tout le trahit; parfois, il renonce à la lutte.
»Où donc est l'espérance? Elle a lâchement fui.
»Toutes les surdités s'entendent contre lui;
»Le sol l'alourdit, l'air l'enfièvre, l'eau l'isole;
560 »Autour de lui la mer sinistre se désole;
»Grâce au hideux complot de tous ces guet-apens,
»Les flammes, les éclairs, sont contre lui serpents;
»Ainsi que le héros l'aquilon le soufflette;
»La peste aide le glaive, et l'élément complète
565 »Le despote, et la nuit s'ajoute au conquérant;
»Ainsi la Chose vient mordre aussi l'homme, et prend
»Assez d'âme pour être une force, complice
»De son impénétrable et nocturne supplice;
»Et la Matière, hélas! devient Fatalité.
570 »Pourtant qu'on prenne garde à ce déshérité!
»Dans l'ombre, une heure est là qui s'approche, et
»Qui sera la terrible et qui sera la bonne,   [frissonne,
»Qui viendra te sauver, homme, car tu l'attends,
»Et changer la figure implacable du temps!
575 »Qui connaît le destin? qui sonda le peut-être?
»Oui, l'heure énorme vient, qui fera tout renaître,
»Vaincra tout, changera le granit en aimant,
»Fera pencher l'épaule au morne escarpement,
»Et rendra l'impossible aux hommes praticable.
580 »Avec ce qui l'opprime, avec ce qui l'accable,
»Le genre humain se va forger son point d'appui;
»Je regarde le gland qu'on appelle Aujourd'hui,
»J'y vois le chêne; un feu vit sous la cendre éteinte.

»Misérable homme, fait pour la révolte sainte,
»Ramperas-tu toujours parce que tu rampas? 585
»Qui sait si quelque jour on ne te verra pas,
»Fier, suprême, atteler les forces de l'abîme,
»Et, dérobant l'éclair à l'Inconnu sublime,
»Lier ce char d'un autre à des chevaux à toi?
»Oui, peut-être on verra l'homme devenir loi, 590
»Terrasser l'élément sous lui, saisir et tordre
»Cette anarchie au point d'en faire jaillir l'ordre,
»Le saint ordre de paix, d'amour et d'unité,
»Dompter tout ce qui l'a jadis persécuté,
»Se construire à lui-même une étrange monture 595
»Avec toute la vie et toute la nature,
»Seller la croupe en feu des souffles de l'enfer,
»Et mettre un frein de flamme à la gueule du fer!
»On le verra, vannant la braise dans son crible,
»Maître et palefrenier d'une bête terrible, 600
»Criant à toute chose: «Obéis, germe, nais!»
»Ajustant sur le bronze et l'acier un harnais
»Fait de tous les secrets que l'étude procure,
»Prenant aux mains du vent la grande bride obscure,
»Passer dans la lueur ainsi que les démons, 605
»Et traverser les bois, les fleuves et les monts,
»Beau, tenant une torche aux astres allumée,
»Sur une hydre d'airain, de foudre et de fumée!
»On l'entendra courir dans l'ombre avec le bruit
»De l'aurore enfonçant les portes de la nuit! 610
»Qui sait si quelque jour, grandissant d'âge en âge,
»Il ne jettera pas son dragon à la nage,
»Et ne franchira pas les mers, la flamme au front!
»Qui sait si, quelque jour, brisant l'antique affront,
»Il ne lui dira pas: «Envole-toi, matière!» 615
»S'il ne franchira point la tonnante frontière,
»S'il n'arrachera pas de son corps brusquement
»La pesanteur, peau vile, immonde vêtement
»Que la fange hideuse à la pensée inflige,

620 »De sorte qu'on verra tout à coup, ô prodige,
    »Ce ver de terre ouvrir ses ailes dans les cieux!
    »Oh! lève-toi, sois grand, homme! va, factieux!
    »Homme, un orbite d'astre est un anneau de chaîne,
    »Mais cette chaîne-là, c'est la chaîne sereine,
625 »C'est la chaîne d'azur, c'est la chaîne du ciel;
    »Celle-là, tu t'y dois rattacher, ô mortel,
    »Afin—car un esprit se meut comme une sphère,—
    »De faire aussi ton cercle autour de la lumière!
    »Entre dans le grand chœur! va, franchis ce degré,
630 »Quitte le joug infâme et prends le joug sacré!
    »Deviens l'Humanité, triple, homme, enfant et femme!
    »Transfigure-toi! va! sois de plus en plus l'âme!
    »Esclave, grain d'un roi, démon, larve d'un dieu,
    »Prends le rayon, saisis l'aube, usurpe le feu;
635 »Torse ailé, front divin, monte au jour, monte au trône,
    »Et dans la sombre nuit jette les pieds du faune!»

QUESTIONS

1. Define as carefully as possible Hugo's conception of progress.
2. Is Hugo's conception a valid one? Should it be modified in the light of subsequent events?

NOTES ON *LE SATYRE*

Title. «*Le Satyre,*» as Berret states, «est l'abrégé des doctrines philosophiques de V. Hugo exposées antérieurement dans *Dieu* et dans *les Contemplations;* il résume la métaphysique et la morale du poète; il explique la progression constante vers le bien de tous les êtres et de l'homme en particulier, libéré, dans la suite des temps, par la souffrance et par la science.»

The Satyr symbolizes the dignity and grandeur of intelligence placed in opposition to the gods of Olympus. His song dominates them little by little and at its conclusion he seems to be the universe itself.

L'espace immense entra dans cette forme noire

and the Satyr exclaims in conclusion:

Place à Tout! Je suis Pan; Jupiter! à genoux.

The poem is divided into a Prologue and four parts: «Le Bleu,» «Le Noir,» «Le Sombre,» «L'Étoilé.» «Le Bleu» describes the assembly of the gods on Olympus; the Satyr is brought before them, is ridiculed by them, and finally ordered to sing to them. The next two parts of the poem are devoted to the Satyr's song. In «Le Noir» the Satyr sings of the formation of the earth. « Le Sombre» after relating the debasement of man turns to a vision of his rise. In the last part of the poem we have the conclusion of the song and the apotheosis of the Satyr.

Hugo placed *Le Satyre* in the group of poems on the Renaissance for two reasons: it was during the sixteenth century that classical antiquity again became well known and it was during that century that the human mind was freed by the Humanists from many shackles. Hugo has set in a classical frame his own personal philosophy as well as certain essential ideas of the nineteenth century.

467. Atlantide. According to old traditions reported by Plato, Atlantide was a continent which had been submerged in the Atlantic ocean as a result of volcanic upheavals followed by floods.

468. miasme, *miasma.*

472. Prométhée. Prometheus stole the divine fire from Jupiter.

474. sous le scellé, *under seal.*

481–483. Cadmus, on the future site of Thebes, sowed the teeth of a hydra he had killed. There arose from the earth armed men who fought with each other.

489. Dracon . . . Busiris. Dracon, the first legislator of the Athenians (624 B.C.) imposed on them a series of extremely severe laws. Busiris was a legendary king of Egypt who sacrificed human victims and was finally killed by Hercules.

501. remord, a poetic licence for *remords.*

507. baliste, a machine used to throw javelins and stones.

509. moyeux, *naves* (of wheels).

510. Balafrent, *gash, slash.*

529. bâillon, *gag.*

538. meute, *pack.*

543. Borées, stormy winds.

552. faîte, *summit.*

561. guet-apens, *ambushes.* The word is usually spelled in the plural *guets-apens.*

577. aimant, *magnet.*

586–610. This passage, with its evocation of the locomotive, is one of Hugo's contributions to the *poésie du machinisme.* See E. M. Grant, *French Poetry and Modern Industry,* Harvard University Press, 1927. Cf. also the poem beginning « Ce siècle est grand et fort,» in *Les Voix intérieures.*

599. braise . . . crible, *live coals . . . sieve.*
600. palefrenier, *groom, ostler.*
619. fange, *mud, slime.*
622. factieux, *factious, seditious.*
633. larve, *larva* (insect in caterpillar state).

Plein Ciel

Loin dans les profondeurs, hors des nuits, hors du flot,
Dans un écartement de nuages, qui laisse
Voir au-dessus des mers la céleste allégresse,
Un point vague et confus apparaît; dans le vent,
5   Dans l'espace, ce point se meut; il est vivant;
Il va, descend, remonte; il fait ce qu'il veut faire;
Il approche, il prend forme, il vient; c'est une sphère;
C'est un inexprimable et surprenant vaisseau,
Globe comme le monde et comme l'aigle oiseau;
10   C'est un navire en marche. Où? Dans l'éther sublime!
Rêve! on croit voir planer un morceau d'une cime;
Le haut d'une montagne a, sous l'orbe étoilé,
Pris des ailes et s'est tout à coup envolé?
Quelque heure immense étant dans les destins sonnée,
15   La nue errante s'est en vaisseau façonnée?
La Fable apparaît-elle à nos yeux décevants?
L'antique Éole a-t-il jeté son outre aux vents?
De sorte qu'en ce gouffre où les orages naissent,
Les vents, subitement domptés, la reconnaissent!
20   Est-ce l'aimant qui s'est fait aider par l'éclair
Pour bâtir un esquif céleste avec de l'air?
Du haut des clairs azurs vient-il une visite?
Est-ce un transfiguré qui part et ressuscite,
Qui monte, délivré de la terre, emporté
25   Sur un char volant fait d'extase et de clarté,
Et se rapproche un peu par instants pour qu'on voie,
Du fond du monde noir, la fuite de sa joie?

Ce n'est pas un morceau d'une cime; ce n'est
Ni l'outre où tout le vent de la Fable tenait,
30   Ni le jeu de l'éclair; ce n'est pas un fantôme

Venu des profondeurs aurorales du dôme;
Ni le rayonnement d'un ange qui s'en va,
Hors de quelque tombeau béant, vers Jéhovah.
Ni rien de ce qu'en songe ou dans la fièvre on nomme.
Qu'est-ce que ce navire impossible? C'est l'homme.   35

C'est la grande révolte obéissante à Dieu!
La sainte fausse clef du fatal gouffre bleu!
C'est Isis qui déchire éperdument son voile!
C'est du métal, du bois, du chanvre et de la toile,
C'est de la pesanteur délivrée, et volant;   40
C'est la force alliée à l'homme étincelant,
Fière, arrachant l'argile à sa chaîne éternelle;
C'est la matière, heureuse, altière, ayant en elle
De l'ouragan humain, et planant à travers
L'immense étonnement des cieux enfin ouverts!   45
Audace humaine! effort du captif! sainte rage!
Effraction enfin plus forte que la cage!
Que faut-il à cet être, atome au large front,
Pour vaincre ce qui n'a ni fin, ni bord, ni fond,
Pour dompter le vent, trombe, et l'écume, avalanche?   50
Dans le ciel une toile et sur mer une planche.

                         *

Jadis des quatre vents la fureur triomphait;
De ces quatre chevaux échappés l'homme a fait
          L'attelage de son quadrige;
Génie, il les tient tous dans sa main, fier cocher   55
Du char aérien que l'éther voit marcher;
          Miracle, il gouverne un prodige.

Char merveilleux! son nom est Délivrance. Il court.
Près de lui le ramier est lent, le flocon lourd;
          Le daim, l'épervier, la panthère,   60
Sont encor là, qu'au loin son ombre a déjà fui;
Et la locomotive est reptile, et, sous lui,
          L'hydre de flamme est ver de terre.

Une musique, un chant, sort de son tourbillon.
65 Ses cordages vibrants et remplis d'aquilon
        Semblent, dans le vide où tout sombre,
Une lyre à travers laquelle par moment
Passe quelque âme en fuite au fond du firmament
        Et mêlée aux souffles de l'ombre.

70 Car l'air, c'est l'hymne épars; l'air, parmi les récifs
Des nuages roulant en groupes convulsifs,
        Jette mille voix étouffées;
Les fluides, l'azur, l'effluve, l'élément,
Sont toute une harmonie où flottent vaguement
75   On ne sait quels sombres Orphées.

Superbe, il plane, avec un hymne en ses agrès;
Et l'on croit voir passer la strophe du progrès.
        Il est la nef, il est le phare!
L'homme enfin prend son sceptre et jette son bâton.
80 Et l'on voit s'envoler le calcul de Newton
        Monté sur l'ode de Pindare.

Le char haletant plonge et s'enfonce dans l'air,
Dans l'éblouissement impénétrable et clair,
        Dans l'éther sans tache et sans ride;
85 Il se perd sous le bleu des cieux démesurés;
Les esprits de l'azur contemplent effarés
        Cet engloutissement splendide.

Il passe, il n'est plus là; qu'est-il donc devenu?
Il est dans l'invisible, il est dans l'inconnu;
90   Il baigne l'homme dans le songe,
Dans le fait, dans le vrai profond, dans la clarté,
Dans l'océan d'en haut plein d'une vérité
        Dont le prêtre a fait un mensonge.

Le jour se lève, il va; le jour s'évanouit,
95 Il va; fait pour le jour, il accepte la nuit.
        Voici l'heure des feux sans nombre;

L'heure où, vu du nadir, ce globe semble, ayant
Son large cône obscur sous lui se déployant,
      Une énorme comète d'ombre.

La brume redoutable emplit au loin les airs. 100
Ainsi qu'au crépuscule on voit, le long des mers,
      Le pêcheur, vague comme un rêve,
Traînant, dernier effort d'un long jour de sueurs,
Sa nasse où les poissons font de pâles lueurs,
      Aller et venir sur la grève, 105

La Nuit tire du fond des gouffres inconnus
Son filet où luit Mars, où rayonne Vénus,
      Et, pendant que les heures sonnent,
Ce filet grandit, monte, emplit le ciel des soirs,
Et dans ses mailles d'ombre et dans ses réseaux noirs 110
      Les constellations frissonnent.

L'aéroscaphe suit son chemin; il n'a peur
Ni des pièges du soir, ni de l'âcre vapeur,
      Ni du ciel morne où rien ne bouge,
Où les éclairs, luttant au fond de l'ombre entre eux, 115
Ouvrent subitement dans le nuage affreux
      Des cavernes de cuivre rouge.

Il invente une route obscure dans les nuits;
Le silence hideux des ces lieux inouïs
      N'arrête point ce globe en marche; 120
Il passe, portant l'homme et l'univers en lui;
Paix! gloire! et, comme l'eau jadis, l'air aujourd'hui
      Au-dessus de ses flots voit l'arche.

Le saint navire court par le vent emporté
Avec la certitude et la rapidité 125
      Du javelot cherchant la cible;
Rien n'en tombe, et pourtant il chemine en semant;
Sa rondeur, qu'on distingue en haut confusément,
      Semble un ventre d'oiseau terrible.

130 Il vogue; les brouillards sous lui flottent dissous;
Ses pilotes penchés regardent, au-dessous
    Des nuages où l'ancre traîne,
Si, dans l'ombre, où la terre avec l'air se confond,
Le sommet du Mont-Blanc ou quelque autre bas-fond
135   Ne vient pas heurter sa carène.

    .   .   .   .

360 Où va-t-il, ce navire? Il va, de jour vêtu,
A l'avenir divin et pur, à la vertu,
    A la science qu'on voit luire,
A la mort des fléaux, à l'oubli généreux,
A l'abondance, au calme, au rire, à l'homme heureux;
365   Il va, ce glorieux navire,

Au droit, à la raison, à la fraternité,
A la religieuse et sainte vérité
    Sans imposture et sans voiles,
A l'amour, sur les cœurs serrant son doux lien,
370 Au juste, au grand, au bon, au beau . . .—Vous voyez bien
    Qu'en effet il monte aux étoiles!

Il porte l'homme à l'homme et l'esprit à l'esprit.
Il civilise, ô gloire! Il ruine, il flétrit
    Tout l'affreux passé qui s'effare,
375 Il abolit la loi de fer, la loi de sang,
Les glaives, les carcans, l'esclavage, en passant
    Dans les cieux comme une fanfare.

Il ramène au vrai ceux que le faux repoussa;
Il fait briller la foi dans l'œil de Spinosa
380   Et l'espoir sur le front de Hobbe;
Il plane, rassurant, réchauffant, épanchant
Sur ce qui fut lugubre et ce qui fut méchant
    Toute la clémence de l'aube.

Les vieux champs de bataille étaient là dans la nuit;
Il passe, et maintenant voilà le jour qui luit 385
  Sur ces grands charniers de l'histoire
Où les siècles, penchant leur œil triste et profond,
Venaient regarder l'ombre effroyable que font
  Les deux ailes de la victoire.

Derrière lui, César redevient homme; Éden 390
S'élargit sur l'Érèbe, épanoui soudain;
  Les ronces de lys sont couvertes;
Tout revient, tout renaît; ce que la mort courbait
Refleurit dans la vie, et le bois du gibet
  Jette, effrayé, des branches vertes. 395

Le nuage, l'aurore aux candides fraîcheurs,
L'aile de la colombe, et toutes les blancheurs,
  Composent là-haut sa magie;
Derrière lui, pendant qu'il fuit vers la clarté,
Dans l'antique noirceur de la fatalité 400
  Des lueurs de l'enfer rougie,

Dans ce brumeux chaos qui fut le monde ancien,
Où l'Allah turc s'accoude au sphinx égyptien,
  Dans la séculaire géhenne,
Dans la Gomorrhe infâme où flambe un lac fumant, 405
Dans la forêt du mal qu'éclairent vaguement
  Les deux yeux fixes de la Haine,

Tombent, sèchent, ainsi que des feuillages morts,
Et s'en vont la douleur, le péché, le remords,
  La perversité lamentable, 410
Tout l'ancien joug, de rêve et de crime forgé,
Nemrod, Aaron, la guerre avec le préjugé,
  La boucherie avec l'étable!

Tous les spoliateurs et tous les corrupteurs
S'en vont; et les faux jours sur les fausses hauteurs; 415
  Et le taureau d'airain qui beugle,

La hache, le billot, le bûcher dévorant,
Et le docteur versant l'erreur à l'ignorant,
    Vil bâton qui trompait l'aveugle!

420 Et tous ceux qui faisaient, au lieu de repentirs,
Un rire au prince avec les larmes des martyrs,
    Et tous ces flatteurs des épées
Qui louaient le sultan, le maître universel,
Et, pour assaisonner l'hymne, prenaient du sel
425   Dans le sac aux têtes coupées!

Les pestes, les forfaits, les cimiers fulgurants,
S'effacent, et la route où marchaient les tyrans,
    Bélial roi, Dagon ministre,
Et l'épine, et la haie horrible du chemin
430 Où l'homme, du vieux monde et du vieux vice humain,
    Entend bêler le bouc sinistre.

On voit luire partout les esprits sidéraux;
On voit la fin du monstre et la fin du héros,
    Et de l'athée et de l'augure,
435 La fin du conquérant, la fin du paria;
Et l'on voit lentement sortir Beccaria
    De Dracon qui se transfigure.

On voit l'agneau sortir du dragon fabuleux,
La vierge de l'opprobre, et Marie aux yeux bleus
440   De la Vénus prostituée;
Le blasphème devient le psaume ardent et pur,
L'hymne prend, pour s'en faire autant d'ailes d'azur,
    Tous les haillons de la huée.

Tout est sauvé! la fleur, le printemps aromal,
445 L'éclosion du bien, l'écroulement du mal,
    Fêtent dans sa course enchantée
Ce beau globe éclaireur, ce grand char curieux,
Qu'Empédocle, du fond des gouffres, suit des yeux,
    Et, du haut des monts, Prométhée!

Le jour s'est fait dans l'antre où l'horreur s'accroupit.   450
En expirant, l'antique univers décrépit,
    Larve à la prunelle ternie,
Gisant, et regardant le ciel noir s'étoiler,
A laissé cette sphère heureuse s'envoler
    Des lèvres de son agonie.   455

✢

Oh! ce navire fait le voyage sacré!
C'est l'ascension bleue à son premier degré;
    Hors de l'antique et vil décombre,
Hors de la pesanteur, c'est l'avenir fondé;
C'est le destin de l'homme à la fin évadé,   460
    Qui lève l'ancre et sort de l'ombre!

Ce navire là-haut conclut le grand hymen.
Il mêle presque à Dieu l'âme du genre humain.
    Il voit l'insondable, il y touche;
Il est le vaste élan du progrès vers le ciel;   465
Il est l'entrée altière et sainte du réel
    Dans l'antique idéal farouche.

Oh! chacun de ses pas conquiert l'illimité!
Il est la joie; il est la paix; l'humanité
    A trouvé son organe immense;   470
Il vogue, usurpateur sacré, vainqueur béni,
Reculant chaque jour plus loin dans l'infini
    Le point sombre où l'homme commence.

Il laboure l'abîme; il ouvre ces sillons
Où croissaient l'ouragan, l'hiver, les tourbillons,   475
    Les sifflements et les huées;
Grâce à lui, la concorde est la gerbe des cieux;
Il va, fécondateur du ciel mystérieux,
    Charrue auguste des nuées.

480   Il fait germer la vie humaine dans ces champs
          Où Dieu n'avait encor semé que des couchants
                  Et moissonné que des aurores;
          Il entend, sous son vol qui fend les airs sereins,
          Croître et frémir partout les peuples souverains,
485   Ces immenses épis sonores!

          Nef magique et suprême! elle a, rien qu'en marchant,
          Changé le cri terrestre en pur et joyeux chant,
                  Rajeuni les races flétries,
          Établi l'ordre vrai, montré le chemin sûr,
490   Dieu juste! et fait entrer dans l'homme tant d'azur
                  Qu'elle a supprimé les patries!

          Faisant à l'homme avec le ciel une cité,
          Une pensée avec toute l'immensité,
                  Elle abolit les vieilles règles;
495   Elle abaisse les monts, elle annule les tours;
          Splendide, elle introduit les peuples, marcheurs lourds,
                  Dans la communion des aigles.

          Elle a cette divine et chaste fonction
          De composer là-haut l'unique nation,
500   A la fois dernière et première,
          De promener l'essor dans le rayonnement,
          Et de faire planer, ivre de firmament,
                  La liberté dans la lumière.

QUESTIONS

1. What does the airship symbolize?
2. To what extent is the idealism of this poem valid?

NOTES ON *PLEIN CIEL*

Title. The twentieth century in *La Légende des siècles* is symbolized in prophetic form by two poems, *Pleine Mer* and *Plein Ciel*. They are antithetical; *Plein Ciel*, as Berret puts it, is the light of civilization; *Pleine Mer* the darkness of primitive epochs.

Both poems originate in contemporary events. *Pleine Mer* was influenced by the construction of a gigantic steamer called the " Great Eastern," first dubbed " Leviathan." *Plein Ciel* was inspired by the balloon experiments of the period, particularly by those of Pétin in 1850–1851. Hugo was also doubtless impressed by Maxime Du Camp's appeal to poets in his *Chants modernes* to seek in modern industry and science subjects of great poetic value.

Lamartine in the *Chute d'un ange* had before Hugo introduced into his poetry a vision of aërial navigation. (See the eighth « Vision.»)

16. La Fable, *i.e.* mythology.

17. Éole, *Eolus,* god of the winds. **Outre,** *bottle* (leather).

20. aimant, *magnet.*

31. aurorales, a neologism.

36. révolte. Hugo means the revolt of mind against matter.

38. Isis, the sister and wife of Osiris in Egyptian mythology. She symbolizes the mystery of nature.

39. chanvre, *hemp.*

50. trombe, *tempest.*

54. quadrige, *quadriga.*

59–60. ramier . . . daim, épervier, *wood-pigeon . . . deer, hawk.*

73. effluve, *effluvium.* See p. 280.

76. agrès, *rigging.*

81. Pindare, the greatest of the Greek lyric poets (fifth century B.C.)

97. nadir, *nadir* (point opposite the zenith).

104. nasse, *bow-net, weel.*

112. aéroscaphe, *airship.*

123. l'arche, *i.e.* Noah's ark.

135. carène, *keel.*

376. carcans, *irons.*

379. Spinosa, *Spinoza* (1632–1677), a Dutch philosopher, author of a *Treatise on the Improvement of the Understanding, Ethics,* etc.

380. Hobbe, *Thomas Hobbes* (1588–1679), an English philosopher, and author of the *Leviathan.*

391. Érèbe, *Erebos,* the lower world, the region of darkness.

404. géhenne, *gehenna, hell.*

412. Nemrod, Aaron. For Nimrod, see Genesis, X, 9. Aaron was the traditional founder and head of the Jewish priesthood, who in company with Moses led the Israelites out of Egypt.

416. le taureau d'airain. An allusion to the instrument of torture used by the Sicilian tyrant, Phalaris.

417. le billot, *block.*

428. Bélial . . . Dagon. Belial is one of the names of Satan. Dagon was the idol of the Philistines.

431. le bouc sinistre. An allusion to the rôle played by the he-goat in demonology. The animal represented the devil.

436. Beccaria, an Italian philosopher and criminologist of the eighteenth century who argued against undue severity in the treatment of criminals.

437. Dracon. See note to line 489 of *Le Satyre*.

443. huée, *hooting*.

444. aromal. «V. Hugo veut sans doute dire ici: le printemps qui porte en lui l'essence impondérable, les *aromes* de tous les êtres de la nature.»—Note by Berret, who explains that the idea comes from the Socialist, Charles Fourier.

448. Empédocle, *Empedocles*, a philosopher of Agrigentum (in Sicily) who threw himself into the burning crater of Etna.

450. antre, *cavern*.

452. Larve, *larva*. See p. 360.

458. décombre, *ruins*.

491. Cf. Lamartine's *Marseillaise de la paix*.

503. Hugo says in a manuscript note that the last seven stanzas were composed in June, 1858, at the beginning of an illness from which he nearly died.

Les Chansons des rues et des bois

Les Chansons des rues et des bois, published in 1865, were composed for the most part much earlier. At least fifty of them were written in 1859 on the island of Sark. With few exceptions they are chiefly lyric in tone and content.

It is to be noted that the octosyllabic four-line stanza, extensively used by Hugo in this volume, was a favorite form with Gautier in his *Émaux et Camées*.

In addition to the poem given here, students should read *Jour de fête aux environs de Paris, Fuite en Sologne, L'Église, La Méridienne du lion, Le Poète est un riche*.

SAISON DES SEMAILLES. LE SOIR

C'est le moment crépusculaire.
J'admire, assis sous un portail,
Ce reste de jour dont s'éclaire
La dernière heure du travail.

Dans les terres, de nuit baignées,   5
Je contemple, ému, les haillons
D'un vieillard qui jette à poignées
La moisson future aux sillons.

Sa haute silhouette noire
Domine les profonds labours.   10
On sent à quel point il doit croire
A la fuite utile des jours.

Il marche dans la plaine immense,
Va, vient, lance la graine au loin,
Rouvre sa main, et recommence,   15
Et je médite, obscur témoin,

Pendant que, déployant ses voiles,
L'ombre, où se mêle une rumeur,
Semble élargir jusqu'aux étoiles
Le geste auguste du semeur.   20

QUESTION

1. Discuss this poem from the point of view of its symbolism and of its plastic quality.

NOTES ON *SAISON DES SEMAILLES. LE SOIR*

Title. This particular poem seems to have been composed as early as 1842 or 1843. Hence it owes nothing to Millet's picture, *Un semeur*, exhibited at the Salon of 1850. See Levaillant, *L'Œuvre de Victor Hugo*, p. 659.
6. haillons, *rags, tatters*.
10. labours, *plowings*.

L'Art d'être grand-père

After the death of his two sons in 1871 and 1873, all of Hugo's paternal affection was centered in his two grandchildren, Georges and Jeanne. In 1877 he published the various poems inspired by this pair and composed during the preceding six or seven years.

In addition to the poems given here, students should read
La Cicatrice, Une tape, Jeanne était au pain sec, and *L'Épopée
du lion.*

LE POT CASSÉ

O ciel! toute la Chine est par terre en morceaux!
Ce vase, pâle et doux comme un reflet des eaux,
Couvert d'oiseaux, de fleurs, de fruits et des mensonges
De ce vague idéal qui sort du bleu des songes,
5   Ce vase unique, étrange, impossible, engourdi,
Gardant sur lui le clair de lune en plein midi,
Qui paraissait vivant, où luisait une flamme,
Qui semblait presque un monstre et semblait presque une
Mariette, en faisant la chambre, l'a poussé   [âme,
10   Du coude par mégarde, et le voilà brisé!
Beau vase! Sa rondeur était de rêves pleine,
Des bœufs d'or y broutaient des prés de porcelaine.
Je l'aimais, je l'avais acheté sur les quais,
Et parfois aux marmots pensifs je l'expliquais.
15   Voici l'yak; voici le singe quadrumane;
Ceci c'est un docteur peut-être, ou bien un âne;
Il dit la messe, à moins qu'il ne dise hi-han;
Ça c'est un mandarin qu'on nomme aussi kohan:
Il faut qu'il soit savant, puisqu'il a ce gros ventre.
20   Attention! ceci, c'est le tigre en son antre,
Le hibou dans son trou, le roi dans son palais,
Le diable en son enfer; voyez comme ils sont laids!
Les monstres, c'est charmant, et les enfants le sentent.
Des merveilles qui sont des bêtes les enchantent.
25   Donc je tenais beaucoup à ce vase. Il est mort.
J'arrivai furieux, terrible, et tout d'abord:
—Qui donc a fait cela? criai-je. Sombre entrée!
Jeanne alors, remarquant Mariette effarée,
Et voyant ma colère et voyant son effroi,
30   M'a regardé d'un air d'ange et m'a dit:—C'est moi.

II

Et Jeanne à Mariette a dit:—Je savais bien
Qu'en répondant: c'est moi, papa ne dirait rien.
Je n'ai pas peur de lui puisqu'il est mon grand-père.
Vois-tu, papa n'a pas le temps d'être en colère,
Il n'est jamais beaucoup fâché, parce qu'il faut   5
Qu'il regarde les fleurs, et quand il fait bien chaud,
Il nous dit: N'allez pas au grand soleil nu-tête,
Et ne vous laissez pas piquer par une bête,
Courez, ne tirez pas le chien par son collier,
Prenez garde aux faux pas dans le grand escalier,   10
Et ne vous cognez pas contre les coins des marbres.
Jouez. Et puis après il s'en va dans les arbres.

NOTES ON *LE POT CASSÉ*

5. engourdi, *benumbed, dull.*
9. Mariette, the maid.
17. hi-han, equivalent to the English *hee-haw.*
18. mandarin, *mandarin* (a Chinese official).
20. antre, *cavern.*

SUBJECTS FOR COMPOSITION

1. Hugo as a Satirical Poet.
2. Hugo's Religious Ideas after 1850.
3. Hugo's Political Ideas after 1850.
4. Hugo as an Epic Poet.
5. The Idea of Progress in the *Légende des siècles.*
6. Hugo's Humanitarian Poetry after 1850.
7. Hugo's Imagination.

GÉRARD DE NERVAL
1808–1855

I. Gérard Labrunie, better known as Gérard de Nerval, spent his childhood in the countryside of Île de France. Reminiscences of this region and of this enchanted period are scattered through his work. He was later educated in Paris at the Lycée Charlemagne. He frequented the Romantic *Cénacles*, and made a name for himself in 1828 by his translation of *Faust*. His own compositions, prose and poetry, cover a period of twenty years and were published separately in the various magazines of the time, before appearing in book form. In 1851, the *Voyage en Orient* was offered to the public; in 1853, *Petits châteaux de Bohême;* in 1854, *Les Filles du feu,* including a series of sonnets, *Les Chimères;* in 1855, *La Bohême galante.*

Gérard de Nerval is at once an attractive and pathetic figure. A dreamer of infinite charm, he was threatened for many years with insanity. In 1841 he was forced to go to a sanatorium for treatment. Other attacks followed, and in January, 1855, he was found dangling from a rope in a sordid and ugly street not far from the present Place du Châtelet.

Gérard de Nerval's work is more important in the history of French poetry than has been generally realized. He is, in more than one respect, a precursor of the Symbolists.

II. CONSULT: A. Barine, *Poètes et névrosés*, Paris, 1908; J. Boulenger, *Au pays de Gérard de Nerval*, Paris, Champion, 1914; H. Clouard, *La Destinée tragique de Gérard de Nerval*, Paris, Grasset, 1929; G. Ferrières, *Gérard de Nerval, la vie et l'œuvre*, Paris, Lemerre, 1906; A. Marie, *Gérard de Nerval, le poète, l'homme, d'après des manuscrits et documents inédits*, Paris, Hachette, 1914; H. Streutz, *Gérard de Nerval*, Paris, Fabre, 1911.

FANTAISIE*

Il est un air pour qui je donnerais
Tout Rossini, tout Mozart, tout Weber,
Un air très vieux, languissant et funèbre,
Qui pour moi seul a des charmes secrets.

Or, chaque fois que je viens à l'entendre,   5
De deux cents ans mon âme rajeunit;
C'est sous Louis treize . . . et je crois voir s'étendre
Un coteau vert que le couchant jaunit.

Puis un château de brique à coins de pierres,
Aux vitraux teints de rougeâtres couleurs,   10
Ceint de grands parcs, avec une rivière
Baignant ses pieds, qui coule entre les fleurs.

Puis une dame à sa haute fenêtre,
Blonde, aux yeux noirs, en ses habits anciens . . .
Que dans une autre existence, peut-être,   15
J'ai déjà vue! . . . et dont je me souviens.

1831.

QUESTIONS

1. This poem, written in the midst of the Romantic period, differs in what ways from most Romantic poetry?

2. What biographical elements contribute to this poem and how are they used?

NOTES ON *FANTAISIE*

2. Rossini, Mozart, Weber. Rossini (1792–1868), author of *William Tell* and other operas; Mozart, a great Austrian musician, author of *Le Nozze di Figaro* (1786) and other operas; Weber (pronounced here « Wèbre »), one of the founders of German as opposed to Italian opera, the author of *Der Freischütz* and *Oberon*. These musicians were particularly popular among the Romanticists.

* First published in the *Annales romantiques*, 1832; republished in *Petits châteaux de Bohême*, 1853.

7. Louis treize, King of France from 1610–1643.

13. une dame, *i.e.* Adrienne. Under this name Gérard refers to Sophie
Dawes who became the wife of Baron Adrien-Victor Feuchères. She
not only appears in Gérard de Nerval's poetry, but also in his prose.
She is one of the important characters in *Sylvie* (in *Les Filles du feu*).

LES CYDALISES *

Où sont nos amoureuses?
Elles sont au tombeau!
Elles sont plus heureuses
Dans un séjour plus beau!

5   Elles sont près des anges,
Dans le fond du ciel bleu,
Et chantent les louanges
De la mère de Dieu!

O blanche fiancée!
10   O jeune vierge en fleur!
Amante délaissée,
Que flétrit la douleur!

L'éternité profonde
Souriait dans vos yeux . . .
15   Flambeaux éteints du monde,
Rallumez-vous aux cieux!

QUESTION

1. Show that this poem is essentially what a recent critic calls an «im-
matérielle mélodie.»

NOTES ON *LES CYDALISES*

Title. The name «Cydalise» was borne by several actresses and dancers
of the eighteenth and nineteenth centuries.
    Cf. Gérard de Nerval's *Petits châteaux de Bohême*, I.

* First published in the *Odelettes* which were included in the *Petits châteaux
de Bohême*, 1853.

Les Chimères

Les Chimères were published simultaneously with *Les Filles du feu* in the same volume in 1854. They contained a note that was to be developed by Baudelaire and the Symbolists. Avoiding concreteness and clarity, they rely on music, imagination, and suggestion.

In addition to the poems given here, students should read *Artémis, Le Christ aux oliviers,* and *Vers dorés.*

EL DESDICHADO*

Je suis le ténébreux,—le veuf,—l'inconsolé,
Le prince d'Aquitaine à la tour abolie:
Ma seule *étoile* est morte,—et mon luth constellé
Porte le *soleil noir* de la *Mélancolie.*

Dans la nuit du tombeau, toi qui m'as consolé,   5
Rends-moi le Pausilippe et la mer d'Italie,
La *fleur* qui plaisait tant à mon cœur désolé,
Et la treille où le pampre à la rose s'allie.

Suis-je Amour ou Phébus? . . . Lusignan ou Biron?
Mon front est rouge encor du baiser de la reine;   10
J'ai rêvé dans la grotte où nage la sirène . . .

Et j'ai deux fois vainqueur traversé l'Achéron:
Modulant tour à tour sur la lyre d'Orphée
Les soupirs de la sainte et les cris de la fée.

QUESTION

1. Discuss this sonnet from the point of view of (a) its biographical details, (b) its symbolism, (c) its mysterious charm.

* First published in *Le Mousquetaire.* December 10, 1853; republished in *Les Chimères.*

NOTES ON *EL DESDICHADO*

Title. El Desdichado, *the unhappy one.*

2. See A. Marie, *op. cit.,* pp. 6–7.

3. ma seule *étoile,* *i.e.* Adrienne, Sylvie, Aurelia. Cf. *Sylvie,* ch. XIV: «Ermenonville! . . . tu as perdu ta seule étoile, qui chatoyait pour moi d'un double éclat. Tour à tour bleue et rose comme l'astre trompeur d'Aldebaran, c'était Adrienne ou Sylvie,—c'étaient les deux moitiés d'un seul amour. L'une était l'idéal sublime, l'autre la douce réalité.» *Sylvie* was first published in the *Revue des Deux Mondes,* August 15, 1853, hence, composed shortly before *El Desdichado.*

Concerning Adrienne, see note to line 13 of *Fantaisie.* Sylvie represents one of the village girls whom Gérard knew in his boyhood. Aurelia is the actress Jenny Colon who died in 1842. I include Aurelia in this composite *étoile* because of a passage in the *Petits châteaux de Bohême,* I. See note to line 10.

6. Gérard de Nerval traveled in Italy in 1834 and again in 1843 on his return from the East. During the second sojourn he met an English girl. She is the heroine of *Octavie* and with her he visits Portici, Herculaneum, and Pompeii.

8. pampre, *vine-branch.*

9. Phébus, Lusignan, Biron. Phœbus (Apollo), the sun. Lusignan probably refers to the château de Lusignan in the department of Vienne. By « Biron » the poet may allude to the well-known song « Quand Biron voulut danser . . . » or to the famous family of that name which included Armand-Louis de Gontaut, duc de Biron (1747–1793), more commonly known as the Duc de Lauzun.

10. baiser de la reine. Perhaps Adrienne, but cf. *Petits châteaux de Bohême,* I: «La reine de Saba, c'était bien celle, en effet, qui me préoccupait alors,—et doublement. Le fantôme éclatant de la fille des Hémiarites tourmentait mes nuits. . . . Qu'elle était belle! non pas plus belle cependant qu'une autre reine du matin dont l'image tourmentait mes journées.

«Cette dernière réalisait vivante mon rêve idéal et divin . . .

«La question était de la faire débuter à l'Opéra.»

Gérard refers in these last sentences to Jenny Colon.

11. la grotte, *etc.* A possible allusion to the *grotte des Sirènes* at Tivoli.

12. See the introductory note to Gérard de Nerval.

14. sainte . . . fée. Cf. *Sylvie.* In the narrative Adrienne becomes a nun and dies at the convent of Saint-S. . . . about 1832.

In the sixth chapter of the same story Sylvie decides to try on an eighteenth century dress and says: «Ah! je vais avoir l'air d'une vieille fée!» The author adds: «La fée des légendes éternellement jeune!»

MYRTHO*

Je pense à toi, Myrtho, divine enchanteresse,
Au Pausilippe altier, de mille feux brillant,
A ton front inondé des clartés d'Orient,
Aux raisins noirs mêlés avec l'or de ta tresse.

C'est dans ta coupe aussi que j'avais bu l'ivresse   5
Et dans l'éclair furtif de ton œil souriant,
Quand aux pieds d'Iacchus on me voyait priant,
Car la Muse m'a fait l'un des fils de la Grèce.

Je sais pourquoi là-bas le volcan s'est rouvert . . .
C'est qu'hier tu l'avais touché d'un pied agile,   10
Et de cendres soudain l'horizon s'est couvert.

Depuis qu'un duc normand brisa tes dieux d'argile,
Toujours, sous les rameaux du laurier de Virgile,
Le pâle Hortensia s'unit au Myrthe vert!

QUESTIONS

1. Whom and what does Myrtho represent?
2. What is the meaning and the significance of this sonnet?

NOTES ON *MYRTHO*

Title. *Les Chimères* contain two sonnets entitled *Myrtho* with the same octavo but different tiercets. The sonnet printed here is the second version.
Myrtho is a Greek name. André Chénier gave it to the heroine of *La Jeune Tarentine;* he spelled it, however, «Myrto.»
1. divine enchanteresse. See note to line 6 of *El Desdichado.*
2. Pausilippe, a promontory in the Bay of Naples.
7. Iacchus, Bacchus.
9. le volcan, *i.e.* Vesuvius.
12. un duc normand, *i.e.* Roger, who besieged and took Naples in 1130.
tes dieux d'argile, *i.e.* statues of Roman divinities.
13. laurier de Virgile. Virgil lived for some time in Naples, and was buried at Pausilippo. Petrarch is said to have planted a laurel by his tomb.
14. Hortensia. This flower symbolizes modern times. **Myrthe** (properly *myrte,* " myrtle ") symbolizes ancient Greece.

* First published in *L'Artiste,* February 15, 1854; republished the same year in *Les Chimères.*

CHARLES BAUDELAIRE
1821–1867

I. The man whom Paul Valéry has called the most important French poet of the nineteenth century was born in Paris on April 7, 1821. His father, François Baudelaire, was over sixty years old, his mother under thirty at the time of his birth. Six years later the father died, and in 1828 his widow married an army officer by the name of Aupick. This marriage was the first serious shock in Charles Baudelaire's life. Devoted to his father, he could not forgive his mother for this act, while the hostility he automatically felt for his stepfather became active hatred.

Baudelaire's principal schooling took place in Lyons and after 1836 in Paris at the Lycée Louis-le-Grand. In 1839 he was expelled, and the next three years were divided between reading, the cultivation of a reputation as a dandy, literary contacts—he met such men as Balzac, Delatouche, Gérard de Nerval, and Ernest Prarond—, and conflicts with General Aupick who disapproved of the young man's apparent idleness. In 1841 the General and his wife decided to remove the young dandy from Paris for a while. They shipped him on a voyage to Calcutta. But the future poet never reached his destination; he endured the trip as far as Reunion and Mauritius Islands, and then turned back to France.

In 1842 Baudelaire attained his majority, took control of his fortune—about 75,000 francs—, and bade his stepfather goodby. He hired a room, first on the quai de Béthune, but soon moved to the Hôtel Pimodan, quai d'Anjou, on the Île Saint-Louis. There he stayed till 1845, and there, within a stone's throw of Notre-Dame, he composed some of his best-known poems. This period and the immediately succeeding years were extremely fruitful. He continued to labor at his poetry, composing new poems and reworking old ones. He turned to art criticism and made his début with an article on the Salon of 1845. He came into contact with the work of Edgar Poe. Finding in the American author an echo and a confirmation of his own ideas and theories, he devoted himself to translating Poe's work. In 1851 he published a few of his own poems, and finally in 1857 he issued his masterpiece, *Les Fleurs du Mal*.

To trace in detail the rest of Baudelaire's career is impossible in a short account. He wasted the major part of his patrimony and knew extreme financial distress, shifting from one domicile to another in constant fear of creditors and bailiffs. He continually indulged in the worst excesses which inevitably wrecked him and led to a premature death in 1867.

Three women played an important part in Baudelaire's life and work. There was first of all Jeanne Duval, glowingly described by Théodore de Banville: «Une fille de couleur d'une très haute taille, qui portait bien sa brune tête, ingénue et superbe, couronnée d'une chevelure violemment crespelée, et dont la démarche de reine, pleine d'une grâce farouche, avait quelque chose à la fois de divin et de bestial.» Far less enchanting in reality than Banville makes her, she nevertheless exerted a terrible fascination over Charles Baudelaire from the time he met her in 1842, and she inspired some of his most remarkable poems.

Mme Sabatier, «la Présidente,» the hostess and friend of Dumas père, Flaubert, Gautier, Clésinger, Maxime Du Camp, and others, was the second. Baudelaire, with almost schoolboy simplicity, worshipped her for five years as his Laura or his Beatrice. In that mood he composed such poems as *L'Aube spirituelle*, *Réversibilité*, and *Harmonie du soir*. Mme Sabatier remained ever one of his most reliable friends.

The last of the trio was an actress, Marie Daubrun, «la belle aux cheveux d'or,» so named from a play in which she appeared in 1853. Whereas Jeanne Duval, «la Vénus noire,» brought the poet more frustration and unhappiness than genuine love,

Marie inspired tenderness (as well as passion).   We owe to her such poems as *Le Poison*, *L'Irréparable*, *Chant d'automne*, *A une Madone*, and in all probability *L'Invitation au voyage*.   Her *liaison* with Baudelaire extended over the decade 1850–1860.

II.   CONSULT: L. Barthou, *Autour de Baudelaire*.   *Le Procès des «Fleurs du Mal»*, Paris, Maison du livre, 1917; J. Carrère, *Les Mauvais Maîtres*, Paris, Plon, 1922; A. Cassagne, *Versification et métrique de Charles Baudelaire*, Paris, Hachette, 1906; G. Collas, «Victor Hugo et Baudelaire,» *R.H.L.*, 1929; E. Crépet, *Charles Baudelaire*. *Étude biographique revue et mise à jour par Jacques Crépet, suivie des Baudelairiana d'Asselineau*, etc., Paris, Messein, 1906; H. Dérieux, «La Plasticité de Baudelaire et ses rapports avec Théophile Gautier,» *Mercure de France*, 1917; P. Flottes, *Baudelaire.   L'homme et le poète*, Paris, Perrin, 1922; K. R. Gallas, «*L'Invitation au voyage* de Baudelaire et la Hollande,» *Neophilologus*, III, 3; J. Giraud, «Charles Baudelaire et Hoffmann le fantastique,» *R.H.L.*, 1919; L. Lemonnier, *Enquêtes sur Baudelaire*, Paris, Crès, 1929; C. Mauclair, *Charles Baudelaire*, Paris, Maison du livre, 1917; A. S. Patterson, *L'Influence d'Edgar Poe sur Charles Baudelaire*, Grenoble, 1913; J. Pommier, «Baudelaire et les lettres françaises,» *Revue des cours et conférences*, 1930; J. Pommier, «Banville et Baudelaire,» *R.H.L.*, 1930; E. Raynaud, *Baudelaire et la religion du dandysme*, Paris, Mercure de France, 1918; E. Raynaud, *Charles Baudelaire*, Paris, Garnier, 1922; G. de Reynold, *Charles Baudelaire*, Paris, Crès, 1920; S. A. Rhodes, *The Cult of Beauty in Charles Baudelaire*, New York, 1929; M.–A. Ruff, «Sur l'architecture des *Fleurs du Mal*,» *R.H.L.*, 1930; A. Séché, *La Vie des «Fleurs du Mal»*, Amiens, Malfère, 1928; L. Seylaz, *Edgar Poe et les premiers symbolistes français*, Lausanne, 1923; L. P. Shanks, *Baudelaire*, Boston, 1930; P. Soupault, *Baudelaire*, Paris, Rieder, 1931; A. Symons, *Charles Baudelaire*, London, Matthews, 1920; A. Thibaudet, «Charles Baudelaire,» *Revue de Paris*, 1921; G. Turquet-Milnes, *The Influence of Baudelaire in France and England*, London, Constable, 1913; P. Valéry, «Situation de Baudelaire,» *Variété II*, Paris, Nouvelle Revue Française, 1930; R. Vivier, *L'Originalité de Baudelaire*, Brussels, 1927.

Les Fleurs du Mal

Composed for the most part during the years 1840 to 1850, Baudelaire's poems, with few exceptions, were not published till somewhat later.   In 1851, eleven appeared in the *Messager de l'Assemblée* under the general title of *Les Limbes*.   The *Revue des Deux Mondes,* in 1855, offered its readers eighteen *Fleurs du Mal.* Finally, two years later, Poulet-Malassis published the first edition of *Les Fleurs du Mal;* it included exactly one hundred and one poems, beginning with a poetic preface entitled *Au lecteur,* followed by five groups: I. «Spleen et Idéal»; II. «Fleurs du Mal»; III. «Révolte»; IV. «Le Vin»; V. «La Mort.» A second edition, with one hundred and thirty poems, was printed in 1861. A third and posthumous edition appeared in 1868.

The first edition did more than create a sensation. It landed Charles Baudelaire in the police court, charged with «offense à la morale publique.» Skilfully defended before the court, Baudelaire was none the less fined three hundred francs. His publisher was also fined and ordered to delete six poems. The judgment was a bitter blow to Baudelaire, but he was recompensed by the support he received. Hugo, who, to be sure, could never approve any act of the third Napoleon's régime, wrote from Guernsey: «Je crie bravo! de toutes mes forces, à votre vigoureux esprit. . . . Une des rares décorations que le régime actuel peut accorder, vous venez de la recevoir. Ce qu'il appelle sa justice vous a condamné au nom de ce qu'il appelle sa morale; c'est là une couronne de plus. Je vous serre la main, poète.»

Les Fleurs du Mal, slowly conceived and laboriously wrought, are the expression of a powerful genius. Baudelaire succeeded within the covers of one volume in creating a singularly original and significant type of poetry. It is, in the first place, essentially human, for Charles Baudelaire revealed in his work his own troubled personality. He probed into the innermost recesses of a tortured soul and tried to seize and fix the aspiration, the revolt, the disquietude he discovered there. Dominated by an unquenchable thirst for beauty, he inevitably experienced in its quest both joy and sorrow, satisfaction and disappointment, anxiety and serenity. These conflicting emotions form a constant source of his poetic inspiration. In the second place, certain technical innovations of great importance mark his poetry.

The famous theory of "correspondences," that is, of the inter-relation, the inter-changeability even, of sight, sound, smell, and touch, was possibly not wholly discovered by him, but was undoubtedly given great prominence by his efforts. The attempt he made (in *Harmonie du soir*) to render an impression in all the intricacy with which it comes to us is one of his most interesting experiments.   His tendency to present a symbol without any detailed explanation, often with the merest hint of what the symbol represents makes him a precursor of Mallarmé and, in our day, of Valéry. In the third place, he reacted against the Romantic conception of facile and ready inspiration. Rejecting the oratorical, the eloquent, and the spontaneous, he subjected his art to the most rigorous requirements of a lucid intelligence.   There is in his work, as M. Valéry puts it, «une alliance rarissime de la volonté avec l'harmonie.» Of the poetry which this extraordinary genius created Leconte de Lisle wrote in 1861: «L'œuvre entière offre un aspect étrange et puissant, conception neuve, une dans sa riche et sombre diversité, marquée du sceau énergique d'une longue méditation." (*Revue européenne.*)

In addition to the poems given here, students should read *Les Phares, Hymne à la beauté, Sed non satiata, Le Balcon, Réversibilité, Ciel brouillé, Le Beau Navire, Spleen (LXXVI), Obsession, Le Cygne, Les Petites Vieilles, Allégorie.*

Préface *

La sottise, l'erreur, le péché, la lésine,
Occupent nos esprits et travaillent nos corps,
Et nous alimentons nos aimables remords,
Comme les mendiants nourrissent leur vermine.

5   Nos péchés sont têtus, nos repentirs sont lâches;
Nous nous faisons payer grassement nos aveux,
Et nous rentrons gaîment dans le chemin bourbeux,
Croyant par de vils pleurs laver toutes nos taches.

---

* First published in *Revue des Deux Mondes*, June 1, 1855; republished in the first edition of 1857.

Sur l'oreiller du mal c'est Satan Trismégiste
Qui berce longuement notre esprit enchanté,   10
Et le riche métal de notre volonté
Est tout vaporisé par ce savant chimiste.

C'est le Diable qui tient les fils qui nous remuent!
Aux objets répugnants nous trouvons des appas;
Chaque jour vers l'Enfer nous descendons d'un pas,   15
Sans horreur, à travers des ténèbres qui puent.

Ainsi qu'un débauché pauvre qui baise et mange
Le sein martyrisé d'une antique catin,
Nous volons au passage un plaisir clandestin
Que nous pressons bien fort comme une vieille orange.   20

Serré, fourmillant, comme un million d'helminthes,
Dans nos cerveaux ribote un peuple de Démons,
Et, quand nous respirons, la Mort dans nos poumons
Descend, fleuve invisible, avec de sourdes plaintes.

Si le viol, le poison, le poignard, l'incendie,   25
N'ont pas encor brodé de leurs plaisants dessins
Le canevas banal de nos piteux destins,
C'est que notre âme, hélas! n'est pas assez hardie.

Mais parmi les chacals, les panthères, les lices,
Les singes, les scorpions, les vautours, les serpents,   30
Les monstres glapissants, hurlants, grognants, rampants
Dans la ménagerie infâme de nos vices,

Il en est un plus laid, plus méchant, plus immonde!
Quoiqu'il ne pousse ni grands gestes ni grands cris,
Il ferait volontiers de la terre un débris   35
Et dans un bâillement avalerait le monde;

C'est l'Ennui!—L'œil chargé d'un pleur involontaire,
Il rêve d'échafauds en fumant son houka.
Tu le connais, lecteur, ce monstre délicat,
—Hypocrite lecteur,—mon semblable,—mon frère!   40

QUESTION

1. Remembering that this poem is entitled « Préface » and serves as an Introduction to the volume, define as carefully as possible the central thought of the poem and its literary significance.

NOTES ON *PRÉFACE*

Title. Originally entitled « Au lecteur.»
1. la lésine, *stinginess.*
9. Satan Trismégiste. Trismegistus (Thrice Greatest).
18. catin, *prostitute.*
21. helminthes, *helminthes* (worms).
22. ribote, *goes on a debauch.*
29. lices, *bitch-hounds.*

L'ALBATROS*

Souvent, pour s'amuser, les hommes d'équipage
Prennent des albatros, vastes oiseaux des mers,
Qui suivent, indolents compagnons de voyage,
Le navire glissant sur les gouffres amers.

5   A peine les ont-ils déposés sur les planches,
Que ces rois de l'azur, maladroits et honteux,
Laissent piteusement leurs grandes ailes blanches
Comme des avirons traîner à côté d'eux.

Ce voyageur ailé, comme il est gauche et veule!
10 Lui, naguère si beau, qu'il est comique et laid!
L'un agace son bec avec un brûle-gueule,
L'autre mime, en boitant, l'infirme qui volait!

Le Poète est semblable au prince des nuées
Qui hante la tempête et se rit de l'archer;
15 Exilé sur le sol au milieu des huées,
Ses ailes de géant l'empêchent de marcher.

* First published in the *Revue française*, April 10, 1859; included in the second edition of *Les Fleurs du Mal*, 1861.

QUESTIONS

1. Compare this poem with Musset's *Nuit de mai*, lines 153 ff. and Leconte de Lisle's *Le Sommeil du condor* and *L'Albatros*.

2. Compare this poem with Vigny's conception of the poet's fate.

NOTES ON *L'ALBATROS*

Title. The poem was inspired by and perhaps composed in part during the sea-voyage that Baudelaire was sent on in 1841.

9–12. This stanza was added to the poem at the suggestion of Ch. Asselineau.

9. veule, *weak.*

11. brûle-gueule, *i.e.* pipe.

ÉLÉVATION *

Au-dessus des étangs, au-dessus des vallées,
Des montagnes, des bois, des nuages, des mers,
Par delà le soleil, par delà les éthers,
Par delà les confins des sphères étoilées,

Mon esprit, tu te meus avec agilité,   5
Et, comme un bon nageur qui se pâme dans l'onde,
Tu sillonnes gaîment l'immensité profonde
Avec une indicible et mâle volupté.

Envole-toi bien loin de ces miasmes morbides,
Va te purifier dans l'air supérieur,   10
Et bois, comme une pure et divine liqueur,
Le feu clair qui remplit les espaces limpides.

Derrière les ennuis et les vastes chagrins
Qui chargent de leur poids l'existence brumeuse,
Heureux celui qui peut d'une aile vigoureuse   15
S'élancer vers les champs lumineux et sereins!

* First published in the first edition of 1857.

Celui dont les pensers, comme des alouettes,
Vers les cieux le matin prennent un libre essor,
—Qui plane sur la vie et comprend sans effort
20   Le langage des fleurs et des choses muettes!

QUESTION

1. Does this poem necessitate any modification of the conclusions reached after analyzing *Préface?*

CORRESPONDANCES *

La Nature est un temple où de vivants piliers
Laissent parfois sortir de confuses paroles;
L'homme y passe à travers des forêts de symboles
Qui l'observent avec des regards familiers.

5   Comme de longs échos qui de loin se confondent
Dans une ténébreuse et profonde unité,
Vaste comme la nuit et comme la clarté,
Les parfums, les couleurs et les sons se répondent.

Il est des parfums frais comme des chairs d'enfants,
10   Doux comme les hautbois, verts comme les prairies,
—Et d'autres, corrompus, riches et triomphants,

Ayant l'expansion des choses infinies,
Comme l'ambre, le musc, le benjoin et l'encens,
Qui chantent les transports de l'esprit et des sens.

QUESTIONS

1. Show how Baudelaire applies the theory of " correspondences " to this very poem.
2. What do you think the limitations of this theory must be?
3. In what sense does Baudelaire use the word *symboles* in line 3?
4. Comment on the significance of «les transports de l'esprit et des sens.»

NOTES ON *CORRESPONDANCES*

Title. As early as 1807, Mme de Staël had said in *Corinne:* «Les sons imitent les couleurs, les couleurs se fondent en harmonie.» Then in Hugo's

* First published in the first edition of 1857.

Notre-Dame de Paris, Bk. III, ch. II, one may read: «Puis, tout à coup, voyez, car il semble qu'en certains instants l'oreille aussi a sa vue, voyez s'élever au même moment de chaque clocher comme une colonne de bruit, comme une fumée d'harmonie» etc. Cf. also Pétrus Borel's poem, *Ma croisée* (in *Rhapsodies*, 1832):

> Mais surtout nul pinceau ne rendrait mon transport,
> . . . quand sa voix, doux accord,
> Hautbois harmonieux qui lutine et qui joue,
> Monte comme un parfum et caresse ma joue!

J. Crépet suggests another source in Charles Barbara's *Histoires émouvantes* (1857): «Soit abus de ces deux organes, soit organisation vicieuse, une chose bizarre, c'est que mon oreille *perçoit* des couleurs et que mon œil *entend* des sons.»

M. Seylaz finds a more important possible source in Poe. The American poet wrote in *Al Araaf:*

> All Nature speaks, and ev'n ideal things
> Flap shadowy sounds from visionary wings.

In his *Marginalia* he said: " The orange ray of the spectrum and the buzz of the gnat affect me with nearly similar sensations. In hearing the gnat, I perceive the color. In perceiving the color, I seem to hear the gnat." (*Edgar Poe et les premiers symbolistes français*, p. 64.)

10. hautbois, *hautboy,* oboe.

13. le musc, le benjoin, *musk, benzoin.*

DON JUAN AUX ENFERS *

Quand don Juan descendit vers l'onde souterraine
Et lorsqu'il eut donné son obole à Charon,
Un sombre mendiant, l'œil fier comme Antisthène,
D'un bras vengeur et fort saisit chaque aviron.

Montrant leurs seins pendants et leurs robes ouvertes,   5
Des femmes se tordaient sous le noir firmament,
Et, comme un grand troupeau de victimes offertes,
Derrière lui traînaient un long mugissement.

* First published in the combined magazines *L'Artiste, Revue de Paris*, September 6, 1846; republished in first edition, 1857.

Sganarelle en riant lui réclamait ses gages,
10 Tandis que don Luis avec un doigt tremblant
Montrait à tous les morts errant sur les rivages
Le fils audacieux qui railla son front blanc.

Frissonnant sous son deuil, la chaste et maigre Elvire,
Près de l'époux perfide et qui fut son amant,
15 Semblait lui réclamer un suprême sourire
Où brillât la douceur de son premier serment.

Tout droit dans son armure, un grand homme de pierre
Se tenait à la barre et coupait le flot noir;
Mais le calme héros, courbé sur sa rapière,
20 Regardait le sillage et ne daignait rien voir.

QUESTIONS

1. Compare this interpretation with that of Molière.
2. Can any « rapprochement » be made between the Don Juan of this poem and Baudelaire himself?
3. Discuss the plastic qualities of this poem.

NOTES ON *DON JUAN AUX ENFERS*

Title. The original title was *L'Impénitent.* According to Prarond, the poem was composed before the end of 1843.

It may have been partly inspired by Delacroix's *La Barque de don Juan,* 1841. Baudelaire deeply admired Delacroix. He treated the subject quite differently, however.

Concerning the legend of Don Juan in French literature, consult G. Gendarme de Bévotte, *La Légende de don Juan,* 2 vols., Paris, Hachette, 1911.

2. Charon, the boatman of the Styx.

3. Antisthène, a Greek philosopher of the fifth century B.C., the founder of the sect known as the cynics. **mendiant.** Cf. Molière's *Don Juan,* Act III, sc. 2.

9. Sganarelle, *etc.* In certain editions of Molière's play, Sganarelle's last speech (Act V, sc. 6) uttered as Don Juan is destroyed, begins with the cry: «Ah! mes gages! mes gages!»

10–12. don Luis, *etc.* Cf. Molière, Act IV, sc. 4 and Act V, sc. 2.

13. Elvire, Done Elvire. Cf. Molière's play.

17. un grand homme de pierre. Cf. Molière, Act III, sc. 5; Act IV, sc. 8; Act V. sc. 6.

L A B E A U T É *

Je suis belle, ô mortels! comme un rêve de pierre,
Et mon sein, où chacun s'est meurtri tour à tour,
Est fait pour inspirer au poète un amour
Éternel et muet ainsi que la matière.

Je trône dans l'azur comme un sphinx incompris;   5
J'unis un cœur de neige à la blancheur des cygnes;
Je hais le mouvement qui déplace les lignes,
Et jamais je ne pleure et jamais je ne ris.

Les poètes, devant mes grandes attitudes,
Que j'ai l'air d'emprunter aux plus fiers monuments,   10
Consumeront leurs jours en d'austères études;

Car j'ai, pour fasciner ces dociles amants,
De purs miroirs qui font toutes choses plus belles:
Mes yeux, mes larges yeux aux clartés éternelles!

QUESTIONS

1. How do you account for Flaubert's enthusiasm for this poem?
2. To what extent does this poem express the Parnassian ideal?

NOTES ON *LA BEAUTÉ*

Title. Flaubert wrote to Baudelaire on July 13, 1857: «Voici les pièces qui m'ont le plus frappé: le sonnet XVIII: *la Beauté;* c'est pour moi une œuvre de la plus haute valeur.»

L A C H E V E L U R E †

O toison, moutonnant jusque sur l'encolure!
O boucles! O parfum chargé de nonchaloir!
Extase! Pour peupler ce soir l'alcôve obscure
Des souvenirs dormant dans cette chevelure,
Je la veux agiter dans l'air comme un mouchoir!   5

* First published in the *Revue française*, April 10, 1857; republished in the first edition, 1857.
† First published in the *Revue française*, May 20, 1859; republished in second edition of *Les Fleurs du Mal*, 1861.

La langoureuse Asie et la brûlante Afrique,
Tout un monde lointain, absent, presque défunt,
Vit dans tes profondeurs, forêt aromatique!
Comme d'autres esprits voguent sur la musique,
10   Le mien, ô mon amour! nage sur ton parfum.

J'irai là-bas où l'arbre et l'homme, pleins de sève,
Se pâment longuement sous l'ardeur des climats;
Fortes tresses, soyez la houle qui m'enlève!
Tu contiens, mer d'ébène, un éblouissant rêve
15   De voiles, de rameurs, de flammes et de mâts:

Un port retentissant où mon âme peut boire
A grands flots le parfum, le son et la couleur;
Où les vaisseaux, glissant dans l'or et dans la moire,
Ouvrent leurs vastes bras pour embrasser la gloire
20   D'un ciel pur où frémit l'éternelle chaleur.

Je plongerai ma tête amoureuse d'ivresse
Dans ce noir océan où l'autre est enfermé;
Et mon esprit subtil que le roulis caresse
Saura vous retrouver, ô féconde paresse,
25   Infinis bercements du loisir embaumé!

Cheveux bleus, pavillon de ténèbres tendues,
Vous me rendez l'azur du ciel immense et rond;
Sur les bords duvetés de vos mèches tordues
Je m'enivre ardemment des senteurs confondues
30   De l'huile de coco, du musc et du goudron.

Longtemps! toujours! ma main dans ta crinière lourde
Sèmera le rubis, la perle et le saphir,
Afin qu'à mon désir tu ne sois jamais sourde!
N'es-tu pas l'oasis où je rêve, et la gourde
35   Où je hume à longs traits le vin du souvenir?

QUESTIONS

1. Analyze the symbolism of this poem.
2. The qualities of this poem must be included in any complete statement of Baudelaire's art. What are these qualities?

NOTES ON *LA CHEVELURE*

Title. The poem was undoubtedly inspired by Jeanne Duval. Cf. «Un hémisphère dans une chevelure,» *Petits poèmes en prose.* The prose-poem was written after the poem itself and was first published in *Le Présent,* August 24, 1857.
13. la houle, *swell* (of the sea).
14-15. See H. Peyre, «L'Image du navire chez Baudelaire,» *Modern Language Notes,* November, 1929.
15. flammes, *pennants.*
30. musc . . . goudron, *musk . . . tar.*
34. gourde, *water-container.*

HARMONIE DU SOIR *

Voici venir les temps où vibrant sur sa tige
Chaque fleur s'évapore ainsi qu'un encensoir;
Les sons et les parfums tournent dans l'air du soir;
Valse mélancolique et langoureux vertige!

Chaque fleur s'évapore ainsi qu'un encensoir;　　　　5
Le violon frémit comme un cœur qu'on afflige;
Valse mélancolique et langoureux vertige!
Le ciel est triste et beau comme un grand reposoir.

Le violon frémit comme un cœur qu'on afflige,
Un cœur tendre, qui hait le néant vaste et noir!　　　　10
Le ciel est triste et beau comme un grand reposoir;
Le soleil s'est noyé dans son sang qui se fige . . .

Un cœur tendre, qui hait le néant vaste et noir,
Du passé lumineux recueille tout vestige!
Le soleil s'est noyé dans son sang qui se fige . . .　　　　15
Ton souvenir en moi luit comme un ostensoir!

* First published in the *Revue française,* April 20, 1857; republished in first edition, 1857.

QUESTIONS

1. What lyric themes enter into the composition of this poem?
2. Point out the musical qualities of the individual lines.
3. Discuss the technical experiment attempted here.   See introductory note.

NOTES ON *HARMONIE DU SOIR*

Title. The poem belongs to the group inspired by Mme Sabatier. The structure of the poem is approximately that of a *pantoum*, in which the second and fourth lines of each stanza become the first and third lines of the next.

In his notes to *Les Orientales*, Hugo translated a *pantoum malais*. Asselineau is said to have written the first French pantoum.   Banville composed one for his *Odes funambulesques*, 1857.   Leconte de Lisle wrote a number of *Pantoums malais* many years later for his *Poèmes tragiques*.

Baudelaire's poem differs markedly from the conventional pantoum, for usually two different themes are carried throughout the poem, one being developed in the first two lines of each stanza, the other in the last two lines of each stanza.   There is nothing of that in *Harmonie du soir*. Baudelaire, I think, used the form of the pantoum for a quite different purpose.   See the introductory note to *Les Fleurs du Mal*.

3. Les sons et les parfums tournent. Cf. *Correspondances*.
4. Notice the alliteration and its arrangement.   The dominant consonants are *v* and *l*.   The former is placed at the beginning and at the end of the line, framing in a sense the liquids.   Two nasals are placed at approximately the same distance from the cesura and they are both followed by palatals, followed in turn by a back vowel.   The result of this careful composition is a most unusual musical resonance.
8. reposoir, *altar* (of the type erected in the street for a religious procession).
16. ostensoir, *monstrance* (relig.).

LE FLACON*

Il est de forts parfums pour qui toute matière
Est poreuse.   On dirait qu'ils pénètrent le verre.
En ouvrant un coffret venu de l'Orient
Dont la serrure grince et rechigne en criant,

* First published in *Revue française*, April 20, 1857; republished in first edition

Ou dans une maison déserte quelque armoire 5
Pleine de l'âcre odeur des temps, poudreuse et noire,
Parfois on trouve un vieux flacon qui se souvient,
D'où jaillit toute vive une âme qui revient.

Mille pensers dormaient, chrysalides funèbres,
Frémissant doucement dans les lourdes ténèbres, 10
Qui dégagent leur aile et prennent leur essor,
Teintés d'azur, glacés de rose, lamés d'or.

Voilà le souvenir enivrant qui voltige
Dans l'air troublé; les yeux se ferment; le Vertige
Saisit l'âme vaincue et la pousse à deux mains 15
Vers un gouffre obscurci de miasmes humains;

Il la terrasse au bord d'un gouffre séculaire,
Où, Lazare odorant déchirant son suaire,
Se meut dans son réveil le cadavre spectral
D'un vieil amour ranci, charmant et sépulcral. 20

Ainsi, quand je serai perdu dans la mémoire
Des hommes, dans le coin d'une sinistre armoire
Quand on m'aura jeté, vieux flacon désolé,
Décrépit, poudreux, sale, abject, visqueux, fêlé,

Je serai ton cercueil, a mable pestilence! 25
Le témoin de ta force et de ta virulence,
Cher poison préparé par les anges! liqueur
Qui me ronge, ô la vie et la mort de mon cœur!

QUESTIONS

1. Explain the symbol presented in this poem.
2. Discuss all technical details of interest.

NOTES ON *LE FLACON*

Title. This poem belongs to the group inspired by Mme Sabatier. Cf. Poe, *The Poetic Principle:* " The Poet recognizes the ambrosia which nourishes his soul . . . in the suggestive odor that comes to him, at eventide, from far-distant, undiscovered islands, over dim oceans, illimitable and unexplored."

4. rechigne, *sulks.*

9. chrysalides, *chrysalises.*

12. glacés . . . lamés, *glazed . . . laminated.*

16. miasmes, *miasmas* (noxious substances floating in the air).

18. Lazare. See St. John, XI, 44. Notice that in the text «Lazare» is in apposition with «cadavre spectral.»

24. visqueux, *viscous, slimy.*

L'INVITATION AU VOYAGE*

Mon enfant, ma sœur,
Songe à la douceur
D'aller là-bas vivre ensemble!
Aimer à loisir,
5   Aimer et mourir
Au pays qui te ressemble!
Les soleils mouillés
De ces ciels brouillés
Pour mon esprit ont les charmes
10   Si mystérieux
De tes traîtres yeux,
Brillant à travers leurs larmes

Là, tout n'est qu'ordre et beauté,
Luxe, calme et volupté.

15   Des meubles luisants,
Polis par les ans,
Décoreraient notre chambre;
Les plus rares fleurs
Mêlant leurs odeurs
20   Aux vagues senteurs de l'ambre,
Les riches plafonds,
Les miroirs profonds,
La splendeur orientale,
Tout y parlerait
25   A l'âme en secret
Sa douce langue natale.

* First published in the *Revue des Deux Mondes*, June 1, 1855; republished in the first edition.

Là, tout n'est qu'ordre et beauté,
Luxe, calme et volupté.

Vois sur ces canaux
Dormir ces vaisseaux 30
Dont l'humeur est vagabonde;
C'est pour assouvir
Ton moindre désir
Qu'ils viennent du bout du monde.
—Les soleils couchants 35
Revêtent les champs,
Les canaux, la ville entière,
D'hyacinthe et d'or;
Le monde s'endort
Dans une chaude lumière. 40

Là, tout n'est qu'ordre et beauté
Luxe, calme et volupté.

QUESTIONS

1. Define the aspiration revealed by Baudelaire in this poem.
2. What is the significance of the refrain?
3. What is the reason for the choice of this particular rhythm?

NOTES ON *L'INVITATION AU VOYAGE*

Title. The poem should be read in connection with Baudelaire's prose-poem of the same title in *Petits poèmes en prose* (first published in *Le Présent*, August 24, 1857). While the poem was probably inspired by Marie Daubrun, the prose version was inspired by Mme Sabatier.

Crépet, in his edition of *Les Fleurs du Mal*, suggests as source of the poem a passage from Statius, Bk. III, Silve V, *Ad Claudiam uxorem*, in which the poet invites his wife to accompany him to his native land, and tells her of its charms and its peacefulness. Crépet also suggests (in his notes to the *Petits poèmes en prose*) additional sources such as Arsène Houssaye's *Voyage à ma fenêtre* and Balzac's *La Fille aux yeux d'or*.

A source that will occur to everyone is Mignon's song « Connais-tu le pays » in Goethe's *Wilhelm Meisters Wanderjahre*.

Certain details of the poem suggest a Dutch landscape. Baudelaire may have been led to place this ideal refuge in Holland by Edgar Allan Poe's *Domain of Arnheim* and *Landor's Cottage*, which Baudelaire translated in *Histoires grotesques et sérieuses*. Poe describes his ideal land as follows: " The impressions wrought on the observer were those of richness, *warmth*, color, *quietude*, *uniformity*, softness, daintiness, *voluptuousness*, and a miraculous extremeness of culture that suggested dreams of a new race of fairies, laborious, tasteful, magnificent, and fastidious." (From the *Domain of Arnheim;* italics mine.)

Another source is Eugène Isabey's painting « L'Embarquement de Ruyter et de Witt,» which shows the old harbor of Rotterdam. It was exhibited in 1850 at a time when Baudelaire was even more preoccupied with art than with poetry.

L'Invitation au voyage has been admirably set to music by H. Duparc.

1. ma sœur, *i.e.* «la femme aimée, la sœur d'élection.» (*Petits poèmes en prose.*)

La Cloche fêlée*

Il est amer et doux, pendant les nuits d'hiver,
D'écouter, près du feu qui palpite et qui fume,
Les souvenirs lointains lentement s'élever
Au bruit des carillons qui chantent dans la brume.

5   Bienheureuse la cloche au gosier vigoureux
Qui, malgré sa vieillesse, alerte et bien portante,
Jette fidèlement son cri religieux,
Ainsi qu'un vieux soldat qui veille sous la tente!

Moi, mon âme est fêlée, et lorsqu'en ses ennuis
10   Elle veut de ses chants peupler l'air froid des nuits,
Il arrive souvent que sa voix affaiblie

Semble le râle épais d'un blessé qu'on oublie
Au bord d'un lac de sang, sous un grand tas de morts,
Et qui meurt, sans bouger, dans d'immenses efforts!

* First published in *Le Messager de l'Assemblée*, April 9, 1851; republished in the *Revue des Deux Mondes*, June 1, 1855 and in the first edition of *Les Fleurs du Mal*.

QUESTIONS

1. What specific interior does the first stanza evoke?
2. How is the musical quality of the lines of the first stanza created?
3. Discuss the symbolism of this sonnet.

NOTES ON *LA CLOCHE FÊLÉE*

Title. The composition of the poem probably dates from about 1843 when Baudelaire was living in the Hôtel Pimodan on the Île Saint-Louis. It was originally entitled *Spleen;* in 1855 the title was changed to *La Cloche;* in 1857 the adjective, *fêlée,* was added.

1–3. hiver . . . s'élever, a so-called Norman rhyme.

5. la cloche au gosier vigoureux, *i.e.* the big bell (« le bourdon ») of Notre-Dame.

12. râle, *death-rattle.*

SPLEEN*

J'ai plus de souvenirs que si j'avais mille ans.

Un gros meuble à tiroirs encombré de bilans,
De vers, de billets doux, de procès, de romances,
Avec de lourds cheveux roulés dans des quittances,
Cache moins de secrets que mon triste cerveau.   5
C'est une pyramide, un immense caveau,
Qui contient plus de morts que la fosse commune.

—Je suis un cimetière abhorré de la lune,
Où, comme des remords, se traînent de longs vers
Qui s'acharnent toujours sur mes morts les plus chers.   10
Je suis un vieux boudoir plein de roses fanées,
Où gît tout un fouillis de modes surannées,
Où les pastels plaintifs et les pâles Boucher,
Seuls, respirent l'odeur d'un flacon débouché.

Rien n'égale en longueur les boiteuses journées,   15
Quand sous les lourds flocons des neigeuses années
L'Ennui, fruit de la morne incuriosité,
Prend les proportions de l'immortalité.

* First published in the first edition of *Les Fleurs du Mal.*

—Désormais tu n'es plus, ô matière vivante!
20   Qu'un granit entouré d'une vague épouvante,
Assoupi dans le fond d'un Saharah brumeux!
Un vieux sphinx ignoré du monde insoucieux,
Oublié sur la carte, et dont l'humeur farouche
Ne chante qu'aux rayons du soleil qui se couche!

QUESTION

1. By what specific means does Baudelaire render his feeling of melancholy or spleen?

NOTES ON *SPLEEN* (LXXV)

2. bilans, *balances, accounts.*
4. quittances, *receipts.*
13. Boucher, *i.e.* pictures by François Boucher, an eighteenth century artist.
15. boiteuses, *limping.*
19. ô matière vivante, *i.e.* his «triste cerveau,» line 5.
20. granit, *i.e.* «pyramide,» line 6.
24. Ne chante, *etc.* Baudelaire has partly in mind (by way of contrast) the statue of Memnon. See note to Hugo's *Lui,* line 78.

S P L E E N *

Quand le ciel bas et lourd pèse comme un couvercle
Sur l'esprit gémissant en proie aux longs ennuis,
Et que de l'horizon embrassant tout le cercle
Il nous verse un jour noir plus triste que les nuits;

5   Quand la terre est changée en un cachot humide,
Où l'Espérance, comme une chauve-souris,
S'en va battant les murs de son aile timide
Et se cognant la tête à des plafonds pourris;

Quand la pluie étalant ses immenses traînées
10   D'une vaste prison imite les barreaux,
Et qu'un peuple muet d'infâmes araignées
Vient tendre ses filets au fond de nos cerveaux,

* First published in the first edition of *Les Fleurs du Mal.*

Des cloches tout à coup sautent avec furie
Et lancent vers le ciel un affreux hurlement,
Ainsi que des esprits errants et sans patrie 15
Qui se mettent à geindre opiniâtrement.

—Et de longs corbillards, sans tambours ni musique,
Défilent lentement dans mon âme; l'Espoir,
Vaincu, pleure, et l'Angoisse atroce, despotique,
Sur mon crâne incliné plante son drapeau noir. 20

QUESTIONS

1. What is the function of the metaphors used in this poem?
2. Compare the melancholy displayed and analyzed in this poem and the two preceding ones with the melancholy of the early Romanticists.

NOTES ON *SPLEEN* (LXXVII)

11–12. Et qu'un peuple, *etc.* Cf. a passage in Hugo's poem *Les Mages* (in *Les Contemplations*):

L'homme, esprit captif, les écoute,
Pendant qu'en son cerveau le doute,
Bête aveugle aux lueurs d'en haut,
Pour y prendre l'âme indignée
Suspend sa toile d'araignée
Au crâne, plafond du cachot.

Cf. also *Mme Bovary*, Ch. VII: «Mais elle, sa vie était froide comme un grenier dont la lucarne est au nord, et l'ennui, araignée silencieuse, filait sa toile dans l'ombre à tous les coins de son cœur.»
17. corbillards, *hearses.*

RECUEILLEMENT *

Sois sage, ô ma Douleur, et tiens-toi plus tranquille.
Tu réclamais le Soir; il descend; le voici:
Une atmosphère obscure enveloppe la ville,
Aux uns portant la paix, aux autres le souci.

* First published in *Revue européenne*, January 12, 1862. Republished in *Le Parnasse contemporain*, 1866, and in the third edition of *Les Fleurs du Mal*.

5   Pendant que des mortels la multitude vile,
    Sous le fouet du Plaisir, ce bourreau sans merci,
    Va cueillir des remords dans la fête servile,
    Ma Douleur, donne-moi la main; viens par ici,

    Loin d'eux.   Vois se pencher les défuntes Années,
10 Sur les balcons du ciel, en robes surannées;
    Surgir du fond des eaux le Regret souriant;

    Le Soleil moribond s'endormir sous une arche,
    Et, comme un long linceul traînant à l'Orient,
    Entends, ma chère, entends la douce Nuit qui marche!

QUESTIONS

1. This sonnet is considered by many critics as Baudelaire's finest poem. What qualities cause them to judge it so highly?
2. What landscape does Baudelaire evoke in these lines?

NOTES ON *RECUEILLEMENT*

Title.   Cf. in *Petits poèmes en prose* «Le Crépuscule du soir»:

Le jour tombe.   Un grand apaisement se fait dans les esprits fatigués du labeur de la journée; et leurs pensées prennent maintenant les couleurs tendres et indécises du crépuscule. . . .
   O nuit! ô rafraîchissantes ténèbres! vous êtes pour moi le signal d'une fête intérieure, vous êtes la délivrance d'une angoisse!   Dans la solitude des plaines, dans les labyrinthes pierreux d'une capitale, scintillement des étoiles, explosion des lanternes, vous êtes le feu d'artifice de la déesse Liberté!
   Crépuscule, comme vous êtes doux et tendre!   Les lueurs roses qui traînent encore à l'horizon comme l'agonie du jour sous l'oppression victorieuse de la nuit, les feux des candélabres qui font des taches d'un rouge opaque sur les dernières gloires du couchant, les lourdes draperies qu'une main invisible attire des profondeurs de l'Orient, imitent tous les sentiments compliqués qui luttent dans le cœur de l'homme aux heures solennelles de la vie.
   On dirait encore une de ces robes étranges de danseuses, où une gaze transparente et sombre laisse entrevoir les splendeurs amorties d'une jupe éclatante, comme sous le noir présent transperce le délicieux passé; et les étoiles vacillantes d'or et d'argent, dont elle est semée, représentent ces feux de la fantaisie qui ne s'allument bien que sous le deuil profond de la Nuit.

This prose-poem was first published in 1855, but considerably different in form; it lacked the last three paragraphs (given above) which were added in 1864 *after* Baudelaire had composed the sonnet.
11. **des eaux**, *i.e.* the waters of the Seine.

L'HÉAUTONTIMOROUMENOS *

A J. G. F.

Je te frapperai sans colère
Et sans haine, comme un boucher,
Comme Moïse le rocher!
Et je ferai de ta paupière,

Pour abreuver mon Saharah,   5
Jaillir les eaux de la souffrance.
Mon désir gonflé d'espérance
Sur tes pleurs salés nagera

Comme un vaisseau qui prend le large
Et dans mon cœur qu'ils soûleront   10
Tes chers sanglots retentiront
Comme un tambour qui bat la charge!

Ne suis-je pas un faux accord
Dans la divine symphonie,
Grâce à la vorace Ironie   15
Qui me secoue et qui me mord?

Elle est dans ma voix, la criarde!
C'est tout mon sang, ce poison noir!
Je suis le sinistre miroir
Où la mégère se regarde.   20

* First published in *L'Artiste*, May 10, 1857; republished in the first edition of *Les Fleurs du mal*. The dedication first appeared in the second edition, 1861.

Je suis la plaie et le couteau!
Je suis le soufflet et la joue!
Je suis les membres et la roue,
Et la victime et le bourreau!

25   Je suis de mon cœur le vampire,
—Un de ces grands abandonnés
Au rire éternel condamnés,
Et qui ne peuvent plus sourire!

QUESTIONS

1. Does this poem express exactly the same sentiment as *La Cloche fêlée* and *Spleen?*
2. Why is this poem considered by many as one of the most important to a full understanding of Baudelaire?

NOTES ON *L'HÉAUTONTIMOROUMENOS*

Title. The word means self-tormentor or self-executioner. The title was possibly suggested by Terence, but more likely by a paragraph in Joseph de Maistre's *Soirées de Saint-Pétersbourg.* On the history, sources, and significance of the poem see the critical edition of *Les Fleurs du mal* by J. Crépet & G. Blin (J. Corti, 1942).
3. Comme Moïse le rocher. Cf. Exodus, XVII, 1–6.
20. mégère, *shrew.*

UN VOYAGE À CYTHÈRE*

Mon cœur, comme un oiseau, voltigeait tout joyeux
Et planait librement à l'entour des cordages;
Le navire roulait sous un ciel sans nuages,
Comme un ange enivré d'un soleil radieux.

5   Quelle est cette île triste et noire?—C'est Cythère,
Nous dit-on, un pays fameux dans les chansons,
Eldorado banal de tous les vieux garçons.
Regardez, après tout, c'est une pauvre terre.

* First published in the *Revue des Deux Mondes,* June 1, 1855; republished in the first edition of *Les Fleurs du mal.*

—Ile des doux secrets et des fêtes du cœur!
De l'antique Vénus le superbe fantôme   10
Au-dessus de tes mers plane comme un arome,
Et charge les esprits d'amour et de langueur.

Belle île aux myrtes verts, pleine de fleurs écloses,
Vénérée à jamais par toute nation,
Où les soupirs des cœurs en adoration   15
Roulent comme l'encens sur un jardin de roses

Ou le roucoulement éternel d'un ramier!
—Cythère n'était plus qu'un terrain des plus maigres,
Un désert rocailleux troublé par des cris aigres.
J'entrevoyais pourtant un objet singulier!   20

Ce n'était pas un temple aux ombres bocagères,
Où la jeune prêtresse, amoureuse des fleurs,
Allait, le corps brûlé de secrètes chaleurs,
Entre-bâillant sa robe aux brises passagères;

Mais voilà qu'en rasant la côte d'assez près   25
Pour troubler les oiseaux avec nos voiles blanches,
Nous vîmes que c'était un gibet à trois branches,
Du ciel se détachant en noir, comme un cyprès.

De féroces oiseaux perchés sur leur pâture
Détruisaient avec rage un pendu déjà mûr,   30
Chacun plantant, comme un outil, son bec impur
Dans tous les coins saignants de cette pourriture;

Les yeux étaient deux trous, et du ventre effondré
Les intestins pesants lui coulaient sur les cuisses,
Et ses bourreaux, gorgés de hideuses délices,   35
L'avaient à coups de bec absolument châtré.

Sous les pieds, un troupeau de jaloux quadrupèdes,
Le museau relevé, tournoyait et rôdait;
Une plus grande bête au milieu s'agitait
40   Comme un exécuteur entouré de ses aides.

Habitant de Cythère, enfant d'un ciel si beau,
Silencieusement tu souffrais ces insultes
En expiation de tes infâmes cultes
Et des péchés qui t'ont interdit le tombeau.

45   Ridicule pendu, tes douleurs sont les miennes!
Je sentis, à l'aspect de tes membres flottants,
Comme un vomissement, remonter vers mes dents
Le long fleuve de fiel des douleurs anciennes;

Devant toi, pauvre diable au souvenir si cher,
50   J'ai senti tous les becs et toutes les mâchoires
Des corbeaux lancinants et des panthères noires
Qui jadis aimaient tant à triturer ma chair.

—Le ciel était charmant, la mer était unie;
Pour moi tout était noir et sanglant désormais,
55   Hélas! et j'avais, comme en un suaire épais,
Le cœur enseveli dans cette allégorie.

Dans ton île, ô Vénus! je n'ai trouvé debout
Qu'un gibet symbolique où pendait mon image . . .
—Ah! Seigneur! donnez-moi la force et le courage
60   De contempler mon cœur et mon corps sans dégoût!

QUESTIONS

1. Explain line 58.
2. Compare with V. Hugo's *Cérigo*.
3. Why is this poem considered important to a full understanding of Baudelaire?

NOTES ON *UN VOYAGE A CYTHÈRE*

Title. Baudelaire himself stated that the poem was inspired by a
passage from Gerard de Nerval's *Voyage à Cythère:* «Devant moi,
là-bas, à l'horizon, cette côte vermeille, ces collines pourprées qui
semblent des nuages, c'est l'île même de Vénus, c'est l'antique Cythère
. . . Aujourd'hui cette île s'appelle Cérigo . . . Pendant que nous
rasions la côte . . . j'avais aperçu un petit monument, vaguement
découpé sur l'azur du ciel . . . en approchant davantage, nous avons
distingué clairement l'objet qui signalait cette côte à l'attention des
voyageurs. C'était un gibet, un gibet à trois branches, dont une seule
était garnie.»
Cf. the critical edition of *Les Fleurs du mal* by Crépet & Blin,
pp. 501–505 for other sources.
V. Hugo wrote *Cérigo* (in *Les Contemplations*) in reply to Baudelaire's
poem.
5. cette île. Cerigo is located to the northwest of Crete.
7. Eldorado. An imaginary country viewed as an Utopia.
17. ramier, *pigeon* or *dove.*
29. pâture, *fodder.*
36. châtré, *castrated.*
40. exécuteur, *i.e. public executioner.*
52. triturer, *grind.*

Le Reniement de Saint Pierre*

Qu'est-ce que Dieu fait donc de ce flot d'anathèmes
Qui monte tous les jours vers ses chers Séraphins?
Comme un tyran gorgé de viande et de vins,
Il s'endort au doux bruit de nos affreux blasphèmes.

Les sanglots des martyrs et des suppliciés   5
Sont une symphonie enivrante sans doute,
Puisque, malgré le sang que leur volupté coûte,
Les cieux ne s'en sont point encor rassasiés!

—Ah! Jésus, souviens-toi du Jardin des Olives!
Dans ta simplicité tu priais à genoux   10
Celui qui dans son ciel riait au bruit des clous
Que d'ignobles bourreaux plantaient dans tes chairs vives,

* First published in *Revue de Paris,* October, 1852; republished in first
edition of *Les Fleurs du Mal.*

Lorsque tu vis cracher sur ta divinité
La crapule du corps de garde et des cuisines,
15 Et lorsque tu sentis s'enfoncer les épines
Dans ton crâne où vivait l'immense Humanité;

Quand de ton corps brisé la pesanteur horrible
Allongeait tes deux bras distendus, que ton sang
Et ta sueur coulaient de ton front pâlissant,
20 Quand tu fus devant tous posé comme une cible,

Rêvais-tu de ces jours si brillants et si beaux
Où tu vins pour remplir l'éternelle promesse,
Où tu foulais, monté sur une douce ânesse,
Des chemins tout jonchés de fleurs et de rameaux,

25 Où, le cœur tout gonflé d'espoir et de vaillance,
Tu fouettais tous ces vils marchands à tour de bras,
Où tu fus maître enfin? Le remords n'a-t-il pas
Pénétré dans ton flanc plus avant que la lance?

—Certes, je sortirai, quant à moi, satisfait
30 D'un monde où l'action n'est pas la sœur du rêve;
Puissé-je user du glaive et périr par le glaive!
Saint Pierre a renié Jésus . . . il a bien fait!

QUESTION

1. Compare this poem with Vigny's *Le Mont des oliviers*.

NOTES ON *LE RENIEMENT DE SAINT PIERRE*

Title. Note by J. Crépet in his edition of *Les Fleurs du Mal:* «Pour l'inspiration de cette pièce, cf. peut-être *Le Désespoir* de Lamartine et *Les Soirées de Saint-Pétersbourg* de Joseph de Maistre, t. II, p. 121, édition Garnier: «Je ne suis pas du tout de l'avis de Sénèque, qui ne s'étonnait point si Dieu se donnait de temps en temps le plaisir de contempler un grand homme aux prises avec l'adversité. Pour moi, je vous l'avoue, je ne comprends point comment Dieu peut s'amuser à tourmenter les honnêtes gens. . . .»

«Mais en somme il s'agit ici d'un lieu commun, et on peut aussi bien admettre une rencontre fortuite qu'une inspiration qui ne laisserait pas d'être lointaine.» Cf. also the comments in the critical edition by Crépet & Blin, pp. 507–509. This poem was one of Baudelaire's own favorites. Cf. *Lettres*, p. 32.

2. Séraphins, *Seraphims*, angels of the first hierarchy.

9. Jardin des Olives, *i.e.* Gethsemani. See St. Matthew, XXVI.

14. crapule, *rabble*.

20. cible, *target*.

23–24. Allusion to Christ's entrance into Jerusalem on Palm Sunday.

26. Allusion to the expulsion of the money-changers from the temple. See St. Matthew, XXI.

32. Cf. St. Matthew, XXVI.

La Mort des Pauvres *

C'est la Mort qui console, hélas! et qui fait vivre;
C'est le but de la vie, et c'est le seul espoir
Qui, comme un élixir, nous monte et nous enivre,
Et nous donne le cœur de marcher jusqu'au soir;

A travers la tempête, et la neige, et le givre,   5
C'est la clarté vibrante à notre horizon noir;
C'est l'auberge fameuse inscrite sur le livre,
Où l'on pourra manger, et dormir, et s'asseoir;

C'est un Ange qui tient dans ses doigts magnétiques
Le sommeil et le don des rêves extatiques,   10
Et qui refait le lit des gens pauvres et nus;

C'est la gloire des Dieux, c'est le grenier mystique,
C'est la bourse du pauvre et sa patrie antique,
C'est le portique ouvert sur les Cieux inconnus!

QUESTION

1. Compare this sonnet with Leconte de Lisle's *Le Vent froid de la nuit*.

NOTES ON *LA MORT DES PAUVRES*

Title. Crépet refers in his edition to certain lines of Gautier's *Comédie de la mort:*

* First published in the first edition of *Les Fleurs du Mal*.

> C'est la seule qui donne aux grands inconsolables
> Leur consolation . . .
> A tous les parias elle ouvre son auberge . . .
> Elle prête des lits à ceux qui . . .
> . . . N'ont jamais dormi.

5. givre, *hoar-frost.*

LE VOYAGE *

I

Pour l'enfant, amoureux de cartes et d'estampes,
L'univers est égal à son vaste appétit.
Ah! que le monde est grand à la clarté des lampes!
Aux yeux du souvenir que le monde est petit!

5   Un matin nous partons, le cerveau plein de flamme,
Le cœur gros de rancune et de désirs amers,
Et nous allons, suivant le rythme de la lame,
Berçant notre infini sur le fini des mers:

Les uns, joyeux de fuir une patrie infâme;
10   D'autres, l'horreur de leurs berceaux, et quelques-uns,
Astrologues noyés dans les yeux d'une femme,
La Circé tyrannique aux dangereux parfums.

Pour n'être pas changés en bêtes, ils s'enivrent
D'espace et de lumière et de cieux embrasés;
15   La glace qui les mord, les soleils qui les cuivrent,
Effacent lentement la marque des baisers.

Mais les vrais voyageurs sont ceux-là seuls qui partent
Pour partir; cœurs légers, semblables aux ballons,
De leur fatalité jamais ils ne s'écartent,
20   Et, sans savoir pourquoi, disent toujours: Allons!

---

* First published in the *Revue fantaisiste*, April 10, 1859; republished in the second edition of *Les Fleurs du Mal*, 1861.

Ceux-là dont les désirs ont la forme des nues,
Et qui rêvent, ainsi qu'un conscrit le canon,
De vastes voluptés, changeantes, inconnues,
Et dont l'esprit humain n'a jamais su le nom!

II

Nous imitons, horreur! la toupie et la boule   25
Dans leur valse et leurs bonds; même dans nos sommeils
La Curiosité nous tourmente et nous roule,
Comme un Ange cruel qui fouette des soleils.

Singulière fortune où le but se déplace,
Et, n'étant nulle part, peut être n'importe où!   30
Où l'Homme, dont jamais l'espérance n'est lasse,
Pour trouver le repos court toujours comme un fou!

Notre âme est un trois-mâts cherchant son Icarie;
Une voix retentit sur le pont: «Ouvre l'œil!»
Une voix de la hune, ardente et folle, crie: 35
«Amour . . . gloire . . . bonheur!» Enfer! c'est un écueil!

Chaque îlot signalé par l'homme de vigie
Est un Eldorado promis par le Destin;
L'Imagination qui dresse son orgie
Ne trouve qu'un récif aux clartés du matin.   40

O le pauvre amoureux des pays chimériques!
Faut-il le mettre aux fers, le jeter à la mer,
Ce matelot ivrogne, inventeur d'Amériques
Dont le mirage rend le gouffre plus amer?

Tel le vieux vagabond, piétinant dans la boue,   45
Rêve, le nez en l'air, de brillants paradis;
Son œil ensorcelé découvre une Capoue
Partout où la chandelle illumine un taudis.

III

Étonnants voyageurs! quelles nobles histoires
50   Nous lisons dans vos yeux profonds comme les mers!
Montrez-nous les écrins de vos riches mémoires,
Ces bijoux merveilleux, faits d'astres et d'éthers.

Nous voulons voyager sans vapeur et sans voile!
Faites, pour égayer l'ennui de nos prisons,
55   Passer sur nos esprits, tendus comme une toile,
Vos souvenirs avec leurs cadres d'horizons.

Dites, qu'avez-vous vu?

IV

«Nous avons vu des astres
Et des flots; nous avons vu des sables aussi;
Et, malgré bien des chocs et d'imprévus désastres,
60   Nous nous sommes souvent ennuyés, comme ici.

La gloire du soleil sur la mer violette,
La gloire des cités dans le soleil couchant,
Allumaient dans nos cœurs une ardeur inquiète
De plonger dans un ciel au reflet alléchant.

65   Les plus riches cités, les plus grands paysages,
Jamais ne contenaient l'attrait mystérieux
De ceux que le hasard fait avec les nuages.
Et toujours le désir nous rendait soucieux!

—La jouissance ajoute au désir de la force.
70   Désir, vieil arbre à qui le plaisir sert d'engrais,
Cependant que grossit et durcit ton écorce,
Tes branches veulent voir le soleil de plus près!

Grandiras-tu toujours, grand arbre plus vivace
Que le cyprès?—Pourtant nous avons, avec soin,
Cueilli quelques croquis pour votre album vorace,   75
Frères qui trouvez beau tout ce qui vient de loin!

Nous avons salué des idoles à trompe;
Des trônes constellés de joyaux lumineux;
Des palais ouvragés dont la féerique pompe
Serait pour vos banquiers un rêve ruineux;   80

Des costumes qui sont pour les yeux une ivresse;
Des femmes dont les dents et les ongles sont teints,
Et des jongleurs savants que le serpent caresse.»

V

Et puis, et puis encore?

VI

«O cerveaux enfantins!

Pour ne pas oublier la chose capitale,   85
Nous avons vu partout, et sans l'avoir cherché,
Du haut jusques en bas de l'échelle fatale,
Le spectacle ennuyeux de l'immortel péché:

La femme, esclave vile, orgueilleuse et stupide,
Sans rire s'adorant et s'aimant sans dégoût;   90
L'homme, tyran goulu, paillard, dur et cupide,
Esclave de l'esclave et ruisseau dans l'égout;

Le bourreau qui jouit, le martyr qui sanglote;
La fête qu'assaisonne et parfume le sang;
Le poison du pouvoir énervant le despote,   95
Et le peuple amoureux du fouet abrutissant;

Plusieurs religions semblables à la nôtre,
Toutes escaladant le ciel; la Sainteté,
Comme en un lit de plume un délicat se vautre,
100   Dans les clous et le crin cherchant la volupté;

L'Humanité bavarde, ivre de son génie,
Et, folle maintenant comme elle était jadis,
Criant à Dieu, dans sa furibonde agonie:
«O mon semblable, ô mon maître, je te maudis!»

105   Et les moins sots, hardis amants de la Démence,
Fuyant le grand troupeau parqué par le Destin,
Et se réfugiant dans l'opium immense!
—Tel est du globe entier l'éternel bulletin.»

VII

Amer savoir, celui qu'on tire du voyage!
110   Le monde, monotone et petit, aujourd'hui,
Hier, demain, toujours, nous fait voir notre image:
Une oasis d'horreur dans un désert d'ennui!

Faut-il partir? rester?   Si tu peux rester, reste;
Pars, s'il le faut.   L'un court, et l'autre se tapit
115   Pour tromper l'ennemi vigilant et funeste,
Le Temps!   Il est, hélas! des coureurs sans répit,

Comme le Juif errant et comme les apôtres,
A qui rien ne suffit, ni wagon ni vaisseau,
Pour fuir ce rétiaire infâme; il en est d'autres
120   Qui savent le tuer sans quitter leur berceau.

Lorsque enfin il mettra le pied sur notre échine,
Nous pourrons espérer et crier: En avant!
De même qu'autrefois nous partions pour la Chine,
Les yeux fixés au large et les cheveux au vent,

Nous nous embarquerons sur la mer des Ténèbres   125
Avec le cœur joyeux d'un jeune passager.
Entendez-vous ces voix, charmantes et funèbres,
Qui chantent: «Par ici! Vous qui voulez manger

Le Lotus parfumé! c'est ici qu'on vendange
Les fruits miraculeux dont votre cœur a faim;   130
Venez vous enivrer de la douceur étrange
De cette après-midi qui n'a jamais de fin!»

A l'accent familier nous devinons le spectre;
Nos Pylades là-bas tendent leurs bras vers nous.
«Pour rafraîchir ton cœur nage vers ton Électre!»   135
Dit celle dont jadis nous baisions les genoux.

VIII

O Mort, vieux capitaine, il est temps! levons l'ancre!
Ce pays nous ennuie, ô Mort! Appareillons!
Si le ciel et la mer sont noirs comme de l'encre,
Nos cœurs que tu connais sont remplis de rayons!   140

Verse-nous ton poison pour qu'il nous réconforte!
Nous voulons, tant ce feu nous brûle le cerveau,
Plonger au fond du gouffre, Enfer ou Ciel, qu'importe?
Au fond de l'Inconnu pour trouver du *nouveau!*

QUESTIONS

1. Analyze the composition of this poem, tracing the development of the thought from beginning to end.
2. What themes are treated?
3. Compare this desire of escape from reality with that of the Romanticists.

NOTES ON *LE VOYAGE*

Title. See the notes on *L'Invitation au voyage.* Cf. also Baudelaire's prose-poem *Anywhere out of the World.*
1. estampes, *prints.*

12. Circé, a goddess of classical antiquity.   She was beautiful and seductive, and she possessed the power of transforming her admirers into beasts.   Ulysses (see the *Odyssey*), aided by Mercury, succeeded in avoiding the fate which most men met.

25. toupie, *top.*

33. Icarie, an island of the Grecian archipelago.   Its name came from Icarus the son of Dedalus.   Using wings fastened with wax, Icarus imprudently flew too near the sun and fell into the Ægean sea.

35. hune, *top.*

37. vigie, *look-out.*

38. Eldorado, literally, "the golden country," an imaginary country viewed as an Utopia where all the inhabitants are happy, frequently located in South America.

47. Capoue, *Capua,* an Italian city about twelve miles north of Naples.

48. taudis, *hovel.*

70. engrais, *fertilizer.*

91. goulu, paillard, *gluttonous, dissolute.*

100. crin, *horse-hair.*

117. le Juif errant.   An allusion to the legend of the Wandering Jew, condemned to travel incessantly until the last Judgment, because he refused to allow Christ, bearing the cross, to rest before his house.

119. rétiaire, *retiarius* (a gladiator who tried to hold his adversary by throwing a net over his head).

129. Lotus, a delicious fruit which made foreigners who tasted it forget their native land.   Not to be confused with the water-lily of the same name.

134. Pylades, *i.e.* friends,—because of the famous friendship between Pylades and Orestes.

135. Électre, *Electra,* the daughter of Clytemnestra and Agamemnon. She married Pylades, her brother's friend.

138. Appareillons, *let us get under way.*

LE COUCHER DU SOLEIL ROMANTIQUE*

Que le Soleil est beau quand tout frais il se lève,
Comme une explosion nous lançant son bonjour!
—Bienheureux celui-là qui peut avec amour
Saluer son coucher plus glorieux qu'un rêve!

---

* First published in *Le Boulevard,* January 12, 1862; republished in *Les Épaves,* 1866 and in the third edition of *Les Fleurs du Mal,* 1868.

Je me souviens! . . . J'ai vu tout, fleur, source, sillon,   5
Se pâmer sous son œil comme un cœur qui palpite . . .
—Courons vers l'horizon, il est tard, courons vite,
Pour attraper au moins un oblique rayon!

Mais je poursuis en vain le Dieu qui se retire;
L'irrésistible Nuit établit son empire,   10
Noire, humide, funeste et pleine de frissons;

Une odeur de tombeau dans les ténèbres nage,
Et mon pied peureux froisse, au bord du marécage,
Des crapauds imprévus et de froids limaçons.

NOTES ON *LE COUCHER DU SOLEIL ROMANTIQUE*

Title. The publisher of *Les Épaves* states in a note that this sonnet was composed in 1862 to serve as an epilogue to a volume by Ch. Asselineau which was to have as prologue a sonnet by Banville entitled *Le Lever du soleil romantique*.

14. limaçons, *snails.*

LE SPLEEN DE PARIS

Le Spleen de Paris is a collection of fifty prose poems first published in various newspapers and reviews of the period. They appeared posthumously all together in 1869 in the fourth volume of the *Œuvres complètes* under the title of *Petits poèmes en prose.* We have included «Le Crépuscule du soir» in the notes to «Recueillement.»

In addition to the poem given below, students should read *La Corde, La Chambre double, Le Mauvais Vitrier,* and *Le Port.*

ENIVREZ-VOUS *

Il faut être toujours ivre. Tout est là: c'est l'unique question. Pour ne pas sentir l'horrible fardeau du Temps qui

---

* First published in *Le Figaro,* February 7, 1864; republished in *Le Spleen de Paris,* 1869.

brise vos épaules et vous penche vers la terre, il faut vous enivrer sans trêve.
Mais de quoi? De vin, de poésie ou de vertu, à votre guise. Mais enivrez-vous.

Et si quelquefois, sur les marches d'un palais, sur l'herbe verte d'un fossé, dans la solitude morne de votre chambre, vous vous réveillez, l'ivresse déjà diminuée ou disparue, demandez au vent, à la vague, à l'étoile, à l'oiseau, à l'horloge, à tout ce qui fuit, à tout ce qui gémit, à tout ce qui roule, à tout ce qui chante, à tout ce qui parle, demandez quelle heure il est; et le vent, la vague, l'étoile, l'oiseau, l'horloge, vous répondront: «Il est l'heure de s'enivrer! Pour n'être pas les esclaves martyrisés du Temps, enivrez-vous sans cesse! De vin, de poésie ou de vertu, à votre guise.»

SUBJECTS FOR COMPOSITION

1. Baudelaire's Position in the Evolution of French Poetry of the Nineteenth Century.
2. Symbolism in Baudelaire's Work.
3. Baudelaire and Poe.
4. Baudelaire as a Poet of Revolt.
5. Baudelaire's Poetic Principles.
6. Baudelaire and the Plastic Arts.
7. Baudelaire's Originality.

SULLY PRUDHOMME

1839–1907

I. The future author of *Les Épreuves* and *Les Vaines Tendresses* was born in Paris on March 16, 1839. After taking his bachelor's degree, he entered for a short time the employ of the great Creusot foundries where the industrial spectacle he witnessed remained in his memory and inspired a portion of his work.

Sully Prudhomme is classified with the Parnassian poets, but he was less dominated by the ideals of Leconte de Lisle than others of that school. The personal and the sentimental appear in his work, particularly in *Stances et poèmes* (1865) and *Les Vaines Tendresses* (1875). *Les Destins* (1872) is more philosophical, and this vein was further exploited in a long poem, *La Justice* (1878), and in *Le Bonheur* (1888).

Elected to the Academy in 1882, the last twenty-five years of his existence were surrounded by a modest and stable glory, while French poetry moved on to new positions which the author of *Le Vase brisé* was content to leave to others.

In 1901 he received the Nobel Prize in literature.

II. CONSULT: A. Baillot, «Le Pessimisme de Sully Prudhomme,» *Revue universelle*, 1932; E. Estève, *Sully Prudhomme. Poète sentimental et poète philosophe*, Paris, Boivin, 1925; P. Flottes, *Sully Prudhomme et sa pensée*, Paris, Perrin, 1930; C. Hémon, *La Philosophie de M. Sully Prudhomme*, Paris, Alcan, 1907; H. Morice, *La Poésie de Sully Prudhomme*, Paris, Téqui, 1920; H. Morice, *L'Esthétique de Sully Prudhomme*, Vannes, Lafolye Frères, 1920; E. Zyromski, *Sully Prudhomme*, Paris, Colin, 1907.

See also Sully Prudhomme's *Journal intime*, published by C. Hémon, Paris, Lemerre, 1922.

LE VASE BRISÉ

Le vase où meurt cette verveine
D'un coup d'éventail fut fêlé;
Le coup dut effleurer à peine:
Aucun bruit ne l'a révélé.

5   Mais la légère meurtrissure,
Mordant le cristal chaque jour,
D'une marche invisible et sûre
En a fait lentement le tour.

Son eau fraîche a fui goutte à goutte,
10   Le suc des fleurs s'est épuisé;
Personne encore ne s'en doute;
N'y touchez pas, il est brisé.

Souvent ainsi la main qu'on aime,
Effleurant le cœur, le meurtrit;
15   Puis le cœur se fend de lui-même,
La fleur de son amour périt;

Toujours intact aux yeux du monde,
Il sent croître et pleurer tout bas
Sa blessure fine et profonde;
20   Il est brisé, n'y touchez pas.

(Stances et poèmes)

QUESTION

1. Explain why the reasons for the popularity of this poem are at the
same time the reasons for its relative inferiority.

NOTES ON *LE VASE BRISÉ*

Title.   This poem won Sully Prudhomme immense popularity.   He came
to execrate it, for he was known by many only by this bit of poetry, and
he did not like to be thought of as being merely "the poet of *Le Vase
brisé.*"

1. verveine, *verbena, vervain* (bot.).

UNE DAMNÉE

La forge fait son bruit, pleine de spectres noirs.
Le pilon monstrueux, la scie âpre et stridente,
L'indolente cisaille atrocement mordante,
Les lèvres sans merci des fougueux laminoirs,

Tout hurle, et dans cet antre, où les jours sont des soirs   5
Et les nuits des midis d'une rougeur ardente,
On croit voir se lever la figure de Dante
Qui passe, interrogeant d'éternels désespoirs.

C'est l'enfer de la Force obéissante et triste.
«Quel ennemi toujours me pousse ou me résiste?   10
Dit-elle. N'ai je point débrouillé le chaos?»

Mais l'homme, devinant ce qu'elle peut encore,
Plus hardi qu'elle, et riche en secrets qu'elle ignore,
Recule à l'infini l'heure de son repos.

(Les Épreuves)

QUESTION

1. This is one of Sully Prudhomme's most successful and impressive sonnets. What qualities make it so?

NOTES ON *UNE DAMNÉE*

Title. This poem comes from *Les Épreuves* (1866), a volume of sonnets. This particular sonnet may be considered as one of Sully Prudhomme's contributions to «la poésie du machinisme.» See the notes to Hugo's poem *Le Satyre* in *La Légende des siècles*.
2. pilon, *pile-driver.*
4. laminoirs, *flattening-mills, rolling-mills.*
5. antre, *cavern.*
9. triste, in the Latin meaning of "terrible."

SUBJECTS FOR COMPOSITION

1. The Principal Themes of Sully Prudhomme's Poetry.
2. The Exact Position of Sully Prudhomme in the History of French Poetry.
3. Sully Prudhomme's Religious Ideas.

JOSÉ–MARIA DE HEREDIA
1842–1905

I. Like his great contemporary and revered Master, Leconte de Lisle, José-Maria de Heredia was a creole. The son of a Spanish father and a French mother, he was born in Cuba on November 22, 1842. At the age of nine he was sent to France by his widowed mother to be educated. Almost another nine years were passed in the «collège» of Saint-Vincent de Senlis. Then, returning to his native isle, he spent three months on the family plantation, followed by a winter's course of study at the University of Havana. This renewed contact with Cuba convinced him that he would be far happier in France. In 1861 he permanently left the new world.

The young man entered the University of Paris to study law, and the following year enrolled in the École des Chartes. The careful training he there received left an ineradicable impression on him. It made him appreciate the value of accuracy, and it taught him "to understand and to love the past."

Heredia's first contact with a literary group came, as in the case of Sully Prudhomme, when he was admitted to the Conférence La Bruyère. There he discussed history and literature; there he read some of his earliest poems. Soon he entered other literary circles. He came to know Catulle Mendès and the collaborators of the *Revue fantaisiste;* he made the acquaintance of Xavier de Ricard and was often seen at the «salon» of Ricard's mother; he sometimes appeared at the gatherings at Nina de Villard's; he was introduced to the «Entresol du Parnasse,» the bookshop of Alphonse Lemerre. But his greatest satisfaction came with his admission to the «salon» of Leconte de Lisle. He went there "as Musulmen go to Mecca." He became Leconte de Lisle's warmest disciple, and published little without submitting it to the Master's criticism.

Heredia began to publish his sonnets in 1862. The first appeared in the bulletin of the Conférence La Bruyère. They were followed by others published in the *Revue française* and the *Revue de Paris*. A number distinguished the pages of *Le Parnasse contemporain*. They were, therefore, extremely well known before being collected in *Les Trophées* in 1893.

Elected to the French Academy in 1894, named administrator of the Bibliothèque de l'Arsenal in 1901, Heredia's last years were tranquil. He died at the Château de Bourdonné on October 2, 1905.

II. Consult: A. R. Chisholm, "Artistic Transposition. An Appreciation of Three Sonnets by José-Maria de Heredia," *The French Quarterly*, March, 1921; M. Ibrovac, *José-Maria de Heredia. Sa vie, son œuvre*, Paris, Les Presses françaises, 1923; M. Ibrovac, *Les Sources des «Trophées,»* Paris, Les Presses françaises, 1923; G. Kahn, *Symbolistes et décadents*, Paris, 1902; J. Madeleine, «Chronologie des sonnets de José-Maria de Heredia,» *R.H.L.*, 1912; R. Thauziès, «Étude sur les sources de J.-M. de Heredia dans les cinquante-sept premiers sonnets des *Trophées,»* *Revue des langues romanes*, 1910 and 1911; J. Vianey, «Les Sonnets grecs de Heredia,» *R.C.C.*, 1911.

Les Trophées

The work done by Alfred de Vigny, Leconte de Lisle, Louis Ménard, and Victor Hugo in evoking in poetic form the Biblical, legendary, or historic past undoubtedly disclosed to Heredia the road he was to follow. One must, however, guard against exaggerating these influences. If it be true, for example, that *La Légende des siècles* is an admirable evocation of the past and, as such, impressed the future poet of *Les Trophées*, it is none the less certain that Hugo's thesis of human progress and his almost apocalyptic visions held no seduction for the pupil of the École des Chartes.

Heredia, without being unfeeling, is, like Leconte de Lisle, far more objective than Victor Hugo. He seeks to depict as carefully and accurately as possible an heroic past worthy of our veneration. To this task he brings more than erudition; he brings poetic feeling. «Il faut,» he wrote, «que l'artiste ait en lui le sentiment de la vie à toutes les époques. . . . Les études le plus patiemment érudites ne sauraient suppléer ce sens mystérieux, presque divinatoire.» This «sens mystérieux» he possessed to a high degree. *Les Trophées*, published in 1893, are divided into five sections: I. La Grèce et la Sicile; II. Rome et les barbares; III. Le Moyen Age et la Renaissance; IV. L'Orient et les Tropiques; V. La Nature et le rêve. This order and grouping existed in 1876 when twenty-five sonnets were published in the third *Parnasse contemporain*. It was retained in 1893.

The sonnets of Heredia are a triumph of Parnassian art. Minutely wrought, plastic in quality, they realize Gautier's ideal of a «transposition d'arts» as well as Leconte de Lisle's desire for a close alliance between art and learning.

In addition to the poems given here, students should read *Artémis, Le Vase, Le Réveil d'un Dieu, Le Tepidarium, Vélin doré, La Dogaresse, Sur le Pont-Vieux, A une ville morte, Bretagne, Floridum mare, Maris stella, Brise marine, La Conque, La Mort de l'aigle*.

L'Oubli*

Le temple est en ruine au haut du promontoire.
Et la Mort a mêlé, dans ce fauve terrain,
Les Déesses de marbre et les Héros d'airain
Dont l'herbe solitaire ensevelit la gloire.

5   Seul, parfois, un bouvier menant ses buffles boire,
De sa conque où soupire un antique refrain
Emplissant le ciel calme et l'horizon marin,
Sur l'azur infini dresse sa forme noire.

La Terre maternelle et douce aux anciens Dieux
10   Fait à chaque printemps, vainement éloquente,
Au chapiteau brisé verdir une autre acanthe;

Mais l'Homme indifférent au rêve des aïeux
Écoute sans frémir, du fond des nuits sereines,
La Mer qui se lamente en pleurant les Sirènes.

* First published in the *République des lettres*, July 16, 1876.

QUESTIONS

1. Explain the «autre acanthe» of line 11.
2. What is the central idea of this sonnet?

NOTES ON *L'OUBLI*

Title. The original title of this sonnet was *En Campanie.* It was rebaptized in 1888. This opening sonnet and the closing one, *Sur un marbe brisé,* not only frame *Les Trophées,* but give a significance to the whole series.

An important source for *L'Oubli,* according to Ibrovac, is to be found in Louis Ménard's *Du polythéisme hellénique:* «Le silence et l'oubli s'étendent sur eux les chefs-d'œuvre de la pensée humaine comme la neige sur les feuilles sèches. . . . La destruction des temples passe inaperçue au milieu de l'indifférence de l'histoire.»

5. buffle: «espèce de bœuf, acclimaté en Grèce, en Italie.»
11. acanthe, *acanthus.*

FUITE DE CENTAURES*

Ils fuient, ivres de meurtre et de rébellion,
Vers le mont escarpé qui garde leur retraite;
La peur les précipite, ils sentent la mort prête
Et flairent dans la nuit une odeur de lion.

Ils franchissent, foulant l'hydre et le stellion, 5
Ravins, torrents, halliers, sans que rien les arrête;
Et déjà, sur le ciel, se dresse au loin la crête
De l'Ossa, de l'Olympe ou du noir Pélion.

Parfois, l'un des fuyards de la farouche harde
Se cabre brusquement, se retourne, regarde, 10
Et rejoint d'un seul bond le fraternel bétail;

Car il a vu la lune éblouissante et pleine
Allonger derrière eux, suprême épouvantail,
La gigantesque horreur de l'ombre Herculéenne.

* First published in the *Revue des Deux Mondes,* January 15, 1888.

QUESTIONS

1. What detail prior to the last line suggests that Hercules is the pursuer?

2. What interesting technical details—such as alliteration, contrast, position of the cæsura—do you notice?

NOTES ON *FUITE DE CENTAURES*

Title. This sonnet belongs to a group entitled «Hercule et les Centaures.»

The Centaurs, after their battle with the Lapithæ (cf. Heredia's sonnet *Centaures et Lapithes*), were driven by Hercules from their country and forced to take refuge on mount Pindus on the frontier of Epirus.

The flight of the Centaurs in this poem recalls the flight of Angus before Tiphaine in Hugo's *L'Aigle du casque.*

2. le mont escarpé, *i.e.* Mt. Pindus.

5. stellion, *star-lizard.*

6. halliers, *thickets.*

8. Ossa, *etc.* Well-known mountains in Thessaly.

9. harde, *herd.*

13. épouvantail, *cause for fright.* The word frequently means "scarecrow."

PAN *

A travers les halliers, par les chemins secrets
Qui se perdent au fond des vertes avenues,
Le Chèvre-pied, divin chasseur de Nymphes nues,
Se glisse, l'œil ardent, sous les hautes forêts.

5   Il est doux d'écouter les soupirs, les bruits frais
Qui montent à midi des sources inconnues
Quand le Soleil, vainqueur étincelant des nues,
Dans la mouvante nuit darde l'or de ses traits.

Une Nymphe s'égare et s'arrête.   Elle écoute
10 Les larmes du matin qui pleuvent goutte à goutte
Sur la mousse.   L'ivresse emplit son jeune cœur.

* First published in the *Revue française*, May 1, 1863; republished in the *Renaissance littéraire et artistique*, September 28, 1872 and in *Le Parnasse contemporain*, 1876, and, of course, in *Les Trophées*, 1893.

Mais, d'un seul bond, le Dieu du noir taillis s'élance,
La saisit, frappe l'air de son rire moqueur,
Disparaît. . . . Et les bois retombent au silence.

QUESTION

1. Examine the variant readings in detail and try to explain why Heredia made the various changes.

NOTES ON *PAN*

Title. The possible sources of this sonnet are Leconte de Lisle's *Pan*, Banville's *La Source* (in *Les Exilés*), and a passage from André Chénier (see the article by Thauziès). But the principal interest of this sonnet lies in the details of composition; it is an excellent example of Heredia's constant and careful reworking of his material. The original version— that of 1863—follows:

Le printemps rit au ciel, les antiques forêts
Se bercent comme au temps des saisons disparues,
Et Pan, guettant le bal des Nymphes demi-nues,
Se glisse, l'œil en feu, sous l'ombre des retraits.

Il est doux d'écouter les murmures si frais
Qui montent à midi des sources inconnues
Quand le soleil, criblant les cimes chevelues,
Sous l'ombrage mouvant fait poudroyer ses rais.

Une nymphe s'écarte et s'arrête; elle écoute
Les larmes du matin qui tombent goutte à goutte
Sur la mousse, et, sentant l'ivresse dans son cœur,

Elle songe. Le Dieu l'aperçoit, il s'élance,
La saisit: l'air résonne à son rire moqueur,
L'écho vibre et les bois retombent au silence.

The version published in *Le Parnasse contemporain*, 1876, resembles the text of *Les Trophées*, with, however, the following variants:

3e vers: Le Chévre-pied divin, chasseur de nymphes nues,
4e vers: Se glisse, l'œil en feu, *etc.*
6e vers: . . . . des sources inconnues.
7e vers: Quand le soleil, vainqueur étincelant des nues,
9e vers: Une nymphe s'égare et s'arrête; elle écoute
11e vers: Sur la mousse; l'ivresse emplit son jeune cœur.
12e vers: Mais, d'un seul bond le Dieu du noir taillis s'élance,
14e vers: Disparaît. Et les bois retombent au silence.

The version published in the *Renaissance littéraire et artistique*, 1872, contains the same variants from the definitive text as those immediately preceding for lines 3, 4, 6, and 9. In addition, the two following:
12e vers: .... le dieu du ....
14e vers: Disparaît; et les bois, *etc.*
The manuscript dated 1891 contains two variants:
4e vers: Se glisse, l'œil en feu, *etc.*
7e vers: .... vainqueur prestigieux des nues,

PERSÉE ET ANDROMÈDE*

I

Andromède au monstre

La Vierge Céphéenne, hélas! encor vivante,
Liée, échevelée, au roc des noirs îlots,
Se lamente en tordant avec de vains sanglots
Sa chair royale où court un frisson d'épouvante.

5   L'Océan monstrueux que la tempête évente
Crache à ses pieds glacés l'âcre bave des flots,
Et partout elle voit, à travers ses cils clos,
Bâiller la gueule glauque, innombrable et mouvante.

Tel qu'un éclat de foudre en un ciel sans éclair,
10   Tout à coup, retentit un hennissement clair.
Ses yeux s'ouvrent. L'horreur les emplit, et l'extase;

Car elle a vu, d'un vol vertigineux et sûr,
Se cabrant sous le poids du fils de Zeus, Pégase
Allonger sur la mer sa grande ombre d'azur.

II

Persée et Andromède

Au milieu de l'écume arrêtant son essor,
Le Cavalier vainqueur du monstre et de Méduse,

* These three sonnets were first published in the *Revue des Deux Mondes*, May 15, 1885.

Ruisselant d'une bave horrible où le sang fuse,
Emporte entre ses bras la vierge aux cheveux d'or.

Sur l'étalon divin, frère de Chrysaor,   5
Qui piaffe dans la mer et hennit et refuse,
Il a posé l'Amante éperdue et confuse
Qui lui rit et l'étreint et qui sanglote encor.

Il l'embrasse.   La houle enveloppe leur groupe;
Elle, d'un faible effort, ramène sur la croupe   10
Ses beaux pieds qu'en fuyant baise un flot vagabond;

Mais Pégase irrité par le fouet de la lame,
A l'appel du Héros s'enlevant d'un seul bond,
Bat le ciel ébloui de ses ailes de flamme.

III

Le Ravissement d'Andromède

D'un vol silencieux, le grand Cheval ailé
Soufflant de ses naseaux élargis l'air qui fume,
Les emporte avec un frémissement de plume
A travers la nuit bleue et l'éther étoilé.

Ils vont.   L'Afrique plonge au gouffre flagellé,   5
Puis l'Asie . . . un désert . . . le Liban ceint de
Et voici qu'apparaît, toute blanche d'écume,   [brume . .
La mer mystérieuse où vint sombrer Hellé.

Et le vent gonfle ainsi que deux immenses voiles
Les ailes qui, volant d'étoiles en étoiles,   10
Aux amants enlacés font un tiède berceau;

Tandis que, l'œil au ciel où palpite leur ombre,
Ils voient, irradiant du Bélier au Verseau,
Leurs Constellations poindre dans l'azur sombre.

QUESTION

1. By what specific means does Heredia create the great beauty of these three sonnets?

NOTES ON THE GROUP *PERSÉE ET ANDROMÈDE*

Title. Andromeda was the daughter of King Cepheus. Bound to a rock as an offering to free the country from a sea monster, she was rescued by Perseus, the son of Zeus and Danaë. The principal source of the first sonnet, according to Thauziès and Ibrovac, seems to have been Banville's *Andromède*. The chief sources of the third, according to Thauziès, were Leconte de Lisle's *Apothéose de Mouça-al-Kébyr* (in the *Poèmes tragiques*) and *In excelsis* (in the *Poèmes barbares*). Another possibility is Hugo's *Mazeppa* in *Les Orientales*.

I. 6. **bave,** *foam.*
8. **glauque,** *glaucous, sea-green.*
II. 2. **vainqueur . . . Méduse.** Perseus cut off Medusa's head.
5. **étalon,** *stallion, i.e.* Pegasus. Pegasus and Chrysaor sprang from Medusa when decapitated by Perseus.
6. **piaffe . . . refuse,** *prances . . . balks.*
9. **houle,** *swell.*
III. 6. **Liban,** *Lebanon.*
8. **La mer,** *etc., i.e.* the Hellespont, named after Helle who fell from the back of the golden ram into the sea.
13. **Bélier . . . Verseau,** *Aries . . . Aquarius,* signs of the zodiac.
14. **Leurs Constellations.** Perseus and Andromeda were transformed into constellations after death.

LA TREBBIA *

L'aube d'un jour sinistre a blanchi les hauteurs.
Le camp s'éveille. En bas roule et gronde le fleuve
Où l'escadron léger des Numides s'abreuve.
Partout sonne l'appel clair des buccinateurs.

5   Car malgré Scipion, les augures menteurs,
La Trebbia débordée, et qu'il vente et qu'il pleuve,
Sempronius Consul, fier de sa gloire neuve,
A fait lever la hache et marcher les licteurs.

* First published in the *Revue des Deux Mondes*, May 15, 1890.

Rougissant le ciel noir de flamboîments lugubres,
A l'horizon, brûlaient les villages Insubres;   10
On entendait au loin barrir un éléphant.

Et là-bas, sous le pont, adossé contre une arche,
Hannibal écoutait, pensif et triomphant,
Le piétinement sourd des légions en marche.

QUESTION

1. Give examples in this text of what is called in French «harmonie imitative.»

NOTES ON *LA TREBBIA*

Title. The battle of the Trebbia was won in 218 B.C. by Hannibal during the Second Punic War. The Roman general opposing Hannibal was Sempronius. Heredia's general source is the Roman historian Livy (Books XXI, 52–57; XXII, 54–56; and *passim*).

3. Numides, *Numidians.*

4. buccinateurs, *trumpeters.*

5. Scipion, *Scipio,* previously defeated, advised against battle at this juncture.

8. licteurs, *i.e.* the twelve lictors, bearing fasces, who preceded a Roman consul.

10. Insubres, a strong Gallic tribe, friendly to Hannibal.

11. barrir, *to trumpet.*

ANTOINE ET CLÉOPÂTRE*

I

Le Cydnus

Sous l'azur triomphal, au soleil qui flamboie,
La trirème d'argent blanchit le fleuve noir
Et son sillage y laisse un parfum d'encensoir
Avec des sons de flûte et des frissons de soie.

A la proue éclatante où l'épervier s'éploie,   5
Hors de son dais royal se penchant pour mieux voir,
Cléopâtre debout en la splendeur du soir
Semble un grand oiseau d'or qui guette au loin sa proie.

* These three sonnets were first published in the *Monde poétique*, 1884.

Voici Tarse, où l'attend le guerrier désarmé;
10 Et la brune Lagide ouvre dans l'air charmé
Ses bras d'ambre où la pourpre a mis des reflets roses;

Et ses yeux n'ont pas vu, présage de son sort,
Auprès d'elle, effeuillant sur l'eau sombre des roses,
Les deux Enfants divins, le Désir et la Mort.

II

Soir de bataille

Le choc avait été très rude.   Les tribuns
Et les centurions, ralliant les cohortes,
Humaient encor dans l'air où vibraient leurs voix fortes
La chaleur du carnage et ses âcres parfums.

5 D'un œil morne, comptant leurs compagnons défunts,
Les soldats regardaient, comme des feuilles mortes,
Au loin, tourbillonner les archers de Phraortes;
Et la sueur coulait de leurs visages bruns.

C'est alors qu'apparut, tout hérissé de flèches,
10 Rouge du flux vermeil de ses blessures fraîches,
Sous la pourpre flottante et l'airain rutilant,

Au fracas des buccins qui sonnaient leur fanfare,
Superbe, maîtrisant son cheval qui s'effare,
Sur le ciel enflammé, l'Imperator sanglant.

III

Antoine et Cléopâtre

Tous deux ils regardaient, de la haute terrasse,
L'Égypte s'endormir sous un ciel étouffant
Et le Fleuve, à travers le Delta noir qu'il fend,
Vers Bubaste ou Saïs rouler son onde grasse.

Et le Romain sentait sous la lourde cuirasse, 5
Soldat captif berçant le sommeil d'un enfant,
Ployer et défaillir sur son cœur triomphant
Le corps voluptueux que son étreinte embrasse.

Tournant sa tête pâle entre ses cheveux bruns
Vers celui qu'enivraient d'invincibles parfums, 10
Elle tendit sa bouche et ses prunelles claires;

Et sur elle courbé, l'ardent Imperator
Vit dans ses larges yeux étoilés de points d'or
Toute une mer immense où fuyaient des galères.

QUESTIONS

1. What is the general impression created by each one of the three sonnets? What remarkable difference is there between the second and the other two? Why was that particular difference created?
2. What part does the landscape play in these sonnets?
3. What parts seem specially pictorial and sculptural?

NOTES ON THE GROUP *ANTOINE ET CLÉOPÂTRE*

Title. The subject of Antony and Cleopatra had often been treated before Heredia. There was, therefore, no dearth of sources. The principal ones seem to have been, in addition to Shakspere, Plutarch's *Life of Antony*, Gautier's *Une nuit de Cléopâtre*, Banville's *La Perle*, and Boulay-Paty's sonnet, *Cléopâtre*.

The Cydnus is a river of Cilicia, on which Tarsus is located. Cleopatra sailed up the river to her first meeting with Antony.

I. 5. épervier, *hawk.* The hawk was a sacred bird in Egypt.

10. Lagide, *i.e.* Cleopatra, who was descended from Lagus, said to be the father of Ptolemy who founded the Egyptian dynasty.

II. 7. Phraortes, *i.e.* Phraates, the king of Parthia, with whom Antony waged war in 36 B.C.

12. buccins, *trumpets.*

III. 4. Bubaste ou Saïs, Egyptian cities located on the lower Nile.

14. The line alludes to the battle of Actium, 31 B.C., in which the flight of Cleopatra's ships helped turn the victory from Antony to Augustus.

The source of the last two lines is doubtless the famous passage (lines 90–96) of Hugo's *Rose de l'Infante* in which King Philip beholds in a vision the destruction of the Armada.

VITRAIL*

Cette verrière a vu dames et hauts barons
Étincelants d'azur, d'or, de flamme et de nacre,
Incliner, sous la dextre auguste qui consacre,
L'orgueil de leurs cimiers et de leurs chaperons;

5 Lorsqu'ils allaient, au bruit du cor ou des clairons,
Ayant le glaive au poing, le gerfaut ou le sacre,
Vers la plaine ou le bois, Byzance ou Saint-Jean d'Acre,
Partir pour la croisade ou le vol des hérons.

Aujourd'hui, les seigneurs auprès des châtelaines,
10 Avec le lévrier à leurs longues poulaines,
S'allongent aux carreaux de marbre blanc et noir;

Ils gisent là sans voix, sans geste et sans ouïe,
Et de leurs yeux de pierre ils regardent sans voir
La rose du vitrail toujours épanouie.

QUESTIONS

1. Notice the marked contrast between the octavo and the sextet. What is the significance of that contrast?

2. Show how Heredia sums up a whole epoch in the first eight lines.

3. Show that this sonnet may be considered as an «Art poétique» of the Parnassian school almost as much as Gautier's *L'Art*.

NOTES ON *VITRAIL*

Title. The inspiration for the cycle of sonnets devoted to the Middle Ages and the Renaissance comes in part from Heredia's trip to Italy in 1864. It was an experience which profoundly impressed him. In Verona, for example, he wrote to his mother: «Malgré tout, la ville a conservé une physionomie étonnante. Le Moyen Age, sanglant, superbe et grandiose, y vit tout entier par ses monuments.» Concerning the tombs of Can Grande della Scala and others of the same family, he wrote: «On les voit tous là, étendus sur la pierre ou à cheval, en tête le casque surmonté d'un haut cimier, bardés de fer, couvrant le

---

* First published in *Lecture*, September 25, 1892.

pavé de l'église de leurs blasons à échelle et à têtes de chiens, et montrant dans la mort le même orgueil et la même magnificence que dans la vie.» These particular tombs passed directly into a sonnet entitled *Les Scaliger* (not included in *Les Trophées*), but they are by no means entirely unconnected with *Vitrail.*

4. cimiers, *crests.*

6. gerfaut . . . sacre, *gerfalcon . . . saker* (a sort of falcon).

7. Byzance, *Byzantium.* Saint-Jean d'Acre, a Syrian sea-port, captured by the Crusaders in 1104 and again in 1191.

9–14. Cf. a passage from Gautier's *Comédie de la mort:*

> Les chevaliers couchés de leur long, les mains jointes,
> Le regard sur la voute et les deux pieds en pointes . . .
> Un lévrier sculpté vous lèche le talon . . .
> Aux reflets des vitraux la tombe épanouie,
> D'un air doux et charmant sourit à la douleur . . .

10. lévrier . . . poulaines, *greyhound . . . long, pointed shoes.*

LES CONQUÉRANTS*

Comme un vol de gerfauts hors du charnier natal,
Fatigués de porter leurs misères hautaines,
De Palos de Moguer, routiers et capitaines
Partaient, ivres d'un rêve héroïque et brutal.

Ils allaient conquérir le fabuleux métal   7
Que Cipango mûrit dans ses mines lointaines,
Et les vents alizés inclinaient leurs antennes
Aux bords mystérieux du monde Occidental.

Chaque soir, espérant des lendemains épiques,
L'azur phosphorescent de la mer des Tropiques   10
Enchantait leur sommeil d'un mirage doré;

Ou penchés à l'avant des blanches caravelles,
Ils regardaient monter en un ciel ignoré
Du fond de l'océan des étoiles nouvelles.

* First published in *Sonnets et eaux-fortes*, 1869.

QUESTION

1. By what means—rhythm, alliteration, etc.—does Heredia create the beauty of this sonnet?

NOTES ON *LES CONQUÉRANTS*

Title. «Les quatrains sont une poétique condensation de la préface de Heredia à sa traduction de Bernard Diaz (*Historia verdadera de la conquista de la Nueva Espana*, Madrid, 1630) et du fragment épique *les Conquerants de l'or.*»—Ibrovac, *Les Sources des «Trophées,»* p. 118.

1. gerfauts . . . charnier, *gerfalcons . . . charnel-house.*

3. Palos de Moguer, a small port in southwestern Spain from which Columbus sailed. **Routiers,** *pilots,* or *veterans.*

6. Cipango, *Chipangu,* Japan.

7. les vents alizés, *the trade-winds.* **Antennes,** *yard-arms.*

12. caravelles, *caravels* (Portuguese boats).

13–14. These lines are not to be taken too literally. Ships traveling west would hardly see stars *rising* from that direction. All Heredia means is that such constellations as the Southern Cross, invisible in European waters, become visible after one has gone sufficiently far toward the west and south. The two lines, moreover, may have their source in J. J. Ampère's *Voyage en Egypte et en Nubie,* 1868; see Ibrovac, *op. cit.,* pp. 118–119.

LE RÉCIF DE CORAIL*

Le soleil sous la mer, mystérieuse aurore,
Éclaire la forêt des coraux abyssins
Qui mêle, aux profondeurs de ses tièdes bassins,
La bête épanouie et la vivante flore.

5 Et tout ce que le sel ou l'iode colore,
Mousse, algue chevelue, anémones, oursins,
Couvre de pourpre sombre, en somptueux dessins,
Le fond vermiculé du pâle madrépore.

De sa splendide écaille éteignant les émaux,
10 Un grand poisson navigue à travers les rameaux;
Dans l'ombre transparente indolemment il rôde;

* First published in *Paris-Moderne,* January 15, 1882.

JOSÉ–MARIA DE HEREDIA 437

Et, brusquement, d'un coup de sa nageoire en feu
Il fait, par le cristal morne, immobile et bleu,
Courir un frisson d'or, de nacre et d'émeraude.

QUESTIONS

1. Compare the exoticism of this poem with other types in nineteenth century French poetry.
2. Analyze the plastic qualities of this sonnet.

NOTES ON *LE RÉCIF DE CORAIL*

Title. «Le titre de ce sonnet est le même que celui de l'ouvrage de Darwin: *Les Récifs de corail, leur structure et leur distribution* (traduit par L. Cosserat, 1878), que Heredia avait dans sa bibliothèque. Nous y apprenons que les coraux sont les plus répandus dans la Méditerranée et dans la mer Rouge, en Abyssinie, et qu'il y en a aussi à Cuba. Une autre étude sur «la vie dans les profondeurs de la mer»: *les Explorations sous-marines* de Jules Girard, avait paru en 1874, avec des illustrations. «De telles lectures devaient rappeler au poète ses impressions d'enfance. Mme Gérard d'Houville [Heredia's daughter] raconte que le petit Cubain grimpait sur les rochers madréporiques pour y chercher des poissons et des algues bizarres.»—Ibrovac, p. 137.

The sources of certain details of the sonnet may be found in Louis Bouilhet's *Marée montante* and *Les Fossiles*, and in Sully Prudhomme's *Dans l'abîme*.

2. abyssins, *Abyssinian.*

SUR UN MARBRE BRISÉ*

La mousse fut pieuse en fermant ses yeux mornes;
Car, dans ce bois inculte, il chercherait en vain
La Vierge qui versait le lait pur et le vin
Sur la terre au beau nom dont il marqua les bornes.

Aujourd'hui le houblon, le lierre et les viornes   5
Qui s'enroulent autour de ce débris divin,
Ignorant s'il fut Pan, Faune, Hermès ou Silvain,
A son front mutilé tordent leurs vertes cornes.

* First published in *La Légende du Parnasse contemporain* (1884) by C. Mendés.

      Vois. L'oblique rayon, le caressant encor,
10   Dans sa face camuse a mis deux orbes d'or;
      La vigne folle y rit comme une lèvre rouge;

      Et, prestige mobile, un murmure du vent,
      Les feuilles, l'ombre errante et le soleil qui bouge,
      De ce marbre en ruine ont fait un Dieu vivant.

QUESTIONS

1. Explain the antithesis between the octavo and the sextet, and that in the last two lines.
2. How can this sonnet be considered to sum up the philosophy of *Les Trophées?*

NOTES ON *SUR UN MARBRE BRISÉ*

Title. Cf. the note to *L'Oubli.*
    Ibrovac: «Composés en même temps que les sonnets épigraphiques pour lesquels le poète a probablement relu *le Voyage aux Pyrénées*, ces vers font songer à la dernière page du livre de Taine. Elle se rapporte à une visite au musée de Toulouse:

    «On a réuni sous cette galerie toutes les antiquités du pays. . . . On voyait une statue de jeune homme entre les branches; des tiges de houblon vert montaient autour des colonnes brisées. Ce mélange d'objets champêtres et d'objets d'art, ces débris de deux civilisations mortes et cette jeunesse des plantes fleuries, ces rayons joyeux sur les vieilles tuiles, rassemblaient dans leurs contrastes tout ce que j'avais vu depuis deux mois.»

Les Sources des Trophées, p. 162.
5. houblon . . . **viorne,** *hop* . . . *iburnum.*
10. camuse, *flat-nosed.*

Romancero

    The old Spanish ballads were published in collections called *Romanceros.* It is from these publications that Heredia took the general title of three poems, the first of which we print below. Specifically, he seems to have utilized several ballads contained in the *Romancero general*, published in 1849–1851 by Augustín Durán. Curiously enough, a somewhat similar collection had been published in France in 1844 by Damas-

Hinard under the title of *Romancero espagnol ou recueil des chants populaires de l'Espagne.* Certain details suggest that both the French and Spanish texts were the direct source of Heredia's poems which were first printed in the *Revue des Deux Mondes,* December 1, 1885.

LE SERREMENT DE MAINS

Songeant à sa maison, grande parmi les grandes,
Plus grande qu'Iñigo lui-même et qu'Abarca,
Le vieux Diego Laynez ne goûte plus aux viandes.

Il ne dort plus, depuis qu'un sang honteux marqua
La joue encore chaude où l'a frappé le Comte,   5
Et que pour se venger la force lui manqua.

Il craint que ses amis ne lui demandent compte,
Et ne veut pas, navré d'un vertueux ennui,
Leur laisser respirer l'haleine de sa honte.

Alors il fit querir et rangea devant lui   10
Les quatre rejetons de sa royale branche,
Sanche, Alfonse, Manrique et le plus jeune, Ruy.

Son cœur tremblant faisait trembler sa barbe blanche;
Mais l'honneur roidissant ses vieux muscles glacés,
Il serra fortement les mains de l'aîné, Sanche.   15

Celui-ci, stupéfait, s'écria:—C'est assez!
Ah! vous me faites mal!—Et le second, Alfonse,
Lui dit:—Qu'ai-je donc fait, père?   Vous me blessez!—

Puis Manrique:—Seigneur, votre griffe s'enfonce
Dans ma paume et me fait souffrir comme un damné!—   20
Mais il ne daigna pas leur faire une réponse.

Sombre, désespérant en son cœur consterné
D'enter sur un bras fort son antique courage,
Diego Laynez marcha vers Ruy, le dernier-né.

25   Il l'étreignit, tâtant et palpant avec rage
Ces épaules, ces bras frêles, ces poignets blancs,
Ces mains, faibles outils pour un si grand ouvrage.

Il les serra, suprême espoir, derniers élans!
Entre ses doigts durcis par la guerre et le hâle.
30   L'enfant ne baissa pas ses yeux étincelants.

Les yeux froids du vieillard flamboyaient.   Ruy tout pâle,
Sentant l'horrible étau broyer sa jeune chair,
Voulut crier; sa voix s'étrangla dans un râle.

Il rugit:—Lâche-moi, lâche-moi, par l'enfer!
35   Sinon, pour t'arracher le cœur avec le foie,
Mes mains se feront marbre et mes dix ongles fer!—

Le Vieux tout transporté dit en pleurant de joie:
—Fils de l'âme, ô mon sang, mon Rodrigue, que Dieu
Te garde pour l'espoir que ta fureur m'octroie!—

40   Avec des cris de haine et des larmes de feu,
Il dit alors sa joue insolemment frappée,
Le nom de l'insulteur et l'instant et le lieu;

Et tirant du fourreau Tizona bien trempée,
Ayant baisé la garde ainsi qu'un crucifix,
45   Il tendit à l'enfant la haute et lourde épée.

—Prends-la.   Sache en user aussi bien que je fis.
Que ton pied soit solide et que ta main soit prompte.
Mon honneur est perdu.   Rends-le-moi.   Va, mon fils.—

Une heure après, Ruy Diaz avait tué le Comte.

QUESTIONS

1. What poetic form does Heredia use in this poem?
2. Compare this poem with scenes 5 and 6 (Act I) of Corneille's *Cid*.

NOTES ON *LE SERREMENT DE MAINS*

2. Iñigo . . . Abarca. Iñigo refers possibly to Iñigo Jimenez, called Arista, the first king of Navarre. Abarca is the name of a noble Aragonese family. The French text (see above) reads· «Diègue Laynez pensait tristement à l'outrage qu'a reçu sa maison noble, riche et ancienne, avant Inigo et Abarca.» The Spanish text reads: " . . . Fidalga, rica y antigua, antes que Inigo Abarca."

3. Diego Laynez, the father of Spain's historical and legendary hero, the Cid.

5. le Comte, Count Gomez Lozano.

12. Sanche, *etc.* These proper names do not appear in the original ballad.

23. enter, *to graft.*

29. hâle, *heat of the sun.*

32. étau, *vice.*

33. râle, *raucous sound, hoarse rattle.*

39. octroie, *grants.*

40–42. Lines not in the original ballad, added by Heredia.

SUBJECTS FOR COMPOSITION

1. The Rôle of Erudition in Heredia's Poetry.
2. The Dramatic Qualities of Heredia's Poetry.
3. Nature in Heredia's Poetry.
4. «Le poète est d'autant plus vraiment et largement humain qu'il est plus impersonnel.» (Heredia) Discuss this statement and its applicability to Heredia's own work.
5. The Philosophy of the *Trophées.*

TOWARD
SYMBOLISM

TOWARD SYMBOLISM

The triumph of the Parnassian ideals was hardly complete when signs began to accumulate that another change was at hand. Baudelaire had already advanced in new directions; on the one hand, with the theory of «correspondances» he had made possible a more complex, a more delicate, and at the same time a more poetic interpretation of reality; on the other, he had lent new importance to the rôle played in poetry by human intelligence. Magnificently fusing these two tendencies, he had sung the «transports de l'esprit et des sens.» His work was now to bear its fruits. Several men emerge who exert a profound influence on both subject-matter and form. Verlaine, beginning as a Parnassian, strikes almost immediately an original note. Under the magic spell, first of Baudelaire, then of Rimbaud, he definitely breaks with the tradition of Leconte de Lisle and brings into French poetry the touch of mystery, of veiled allusion, of vague suggestion, of delicate emotion which the author of the *Poèmes barbares* had carefully eliminated. Under the same influences Paul Verlaine freed himself from the "shackles" of Parnassian prosody. He became an early exponent of «le vers libéré» in which the cæsura is still more radically displaced than by the Romanticists, in which hiatus, «enjambement,» and «rejet» are so frequent as to be usual, in which rhyme ceases to be a dominating factor and is clearly subordinated to the general poetic tone. Moreover, Verlaine enthusiastically adopted the «rythme impair» with which the Romanticists had experimented and which the Parnassians had largely abandoned.

Arthur Rimbaud and Stéphane Mallarmé are even more independent, and, in a deeper sense, more original than the author of *Romances sans paroles*. They are both extraordinary creators of metaphor, and their powerful images are charged with significance. Rimbaud's great originality—which derives from Baudelaire—lies in his amazing vision of the universe, a vision in which the ordinary notions of time and space, the ordinary physical sensations, the ordinary perceptions of reality are either broken down or completely transformed. Mallarmé's contribution is an hermetic poetry frequently of philosophic import. A poem, he later declared, is «un *mystère* dont le lecteur doit chercher la clef.» From poetry he wanted to exclude «le réel, parce que vil.» He, therefore, created symbols vaguely outlined, mysteriously expressed which only a patient and intelligent reader can possibly penetrate.

To these poets should be added the names of Tristan Corbière and Jules Laforgue. The former, whose work cannot be included here for lack of space, reacted violently against Romantic sentiment and Parnassian prosody. *Les Amours jaunes*, published in 1873, includes poems—*La Rapsode foraine et le Pardon de Sainte-Anne* and *Mirliton*, for example,—different from anything the Romantics and Parnassians ever produced. Much the same can be said of Laforgue who struck out in new directions even more effectively than Corbière. To Laforgue (and Gustave Kahn) belongs the honor of creating free verse.

The work of these men did not alone accomplish the evolution at which we have hinted. Parnassianism had been accompanied and supported by the positivism of Auguste Comte and by the determinism of Hippolyte Taine. These philosophical tendencies had exerted an even greater effect on other literary genres. They had led in the novel to Flaubert, and then, aided by the work of Claude Bernard, to the formulation of naturalism which found its most striking expression in the volumes of Émile Zola, some of which were and are greatly admired. In others, Zola carried his portrayal of the sordid to excess. A reaction, therefore, occurred. Even Hippolyte Taine felt that realism could be carried too far; he welcomed with enthusiasm the publication in 1881 of Anatole France's

Crime de Sylvestre Bonnard; writing to the author, he said: "You compensate us for works which, if continued without check, would make us horrified at literature and disgusted with life itself." In 1887, when Zola published *La Terre,* an almost universal chorus of condemnation arose.

In the plastic arts a somewhat parallel evolution took place. Already in the seventies Monet was beginning his impressionistic paintings. His *Soleil levant: impression* was displayed in 1874. In 1881, Puvis de Chavannes produced *Le Pauvre Pêcheur.* Eugène Carrière had already exhibited *La Jeune Mère* and in 1884 and 1885 he created *L'Enfant au chien* and *L'Enfant malade.* This same period witnessed the début of the great sculptor, Rodin.

The theatre was destined to undergo a similar transformation. The triumph of pessimistic realism came with *Les Corbeaux* by Henri Becque. It was followed by depressing «tranches de vie» written for the «Théâtre libre.» The inevitable reaction came when Edmond Rostand produced *La Princesse lointaine* and *Cyrano de Bergerac.*

Foreign influences played an important part in this history. Among them mention must be made of Edgar Allen Poe (translated not only by Baudelaire, but also by Mallarmé), of the English Pre-Raphælites (with a French edition in 1881 of the *Ballads and Sonnets* of Dante Gabriel Rossetti), of the Russian novelists Tolstoi, Dostoiewski, and Turgenev (introduced to the French public in 1886 by Melchior de Voguë in *Le Roman russe*), of the German composer, Richard Wagner, and *La Revue wagnérienne,* founded in 1885.

The work of Baudelaire, Verlaine, Mallarmé, Laforgue, and Rimbaud, supported by these diverse tendencies and phenomena, led after 1885 to the acceptance of Symbolist doctrines and to the creation of Symbolist poetry by such men as Gustave Kahn, Émile Verhaeren, Jean Moréas, Albert Samain, Henri de Régnier, Viélé-Griffin, Stuart Merrill, and others.

PAUL VERLAINE
1844-1896

I. Paul Verlaine was born at Metz on March 30, 1844, but his childhood and youth were spent in Paris. At the Lycée Bonaparte—now called the Lycée Condorcet—, he was an excellent student, in spite of his statements to the contrary, and in 1862 he brilliantly passed his examinations for the bachelor's degree. He then began the study of law which he quickly abandoned to accept in 1864 a clerkship at the Hôtel de Ville. Two years later he made his literary début with the publication of *Poèmes saturniens*, followed in 1869 by *Les Fêtes galantes*.

In the meantime, he had made his way into literary circles. He became a close friend of Xavier de Ricard and an habitué of the «salon» held by Ricard's mother. There he met Catulle Mendès, François Coppée, Villiers de l'Isle-Adam, and others. He also frequented the more Bohemian «salon» of Nina de Callias.

In 1869 Verlaine fell in love with Mathilde Mauté de Fleurville whom he married a year later. As Verlaine's fiancée, she inspired *La Bonne Chanson* (1870). But the marriage was not a success. In spite of the birth of a son in October 1871, the situation was already greatly strained when Verlaine's newly formed friendship with Arthur Rimbaud led to a definite break. Abandoning his wife, Verlaine went with the young author of *Le Bateau ivre* to Belgium and England. Verlaine's departure caused his wife to obtain a legal separation which, in 1885, became a complete divorce.

For two years the influence of Rimbaud was all-powerful in Verlaine's life. The young rebel tried, on the one hand, to inculcate in his companion the extraordinary anti-social philosophy set forth in *Une saison en enfer*, and, on the other, to

448

liberate Verlaine's poetic genius from the remaining bonds that fettered it. Although he achieved, from his point of view little success and was forced to admit that his friend was but a «pitoyable frère,» in reality his influence on Verlaine's work was measurable and should neither be overlooked nor underestimated.

When, in July, 1873, Rimbaud, weary of his companion, threatened to return alone to France, Verlaine, drawing a revolver, shot and wounded him. The Brussels' court sentenced the author of *Les Fêtes galantes* to two years in prison. This event marked the end of the two poets' association.

While in jail Verlaine passed through a religious crisis terminated by a complete conversion to the faith of his childhood. Under the spell of Christianity he wrote some of his most beautiful poems, published in *Sagesse* (1881). This volume was preceded by *Romances sans paroles* (1874) and followed by *Jadis et Naguère*.

In 1885, after further wanderings, including a second sojourn in England, Verlaine returned definitely to Paris. The faith acquired in the early 70's had ceased to influence his conduct; he had fallen back into alcoholic and other excesses. He now became a familiar figure in the cafés of the Latin Quarter, and it is during these years that he finally acquired the literary fame and authority he really deserved. It did not save him from poverty and frequent sojourns in the city hospital. At the very end, to be sure, his situation was a little less precarious, and he did not have to worry about actual food and lodging. But this slight security was soon terminated by his death on January 8, 1896.*

II. CONSULT: L. Aressy, *La Dernière Bohème. Verlaine et son milieu*, Paris, Jouve, 1923; A. Barre, *Le Symbolisme, essai historique sur le mouvement symboliste en France de 1885 à 1900*, Paris, Jouve & Cie, 1911; J. Cassou, «L'Affaire Verlaine-Rimbaud,» *Nouvelles littéraires*, January 24, 1931; F.–A. Cazals et G. Le Rouge, *Les Derniers*

---

* During his last years Verlaine published a number of books, the most important of which are: *Amour* and *Parallèlement* in 1888; *Les Poètes maudits*, 1884 and 1888: *Mes hôpitaux*, 1891; *Mes prisons*, 1893; *Confessions*, 1895.

Jours de Paul Verlaine, Paris, Mercure de France, 1911; R. Clauzel, «*Sagesse*» *et Paul Verlaine*, Paris, Malfère, 1931; M. Coulon, *Verlaine*. *Poète saturnien*, Paris, Grasset, 1929; M. Coulon, *Au cœur de Verlaine et de Rimbaud*, Paris, Le Livre, 1925; E. Delahaye, *Verlaine*, Paris, Messein, 1920; E. Delahaye, *Documents relatifs à Verlaine*, Paris, Maison du livre, 1919; E. Delahaye, *Souvenirs familiers à propos de Rimbaud, Verlaine et Germain Nouveau*, Paris, Messein, 1925; E. Dupuy, «L'Évolution poétique de Paul Verlaine,» *R.D.M.*, December 1, 1912; E. Lepelletier, *Paul Verlaine. Sa vie, son œuvre*, Nouvelle édition, Paris, Mercure de France, 1923; G. Jean-Aubry, «Paul Verlaine et l'Angleterre,» *Revue de Paris*, October 15–December 1, 1918; G. Le Rouge, *Verlainiens et décadents*, Paris, Seheur, 1928; P. Martino, *Verlaine*, Paris, Boivin, 1924; F. Montel, *Bibliographie de Paul Verlaine*, Paris, Leclerc, 1924; J. Monval, «Paul Verlaine et François Coppée,» *Le Correspondant*, March, 1931; H. Nicolson, *Paul Verlaine*, N.Y., 1921; G. Paulings, «L'Affaire Verlaine,» *Mercure de France*, February 1, 1931; H. Streutz, *Paul Verlaine*, Paris, Nouvelle Revue critique, 1925; G.–A. Tournoux, *Bibliographie verlainienne*, Leipzig, 1912; Ad. Van Bever et M. Monda, *Bibliographie et iconographie de Paul Verlaine*, Paris, Messein, 1926.

See also *Correspondance de Paul Verlaine, publiée sur les manuscrits originaux, avec une préface et des notes*, par Ad. Van Bever, 3 vols., Paris, Messein, 1922–1929.

Poèmes saturniens

The *Poèmes saturniens*, published in 1866 a few months after the first volume of *Le Parnasse contemporain*, contains thirty-nine poems all of which were composed before Verlaine attained his majority. Some of them were first published in Xavier de Ricard's *Revue du progrès moral, littéraire, scientifique et artistique* and in Ricard's short-lived *L'Art*. Seven appeared in *Le Parnasse contemporain*.

The most important influences discernible in the *Poèmes saturniens* are those of Leconte de Lisle and Baudelaire. If Verlaine shared the literary doctrines of the author of *Poèmes antiques* and consciously imitated him (as in *Çavitri* and such poems as *César Borgia* and *La Mort de Philippe II*), his enthusiasm for the author of *Les Fleurs du Mal* was equally strong. The very title of the volume reveals this influence, for «saturnien» is a Baudelairean adjective. The tone, rhythm, and treatment of certain poems are indisputably reminiscent of *Les Fleurs du Mal.* But the element of originality in this *recueil* is by no means insignificant. In some of these poems there is a deliberate vagueness of thought, of line and contour, of metaphor and symbol which is certainly not Parnassian, not even Baudelairean, and which must be considered as an essentially personal achievement.

In addition to the poems given here, students should read *Prologue, Mon rêve familier, Croquis parisien, Effet de nuit, Nocturne parisien, La Mort de Philippe II, Épilogue.*

VŒU

quel est le vers? Combien y a-t-il de syllabes? sonnet douze

Ah! les oarystis! les premières maîtresses!
L'or des cheveux, l'azur des yeux, la fleur des chairs,
Et puis, parmi l'odeur des corps jeunes et chers,
La spontanéité craintive des caresses!

cheerfulness étrange
Sont-elles assez loin toutes ces allégresses *5 mot.*
très poétique Et toutes ces candeurs! Hélas! toutes devers
Le Printemps des regrets ont fui les noirs hivers
De mes ennuis, de mes dégoûts, de mes détresses! *vers romantique typique*
symbolique: le temps heureux.

Si que me voilà seul à présent, morne et seul,
Morne et désespéré, plus glacé qu'un aïeul, *10*
Et tel qu'un orphelin pauvre, sans sœur aînée

O la femme à l'amour câlin et réchauffant,
Douce, pensive et brune, et jamais étonnée,
Et qui parfois vous baise au front, comme un enfant!

QUESTIONS

1. This sonnet is one of those which have led critics to call Verlaine «un homme du Moyen Age» and to compare him with Villon. Try to justify such a statement and such a comparison.

2. Does this sonnet seem like a truly Parnassian one?   What similarities and what differences do you notice?

NOTES ON *VŒU*

1. **oarystis.**   The word comes from the Greek ὀαριστὺς, meaning "close or intimate association." André Chénier used it as the title of one of his idylls.

9. **Si que** = *si bien que.*

12. **câlin,** *caressing, fondling.*

NUIT DU WALPURGIS CLASSIQUE

C'est plutôt le sabbat du second Faust que l'autre.
Un rythmique sabbat, rythmique, extrêmement
Rythmique.—Imaginez un jardin de Lenôtre,
    Correct, ridicule et charmant.

5 Des ronds-points; au milieu, des jets d'eau; des allées
Toutes droites; sylvains de marbre; dieux marins
De bronze; çà et là, des Vénus étalées;
    Des quinconces, des boulingrins;

Des châtaigniers; des plants de fleurs formant la dune;
10 Ici, des rosiers nains qu'un goût docte affila;
Plus loin, des ifs taillés en triangles.   La lune
    D'un soir d'été sur tout cela.

Minuit sonne, et réveille au fond du parc aulique
Un air mélancolique, un sourd, lent et doux air
15 De chasse: tel, doux, lent, sourd et mélancolique
    L'air de chasse de *Tannhauser.*

Des chants voilés de cors lointains où la tendresse
Des sens étreint l'effroi de l'âme en des accords
Harmonieusement dissonants dans l'ivresse;
20   Et voici qu'à l'appel des cors

S'entrelacent soudain des formes toutes blanches,
Diaphanes, et que le clair de lune fait

Opalines parmi l'ombre verte des branches,
—Un Watteau rêvé par Raffet!—

S'entrelacent parmi l'ombre verte des arbres   25
D'un geste alangui, plein d'un désespoir profond;
Puis, autour des massifs, des bronzes et des marbres,
Très lentement dansent en rond.

—Ces spectres agités, sont-ce donc la pensée
Du poète ivre, ou son regret, ou son remords,   30
Ces spectres agités en tourbe cadencée,
Ou bien tout simplement des morts?

Sont-ce donc ton remords, ô rêvasseur qu'invite
L'horreur, ou ton regret, ou ta pensée,—hein?—tous
Ces spectres qu'un vertige irrésistible agite,   35
Ou bien des morts qui seraient fous?—

N'importe! ils vont toujours, les fébriles fantômes,
Menant leur ronde vaste et morne et tressautant
Comme dans un rayon de soleil des atomes,
Et s'évaporent à l'instant   40

Humide et blême où l'aube éteint l'un après l'autre
Les cors, en sorte qu'il ne reste absolument
Plus rien—absolument—qu'un jardin de Lenôtre,
Correct, ridicule et charmant.

QUESTIONS

1. What technical similarities and differences do you find between this poem and typical Parnassian poetry?

2. Compare this picture with word-pictures of Gautier and Leconte de Lisle.

NOTES ON *NUIT DU WALPURGIS CLASSIQUE*

Title. The title comes from Goethe's "Klassische Walpurgisnacht" in *Faust*, Part II, Act II. It may have been suggested also by Glatigny's *Nocturne* in the latter's *Flèches d'or*. **Nuit du Walpurgis,** *May-day's eve.*

This poem indicates Verlaine's beginning interest in Watteau. See the introductory note to his next volume, *Les Fêtes galantes*.

1. **l'autre,** *i.e.* "Walpurgisnachtstraum," in *Faust*, Part I.
3. **Lenôtre,** *André Le Nôtre*, 1613–1700, the landscape architect who planned the gardens of Versailles.
8. **quinconces . . . boulingrins,** *quincunxes* (a quincunx is an arrangement of anything in rows, so that those in each row are opposite the centre of the space made in a parallel row by two of the objects in question) . . . *bowling-greens* (or simply, *grass-plots*).
9. **formant la dune,** *banked up.*
13. **aulique,** *courtly, lordly.*
16. **Tannhauser,** one of Wagner's most famous operas, produced in 1845, first played in Paris in 1861.
24. **Watteau . . . Raffet.** Antoine Watteau, 1684–1721, a noted French classical artist; he painted *The Embarkment for Cythera, The Assemblage in the Park, Fête galante*, etc. Raffet, 1804–1860, a French illustrator and lithographer. In 1836, he produced his *Rêve des morts* in which the spirit of Napoleon reviews the phantom troops of the Grande Armée.
31. **tourbe,** *mob, herd.*

CHANSON D'AUTOMNE

Les sanglots longs
Des violons
   De l'automne
Blessent mon cœur
5 D'une langueur
   Monotone.

Tout suffocant
Et blême, quand
   Sonne l'heure,
10 Je me souviens
Des jours anciens
   Et je pleure;

Et je m'en vais
Au vent mauvais
15   Qui m'emporte
Deçà, delà,
Pareil à la
   Feuille morte.

QUESTION

1. What are the original qualities of this little poem?

LE ROSSIGNOL

Comme un vol criard d'oiseaux en émoi
Tous mes souvenirs s'abattent sur moi,
S'abattent parmi le feuillage jaune
De mon cœur mirant son tronc plié d'aune
Au tain violet de l'eau des Regrets,   5
Qui mélancoliquement coule auprès,
S'abattent, et puis la rumeur mauvaise
Qu'une brise moite en montant apaise,
S'éteint par degrés dans l'arbre, si bien
Qu'au bout d'un instant on n'entend plus rien,   10
Plus rien que la voix célébrant l'Absente,
Plus rien que la voix—ô si languissante!—
De l'oiseau qui fut mon Premier Amour,
Et qui chante encor comme au premier jour;
Et, dans la splendeur triste d'une lune   15
Se levant blafarde et solennelle, une
Nuit mélancolique et lourde d'été,
Pleine de silence et d'obscurité,
Berce sur l'azur qu'un vent doux effleure
L'arbre qui frissonne et l'oiseau qui pleure.   20

QUESTIONS

1. What does the nightingale symbolize?
2. What is the relation here between the landscape and the poet?
3. What personal emotion is revealed here?
4. What specifically non-Parnassian details do you observe?

NOTES ON *LE ROSSIGNOL*

4. aune, *alder-tree.*
5. tain, *tin leaf* or *foil.*
16. blafarde, *dim, wan.*

Les Fêtes galantes

This little volume of twenty-two poems was published in
1869. Thirty years before, Théophile Gautier had composed

Rocaille, Pastel, and *Watteau.* In 1840, Victor Hugo had
written *La Fête chez Thérèse* (published in *Les Contemplations*).
In 1849, Gautier returned to Watteau in his *Variations sur le
Carnaval de Venise,* and introduced not only a landscape in the
manner of the eighteenth century artist, but also the masks
of the Commedia dell' Arte. It is probably, however, through
the Goncourt brothers that Verlaine was led to an appreciation of Watteau. In 1860 they wrote an essay on Watteau's
art which became the first chapter of a book entitled *L'Art au
XVIIIᵉ siècle.* Watteau, they declare, «a tiré des visions en-
chantées de son imagination un monde idéal, et, au-dessus de
son temps, il a bâti un de ces royaumes shakespeariens, une
des ces patries amoureuses et lumineuses, un des ces paradis
galants que les Polyphile bâtissent sur le nuage du songe, pour
la joie délicate des vivants poétiques. . . . Oui, au fond de cet
œuvre de Watteau, je ne sais quelle lente et vague harmonie
murmure derrière les paroles rieuses; je ne sais quelle tristesse
musicale et doucement contagieuse est répandue dans ces
fêtes galantes.»

Whatever the source of Verlaine's contact may be, the important fact is that he sought to create in poetry what the artist
created on canvas and that, in so doing, he not only succeeded
in realizing a «transposition d'arts» advocated by Gautier, but
he composed an exquisite work of infinite charm.

In addition to the poems given here, students should read
*Pantomime, A la promenade, Fantoches, Cythère, Colombine,
Colloque sentimental.*

CLAIR DE LUNE

Votre âme est un paysage choisi
Que vont charmant masques et bergamasques,
Jouant du luth et dansant et quasi
Tristes sous leurs déguisements fantasques.

5   Tout en chantant sur le mode mineur
L'amour vainqueur et la vie opportune,

Ils n'ont pas l'air de croire à leur bonheur
Et leur chanson se mêle au clair de lune,

Au calme clair de lune triste et beau,
Qui fait rêver les oiseaux dans les arbres   10
Et sangloter d'extase les jets d'eau,
Les grands jets d'eau sveltes parmi les marbres.

QUESTION

1. Try to analyze as carefully as possible the charm of this poem. What themes are treated? What kind of landscape is evoked? What emotion is revealed?

NOTES ON *CLAIR DE LUNE*

2. **bergamasques.** A *bergamasque* is defined as being a «danse, air de danse empruntés aux paysans des environs de Bergame (in Italy).»

MANDOLINE

Les donneurs de sérénades
Et les belles écouteuses
Échangent des propos fades
Sous les ramures chanteuses.

C'est Tircis et c'est Aminte,   5
Et c'est l'éternel Clitandre,
Et c'est Damis qui pour mainte
Cruelle fait maint vers tendre.

Leurs courtes vestes de soie,
Leurs longues robes à queues,   10
Leur élégance, leur joie
Et leurs molles ombres bleues,

Tourbillonnent dans l'extase
D'une lune rose et grise,
Et la mandoline jase   15
Parmi les frissons de brise.

QUESTIONS

1. What rhythm does the poet use? What is its effect?
2. What do you notice about the rhyme?
3. What emotion does the poet create? How does he do so?

NOTES ON *MANDOLINE*

5-7. Tircis . . . Aminte . . . Clitandre . . . Damis. The first two
names come from pastoral literature. Cf. Tasso's *Aminta*. The last
two are names given to young heroes (les jeunes premiers) in French
comedies of the seventeenth and eighteenth centuries.

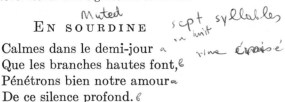

EN SOURDINE

Calmes dans le demi-jour
Que les branches hautes font,
Pénétrons bien notre amour
De ce silence profond.

5   Fondons nos âmes, nos cœurs
Et nos sens extasiés,
Parmi les vagues langueurs
Des pins et des arbousiers.

Ferme tes yeux à demi,
10   Croise tes bras sur ton sein,
Et de ton cœur endormi
Chasse à jamais tout dessein.

Laissons-nous persuader
Au souffle berceur et doux
15   Qui vient à tes pieds rider
Les ondes de gazon roux.

Et quand, solennel, le soir
Des chênes noirs tombera,
Voix de notre désespoir,
20   Le rossignol chantera.

QUESTIONS

1. Comment on the significance of the title.
2. What rhythm does the poet use? What is its effect?
3. What emotion does the poet create? How does he do so?

NOTES ON *EN SOURDINE*

Title. **En sourdine,** *muted,* a musical expression, used to indicate very soft playing.

8. arbousiers, *strawberry-trees.*

La Bonne Chanson

La Bonne Chanson, published in 1870, two months before Verlaine's marriage, celebrates the poet's engagement. It expresses the most virtuous sentiments that can possibly be imagined. It describes a bourgeois happiness in marked contrast with the author's later experience.

From an artistic point of view the volume is of interest as evidence of Verlaine's continued progress toward a type of poetry distinctly different from that composed by the Parnassians.

In addition to the poems given here, students should read *La Lune blanche, Quinze longs jours encore et plus de six semaines, Va, chanson à tire-d'aile, Le Bruit des cabarets, la fange des trottoirs,* and *Donc, ce sera par un clair jour d'été.*

UNE SAINTE EN SON AURÉOLE

Une Sainte en son auréole,
Une Châtelaine en sa tour,
Tout ce que contient la parole
Humaine de grâce et d'amour;

La note d'or que fait entendre   5
Un cor dans le lointain des bois,
Mariée à la fierté tendre
Des nobles Dames d'autrefois!

Avec cela le charme insigne
10   D'un frais sourire triomphant
Éclos dans des candeurs de cygne
Et des rougeurs de femme-enfant;

Des aspects nacrés, blancs et roses,
Un doux accord patricien:
15   Je vois, j'entends toutes ces choses
Dans son nom Carlovingien.

NOTES ON *UNE SAINTE EN SON AURÉOLE*

13. nacrés, *pearly.*
16. son nom Carlovingien. The name was Mathilde. *Carlovingien* refers to the French dynasty which existed from 752 to the advent of Hugh Capet in 987. The most famous of this dynasty was Charlemagne.

LE FOYER, LA LUEUR ÉTROITE
DE LA LAMPE . . .

Le foyer, la lueur étroite de la lampe;
La rêverie avec le doigt contre la tempe
Et les yeux se perdant parmi les yeux aimés;
L'heure du thé fumant et des livres fermés;
5   La douceur de sentir la fin de la soirée;
La fatigue charmante et l'attente adorée
De l'ombre nuptiale et de la douce nuit,
Oh! tout cela, mon rêve attendri le poursuit
Sans relâche, à travers toutes remises vaines,
10   Impatient des mois, furieux des semaines!

NOTES ON *LE FOYER* . . .

9. remises. An allusion to the postponements of the marriage caused by the illness of Verlaine's fiancée and of her mother.

Romances sans paroles

This new volume of poetry, with its title borrowed from Mendelssohn, was published in 1874.   It contains twenty-two

poems most of which were composed in 1872. They put into
effect the new poetics which Verlaine, during his association
with Rimbaud, elaborated.   The conception of poetry illustrated by *Romances sans paroles* is partly the further development of tendencies already existing in Verlaine's work, partly
the result of Rimbaud's influence, partly the result of the poet's
admiration for Marceline Desbordes-Valmore whose work he
read at Rimbaud's recommendation.   Moreover, the influence
of England and the English language should not be overlooked;
after 1872 it affected much of Verlaine's work.

For several years the *Romances sans paroles* were little read
and appreciated, but in the latter 80's and in the 90's they
shared in the popularity of their author.

In addition to the poems given here, students should read
Walcourt, Malines, Birds in the Night, Child Wife, Beams.

ARIETTES OUBLIÉES

I

C'est l'extase langoureuse,
C'est la fatigue amoureuse,
C'est tous les frissons des bois
Parmi l'étreinte des brises,
C'est, vers les ramures grises,   5
Le chœur des petites voix.

O le frêle et frais murmure!
Cela gazouille et susurre,
Cela ressemble au cri doux
Que l'herbe agitée expire . . .   10
Tu dirais, sous l'eau qui vire,
Le roulis sourd des cailloux.

Cette âme qui se lamente
En cette plainte dormante,
C'est la nôtre, n'est-ce pas?   15

La mienne, dis, et la tienne,
Dont s'exhale l'humble antienne
Par ce tiède soir, tout bas?

III

Il pleure dans mon cœur
Comme il pleut sur la ville.
Quelle est cette langueur
Qui pénètre mon cœur?

O bruit doux de la pluie
Par terre et sur les toits!
Pour un cœur qui s'ennuie,
O le chant de la pluie!

Il pleure sans raison
10 Dans ce cœur qui s'écœure.
Quoi! nulle trahison?
Ce deuil est sans raison.

C'est bien la pire peine
De ne savoir pourquoi,
15 Sans amour et sans haine,
Mon cœur a tant de peine!

VIII

musique, vague

Dans l'interminable _a_
Ennui de la plaine, _b_ _embrassé_
La neige incertaine _b_
Luit comme du sable. _a_

5 Le ciel est de cuivre _c_
Sans lueur aucune, _d_
On croirait voir vivre _c_
Et mourir la lune. _d_

Comme des nuées
Flottent gris les chênes 10
Des forêts prochaines
Parmi les buées.

Le ciel est de cuivre
Sans lueur aucune.
On croirait voir vivre 15
Et mourir la lune.

Corneille poussive
Et vous, les loups maigres,
Par ces bises aigres
Quoi donc vous arrive? 20

Dans l'interminable
Ennui de la plaine,
La neige incertaine
Luit comme du sable.

QUESTION

1. Using *Ariettes oubliées* to support your assertions, state what the essential elements of Verlaine's poetic art were at the time of composition of the *Romances sans paroles*.

NOTES ON *ARIETTES OUBLIEÉS*

I

8. susurre, *whispers, murmurs softly.*
17. antienne, *anthem.*

VIII

12. buées, *steam.*
17. Corneille poussive, *short-winded crow* or *rook.*

GREEN   *douze syllables*
croiséé rine

Voici des fruits, des fleurs, des feuilles et des branches, *a*
Et puis voici mon cœur, qui ne bat que pour vous. *b*
Ne le déchirez pas avec vos deux mains blanches *a*
Et qu'à vos yeux si beaux l'humble présent soit doux. *b*

5   J'arrive tout couvert encore de rosée ⌣
    Que le vent du matin vient glacer à mon front.↲
    Souffrez que ma fatigue, à vos pieds reposée, ⌣
    Rêve des chers instants qui la délasseront. ↲

    Sur votre jeune sein laissez rouler ma tête↲
10 Toute sonore encor de vos derniers baisers; ⨍
    Laissez-la s'apaiser de la bonne tempête, ⌣
    Et que je dorme un peu puisque vous reposez. ⨍

NOTES ON *GREEN*

Title. This poem belongs to a group bearing the collective title of *Aqua-relles* ("Water-colors"), composed during Verlaine's first visit to England.

2. pour vous. In England Verlaine fell in love with an English girl by the name of Kate. See G. Jean-Aubry, «Paul Verlaine et l'Angleterre,» *Revue de Paris*, October 15, 1918.

Sagesse

The first edition of *Sagesse* appeared in 1881 and remained almost entirely unsold.   Eight years later, after Verlaine had become a prominent literary figure, a second edition was published with much success.

The volume is divided into three parts.   The first includes twenty-four poems mostly on religious themes.   The second is composed of a small group of intensely religious poems written directly after Verlaine's conversion in the prison of Mons. They were destined for a volume to be entitled *Cellulairement* which was never published.   The fourth and last of this group is a sonnet-sequence of which we print a portion below.   The third part unites compositions of extremely varied inspiration some of which resemble closely in method and tone the poems of *Romances sans paroles*.

In addition to the poems given here, students should read *Bon chevalier masqué qui chevauche en silence, Non, il fut gallican, ce siècle, et janséniste, Les chères mains qui furent miennes, Et j'ai revu l'enfant unique, O mon Dieu, vous m'avez blessé d'amour, Parfums, couleurs, systèmes, lois!, Vous voilà, vous voilà, pauvres bonnes pensées,* and *C'est la fête du blé, c'est la fête du pain.*

MON DIEU M'A DIT . . . sonnet

I

Mon Dieu m'a dit:—Mon fils, il faut m'aimer. Tu vois *a*
Mon flanc percé, mon cœur qui rayonne et qui saigne, *b*
Et mes pieds offensés que Madeleine baigne *b*
De larmes, et mes bras douloureux sous le poids *a*

De tes péchés, et mes mains! Et tu vois la croix,   5
Tu vois les clous, le fiel, l'éponge, et tout t'enseigne
A n'aimer, en ce monde amer où la chair règne,
Que ma Chair et mon Sang, ma parole et ma voix.

Ne t'ai-je pas aimé jusqu'à la mort moi-même,
O mon frère en mon Père, ô mon fils en l'Esprit   10
Et n'ai-je pas souffert, comme c'était écrit?

N'ai-je pas sangloté ton angoisse suprême
Et n'ai-je pas sué la sueur de tes nuits,
Lamentable ami qui me cherches où je suis?

II

J'ai répondu:—Seigneur, vous avez dit mon âme.   15
C'est vrai que je vous cherche et ne vous trouve pas.
Mais vous aimer! Voyez comme je suis en bas,
Vous dont l'amour toujours monte comme la flamme.

Vous, la source de paix que toute soif réclame,
Hélas! voyez un peu tous mes tristes combats!   20
Oserai-je adorer la trace de vos pas,
Sur ces genoux saignants d'un rampement infâme?

Et pourtant je vous cherche en longs tâtonnements,
Je voudrais que votre ombre au moins vêtît ma honte,
25 Mais vous n'avez pas d'ombre, ô vous dont l'amour monte,

O vous, fontaine claire, amère aux seuls amants
De leur damnation, ô vous, toute lumière,
Sauf aux yeux dont un lourd baiser tient la paupière!

III

—Il faut m'aimer! Je suis l'universel Baiser,
30 Je suis cette paupière et je suis cette lèvre
Dont tu parles, ô cher malade, et cette fièvre
Qui t'agite, c'est moi toujours! Il faut oser

M'aimer! Oui, mon amour monte sans biaiser
Jusqu'où ne grimpe pas ton pauvre amour de chèvre,
35 Et t'emportera, comme un aigle vole un lièvre,
Vers des serpolets qu'un ciel cher vient arroser.

O ma nuit claire! ô tes yeux dans mon clair de lune!
O ce lit de lumière et d'eau parmi la brune!
Toute cette innocence et tout ce reposoir!

40 Aime-moi! Ces deux mots sont mes verbes suprêmes,
Car étant ton Dieu tout puissant, je peux *vouloir*,
Mais je ne veux d'abord que *pouvoir* que tu m'aimes.

VIII

—Ah, Seigneur, qu'ai-je? Hélas, me voici tout en larmes
D'une joie extraordinaire; votre voix
Me fait comme du bien et du mal à la fois,
130 Et le mal et le bien, tout a les mêmes charmes.

Je ris, je pleure, et c'est comme un appel aux armes
D'un clairon pour des champs de bataille où je vois
Des anges bleus et blancs portés sur des pavois,
Et ce clairon m'enlève en de fières alarmes.

J'ai l'extase et j'ai la terreur d'être choisi. 135
Je suis indigne, mais je sais votre clémence.
Ah, quel effort, mais quelle ardeur! Et me voici

Plein d'une humble prière, encor qu'un trouble immense
Brouille l'espoir que votre voix me révéla,
Et j'aspire en tremblant . . .

IX

—Pauvre âme, c'est cela! 140

QUESTION

1. Compare this religious poetry with that of Lamartine and that of
Hugo.

NOTES ON *MON DIEU M'A DIT* . . .

Title. The source of certain details of this poem, it is hardly necessary to
state, is the Biblical narrative of the crucifixion. If students have not
that account pretty clearly in mind, they should reread it before study-
ing this poem.

33. biaiser, *to slant, to go in an oblique direction.*

36. serpolets, *wild thyme.*

39. reposoir. The word is used here not in the sense of "street-altar"
but in the older meaning of "resting-place."

133. pavois, *shields.*

LE CIEL EST, PAR-DESSUS LE TOIT . . .

Le ciel est, par-dessus le toit
  Si bleu, si calme!
Un arbre, par-dessus le toit,
  Berce sa palme.

La cloche, dans le ciel qu'on voit, 5
  Doucement tinte.
Un oiseau sur l'arbre qu'on voit
  Chante sa plainte.

détresse Mon Dieu, mon Dieu, la vie est là, *d*

10   Simple et tranquille. *e*
          Cette paisible rumeur-là *d*
          Vient de la ville! *e*

          —Qu'as-tu fait, ô toi que voilà *d*
                Pleurant sans cesse, *f*   *question rhétorique*
15   Dis, qu'as-tu fait, toi que voilà, *d*
          De ta jeunesse? *f*

NOTES ON *LE CIEL EST, PAR-DESSUS LE TOIT* . . .

Title. This poem may have been composed during Verlaine's imprisonment; in any case, it is inspired by the memory of that period.
4. palme, *i.e. rameaux,* "boughs," "branches."

LE SON DU COR . . .

Le son du cor s'afflige vers les bois
D'une douleur on veut croire orpheline
Qui vient mourir au bas de la colline
Parmi la bise errant en courts abois.

5   L'âme du loup pleure dans cette voix
Qui monte avec le soleil qui décline,
D'une agonie on veut croire câline
Et qui ravit et qui navre à la fois.

Pour faire mieux cette plainte assoupie
10   La neige tombe à longs traits de charpie
A travers le couchant sanguinolent,

Et l'air a l'air d'être un soupir d'automne,
Tant il fait doux par ce soir monotone
Où se dorlote un paysage lent.

QUESTION

1. This sonnet is a characteristic and striking example of Verlaine's art at this period. Point out the details of that art as revealed in this poem.

NOTES ON *LE SON DU COR* . . .

Title. There is an obvious reminiscence in this poem of Vigny's *Le Cor* and, to a lesser extent, of his *Mort du Loup*.
2. douleur on veut, for *douleur qu'on veut*.
4. abois, *barks, yelps.*
7. câline, *caressing.*
10. charpie, *lint.*
14. se dorlote. The verb *dorloter* means "to fondle."

Jadis et Naguère

Jadis et Naguère, published in 1884, includes poems written in earlier years; some were composed before 1871; some during Verlaine's association with Rimbaud, others during the poet's imprisonment. Naturally, the tendencies noted in *Romances sans paroles* and in the third section of *Sagesse* dominate this *recueil*, which, therefore, reveals no new evolution in Verlaine's art.

In addition to the poems given here, students should read *Prologue, Pierrot, Le Pitre, Images d'un sou, La Soupe du soir, Le Poète et la muse, Crimen amoris.*

SONNET BOITEUX

Ah! vraiment c'est triste; ah! vraiment ça finit trop mal.
Il n'est pas permis d'être à ce point infortuné.
Ah! vraiment, c'est trop la mort du naïf animal
Qui voit tout son sang couler sous son regard fané.

Londres fume et crie. O quelle ville de la Bible!   5
Le gaz flambe et nage et les enseignes sont vermeilles,
Et les maisons, dans leur ratatinement terrible,
Épouvantent comme un sénat de petites vieilles.

Tout l'affreux passé saute, piaule, miaule et glapit
Dans le brouillard rose et jaune et sale des *sohos*   10
Avec des *indeeds* et des *all rights* et des *haôs.*

Non vraiment c'est trop un martyre sans espérance,
Non vraiment cela finit trop mal, vraiment c'est triste:
O le feu du ciel sur cette ville de la Bible!

QUESTIONS

1. What poetic line does Verlaine use in this sonnet?
2. What do you notice concerning the rhyme?
3. What is the significance of the title of this sonnet?

NOTES ON *SONNET BOITEUX*

Title. **Sonnet boiteux,** *Limping sonnet.* Verlaine had originally called this sonnet *Hiver.* (See letter to Ed. Lepelletier in *Correspondance,* t. I., pp. 126ff.; the letter gives the original text with interesting variants.) It was composed in prison, forming a part of the manuscript of *Cellulairement,* and contains obvious reminiscences of the poet's sojourn in England.

5. **O quelle ville de la Bible.** Verlaine has in mind Sodom or Gomorrah.

7. **ratatinement,** *shrinking up, shriveling up.*

9. **piaule, miaule et glapit,** *whines, mews, and yelps.*

10. *sohos.* Verlaine refers to the section of London located around Soho Square.

11. *haôs.* An attempt to render the English *Oh!*

14. Cf. Genesis, XIX, 24–25, and also Hugo's poem *Le Feu du ciel* in *Les Orientales.*

ART POÉTIQUE   1874   [9 syllables]

De la musique avant toute chose, ①
Et pour cela préfère l'Impair, ②
Plus vague et plus soluble dans l'air,
Sans rien en lui qui pèse ou qui pose.

5 Il faut aussi que tu n'ailles point
Choisir tes mots sans quelque méprise:
Rien de plus cher que la chanson grise
Où l'Indécis au Précis se joint. ③

C'est des beaux yeux derrière des voiles,
10 C'est le grand jour tremblant de midi, ⑤ [Suggestion,]
C'est, par un ciel d'automne attiédi,
Le bleu fouillis des claires étoiles!

Car nous voulons la Nuance encor,
Pas la Couleur, rien que la nuance! ④
Oh! la nuance seule fiance   15
Le rêve au rêve et la flûte au cor!

Fuis du plus loin la Pointe assassine,
L'Esprit cruel et le Rire impur,
Qui font pleurer les yeux de l'Azur,
Et tout cet ail de basse cuisine!   20

Prends l'éloquence et tords-lui son cou!
Tu feras bien, en train d'énergie,
De rendre un peu la Rime assagie!
Si l'on n'y veille, elle ira jusqu'où?

O qui dira les torts de la Rime!   25
Quel enfant sourd ou quel nègre fou
Nous a forgé ce bijou d'un sou
Qui sonne creux et faux sous la lime?

De la musique encore et toujours!
Que ton vers soit la chose envolée   30
Qu'on sent qui fuit d'une âme en allée
Vers d'autres cieux à d'autres amours,

Que ton vers soit la bonne aventure
Éparse au vent crispé du matin
Qui va fleurant la menthe et le thym . . .   35
Et tout le reste est littérature

QUESTIONS

1. Compare this poem with Théophile Gautier's *L'Art*.
2. Compare Verlaine's attitude on rhyme with that of Sainte-Beuve, and that of Leconte de Lisle.
3. Show how Verlaine applied the poetic principles stated in this poem to the compositions of *Romances sans paroles.*

NOTES ON *ART POÉTIQUE*

Title. This famous poem was composed not later than April, 1874, ten years before its publication. Verlaine's insistence upon the necessity of musical poetry was partly developed through his reading of Shakspere, in particular of *Twelfth Night.* See E. Dupuy, «L'Évolution poétique de Paul Verlaine,» *Revue des Deux Mondes,* December 1, 1912.

2. l'Impair, *i.e. le rythme impair.*

17. la Pointe, *witticism* or *pun.*

20. ail, *garlic.*

28. lime, *file.*

36. littérature, used here in a pejorative sense: "mere literature," "mere writing."

SUBJECTS FOR COMPOSITION

1. Appreciation of Nature in Verlaine's Poetry.
2. Verlaine and the Middle Ages.
3. Verlaine and Marceline Desbordes-Valmore.
4. The Characteristics and Qualities of Verlaine's Poetic Art.
5. The Limitations of Verlaine's Poetic Genius.

MALLARMÉ

1842–1898

I. Stéphane Mallarmé was born in Paris on March 18, 1842. At the age of twenty he went to England «afin de fuir principalement, mais aussi pour parler la langue, et l'enseigner dans un cours, tranquille et sans autre gagne-pain obligé.» For the rest of his life he was a teacher of English, first in the provinces —at Tournon, Besançon, Avignon—, after 1871 in Paris. Already he had contributed to *Le Parnasse contemporain*. He now came into more direct contact with the literary world of the French capital. After 1880, and particularly after 1884, as a result of Huysman's eulogy in *A rebours*, Mallarmé's gatherings in his apartment in the rue de Rome became as important for the poetry of the last part of the century as Leconte de Lisle's Cénacle had been for the poetry of the 60's and 70's. There grouped about Mallarmé such men as Gustave Kahn, Henri de Régnier, Francis Viélé-Griffin, Paul Claudel, and Paul Valéry.

In 1876 Mallarmé published *L'Après-midi d'un faune*. In 1887, a volume of so-called *Poésies complètes* appeared in a limited edition. *Vers et prose* was printed in 1893. It was not till 1913, long after Mallarmé's death, that a satisfactory edition of *Poésies complètes* became available.

II. Consult: E. Bonniot, «La Genèse poétique de Mallarmé, d'après ses corrections,» *Revue de France*, April 15, 1929; C. Mauclair, «Stéphane Mallarmé,» *Nouvelle revue*, 1898; A. Mockel, *Stéphane Mallarmé. Un héros*, Paris, Mercure de France, 1899; A. Poizat, *Le Symbolisme. De Baudelaire à Claudel*, Paris, La Renaissance du livre, 1919; H. de Régnier, «Stéphane Mallarmé,» *Figures et caractères*, Paris, Mercure de France, 1901; J. Royère, *La Poésie de Mallarmé*, Paris, E. Paul, 1919; J. Royère, *Mallarmé*, Paris, Kra, 1927; C. Souda, «Essai sur l'hermétisme mallarméen,» *Le Bon Plaisir*,

October, 1925; C. Soulas, *La Poésie et la pensée de Stéphane Mallarmé,*
Paris, Champion, *s.d.;* A. Thibaudet, *La Poésie de Stéphane Mallarmé,*
Paris, Éditions de la *Nouvelle Revue française,* 1913; P. Valéry,
«Stéphane Mallarmé,» «Dernière visite à Mallarmé,» and «Lettre
sur Mallarmé» in *Variété II,* Paris, Éditions de la *Nouvelle Revue
française,* 1930; P. Verlaine, *Les Poètes maudits,* 1884.

BRISE MARINE*

La chair est triste, hélas! et j'ai lu tous les livres.
Fuir! là-bas fuir!   Je sens que des oiseaux sont ivres
D'être parmi l'écume inconnue et les cieux!
Rien, ni les vieux jardins reflétés par les yeux
5   Ne retiendra ce cœur qui dans la mer se trempe
O nuits! ni la clarté déserte de ma lampe
Sur le vide papier que la blancheur défend
Et ni la jeune femme allaitant son enfant.
Je partirai!   Steamer balançant ta mâture,
10 Lève l'ancre pour une exotique nature!
Un Ennui, désolé par les cruels espoirs,
Croit encore à l'adieu suprême des mouchoirs!
Et, peut-être, les mâts, invitant les orages,
Sont-ils de ceux qu'un vent penche sur les naufrages
15 Perdus, sans mâts, sans mâts, ni fertiles îlots . . .
Mais, ô mon cœur, entends le chant des matelots!

(Poésies, Librairie Gallimard, Éditions
de la Nouvelle Revue française.)

QUESTIONS

1. What Baudelairean theme is treated in this poem?
2. Define as carefully as possible the aspiration expressed here by the
poet.   Compare it with similar aspirations of the Romanticists and
Baudelaire.

NOTES ON *BRISE MARINE*

Title.   This poem was composed while Mallarmé was living at Tournon.
From the windows of his apartment he could see the Rhône, and, to
quote Gabriel Faure, «il ne cesse d'entendre l'invitation au voyage,
que lui chantent les eaux, vers le soleil et vers la mer latine qu'il était
allé voir quelques mois avant.» See *Lettres de Mallarmé à Aubanel et*

* First published in *Le Parnasse contemporain*, 1866.

Mistral, précédées de «Mallarmé à Tournon,» par Gabriel Faure, Paris, Maison du livre, 1924.

8. Et ni = *ni non plus.* **la jeune femme,** *etc.* Not even family ties can restrain the poet in his desire to escape. Mallarmé had in mind his own wife and child; the latter was at the time of composition of this poem a baby only a few months old.

L'Après-midi d'un Faune

Eglogue

LE FAUNE

Ces nymphes, je les veux perpétuer.

                              Si clair,

Leur incarnat léger, qu'il voltige dans l'air
Assoupi de sommeils touffus.

                         Aimai-je un rêve?

Mon doute, amas de nuit ancienne, s'achève
En maint rameau subtil, qui, demeuré les vrais   5
Bois mêmes, prouve, hélas! que bien seul je m'offrais
Pour triomphe la faute idéale de roses.
Réfléchissons . . .

        ou si les femmes dont tu gloses
Figurent un souhait de tes sens fabuleux!
Faune, l'illusion s'échappe des yeux bleus   10
Et froids, comme une source en pleurs, de la plus chaste:
Mais, l'autre tout soupirs, dis-tu qu'elle contraste
Comme brise du jour chaude dans ta toison?
Que non! par l'immobile et lasse pâmoison
Suffoquant de chaleurs le matin frais s'il lutte,   15
Ne murmure point d'eau que ne verse ma flûte
Au bosquet arrosé d'accords; et le seul vent
Hors des deux tuyaux prompt à s'exhaler avant
Qu'il disperse le son dans une pluie aride,
C'est, à l'horizon pas remué d'une ride,   20
Le visible et serein souffle artificiel
De l'inspiration, qui regagne le ciel.

Ô bords siciliens d'un calme marécage
     Qu'à l'envi de soleils ma vanité saccage,
25   Tacite sous les fleurs d'étincelles, CONTEZ
«Que je coupais ici les creux roseaux domptés
Par le talent; quand, sur l'or glauque de lointaines
Verdures dédiant leur vigne à des fontaines,
Ondoie une blancheur animale au repos:
30   *Et qu'au prélude lent où naissent les pipeaux*
Ce vol de cygnes, non! de naïades se sauve
Ou plonge . . . »

          Inerte, tout brûle dans l'heure fauve
     Sans marquer par quel art ensemble détala
     Trop d'hymen souhaité de qui cherche le *la:*
35   Alors m'éveillerai-je à la ferveur première,
     Droit et seul, sous un flot antique de lumière,
     Lys! et l'un de vous tous pour l'ingénuité.

     Autre que ce doux rien par leur lèvre ébruité,
     Le baiser, qui tout bas des perfides assure,
40   Mon sein, vierge de preuve, atteste une morsure
     Mystérieuse, due à quelque auguste dent;
     Mais, bast! arcane tel élut pour confident
     Le jonc vaste et jumeau dont sous l'azur on joue:
     Qui, détournant à soi le trouble de la joue,
45   Rêve, dans un solo long, que nous amusions
     La beauté d'alentour par des confusions
     Fausses entre elle-même et notre chant crédule;
     Et de faire aussi haut que l'amour se module
     Évanouir du songe ordinaire de dos
50   Ou de flanc pur suivis avec mes regards clos,
     Une sonore, vaine et monotone ligne.

     Tâche donc, instrument des fuites, ô maligne
     Syrinx, de refleurir aux lacs où tu m'attends!
     Moi, de ma rumeur fier, je vais parler longtemps

Des déesses; et par d'idolâtres peintures,   55
A leur ombre enlever encore des ceintures:
Ainsi, quand des raisins j'ai sucé la clarté,
Pour bannir un regret par ma feinte écarté,
Rieur, j'élève au ciel d'été la grappe vide
Et, soufflant dans ses peaux lumineuses, avide   60
D'ivresse, jusqu'au soir je regarde au travers.

Ô nymphes, regonflons des SOUVENIRS divers.
«*Mon œil, trouant les joncs, dardait chaque encolure*
Immortelle, qui noie en l'onde sa brûlure
Avec un cri de rage au ciel de la forêt;   65
Et le splendide bain de cheveux disparaît
Dans les clartés et les frissons, ô pierreries!
J'accours; quand, à mes pieds, s'entrejoignent (meurtries
De la langueur goûtée à ce mal d'être deux)
Des dormeuses parmi leurs seuls bras hasardeux;   70
Je les ravis, sans les désenlacer, et vole
A ce massif, haï par l'ombrage frivole,
De roses tarissant tout parfum au soleil,
Où notre ébat au jour consumé soit pareil.»
Je t'adore, courroux des vierges, ô délice   75
Farouche du sacré fardeau nu qui se glisse
Pour fuir ma lèvre en feu buvant, comme un éclair
Tressaille! la frayeur secrète de la chair:
Des pieds de l'inhumaine au cœur de la timide
Que délaisse à la fois une innocence, humide   80
De larmes folles ou de moins tristes vapeurs.
«*Mon crime, c'est d'avoir, gai de vaincre ces peurs*
Traîtresses, divisé la touffe échevelée
De baisers que les dieux gardaient si bien mêlée:
Car, à peine j'allais cacher un rire ardent   85
Sous les replis heureux d'une seule (gardant
Par un doigt simple, afin que sa candeur de plume
Se teignît à l'émoi de sa sœur qui s'allume,
La petite, naïve et ne rougissant pas:)

90   *Que de mes bras, défaits par de vagues trépas,*
Cette proie, à jamais ingrate se délivre
Sans pitié du sanglot dont j'étais encore ivre.»

Tant pis! vers le bonheur d'autres m'entraîneront
Par leur tresse nouée aux cornes de mon front:
95   Tu sais, ma passion, que, pourpre et déjà mûre,
Chaque grenade éclate et d'abeilles murmure;
Et notre sang, épris de qui le va saisir,
Coule pour tout l'essaim éternel du désir.

A l'heure où ce bois d'or et de cendres se teinte
100 Une fête s'exalte en la feuillée éteinte:
Etna! c'est parmi toi visité de Vénus
Sur ta lave posant ses talons ingénus,
Quand tonne un somme triste ou s'épuise la flamme.
Je tiens la reine!

Ô sûr châtiment . . .

                                            Non, mais l'âme
105 De paroles vacante et ce corps alourdi
Tard succombent au fier silence de midi:
Sans plus il faut dormir en l'oubli du blasphème,
Sur le sable altéré gisant et comme j'aime
Ouvrir ma bouche à l'astre efficace des vins!
110 Couple, adieu; je vais voir l'ombre que tu devins.

QUESTIONS

1. Is this poem primarily erotic or primarily artistic?
2. To what extent is it a recalled dream and to what extent unfulfilled desire?

NOTES ON *L'APRÈS-MIDI D'UN FAUNE*

Title. The first two versions of this pastoral poem remained unpublished till 1948 when M. Henri Mondor included them in his *Histoire* *d'un faune,* Gallimard. The third version, given here, appeared in 1876 and is considered definitive.

For interpretations of the poem see W. Fowlie, *Mallarmé,* University of Chicago Press, 1953, pp. 148–167 and A. R. Chisholm, *Mallarmé's «L'Après-midi d'un faune»: an exegetical and critical Study,* Cambridge University Press, 1959.

3. **touffus,** literally *tufted* or *bushy.* The word evokes the woods in which the faun has been asleep. The woods themselves are drowsy.

30. **pipeaux,** *pipes* (shepherd's).

34. **le *la*,** *i.e.* the musical note A.

42. **arcane,** *secret.*

52. **instrument des fuites,** *i.e.* the flute.

53. **Syrinx.** The nymph pursued by Pan. She was changed by the goddess Diana into a reed.

61. This line ends the first half of the poem.

96. **grenade,** pomegranate.

ÉVENTAIL DE MADEMOISELLE MALLARMÉ

O rêveuse, pour que je plonge
Au pur délice sans chemin
Sache, par un subtil mensonge,
Garder mon aile dans ta main.

Une fraîcheur de crépuscule   5
Te vient à chaque battement
Dont le coup prisonnier recule
L'horizon délicatement.

Vertige! voici que frissonne
L'espace comme un grand baiser   10
Qui, fou de naître pour personne,
Ne peut jaillir ni s'apaiser.

Sens-tu le paradis farouche
Ainsi qu'un rire enseveli
Se couler du coin de ta bouche   15
Au fond de l'unanime pli.

Le sceptre des rivages roses
Stagnants sur les soirs d'or, ce l'est,
Ce blanc vol fermé que tu poses
20   Contre le feu d'un bracelet.

(*Poésies*, Librairie Gallimard, Éditions
de la *Nouvelle Revue française*.)

QUESTION

1. Explain the text, line by line.

NOTES ON *ÉVENTAIL DE MADEMOISELLE MALLARMÉ*

1. The fan is addressing Mlle Mallarmé.
17. Le sceptre, *i.e.* the fan.

SONNET

Le vierge, le vivace et le bel aujourd'hui
Va-t-il nous déchirer avec un coup d'aile ivre
Ce lac dur oublié que hante sous le givre
Le transparent glacier des vols qui n'ont pas fui!

5   Un cygne d'autrefois se souvient que c'est lui
Magnifique, mais qui sans espoir se délivre
Pour n'avoir pas chanté la région où vivre
Quand du stérile hiver a resplendi l'ennui.

Tout son col secouera cette blanche agonie
10   Par l'espace infligée à l'oiseau qui le nie,
Mais non l'horreur du sol où le plumage est pris.

Fantôme qu'à ce lieu son pur éclat assigne,
Il s'immobilise au songe froid de mépris
Que vêt parmi l'exil inutile le Cygne.

(*Poésies*, Librairie Gallimard, Éditions
de la *Nouvelle Revue française*.)

QUESTIONS

1. Assuming that the swan symbolizes the poet, try to interpret the sonnet in detail.
2. What do you notice about the rhyme?

NOTES ON *SONNET*

3. givre, *hoar-frost*.

LE TOMBEAU D'EDGAR POE

Tel qu'en Lui-même enfin l'éternité le change,
Le Poète suscite avec un glaive nu
Son siècle épouvanté de n'avoir pas connu
Que la mort triomphait dans cette voix étrange!

Eux, comme un vil sursaut d'hydre oyant jadis l'ange   5
Donner un sens plus pur aux mots de la tribu
Proclamèrent très haut le sortilège bu
Dans le flot sans honneur de quelque noir mélange.

Du sol et de la nue hostiles, ô grief!
Si notre idée avec ne sculpte un bas-relief   10
Dont la tombe de Poe éblouissante s'orne

Calme bloc ici-bas chu d'un désastre obscur
Que ce granit du moins montre à jamais sa borne
Aux noirs vols du Blasphème épars dans le futur.

(Poésies, Librairie Gallimard, Éditions
de la Nouvelle Revue française.)

NOTES ON *LE TOMBEAU D'EDGAR POE*

Title. For an interesting interpretation of the text of this sonnet, see Jules Lemaître, *Les Contemporains*, t. V, p. 43.

5. Eux, *i.e. son siècle* or *le public.*

8. flot . . . mélange, an allusion to the cocktails of which Poe was over fond.

SUBJECTS FOR COMPOSITION

1. Themes and Symbols in Mallarmé's Poetry.
2. Mallarmé's Conception of Poetry and the Poetic Language.

RIMBAUD
1854–1891

I. Jean-Arthur Rimbaud, the infant prodigy of French literature, was born October 20, 1854, at Charleville in a region of France known as the Ardennes. His parents separated in his childhood, and the future author of *Le Bateau ivre* was brought up by a devout, a tyrannical, but in some respects intelligent mother. Fortunately, at the Lycée of Charleville the boy found teachers who recognized and encouraged his literary abilities; one of them in particular, Izambard, exerted for a while a very effective influence over him.

No authority, however, could long hold in check Rimbaud's impulses, could prevent him from trying to satisfy his thirst for freedom and adventure. On September 3, 1870, he left home for Paris whence he was sent back by the police. Not long after, he wandered off to Charleroi in Belgium where he unsuccessfully sought journalistic employment. A second trip to Paris was as lamentable a failure as the first; this time it was hunger rather than the police that sent him home. During the Commune he again journeyed to the capital and enlisted in the «tirailleurs de la Révolution.» With the defeat of the Commune he returned to Charleville.

The composition of *Le Bateau ivre* in 1871 brought Rimbaud into contact with Verlaine. The following year the two poets traveled together to Belgium and England. Their extraordinary association was tragically terminated when Verlaine shot and wounded his companion.

Une saison en enfer was published in Brussels in 1873, followed by *Illuminations* which did not appear till 1886. Meanwhile, Rimbaud turned his back on poetry, and spent the rest of his short life in travel and commerce. In 1881 he settled at Harrar in Abyssinia where nine years were passed in one sort of business or another. In 1891 a tumor on the knee brought him back to France where he died after a painful illness. Rimbaud's poetics are set forth in a famous letter he wrote on May 15, 1871, to an acquaintance by the name of Demeny. Breaking with, or rather, carrying much farther forward the conceptions of Romanticism, Rimbaud declares that «il faut être *voyant*, se faire voyant.» This is to be achieved in the following way: «Le poète se fait *voyant* par un long, immense et raisonné *dérèglement* de *tous les sens*. Toutes les formes d'amour, de souffrance, de folie; il cherche lui-même, il épuise en lui tous les poisons pour n'en garder que les quintessences. Ineffable torture où il a besoin de toute la foi, de toute la force surhumaine, où il devient entre tous le grand malade, le grand criminel, le grand maudit,—et le suprême Savant!—Car, il arrive à l'*inconnu!* Puisqu'il a cultivé son âme, déjà riche, plus qu'aucun! Il arrive à l'inconnu; et quand, affolé, il finirait par perdre l'intelligence de ses visions, il les a vues! Qu'il crève dans son bondissement par les choses inouïes et innombrables; viendront d'autres horribles travailleurs; ils commenceront par les horizons où l'autre s'est affaissé! . . .

«Donc le poète est vraiment voleur de feu.

«Il est chargé de l'humanité, des *animaux* même; il devra faire sentir, palper, écouter ses inventions. Si ce qu'il rapporte de *là-bas* a forme, il donne forme; si c'est informe, il donne de l'informe. . . .

«Cette harangue sera de l'âme pour l'âme, résumant tout, parfums, sons, couleurs, de la pensée accrochant la pensée et tirant. Le poète définirait la quantité d'inconnu s'éveillant en son temps, dans l'âme universelle: il donnerait plus que la formule de sa pensée, que l'annotation de *sa marche au Progrès!* Énormité devenant norme absorbée par tous, il serait vraiment un *multiplicateur* de progrès!»

Rimbaud attempted to realize in his poetry the kind of superior vision suggested in this letter.

II. CONSULT: P. Berrichon, *La Vie de Jean-Arthur Rimbaud*, Paris, Mercure de France, 1897; P. Berrichon, *Jean-Arthur Rimbaud. Le poète*, Paris, Mercure de France, 1912; H. Béraud, «Les Sources d'inspiration du *Bateau ivre*,» *Mercure de France*, January 1, 1922; J.–M. Carré, *La Vie aventureuse de Jean-Arthur Rimbaud*, Paris, Plon, 1926; J.–M. Carré, *Les Deux Rimbaud*, Paris, Les Cahiers libres, 1928; J.–M. Carré, *Lettres de la vie littéraire d'Arthur Rimbaud*, Paris, Éditions de la *Nouvelle Revue française*, 1931; A. R. Chisholm, *The Art of Arthur Rimbaud*, Melbourne, University Press, 1930; A. R. Chisholm, "Sources and Structure of Rimbaud's *Bateau ivre*," *The French Quarterly*, March, 1930; R. Clauzel, «*Une saison en enfer*» *et Arthur Rimbaud*, Paris, Malfère, 1931; M. Coulon, *Le Problème de Rimbaud. Poéte maudit*, Nîmes, Gomès, 1923; M. Coulon, *Au cœur de Verlaine et de Rimbaud*, Paris, Le Livre, 1925; M. Coulon, *La vie de Rimbaud et de son œuvre*, Paris, Mercure de France, 1929; R. Gilbert-Lecomte, *Correspondance inédite*, Paris, Les Cahiers libres, 1929; G. Izambard, *A. Rimbaud à Douai et à Charleville. Lettres et écrits inédits*, Paris, Kra, 1927; M.–Y. Méléra, «Nouveaux documents autour de Rimbaud,» *Mercure de France*, April 1, 1930; M. Monda et F. Montel, *Bibliographie des poètes maudits* II. *Arthur Rimbaud*, Paris, Leclerc, 1927; Isabelle Rimbaud, *Mon frère Arthur*, Paris, Bloch, 1920; J. Rivière, *Arthur Rimbaud*, Paris, Kra, 1931; A. Rolland de Renéville, *Rimbaud le voyant*, Paris, Au sans pareil, 1929; F. Ruchon, *Jean-Arthur Rimbaud. Sa vie, son œuvre, son influence*, Paris, Champion, 1929; A. Thibaudet, «Mallarmé et Rimbaud,» *Nouvelle Revue française*, February 1, 1912; J.–P. Vaillant, «Le Vrai Visage de Rimbaud l'Africain,» *Mercure de France*, January 1, 1930; J.–P. Vaillant, *Rimbaud tel qu'il fut*, Paris, Le Rouge et le Noir, 1930; P. Zech, *J.–A. Rimbaud*, Leipzig, 1927.

SENSATION

Par les soirs bleus d'été j'irai dans les sentiers,
Picoté par les blés, fouler l'herbe menue:
Rêveur, j'en sentirai la fraîcheur à mes pieds.
Je laisserai le vent baigner ma tête nue.

5   Je ne parlerai pas, je ne penserai rien.
Mais l'amour infini me montera dans l'âme;
Et j'irai loin, bien loin, comme un bohémien,
Par la Nature,—heureux comme avec une femme.

(*Premiers vers*, Mercure de France.)

QUESTION

1. Does this short poem reveal any striking originality?

NOTES ON *SENSATION*

Title. The original manuscript bears the date of April 20, 1870.

LE DORMEUR DU VAL

C'est un trou de verdure où chante une rivière
Accrochant follement aux herbes des haillons
D'argent; où le soleil, de la montagne fière,
Luit: c'est un petit val qui mousse de rayons.

Un soldat jeune, bouche ouverte, tête nue,   5
Et la nuque baignant dans le frais cresson bleu,
Dort: il est étendu dans l'herbe, sous la nue,
Pâle dans son lit vert où la lumière pleut.

Les pieds dans les glaïeuls, il dort. Souriant comme
Sourirait un enfant malade, il fait un somme: 10
Nature, berce-le chaudement: il a froid.

Les parfums ne font pas frissonner sa narine;
Il dort dans le soleil, la main sur sa poitrine
Tranquille. Il a deux trous rouges au côté droit.

(*Premiers vers*, Mercure de France.)

QUESTION

1. This is still poetry in the traditional manner; it is particularly reminiscent of Victor Hugo. Why?

NOTES ON *LE DORMEUR DU VAL*

Title. The poem describes a scene that the poet saw on his way to Charleroi.

2. haillons, literally, *rags, tatters.*

4. mousse, *bubbles, sparkles.*

9. glaïeuls, *gladioli.*

sionsionsioninging444444

an

Le Bateau ivre

Comme je descendais des Fleuves impassibles,
Je ne me sentis plus guidé par les haleurs:
Des Peaux-Rouges criards les avaient pris pour cibles,
Les ayant cloués nus aux poteaux de couleurs.

5   J'étais insoucieux de tous les équipages,
Porteur de blés flamands ou de cotons anglais.
Quand avec mes haleurs ont fini ces tapages,
Les Fleuves m'ont laissé descendre où je voulais.

Dans les clapotements furieux des marées,
10 Moi, l'autre hiver, plus sourd que les cerveaux d'enfants,
Je courus! et les Péninsules démarrées
N'ont pas subi tohu-bohus plus triomphants.

La tempête a béni mes éveils maritimes.
Plus léger qu'un bouchon j'ai dansé sur les flots
15 Qu'on appelle rouleurs éternels de victimes,
Dix nuits, sans regretter l'œil niais des falots.

Plus douce qu'aux enfants la chair des pommes sures,
L'eau verte pénétra ma coque de sapin
Et des taches de vins bleus et des vomissures
20 Me lava, dispersant gouvernail et grappin.

Et, dès lors, je me suis baigné dans le Poème
De la Mer, infusé d'astres, et lactescent,
Dévorant les azurs verts; où, flottaison blême
Et ravie, un noyé pensif parfois, descend;

25 Où, teignant tout à coup les bleuités, délires
Et rythmes lents sous les rutilements du jour,
Plus fortes que l'alcool, plus vastes que nos lyres,
Fermentent les rousseurs amères de l'amour!

Je sais les cieux crevant en éclairs, et les trombes
Et les ressacs et les courants; je sais le soir,   30
L'Aube exaltée ainsi qu'un peuple de colombes,
Et j'ai vu quelquefois ce que l'homme a cru voir.

J'ai vu le soleil bas, taché d'horreurs mystiques,
Illuminant de longs figements violets,
Pareils à des acteurs de drames très antiques,   35
Les flots roulant au loin leurs frissons de volets.

J'ai rêvé la nuit verte aux neiges éblouies,
Baiser montant aux yeux des mers avec lenteurs,
La circulation des sèves inouïes
Et l'éveil jaune et bleu des phosphores chanteurs!   40

J'ai suivi, des mois pleins, pareille aux vacheries
Hystériques, la houle à l'assaut des récifs,
Sans songer que les pieds lumineux des Maries
Pussent forcer le mufle aux Océans poussifs.

J'ai heurté, savez-vous? d'incroyables Florides   45
Mêlant aux fleurs des yeux de panthères à peaux
D'hommes!   Des arcs-en-ciel tendus comme des brides
Sous l'horizon des mers, à de glauques troupeaux.

J'ai vu fermenter les marais énormes, nasses
Où pourrit dans les joncs tout un Léviathan!   50
Des écroulements d'eaux au milieu des bonaces,
Et les lointains vers les gouffres cataractant!

Glaciers, soleils d'argent, flots nacreux, cieux de braises,
Échouages hideux au fond des golfes bruns
Où les serpents géants dévorés des punaises   55
Choient, des arbres tordus, avec de noirs parfums!

J'aurais voulu montrer aux enfants ces dorades
Du flot bleu, ces poissons d'or, ces poissons chantants.
—Des écumes de fleurs ont bercé mes dérades,
60 Et d'ineffables vents m'ont ailé par instants.

Parfois, martyr lassé des pôles et des zones,
La mer, dont le sanglot faisait mon roulis doux,
Montait vers moi ses fleurs d'ombre aux ventouses jaunes
Et je restais ainsi qu'une femme à genoux . . .

65 Presque île ballottant sur mes bords les querelles
Et les fientes d'oiseaux clabaudeurs aux yeux blonds.
Et je voguais lorsqu'à travers mes liens frêles
Des noyés descendaient dormir, à reculons ! . . .

Or, moi, bateau perdu sous les cheveux des anses,
70 Jeté par l'ouragan dans l'éther sans oiseau,
Moi dont les Monitors et les voiliers des Hanses
N'auraient pas repêché la carcasse ivre d'eau ;

Libre, fumant, monté de brumes violettes,
Moi qui trouais le ciel rougeoyant comme un mur
75 Qui porte, confiture exquise aux bons poètes,
Des lichens de soleil et des morves d'azur,

Qui courais, taché de lunules électriques,
Planche folle, escorté des hippocampes noirs,
Quand les juillets faisaient crouler à coups de triques
80 Les cieux ultramarins aux ardents entonnoirs ;

Moi qui tremblais, sentant geindre à cinquante lieues
Le rut des Béhémots et les Maelstroms épais,
Fileur éternel des immobilités bleues,
Je regrette l'Europe aux anciens parapets.

J'ai vu des archipels sidéraux! et des îles 85
Dont les cieux délirants sont ouverts au vogueur:
—Est-ce en ces nuits sans fond que tu dors et t'exiles,
Million d'oiseaux d'or, ô future Vigueur?

Mais, vrai, j'ai trop pleuré! Les Aubes sont navrantes.
Toute lune est atroce et tout soleil amer: 90
L'âcre amour m'a gonflé de torpeurs enivrantes.
Oh! que ma quille éclate! Oh! que j'aille à la mer!

Si je désire une eau d'Europe, c'est la flache
Noire et froide où vers le crépuscule embaumé
Un enfant accroupi, plein de tristesses, lâche 95
Un bateau frêle comme un papillon de mai.

Je ne puis plus, baigné de vos langueurs, ô lames,
Enlever leur sillage aux porteurs de cotons,
Ni traverser l'orgueil des drapeaux et des flammes,
Ni nager sous les yeux horribles des pontons! 100

(*Premiers vers*, Mercure de France.)

QUESTIONS

1. What does the «bateau ivre» symbolize?
2. State as carefully and as accurately as possible the essential thought of the poem.
3. What is the position of this poem in the evolution of French poetry? How does it differ from what precedes? What new elements does it contribute to French poetry?

NOTES ON *LE BATEAU IVRE*

Title. This magnificent poem, composed in August 1871, is a very complex affair. Rimbaud, at that time, had never beheld the sea. His description, is, therefore, partly the work of his imagination, partly the result of his reading. The most important sources are Chateaubriand's *Les Natchez* and *Atala*, Baudelaire's *Le Voyage*, Jules Verne's *Vingt mille lieues sous les mers*, an illustrated edition of which appeared in 1870, Hugo's *Travailleurs de la mer*, Gautier's *Comédie de la mort*, certain poems of Leconte de Lisle and Heredia, Edgar Allan Poe's *Silence*, *Maelstrom*, and *Arthur Gordon Pym*, and the philosophy of

Schopenhauer.   It is also possible that some details can be traced to *Le Magasin pittoresque*, an important illustrated magazine of the time. The poem opens with a cry of liberation (lines 1–20), followed by a description of the boat's wild, uncontrolled voyage.   It closes on a calmer note, for the poet, though still longing for absorption into the sea (line 92), recognizes that the voyage has its bitter, disillusioning side and confesses his psychological lassitude at the end.

The sea with which the poet identifies himself as well as with the boat, is, on the one hand, the real sea, on the other, an imaginative, cosmic one.   Furthermore, it is remarkably close to the sky.   Sea and sky in Rimbaud's poem are, as Mr. Chisholm puts it, "only two different aspects of the same fluid universe, and he passes from one element into the other with perfect ease."   Into this boundless, fluid universe the poet aspires to be absorbed.

1. **Comme je descendais.**   The boat is speaking.
2. **haleurs,** *haulers.*
3. **cibles,** *targets.*
11. **Péninsules démarrées,** *etc.*   Rimbaud may have remembered a short article that appeared in *Le Magasin pittoresque* in 1870.   It was entitled «Promontoire flottant» and described a floating island from which arose a «rumeur formidable» made by diverse animals. **Démarrées,** *unmoored.*
12. **tohu-bohus,** *uproars, confusions.*
15. Cf. Hugo's *Oceano nox.*
16. **falots,** *lanterns, beacons.*   Here, the word refers to the lights of a quay.
17. **sures,** *acid, sour.*
20. **grappin,** *grapple.*
22. **infusé,** *steeped* (as tea leaves are steeped in hot water). **lactescent,** *milky.*
23. **flottaison,** used here in the sense of "floating object."
26. **rutilements.**   The word is coined by Rimbaud and means "reddish brilliance" or "reddish glow."
29–30. **trombes,** *waterspouts, tempests.* **Ressacs,** *surfs.*
34. Cf. Baudelaire's *Harmonie du soir,* line 12.
39. Chisholm (*op. cit.*) refers to Verne's *Vingt mille lieues* . . . ; the sea, according to Verne, has «une circulation aussi réelle que la circulation sanguinaire.»   Chisholm also quotes from Leconte de Lisle's *Vision de Brahma:*

> Il entendit monter les sèves déchaînées
> Et croître dans son sein l'Océan furieux.

40. **phosphores chanteurs.**   Cf. Heredia's *Les Conquérants,* line 10.
41. **vacheries.**   The word seems to be used here in the sense of "sea-herds."

43–44. Sans songer . . . poussifs. *Without thinking that the luminous feet of the Marys might curb the fury of the monstrous panting seas.* The word *muffle* means "muzzle."

49. nasses, *bow-nets, weirs.*

50. Léviathan. Cf. Book of Job, XLI.

51. bonaces, *smooth seas.*

52. Chisholm quotes from Poe's *Arthur Gordon Pym:* «Et alors nous nous précipitâmes dans les étreintes de la cataracte, où un gouffre s'entr'-ouvrait.» (Baudelaire's translation.)

55–56. Cf. Leconte de Lisle's *Bhagavat,* lines 37–38.

59. dérades, *driftings.*

63. ventouses, *suckers.*

65–66. Presque île, ballottant . . . blonds. Chisholm; "When Rimbaud himself, or his boat, becomes a *Presqu'île ballottant,* etc. . . . , he is really identifying himself with Captain Nemo's *Nautilus;* for the birds, says the narrator in *Vingt mille lieues,* «nous assourdissaient de leurs cris. Quelques-uns, prenant le *Nautilus* pour le cadavre d'une baleine, venaient s'y reposer et piquaient de coups de bec sa tôle sonore.» (*Op. cit.,* p. 45.)

66. fientes, *dung, manure.* **Clabaudeurs,** *noisy, bawling, screeching.*

69. cheveux des anses, *sea-weeds of the creeks or coves.*

71. Monitors . . . Hanses. Monitors, *i.e.* warships. **Hanses,** the Hanseatic cities of Northern Germany,—so-called because of a league, or *Hansa,* formed in 1241 to protect German trade against the pirates of the Baltic.

76. lichens . . . morves, *lichen . . . mucus.*

77. lunules, *lunules* (crescent-shaped).

78. hippocampes, *sea-horses.* An illustrated article on the *Hippocampe* appeared in the *Magasin pittoresque,* January, 1871.

79–80. Chisholm cites Verne's *Vingt mille lieues:* «C'était alors la mauvaise saison australe, car le juillet de cette zone correspond à notre janvier d'Europe.» **Triques,** *cudgels.*

82. Béhémot, *Behemoth,* a monstrous animal mentioned in the Book of Job. Maelstrom, a famous whirlpool near the Lofoden Islands, on the west coast of Norway.

93. flache, *puddle. Flache* is a provincialism; the correct French word is *flaque.*

100. pontons, *prison-ships.*

VOYELLES

A noir, E blanc, I rouge, U vert, O bleu: voyelles,
Je dirai quelque jour vos naissances latentes:

A, noir corset velu des mouches éclatantes
Qui bombinent autour des puanteurs cruelles,

5 Golfes d'ombre; E, candeurs des vapeurs et des tentes,
Lances des glaciers fiers, rois blancs, frissons d'ombelles;
I, pourpres, sang craché, rire des lèvres belles
Dans la colère ou les ivresses pénitentes;

U, cycles, vibrements divins des mers virides,
10 Paix des pâtis semés d'animaux, paix des rides
Que l'alchimie imprime aux grands fronts studieux;

O, suprême Clairon plein de strideurs étranges,
Silences traversés des Mondes et des Anges:
—O l'Oméga, rayon violet de Ses Yeux!

(Premiers vers, Mercure de France.)

QUESTION

1. Compare the theory expressed here with Baudelaire's *Correspondances.*

NOTES ON *VOYELLES*

Title. Various hypotheses have been put forward concerning the origin of this sonnet. E. Gaubert («Une explication nouvelle du sonnet des *Voyelles* d'Arthur Rimbaud,» *Mercure de France*, 1904) finds that it originated in an illustrated spelling-book published in the middle of the nineteenth century. A more thorough and a sounder discussion of the sonnet is made by G. Van Roosbrœck ("Decadence and Rimbaud's Sonnet of the Vowels," *Romanic Review*, 1925) who shows that the conception could have come to Rimbaud "from many sides and in varied ways," that "the famous sonnet is merely the notation of a rather fleeting state of feeling in Rimbaud, not a new esthetic gospel," that the most one dares to say of *Voyelles* is that it represents "a very personal interpretation of a rather traditional theme." For other views, see titles in the Supplementary Bibliography.

In *Une saison en enfer* (1873) Rimbaud wrote: «A moi. L'histoire d'une de mes folies . . . J'inventai la couleur des voyelles!—*A* noir, *E* bleu, *I* rouge, *O* bleu, *U* vert.—Je réglai la forme et le mouvement de chaque consonne et, avec des rythmes instinctifs, je me flattai d'in-

venter un verbe poétique accessible, un jour ou l'autre, à tous les sens.
Je réservais la traduction.»

4. bombinent, *buzz* (obsolete).

6. ombelles, *clusters of blossoms.*

10. pâtis, *pasture-grounds.*

14. rayon violet. According to J.–M. Carré, *La Vie aventureuse de Rimbaud* (pp. 51–54), the poet refers here to a girl with whom he had a brief love affair.

L A R M E

11 syllables

Loin des oiseaux, des troupeaux, des villageoises,
Je buvais, accroupi dans quelque bruyère
Entourée de tendres bois de noisetiers,
Par un brouillard d'après-midi tiède et vert.

Que pouvais-je boire dans cette jeune Oise,　　　　　5
Ormeaux sans voix, gazon sans fleurs, ciel couvert.
Que tirais-je à la gourde de colocase?
Quelque liqueur d'or, fade et qui fait suer.

Tel, j'eusse été mauvaise enseigne d'auberge.
Puis l'orage changea le ciel, jusqu'au soir.　　　　　10
Ce furent des pays noirs, des lacs, des perches,
Des colonnades sous la nuit bleue, des gares.

L'eau des bois se perdait sur des sables vierges,
Le vent, du ciel, jetait des glaçons aux mares . . .
Or! tel qu'un pêcheur d'or ou de coquillages,　　　　　15
Dire que je n'ai pas eu souci de boire!

(*Illuminations*, Mercure de France.)

NOTES ON *LARME*

5. Oise, a tributary of the Seine.

7. colocase, *colocasia* (a tropical plant).

Angoisse

Se peut-il qu'Elle me fasse pardonner les ambitions con-
tinuellement écrasées,—qu'une fin aisée répare les âges

d'indigence,—qu'un jour de succes nous endorme sur la honte
de notre inhabileté fatale?
(O palmes! diamant!—Amour! force!—plus haut que toutes
joies et gloires!—de toutes façons, partout—Démon, dieu,—
jeunesse de cet être-ci: moi!)
Que les accidents de féerie scientifique et des mouvements
de fraternité sociale soient chéris comme restitution progres-
sive de la franchise première? . . .
Mais la Vampire qui nous rend gentils commande que nous
nous amusions avec ce qu'elle nous laisse, ou qu'autrement
nous soyons plus drôles.
Rouler aux blessures, par l'air lassant et la mer; aux sup-
plices, par le silence des eaux et de l'air meurtriers; aux tortures
qui rient, dans leur silence atrocement houleux.

(Illuminations, Mercure de France.)

NOTES ON *ANGOISSE*

Title.   This prose poem is no. XXVII in *Illuminations*.   It is thought
by most critics to be on the subject of Rimbaud's mother.   For a good
interpretation see W. Fowlie, *Rimbaud's "Illuminations,"* N.Y. Grove
Press, 1953, pp. 63–64.

SUBJECTS FOR COMPOSITION

1. Rimbaud's Contribution to French Poetry.
2. The Diverse Treatments of the Desire to Escape from Reality
in French Poetry of the XIXth Century.

JULES LAFORGUE
1860–1887

I. Born in Uruguay, Jules Laforgue was sent to France in 1866, spending the next ten years at Tarbes. At the age of sixteen he went to Paris where he attended the lycée Fontanes (now the lycée Condorcet). He then became secretary to Charles Ephrussi, editor of the *Gazette des Beaux-Arts*. The period 1879 to 1881 is important: Laforgue lost his Catholic faith, he read German philosophy, he studied the Impressionist painters and the modern French poets, he numbered among his friends Paul Bourget and Gustave Kahn. During this period he worked on a volume of philosophical verses, *Le Sanglot de la terre*. As his material situation was extremely precarious, Ephrussi and Bourget succeeded in having him appointed as reader to the Empress Augusta of Germany. He was bored in Germany. "Si vous saviez dans quel trou de spleen, j'enfonce, j'enfonce," he wrote from Wiesbaden in 1882. But he worked. *Les Complaintes* were composed from 1882 to 1884, published in 1885. Many other poems (including *L'Imitation de Notre-Dame la Lune*) were penned during the latter part of this period, as were the *Moralités légendaires*, a prose work first published in *La Vogue* in 1886, in book form (with modifications) in 1887. Toward the end of his "exile," he met a young English girl whom he married shortly after resigning his post and with whom he returned to Paris. But his life was near its end. A victim of tuberculosis, he died in August 1887.

Laforgue's philosophical attitude and his esthetic ideas reveal the influence of the German philosophers, particularly Schopenhauer and Hartmann. "Je suis un pessimiste mystique," he wrote in 1882. The unconscious and the ephemeral play a large part in his poetic inspiration. "Je

495

m'incline pieusement devant l'Inconscient," he declared, and also stated that the ephemeral interested him more than a "héros absolu."

His *Complaintes* and *Derniers vers* marked a turning point in French poetry.   In the former, rebelling against eloquence and above all grandiloquence, he united the ironic and the serious as no one in the nineteenth century, except possibly Corbière, had done.   In the latter, his free verse constituted a veritable revolution.   Later poets, both in France and abroad, acclaimed and imitated him.   T. S. Eliot's *Portrait of a Lady* and *The Waste Land*, for example, show unmistakable traces of Laforgue's influence.

II. CONSULT: M.-J. Durry, *Jules Laforgue*, Paris, Seghers, 1952; W. Fowlie, "Jules Laforgue," *Poetry*, vol. 78, 1951; L. Guichard, *Jules Laforgue et ses poèmes*, Paris, Presses universitaires de France, 1950; W. Ramsey, *Jules Laforgue and the Ironic Inheritance*, N.Y., Oxford University Press, 1953; P. Reboul, «L'Univers poétique de Laforgue dans les *Complaintes*,» *Mercure de France*, 1954; F. Ruchon, *Jules Laforgue. Sa vie—son œuvre*, Genève, Ciana, 1924; G. M. Turnell, "The Poetry of Jules Laforgue," *Scrutiny*, vol. 5, 1936.

Les Complaintes

First published in 1885, *Les Complaintes* brought interesting new procedures into French poetry.   Combining not only irony and seriousness, but also gayety and bitterness, the trivial and the literary, Laforgue displayed in these poems a highly original talent.   The more philosophical and traditional compositions of *Le Sanglot de la terre*—composed, but still unpublished at this date—are replaced in the new collection by more fanciful poems.   Laforgue himself said of his *recueil:* "j'écris de petits poèmes de fantaisie, n'ayant qu'un but: faire de l'original à tout prix."

In addition to the poems given here, students should read at least *Complainte propitiatoire à l'Inconscient, Complainte du Temps et de sa commère l'Espace, Complainte de Lord Pierrot,* and *Autre complainte de Lord Pierrot.*

COMPLAINTE DE CETTE BONNE LUNE

On entend les Étoiles:

      laf
Dans l'giron
Du Patron,
On y danse, on y danse,
Dans l'giron
Du Patron,   5
On y danse tous en rond.

—Là, voyons, mam'zell' la Lune,
Ne gardons pas ainsi rancune;
Entrez en danse, et vous aurez
Un collier de soleils dorés.   10

—Mon Dieu, c'est à vous bien honnête,
Pour une pauvre Cendrillon;
Mais, me suffit le médaillon
Que m'a donné ma sœur planète.

—Fi! votre Terre est un suppôt   15
De la Pensée! Entrez en fête;
Pour sûr, vous tournerez la tête
Aux astres les plus comme il faut.

—Merci, merci, je n'ai que ma mie,
Juste que je l'entends gémir!   20
—Vous vous trompez, c'est le soupir
Des universelles chimies!

—Mauvaises langues, taisez-vous!
Je dois veiller. Tas de traînées,
Allez courir vos guilledous!   25

—Va donc, rosière enfarinée!

Hé!   Notre-Dame des gens saouls,
Des filous et des loups-garous!
Metteuse en rut des vieux matous!
30   Coucou!

Exeunt les étoiles.   Silence et Lune.   On entend:

Sous l'plafond
Sans fond,
On y danse, on y danse,
Sous l'plafond
35   Sans fond,
On y danse tous en rond.

QUESTIONS

1. Is there any serious notion underlying the text?
2. Comment on the procedures used in this poem.

NOTES ON *COMPLAINTE DE CETTE BONNE LUNE*

Title. A *complainte* is a plaintive ballad or lay.

3. on y danse. This phrase, together with the words of line 6, is an obvious reminiscence of the song "Sur le pont d'Avignon."

12. Cendrillon, Cinderella.

14. ma sœur planète. The Earth.

25. guilledous, *night haunts.*

26. rosière enfarinée. The moon is sometimes referred to in French as *la dame blanche.* Here Laforgue calls the moon a powdered or whitened girl. Rosière: «jeune fille qui, dans un village, obtient la rose destinée à être le prix de la sagesse.»

30. Coucou! *Peek-a-boo!*

COMPLAINTE DE L'OUBLI DES MORTS

Mesdames et Messieurs,
Vous dont la mère est morte,
C'est le bon fossoyeux
Qui gratte à votre porte.

Les morts 5
C'est sous terre;
Ça n'en sort
Guère.

Vous fumez dans vos bocks,
Vous soldez quelque idylle, 10
Là-bas chante le coq,
Pauvres morts hors des villes!

Grand-papa se penchait,
Là, le doigt sur la tempe,
Sœur faisait du crochet, 15
Mère montait la lampe.

Les morts
C'est discret,
Ça dort
Trop au frais. 20

Vous avez bien dîné,
Comment va cette affaire?
Ah! les petits morts-nés
Ne se dorlotent guère!

Notez, d'un trait égal, 25
Au livre de la caisse,
Entre deux frais de bal:
Entretien tombe et messe.

C'est gai,
Cette vie; 30
Hein, ma mie,
O gué?

Mesdames et Messieurs,
Vous dont la sœur est morte,
35   Ouvrez au fossoyeux
Qui claque à votre porte;

Si vous n'avez pitié,
Il viendra (sans rancune)
Vous tirer par les pieds,
40   Une nuit de grand'lune

Importun
Vent qui rage!
Les défunts?
Ça voyage . . .

QUESTIONS

1. Show how an abstract or general idea is treated in this poem.

NOTES ON *COMPLAINTE DE L'OUBLI DES MORTS*

1. bocks, *beer-glasses.*
31–32. ma mie, o gué? Laforgue is presumably thinking of an old folk song with its refrain: J'aime mieux ma mie, o gué (quoted by Molière in *Le Misanthrope*).

Derniers vers

These poems, some of which had first appeared in *La Vogue*, were published posthumously in volume form in 1890. In their preoccupation with love and death, they rise to greater lyrical heights than Laforgue's earlier collections. And they display important innovations of technique: in particular, the highly flexible free verse. Laforgue has not abandoned rhyme, but otherwise he has made a complete break with traditional French versification.

In addition to the poem given here students should read at least *L'Hiver vient, Dimanches, Pétition*, and *Solo de lune*.

Simple Agonie

O paria!—Et revoici les sympathies de mai.
Mais tu ne peux que te répéter, ô honte!
Et tu te gonfles et ne crèves jamais.
Et tu sais fort bien, ô paria,
Que ce n'est pas du tout ça.   5

Oh! que
Devinant l'instant le plus seul de la nature,
Ma mélodie, toute et unique, monte,
Dans le soir et redouble, et fasse tout ce qu'elle peut
Et dise la chose qu'est la chose,   10
Et retombe, et reprenne,
Et fasse de la peine,
O solo de sanglots,
Et reprenne et retombe
Selon la tâche qui lui incombe.   15
Oh! que ma musique
Se crucifie,
Selon sa photographie
Accoudée et mélancolique! . . .

Il faut trouver d'autres thèmes   20
Plus mortels et plus suprêmes.
Oh! bien, avec le monde tel quel,
Je vais me faire un monde plus mortel!

Les âmes y seront à musique,
Et tous les intérêts puérilement charnels,   25
O fanfares dans les soirs,
Ce sera barbare,
Ce sera sans espoir.

Enquêtes, enquêtes,
Seront l'unique fête!   30

Qui m'en défie?
J'entasse sur mon lit, les journaux, linge sale,
Dessins de mode, photographies quelconques,
Toute la capitale,
Matrice sociale.   35

Que nul n'intercède,
Ce ne sera jamais assez,
Il n'y a qu'un remède,
C'est de tout casser.

O fanfares dans les soirs!   40
Ce sera barbare,
Ce sera sans espoir.
Et nous aurons beau la piétiner à l'envi,
Nous ne serons jamais plus cruels que la vie,
Qui fait qu'il est des animaux injustement rossés,   45
Et des femmes à jamais laides . . .
Que nul n'intercède,
Il faut tout casser.

Alléluia, Terre paria.
Ce sera sans espoir,   50
De l'aurore au soir,
Quand il n'y en aura plus il y en aura encore,
Du soir à l'aurore.
Alléluia, Terre paria!
Les hommes de l'art   55
Ont dit: «Vrai, c'est trop tard.»
Pas de raison,
Pour ne pas activer sa crevaison.

Aux armes, citoyens!   Il n'y a plus de RAISON:

Il prit froid l'autre automne,   60
S'étant attardé vers les peines des cors,
Sur la fin d'un beau jour.

Oh! ce fut pour vos cors, et ce fut pour l'automne,
Qu'il nous montra qu' «on meurt d'amour»!
On ne le verra plus aux fêtes nationales,   65
S'enfermer dans l'Histoire et tirer les verrous,
Il vint trop tôt, il est reparti sans scandale;
O vous qui m'écoutez, rentrez chacun chez vous.

QUESTIONS

1. How does the poet avoid making his pessimism too abstract?
2. Compare the emotion expressed in this poem with the Romantic *mal du siècle.*

NOTES ON *SIMPLE AGONIE*

Title. *Agonie* implies in this poem both anguish and death.

1. O paria. See, below, our note on line 49.

3. Cf. La Fontaine's fable, *La Grenouille qui veut se faire aussi grosse que le bœuf.*

9. fasse . . . peut. A common-place expression in contrast with the more literary language which precedes it.

18-19. Selon . . . mélancolique. The poet has presumably in mind the picture of a loved woman.

22. le monde tel quel, *the world as it is,*—a forecast of lines 29-35.

39. C'est de tout casser. This quite unrhetorical phrase contrasts with the eloquent expressions of despair and prophecies of destruction that occur in poems of *Le Sanglot de la terre.*

49. Terre paria. An outcast, doomed earth of which he, too, is a pariah (l. 1). Cf. descriptions of the earth in *Le Sanglot de la terre.*

52. Quand . . . encore. A commonplace, popular expression roughly equivalent to our expression: There's more where that came from.

58. sa crevaison, *its death* (that of the world). *Crevaison* is a word that is anything but elegant.

59. Raison. It is used here, of course, in the sense of rationality.

60-68. The poet evokes his own end in a text which combines irony and sentiment.

61-63. The poet thinks here of the melancholy notes of hunting horns in the autumn. Cf. his *L'Hiver qui vient* and *Le Mystère des trois cors,* and, of course, Vigny's poems and Verlaine's *Le Son du cor.*

SUBJECTS FOR COMPOSITION

1. The Moon in Laforgue's Poetry.
2. The Theme of Love in Laforgue's Poetry.
3. Laforgue's Use of Popular Language in his Poetic Work.
4. Humor and Irony in Laforgue's Poetry.

SUPPLEMENTARY BIBLIOGRAPHY

We include here only a few of the studies published between 1932 and 1949. For others consult Dreher & Rolli, *Bibliographie de la littérature française* (1930–1939), Lille, Giard, 1948 and M. L. Drevet, *Bibliographie de la littérature française* (1940–1949), Lille, Giard, 1954, both of which continue the bibliography of Thieme. In addition we give some books and articles in English and French published since 1949. The place of publication is Paris unless otherwise stated.

I. GENERAL: J. Chiari, *Symbolism from Poe to Mallarmé, the growth of a myth*, London, Rockliff, 1956; A. Coleno, *Les Portes d'ivoire: Nerval, Baudelaire, Rimbaud, Mallarmé*, Plon, 1946; K. Cornell, *The Symbolist Movement*, New Haven: Yale University Press, 1951; D. Delafarge, «Paris dans la poésie romantique et chez les précurseurs du Parnasse,» *R.C.C.*, 1934–1935; R. L. Evans, *Les Romantiques français et la musique*, Champion, 1934; M. Gilman, *The Idea of Poetry in France, from Houdar de la Motte to Baudelaire*, Cambridge, Mass.: Harvard University Press, 1958; H. Gillot, *Figures romantiques*, Courville, 1933; H. J. Hunt, *The Epic in nineteenth-century France*, Oxford: Blackwell, 1941; G. Kahn, *Les Origines du symbolisme*, Messein, 1936; H. Levin, "The Ivory Gate," *Yale French Studies*, 1954; G. Lote, «La Poétique du symbolisme,» *R.C.C.*, 1934; G. Michaud, *Message poétique du symbolisme*, 3 v., Nizet, 1951–1955; P. Moreau, *Le Romantisme*, Gigord, 1932; E. Noulet, *Études littéraires: l'hermétisme dans la poésie française moderne*, Mexico: Cultura, 1944; H. Peyre, "The Literature of the Second Empire: La poésie," *Symposium*, 1953; —, "Romantic Poetry and Rhetoric," *Yale French Studies*, 1954; G. Poulet, *Études sur le temps humain*, 2 v., Plon, 1952–1953; M. Praz, *The Romantic Agony*, Oxford University Press, 2nd ed., 1951; M. Raymond, *De Baudelaire au surréalisme*, Corrêa, 1933; E. Raynaud, *En marge de la mêlée symboliste*, Mercure de France, 1936; J. P. Richard, *Poésie et profondeur*, Ed. du Seuil, 1955; A. Thibaudet, «Les Romantiques et les Parnassiens de 1870 à 1914,» *Revue de Paris*, 1933.

II. DESBORDES-VALMORE: J. Moulin, *Marceline Desbordes-Valmore, une étude. Inédits, œuvres choisies* . . . , Seghers, 1955.

III. LAMARTINE: P. Berret, «Le *Vallon* de Lamartine,» *Mercure de France*, Aug. 1, 1933; A. Chesnier de Chesne, «Lettres de Lamartine à Sainte-Beuve,» *R.D.M.*, Nov. 1, 1933; H. Guillemin, *La Vie et l'œuvre de Lamartine*, Boivin, 1940; —, *Le «Jocelyn» de Lamartine: étude historique et critique*, Boivin, 1940; —, «Lamartine et son ode deuxième à Némésis,» *R.H.L.*, 1933; —, «La Troisième Elvire. Documents inédits,» *Mercure de France*, 1934; —, «Le Calvaire de Lamartine,» *Revue de France*, 1935; —, *Les Visions, édition critique avec une introduction et des notices*, Les Belles Lettres, 1936; J. Lucas-Dubreton, *Lamartine*, Flammarion, 1951; Baron de Nanteuil, «La Dernière Soirée d'Elvire avec Lamartine et Vignet. Documents inédits,» *Mercure de France*, 1934; H. Tronchon, «Le Sens probable des *Harmonies*,» *R.C.C.*, 1933.

IV. Vigny: M. Allem, *Alfred de Vigny*, Fayard, 1938; F. Baldensperger, *Alfred de Vigny*, Les Belles Lettres, 1933; P. Castex, *Vigny, l'homme et l'œuvre*, Boivin, 1952; J. Doolittle, "The Function of *La Colère de Samson* in *Les Destinées*," *Modern Language Quarterly*, 1957; R. Grimsley, "Kierkegaard, Vigny, and the *poet*," *R.L.C.*, 1960; H. Guillemin, *M. de Vigny homme d'ordre et poète*, Gallimard, 1955; B. de La Salle, *Alfred de Vigny*, Fayard, 1944; I. Massey, "*La Bouteille des courants* and *La Bouteille à la mer*," *Modern Language Review*, 1957; P. Moreau, *Les «Destinées» d'Alfred de Vigny*, Malfère, 1936; A. Whitridge, *Alfred de Vigny*, New York: Oxford University Press, 1933.

V. Sainte-Beuve: A Billy, *Sainte-Beuve, sa vie et son temps*, Flammarion, 1952; T. Combe, *Sainte-Beuve poète et les poètes anglais*, Bordeaux, Impr. Delmas, 1937; H. Nicolson, *Sainte-Beuve*, London: Constable, 1957; R. Tian, "La Poesia di Sainte-Beuve et les *Fleurs du mal*," *Belfagor*, Sept. 15, 1946.

VI. Hugo: E. Barineau, «*Les Feuilles d'automne:* l'intime et l'universel,» *Modern Philology*, 1960; J.-B. Barrère, *La Fantaisie de Victor Hugo*, 3 v. Corti, 1949–1950, 1960; —, *Hugo. L'Homme et l'œuvre*, Boivin, 1952; H. F. Bauer, *Les Ballades de Victor Hugo*, Champion, 1936; P. Berret, «*Les Châtiments.*» *Nouvelle édition publiée d'après les manuscrits*, etc., 2 v., Hachette, 1932–1933; J. Cousin, «La Préface du recueil *Les Rayons et les Ombres*,» *R.H.L.*, 1932; L. Deffoux, «A côté du *Livre d'amour*. Les lettres de Mme Hugo à Sainte-Beuve,» *Mercure de France*, 1937; L. Emery, *Vision et pensée chez Victor Hugo*, Lyon, Audin, 1939; P. Flottes, *L'Éveil de Victor Hugo*, 1802–1822, Gallimard, 1957; A. Glauser, *Victor Hugo et la poésie pure*, Geneva: Droz, 1957; E. M. Grant, *The Career of Victor Hugo*, Cambridge, Mass.: Harvard University Press, 1945; F. Gregh, *Victor Hugo. Sa vie, son œuvre*, Flammarion, 1954; R. Journet & G. Robert, *Notes sur «Les Contemplations*,» Les Belles Lettres, 1958; M. Larroutis, «Essai sur les sources du *Satyre*,» *R.H.L.*, 1958; Y. Le Dantec, «Victor Hugo, poète lyrique,» *R.D.M.*, 1935; M. Levaillant *La Crise mystique de Victor Hugo, 1843–1856*, Corti, 1954; A. Maurois, *Olympio ou la vie de Victor Hugo*, Hachette, 1954; H. Peyre, «Présence de Victor Hugo,» *Hommes et œuvres du 20ᵉ siècle*, 1938; M. Raymond, «Hugo mage,» *Génies de France*, Neuchâtel: Ed. de la Baconnière, 1942; V. L. Saulnier, «Victor Hugo et la

Renaissance,» *Annales de l'Université de Paris*, 1954; P. Souchon, *Victor Hugo*, Tallandier, 1949; A. Thibaudet, «Victor Hugo était-il intelligent,» *Nouvelle Revue française*, 1934; —, «Situation de Victor Hugo,» *Revue de Paris*, 1935; G. Venzac, *Les Origines religieuses de Victor Hugo*, Bloud & Gay, 1955; A. Vial, «Un beau mythe de la *Légende des siècles: Le Satyre*,» *Revue des sciences humaines*, 1957; P. Zumthor, *Victor Hugo, poète de Satan*, Laffont, 1946.

VII. MUSSET: J. Charpentier, *Alfred de Musset*, Tallandier, 1938; P. Gastinel, *Le Romantisme d'Alfred de Musset*, Hachette, 1933; V. Giraud, «Pour le centenaire des *Nuits*,» *R.D.M.*, 1936; J. Pommier, «A propos d'un centenaire romantique,» *R.C.C.*, 1934; —, *Alfred de Musset*, Oxford: Clarendon Press, 1957; Ph. Van Tieghem, *Alfred de Musset. L'Homme et l'œuvre*, Boivin, 1944.

VIII. GAUTIER: H. Bedarida, *Théophile Gautier, poète et critique d'art*, Leroux, 1934; J. Pommier, «A propos des *Émaux et camées*,» *Revue universitaire*, 1943; E. de Ulmann, «L'Art de la transposition dans la poésie de Théophile Gautier,» *Le Français moderne*, 1947, H. Van Der Tuin, *L'Évolution psychologique, esthétique et littéraire de Théophile Gautier*, Nizet & Bastard, 1933.

IX. LECONTE DE LISLE: F. Calmettes, *Un demi-siècle littéraire. Leconte de Lisle et ses amis*, Libr.-impr. réunies, 1945; A. Fairlie, *Leconte de Lisle's Poems on the barbarian races*, Cambridge, England: Cambridge University Press, 1947; P. Jourda, «Une source de Leconte de Lisle,» *R.H.L.*, 1933; I. Putter, *Leconte de Lisle and his Contemporaries*, Berkeley: University of California Press, 1951; —, *The Pessimism of Leconte de Lisle, sources and evolution*, Ibid., 1954; —, *The Pessimism of Leconte de Lisle, the Work and the Time*, Ibid., 1961; J. Vianey, *Les «Poèmes barbares» de Leconte de Lisle*, Malfère, 1933.

X. GERARD DE NERVAL: L. Cellier, *Gérard de Nerval*, Hatier, 1956; F. Constans, «Artemis ou les Fleurs du désespoir. Étude sur les sources et la portée d'un sonnet de Gerard de Nerval,» *R.L.C.*, 1934; J. Gaulmier, *Gérard de Nerval et «Les Filles du feu»*, Nizet, 1956; P. Messiaen, *Gérard de Nerval*, Morainville, 1945; S. A. Rhodes, *Gérard de Nerval*, New York: Philosophical Library, 1951; J. Richer, *Gérard de Nerval et les doctrines ésotériques*, Ed. du Griffon d'or, 1947; J. L. Vaudoyer, *Vie et mort de Gérard de Nerval*, Les Oeuvres libres (N.S. 106), 1955.

XI. BAUDELAIRE: J. B. Barrère, «Chemins, échos et images dans l'*Invitation au voyage*,» *R.L.C.*, 1957; G. Blin, *Baudelaire*, Gallimard, 1940; Ch. Cestre, «Poe et Baudelaire,» *Revue Anglo-americaine*, 1934; J. Charpentier, *Baudelaire*, Tallandier, 1937; J. Crépet & G. Blin, *Les Fleurs du mal, édition critique*, Corti, 1942; E. Drougard, «En marge de Baudelaire. *Le Voyage* et ses sources,» *R.H.L.*, 1932;

A. Ferran, *L'Esthétique de Baudelaire*, Hachette, 1933; A. Feuillerat, *Baudelaire et la belle aux cheveux d'or*, New Haven: Yale University Press, 1941; —, *Baudelaire et sa mère*, Montreal: *Variétés*, 1944; Ch. Herisson, «Le Voyage de Baudelaire dans l'Inde. Histoire d'une légende,» *Mercure de France*, 1956; J. Hubert, *L'Esthétique des «Fleurs du mal,»* Geneva: Cailler, 1953; Y. Le Dantec, «La Poëtique des *Fleurs du mal,» Revue des sciences humaines*, 1958; H. Lemaître, *Ch. Baudelaire. Petits poèmes en prose (Le Spleen de Paris). Introduction, notes, bibliographie et choix de variantes*, Garnier, 1958; C. Mauclair, *Le Génie de Baudelaire, poète, penseur et esthéticien*, Ed. de la Nouvelle Revue critique, 1934; P. Moreau, «En Marge du *Spleen de Paris,» R.H.L.*, 1959. J. Mouquet, «Baudelaire, le Constance et l'Invitation au voyage,» *Mercure de France*, 1934; H. Peyre, *Connaissance de Baudelaire*, Corti, 1951; Cl. Pichois, «sur le prétendu voyage de Baudelaire aux Indes,» *R.H.L.*, 1957; J. Pommier, *La Mystique de Baudelaire*, Blanchard, 1932; J. Prévost, *Baudelaire, essai sur l'inspiration et la création poétiques*, Mercure de France, 1943; M. Ruff, *L'Esprit du mal et l'esthétique baudelairienne*, Colin, 1955; —, *Baudelaire, l'homme et l'œuvre*, Hatier-Boivin, 1957; J. P. Sartre, *Baudelaire*, Gallimard, 1947; E. M. Schenck & M. Gilman, «Le *Voyage* et l'*Albatros,» Romanic Review*, 1938; E. Starkie, *Baudelaire*, London: Faber & Faber, 1957; M. Turnell, *Baudelaire, a study of his poetry*, Norfolk, Conn: New Directions, 1954.

XII. HEREDIA: H. Clouard, «J. M. de Heredia,» *La Revue française*, 1958.

XIII. VERLAINE: A. Adam, *Verlaine, l'homme et l'œuvre*, Hatier, 1953; J. Bornecque, *Les poèmes saturniens de Verlaine*, Nizet, 1952; F. Carco, *Verlaine*, Nouvelle Revue critique, 1944; A. Fongaro, «Sources des *Fêtes galantes,» Studi francesi*, 1958; L. Hanson, *Verlaine: fool of God*, New York: Random House, 1957; O. Nadad, «L'Impressionnisme verlainien,» *Mercure de France*, 1952; P. Martino, *Verlaine*, Boivin, 1944; P. Mathieu, «Essai sur la métrique de Verlaine,» *R.H.L.*, 1932; H. Mondor, *L'Amitié de Verlaine et de Mallarmé*, N.R.F., 1940; L. Morice, *Verlaine, le drame religieux*, Beauchesne, 1946; A. Saffrey & H. de Bouillane de Lacoste, «Verlaine et les *Romances sans paroles,» Mercure de France*, 1956.

XIV. MALLARMÉ: D. A. K. Aish, *La Métaphore dans l'œuvre de S. Mallarmé*, Droz, 1938; P. Beausire, *Essai sur la poésie et la poétique de Mallarmé*, Lausanne: Roth, 1942; S. Bernard, *Mallarmé et la musique*, Nizet, 1959; Ch. Chassé, *Lueurs sur Mallarmé*, Nouvelle Revue critique, 1947; —, Les Thèmes de la stérilité et de la virginité chez Mallarmé, *Revue des sciences humaines*, 1953; —, *Les Clés de Mallarmé*, Aubier, 1954; A. R. Chisholm, *Mallarmé's «L'Après-midi d'un faune»*, an exegetical and critical study, Cambridge, England: Cambridge University Press, 1959; R. G. Cohn, *L'Œuvre de Mallarmé. Un coup de dés*, Les Lettres, 1951; H. Cooperman, *The*

Aesthetics of Mallarmé, New York: Koffern, 1933; G. Davies, *Les Tombeaux de Mallarmé*, Corti, 1950; —, *Mallarmé et le drame solaire*, Corti, 1959; —, *Vers une explication rationnelle du «Coup de dés»*, Corti, 1953; G. Delfel, *L'Esthétique de Mallarmé*, Flammarion, 1951; W. Fowlie, *Mallarmé*, Chicago: University of Chicago Press, 1953; R. Goffin, *Mallarmé vivant*, Nizet, 1956; H. Mondor, *Histoire d'un faune*, Gallimard, 1948; —, *Vie de Mallarmé*, Gallimard, 1946; —, *Mallarmé; Propos sur la poésie*, Monaco: Ed. du Rocher, 1946; E. Noulet, *Dix poèmes de S. Mallarmé*, Geneva: Droz, 1948; J. Pommier, «Le *Tombeau d'Edgar Poe* de Mallarmé,» *Mercure de France*, 1958; Cl. Roulet, *Éléments de poétique mallarméenne*, Neuchâtel: Ed. du Griffon, 1948; J. Schérer, *L'Expression littéraire dans l'œvre de Mallarmé*, Geneva: Droz, 1947.

XV. RIMBAUD: P. Arnoult, *Rimbaud*, A. Michel, 1955; H. Bouillane de Lacoste & P. Izambard, «Recherches sur les sources du *Bateau ivre* . . . ,» *Mercure de France*, 1935; A. Breton, *Flagrant délit, Rimbaud devant la conjuration de l'imposture et du truquage*, Thésée, 1949; C. Chadwick, «Le Sens du *Bateau ivre*,» *R.H.L.*, 1958 (see Mme S. Bernard's reply in *R.H.L.*, 1959); R. Etiemble, «Le Sonnet des *Voyelles*,» *R.L.C.*, 1939; —, *Le Mythe de Rimbaud*, 2 v., Gallimard, 1952–1954; A. Fontaine, *Le Génie de Rimbaud*, Delagrave, 1934; W. Fowlie, *Rimbaud*, New York: New Directions, 1946; —, *Rimbaud's "Illuminations,"* New York: Grove, 1953; J. Gengoux, *La Pensée poétique de Rimbaud*, Nizet, 1950; —, *La Symbolique de Rimbaud*, La Colombe, 1947; C. A. Hackett, *Le Lyrisme de Rimbaud*, Nizet & Bastard, 1938; —, *Rimbaud*, New York: Hillary House, 1957; H. Héraut, «Du nouveau sur Rimbaud,» *Nouvelle Revue Française*, 1934; G. Izambard, *Rimbaud tel que je l'ai connu*, Mercure de France, 1946; H. Jacoubet, «Le Sonnet des *Voyelles*,» *La Muse française*, 1935; M. Mespoulet, «Préludes américains à l'alchimie du verbe: des *Natchez* au *Bateau ivre*,» *R.L.C.*, 1933; H. Mondor, *Rimbaud, ou le génie impatient*, Gallimard, 1955; E. Noulet, *Le Premier Visage de Rimbaud*, Bruxelles: Palais des Académies, 1953; R. de Renéville, *Rimbaud le voyant*, La Colombe, 1947; L. Sausy, «Du nouveau sur Rimbaud. Le texte exact des *Voyelles*,» *Nouvelles littéraires*, Sept. 2, 1933; E. Starkie, *Arthur Rimbaud*, New York: New Directions, 1962; B. Weinberg, *"Le Bateau ivre*, or the Limits of Symbolism," *Pub. Mod. Lang. Assoc.*, 1957; M. D. Zabel, "Rimbaud: Life and Legend," *Partisan Review*, 1940.